▲ 刘心武在联合国（1987 年）

丹麦小人鱼前（1992 年）▼

名家走世界

用心去游

刘心武 ◎ 著

名家走世界

彩色版

刘心武 **最新**
海外访游录

记录海外"弘红"历程
展现真切心灵感悟

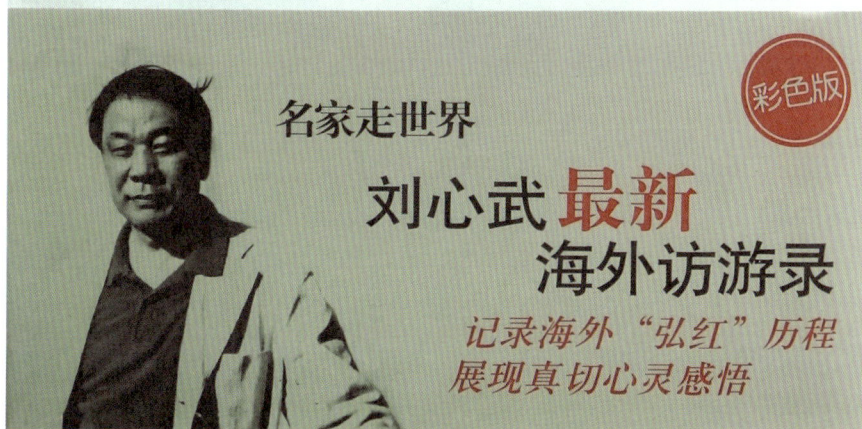

▲《用心去游》（2007 年）封面

▲ 刘心武的几种海外游记

刘心武文存35

[1958—2010]

海外游记卷

用心去游

刘心武◎著

江苏人民出版社

图书在版编目(CIP)数据

用心去游／刘心武著. — 南京：江苏人民出版社，
2012.11

(刘心武文存；35. 海外游记卷)
ISBN 978-7-214-08508-5

Ⅰ.①用 … Ⅱ.①刘… Ⅲ.①游记-作品集-中国-
当代 Ⅳ.①I267.4

中国版本图书馆CIP数据核字(2012)第152285号

书　　　名	用心去游
著　　　者	刘心武
责 任 编 辑	刘　焱
统 筹 编 辑	李　丹
特 约 编 辑	朱　鸿
文 字 校 对	陈晓丹　郭慧红
装 帧 设 计	门乃婷工作室
出 版 发 行	凤凰出版传媒股份有限公司
	江苏人民出版社
出版社地址	南京湖南路1号A楼　邮编：210009
出版社网址	http://www.book-wind.com
经　　　销	凤凰出版传媒股份有限公司
印　　　刷	三河市金元印装有限公司
开　　　本	700毫米×1000毫米　1/16
印　　　张	28.25
字　　　数	384千字
彩　　　插	4
版　　　次	2012年11月第1版　2012年11月第1次印刷
标 准 书 号	ISBN 978-7-214-08508-5
定　　　价	70.00元

(江苏人民出版社图书凡印装错误可向本社调换)

《刘心武文存》出版说明

　　《刘心武文存》收录刘心武自1958年16岁至2010年68岁公开发表的文字约900万字。《文存》共40卷，按文章门类收录，计有长篇小说5卷、中篇小说4卷、短篇小说5卷、小小说1卷、儿童文学1卷、建筑评论2卷、《红楼梦》研究4卷、散文随笔11卷、杂文1卷、海外游记1卷、多品种（图文交融文本、报告文学、诗歌、剧本、足球评论、译述）1卷、创作谈1卷、理论批评1卷、早期（1958年至1976年）作品1卷、自述1卷。因跨越时间达半个世纪以上，收录定有遗漏，但其此期间的主要作品，相信均已收入。

　　《刘心武文存》各卷均附有《刘心武文学活动大事记》及《刘心武著作书目》，可备检索。

　　编辑出版《刘心武文存》的目的，意在供各方面人士阅读欣赏、分析研究、批评批判、收藏保存。

刘心武文存

35

目录

A

澳大利亚

方要中轴圆要心

"你怎么总在一个大公园里拍照啊？"翻看我在悉尼拍的风光照，亲友都不禁这样问我。之所以会有这样的印象，是因为许多照片上，都出现着高耸的悉尼电视塔。悉尼与北美许多城市一样，市中心区密集着些摩天高楼，白天人们聚集到这些"蜂巢"里办事，傍晚又纷纷开私家车或搭乘公交火车和巴士回到卫星城那些平面化的居民区去休憩；就这一点而言，悉尼的城市个性不怎么突出。悉尼别名"港湾之城"，它的主体部分建造在珊瑚分枝般复杂的海湾岸台上，整个市区的布局以杰克逊湾南岸为圆心，放射性地朝四周发展，它的电视塔，恰建造在了圆心地带，这座已经快三十五岁的高塔约有 305 米，很长时间里都是全澳和南半球最高的建筑物，周遭相继建造的摩天大厦都避免对它形成遮蔽，它的造型不是那种世界各处习见的尖锥套圆球的样式，而是以颀长的金属管直插蓝天，顶端是望去玲珑轻盈的金色陀螺形结构，实际是坚固的九层房厅，其中有两层是旋转餐厅，两层是观览大厅，这九层房厅以 56 根钢缆与地面连接拉紧，蔚为壮观，使得悉尼城的天际轮廓线获得了自己的独特性。悉尼电视塔的选址尤其值得称道，这种在圆心里建造高层地标，使人们在城市里活动时，无论在围绕圆心的哪种长度的半径上回望，都能有"塔影总在蓝天际"

▶**图1** 澳大利亚·悉尼大铁桥 2002 年

的视觉快感，加上整个城区绿化程度很高，可谓"花木总在身左右"，因此像我这样的游客尽管是变换了许多其实离得很远的方位拍照，近景各不相同，但大背景上总还有电视塔剪影，这就是让没去过那些地方的亲友看照片时，觉得我总在一个大公园里转悠的原因。

世界上各处城市的布局，简单归纳，一种是圆形或接近圆形的，一种是方形或接近方形的，有些城市乍作鸟瞰会觉得布局很乱，但只要细加分析，也大都无非由一些圆形或方形的结构交错组合而成。大体而言，东方多方城，西方多圆城。成功的城市规划，布局上的窍门可以概括为"方要中轴圆要心"。方城的中轴性若不认真设计，就好比一个躯体没有坚实的脊梁骨，从审美上是丑陋的，从功能上是欠缺的；圆城的圆心若不刻意营造，则好比一个生命没有健康的心脏，从精神上是萎靡的，从风貌上是平庸的。

回到北京，越发感觉到这真是祖先留给我们的一座珍贵方城，中轴线的布局，目前保存得还基本完好，特别是天安门往北直到鼓楼、钟楼那一气呵成的华彩乐章，莫说身临其境，就是清夜月下倚枕默想，把那十二栏杆细细拍遍，也足够动魄销魂。悉尼那样的西方式圆城，作为一种异域风光，我置身其中时倒也兴致盎然，但归来翻照片回味，总觉得从轮廓线上未免一览无余，不如北京那平面布局、高潮渐起、适可而止的中轴线趣味蕴藉。可惜的是，在与世界接轨的热潮中，我们的一些方城在改造规划上，破坏了原来古典式的中轴线，盲目地在市中心修造高层洋式建筑，以为那样方能体现出现代化的国际气派，误把悉尼那样的西方圆形城市的从圆心放射性布局的模式生搬硬套过来，北京的古典中轴线虽然大致保存了下来，但在该中轴线的延长线上究竟该怎么布局？似乎还缺乏细致的、高层次的研讨。为适应汽车化的现代城市交通，北京这样的方城目前也已经开辟出了六条环城公路，环路自有其功能性，有修造的必要，但千万不能因为有这些环路，就懵懵懂懂地觉得北京也该变成悉尼那样的圆城了，似乎原有的古典中轴线已然"过时"，不能成其为"圆心"，于是生出"中心蹿笋"的心思。北京在城市改造规划上目前还坚持着严格限高的原则，相应的法规也越来越细密，但按环路向外逐环放宽高度限制的"游戏规则"是否真的合理？需知发展商是一定要在"游戏"中谋求"合规利益"最大化的，他们一定要把投资建造的楼房盖至允许的最高限度，更有硬是超标建造，待已是既成事实后，谋求罚款了事。这样下去，不要多久，北京会不会成为一个大盆？即外环路边是些越往外越高的建筑，原来的古典城区则成为陷落其中的"盆底"，并且不是一个和谐光润的"盆底"，因为其间还夹杂着若干也是能盖多高就蹿多高的"现代化大楼"。我真不愿见到这样的一个"圆盆形"北京出现。

令人切齿的"烤箱"

从环形码头乘渡船往曼尼海滩一游十分惬意，倚着船栏，迎着海风，可以饱览著名的悉尼歌剧院倩影，那地标选址真好，恰在珊瑚枝般的海湾的一个最抢眼的岬角尽头，与沟通南北城区的海湾大桥珠联璧合地构成了瑰奇的画卷，丹麦建筑师沃特森的设计不仅构思独特，在建筑物的体量上也精心控制，使其与周遭海域旷地比例上十分和谐，不仅从海船上看它是一道眼睛的冰激凌，就

▶**图2** 澳大利亚·悉尼歌剧院前　2002 年

是从诸多的陆上角度望它,也恍若仙女下凡,越看越美。

　　从曼尼海滩那边归来,落脚在环形码头,我还想一睹歌剧院芳容,陪游的朋友指指右边远处,说你仔细看吧,美人只剩一个辫梢能露出来啦,几年前还不这样,那时从这里能完整地欣赏其身姿呢,挡住它的那青灰色的楼房,许多人把它叫做"烤箱",自身蠢丑,还遮蔽美人,真可恨! 不仅破坏了这一处重要的望点,从另外一些地方望过去,原来能欣赏歌剧院剪影,现在也都让这"烤箱"给破了相! 后来我从几处地方体会到了这"烤箱"对美人的"烧烤"效应,也不禁切齿。

　　建"烤箱"的地盘,原是通向歌剧院的一片海滨绿地。如果把歌剧院比作美女头部,那么这片绿地就仿佛秀丽的脖颈,脖颈上至多可以装饰一条项链,怎么能让那个部位肿出一个黑疮来呢? 原来,是有外国开发商相中了那块地盘,认为在那里盖高档旅店加高档公寓,长远来说好比栽了棵摇钱树,于是向悉尼市政府开了个大价钱,申买那块宝地,据说经手的那一届悉尼市政府正财政吃紧,竟同意了,于是开发商便大兴土木,盖出来这么个灰不溜秋的大"烤箱"! 建造过程中,市民纷纷抗议,媒体尖刻批评,有的市民还组织了纠察线,试图阻止施工进程,议会上也出现了激烈的辩论,但生米已经下锅,开发商说我手续完备，怎么能不把粥煮熟？待生米熬成了熟粥后，除了开发商自己，几乎所有的澳大利亚人和外国游客都对那"烤箱"气愤不已，于是，社会舆论反映到议会里，就有了将那"烤箱"再加拆除的动议，这时开发商也同意拆，但他要求获得赔偿，而市政府算了一下，抛开所谓赔偿不说，那笔拆除的费用竟比盖楼的投资高出许多，谁来出这份钱？提出了让市民加税的方案，心上本有一刺，为除此刺竟另插一刺，谁干？如今那骂名远扬的"烤箱"还那么厚皮厚脸地戳在那里，开发商倒成了气性最大的人，说没想到旅店也没什么人爱住，公寓卖得也远不如设想，早知会惹一身骚，又何必当初？

　　这件发生在悉尼的事情，也值得其他国家、地区，尤其是正大兴土木的我们中国思考，从中汲取教训，引以为戒，以免接踵搬演。为了增加财政收入，什么地皮都敢卖，任由开发商去破坏原有的历史人文景观，这种行政举措，难道可以用"初衷良善，始料不及"来加以辩护吗？在城市的整体规划上，难道不应该有更高明的眼光和更严格的法规吗？对于市民的诉求、舆论的监督，难道总是当时排拒敷衍、酿成大错后才知后悔，而悔之已晚吗？开发商也都该扪心自问，为了谋求利益的最大化，就什么地皮都敢去"拿下"，而一旦"拿下"后，为了减少设计上的成本，就敢于选用"烤箱"式的浅陋鄙俗方案，不惜荼毒美人，甚至佛头着粪，你那社会公德心、历史责任感，难道就丁点不剩了吗？

　　我注意到，现在悉尼街头出售给旅游者的明信片、年历和城市风光画册，凡涉及那块被侵占的绿地的画面，无论近景、远景还是鸟瞰，一律都还使用着"烤箱"出现前的镜头，体现出一种对具有破坏性效应的丑陋事物坚决说"不"的人文精神。我相信，那座败坏悉尼风光的"烤箱"迟早会被拆除的，等着瞧吧！

墨尔本地标毁誉录

　　一提起澳大利亚，人们会马上想到那既像张开的贝壳又似鼓起的风帆的悉尼歌剧院，悉尼的这一地标可与印度泰姬陵、北京天坛祈年殿、伦敦大笨钟、巴黎铁塔等媲美，堪称地球人文景观中的顶尖级作品，对此，一位墨尔本人对我说："面对世界，我为悉尼歌剧院自豪；然而面对澳大利亚本身，我不服气！"
他的想法很有代表性，不少墨尔本人以为他们那座城市才是全澳大利亚最好的
地方，实际上有关国际组织每年评定最适合人居住的城市，墨尔本总在榜内，
2002 年的评选中更荣获冠军，墨尔本人认为"老子全澳第一"并非狂妄，他们
没强调"全球第一"倒体现出绅士般的谦逊。

墨尔本这座城市的主要构成部分，是一幢幢我们中国人习惯称之为别墅的
住宅，它们各具特色，掩映在树木花草之中，住在这些宅子里的大都是些中产
阶级人士，过着绝少奢侈讲究实惠的温馨生活；在墨尔本满处一转悠，清新的
空气，温润的气候，静谧的气氛，优雅的格调，加上布局合理的生活配套设施，
礼貌喜洁的社会风气，特别是绝少刑事犯罪的安全记录，常令旅游者不由得生
出"能在此安个家该有多好"的感慨。但是，墨尔本对于那些没能到澳大利亚
一游的外国人来说，出镜率不高，澳大利亚出镜率最高的是悉尼，中国的电视
节目里就总有悉尼歌剧院和海湾大桥的倩影频频出现，以至有人误以为悉尼是
澳大利亚首都，其实该国首都是堪培拉。悉尼虽然很不错，但墨尔本实在是更好，
一般人知悉而忽墨，只是因为墨尔本多少年来没能修建出悉尼歌剧院那样的地
标罢了。

简而言之，墨尔本人对悉尼的不服气，可以概括为："你悉尼不就仗着有那
么个地标吗？看吧，我们要造一个更让世人吃惊的地标出来！"

2002 年岁尾游墨尔本，买些当地明信片留念，那些城市景观的明信片拍摄
得十分讲究，却实在缺乏抢眼的效果，比如其市中心鸟瞰图，无非是一条河两
边，绿树中耸出些个高楼大厦，与美国、加拿大某些城市的图像非常雷同。陪
我游览的朋友对我说："我们这里的地标刚刚处在竣工前夕，所以还没有上明信
片，你不如马上过去看看，自己拍点照片。"我自然兴趣盎然，不曾想朋友却
长叹一口气，打预防针般地对我说："你可小心别被它吓晕了！"开车过去一路
上介绍说，这个新地标位于市中心雅拉河北岸，原是火车调度中心的地方，叫
做联邦广场，不是一座高层建筑，是一组不太高的建筑，花费高达 45 亿澳元，
历经数年才显露眉目，那整个形象，嘿，不少市民都对之摇头，说是怎么拿我
们纳税人那么多的钱，造出了几个巨大的垃圾桶！

我正惊异于朋友的诋毁，那联邦广场已显露在眼前。下车细观，心中就像猜谜般琢磨不定，在外面拍了些照片，想进去看看，里面尚未对公众开放，遇到了几位朋友的朋友，大家一起议论，他们竟激烈地争论起来，毁之者简直是恨之入骨，誉之者却爱之如饴，一位自称是"老墨尔本"的先生肯定地说："悉尼歌剧院将臣服于墨尔本的联邦广场！"

这联邦广场的几栋建筑，绝不规则地散布于河边旷地，有的互相勾连，有的金鸡独立，造型故意东倒西歪，色彩刻意暗淡诡谲，无常规的门窗可言，大体而言，分两种外部立面处理手段，一种恍若是些乱扔一处的枯树枝桠，其间或任其成孔成洞，或镶嵌些灰绿的玻璃与麻褐的石料；另一种则用些打好小圆孔的黑色钢板有一搭没一搭地加以围裹。建筑物之间的旷地，竟不怎么留裸土，用些也是色彩暗淡绝不规整的石料满铺满敷。毁之者指着怨：是不是大型垃圾桶？誉之者却说：活用了原住民艺术里的元素，使用了最先进的技术手段，对建筑中门窗的概念实行了一场地地道道的革命，气流自然贯通穿梭于建筑物里，体现出了澳大利亚多元文化混成的独特风格，对后现代主义也构成了挑战，是绝对的创新！

离开墨尔本以后，那将启用为公众商贸文化中心的联邦广场的怪异形象，在我心纸上仿佛一滴正在洇开的浓墨，它洇染出的是美丽的墨菊吗？它能成为墨城乃至澳大利亚的新地标吗？我实在不能肯定，唯有默默地祈祝。

免费缆车

朋友 L 君在悉尼唐人街开了间卖音像制品的商店，生意挺红火，那天下午他撂下生意，兴致勃勃地开车带我去海滨钓鱼，到了著名的邦奇海滩的一处崖礁上，还没安排好渔具，忽然他女婿打来电话，他听后立刻心神不安，对着手机训斥起那边来，说完电话他问我能不能自己先钓一阵鱼，他先开车回店处理紧急事务，完了事再来找我，我说自己一个人可不敢待在这么个陌生的地方，宁愿跟他先回城里，他想了想也是，就开车带我返回了，一路上他直跟我道歉，并告诉我遇到了什么事情，我也听不懂那么些个细节，只约略地懂得，是他女婿售货时粗心弄错了一张五百元发票，如不及早补救，会形成一次偷税，那可不行！我心算了一下，五百元澳币不过合两千三四百元人民币，能牵扯到多大的税额，怎么就如此紧张起来？

晚上，L君请我吃泰国餐，这才跟我细道心思。他说，原来在国内开店，完税的意识比较淡薄，那税额在经营成本里的比例，也实在不大，那时搭在成本里的最大付出，说好听了是招待费，说难听了就是贿赂费，许多合法的事，竟也形成了大家都用宴请送礼甚至灰工资、暗回扣等手段去将其搞定的风俗，定居澳大利亚以后，发现这边几乎完全不用去跟各个部门拉关系，做生意只要严格按规定纳税就行了，事情变得简单明了，省去了许多时间精力，成本也因无须将贿赂或招待费用计入而大大降低，只要把自己在市场中的角色定位准确，选项好，诚信度高，生意就可以安全平稳以至步步攀升地做上去。不过，这边的税收制度可谓"煞富安贫"，他特别强调是"煞"而不是"杀"，就是你赚得越多，缴税就一定要多，到了你赚到相当的程度，那税额可能会达到收益的一半以上，弄得你很难再往上富有，因此这里特别富的人很少，政府用税金来建立社会保障系统，也不让人特别地贫穷，失业者目前每月都可领到八百澳元的生活费，约合三千多人民币，过日子完全够了，因此也就没什么穷人，社会上绝大多数是中产阶级，他家目前也算一个细胞，生意之余无聊饭局拉扯关系之类的事情少了，于是他常抽空去海边钓鱼，竟已上瘾。但纳税这个事可不是闹着玩的，该交的一定要交，并且要按规定时间交，这里头一丁点马虎都不能有，更别说故意地耍花招，若有哪怕是小小的闪失，受罚事小，记录在案，算是有了案底前科，以后不仅再难贷款，人们也就不再乐意跟你做生意，所以今天唯有及时把漏子处理妥帖，此刻才有跟你把酒倾诉的雅兴……

几天后，L君陪我游动物园，到了缆车站，我想不能总让人家花钱请我，也该主动花些小钱才是，但找不到售票窗口，四处张望后只好去问负责把游客送上缆车的女服务员，她不解："你不是买过票了吗？"原来，进动物园只需买门票，进入后包括来回乘坐缆车、看海豚表演等所有观览项目一律免费，于是我愉快地和L君坐上缆车。缆车滑动中，朝下方可以看到许多种动物，朝前方可以远眺海峡那边的悉尼歌剧院，但因为是小雨天气，四处几乎看不到游人踪影，几十台往返滑行的缆车里，除了我们似乎只有寥寥几台里有人，我不禁说："今天这动物园可赔惨了啊！" L君告诉我，这动物园本不以赢利为目的，它的亏损，自有政府拿税金补贴，凡公众共享空间，多半是由税金建造与维持的。

在动物园里逛完一圈，我们到咖啡厅里喝热可可，闲聊时又提到税收的事。L君说，他在国内时不仅自己纳税意识不强，对有关部门把税金都用到了何处也极少追问。到了澳大利亚才懂得，纳税人对税金究竟是怎么用的，用得妥当不妥当，应该经常地过问，参与意见，提供建议。纳税与用税，在一个社会里应该形成良性互动。他告诉我，前些年悉尼唐人街比较脏乱差，其中一个重要原因，是中餐馆密集，中餐制作少不了武火颠锅用大量食油炒菜，油烟特别旺，厨房排出的污水里油垢也特别黏稠，不仅华裔爱吃家乡菜，包括欧裔在内的其他当地居民也都爱到唐人街吃中餐，你总不能限制这里中餐馆的发展，改变中餐的烹调方式吧，于是，最后由市政府拿税金，彻底改造了唐人街那原来只适应容纳西餐烹调废弃物的地下排污系统，把中餐馆油烟机原来朝向天空的喷口也引入到了地下排污管道，这样一来，唐人街那种特殊的油烟泔水气息消失了，连带着其他方面的面貌也大大改观。改造后还有个插曲，在街心原来做了一个有太极图案的井盖，设计者原是好意，以为华裔会喜欢，没想到一些人提出抗议，认为这一图案放在地面任行人踩踏，是不尊重中华文化符号，结果当局又拿税金将其改造为另外的图案，纳税人才转嗔为喜。

跟L君一起走出动物园时，我回望那些尽管空空荡荡却还在照常运行的免费缆车，觉得它们似乎在意味深长地跟我眨眼道别。

蓝色铃铛

飞机就要降落悉尼国际机场，大家开始填写入境卡，我见上面有一问是鞋底有没有土，觉得有点奇怪，哪位旅客的鞋底会是毫无尘土的呢？我左边一位中年男士跟我说，那一串问题，你就都填没有就是啦，何必自己给自己找麻烦呢？我右边一位小伙子则跟我说，还是要如实申报，澳大利亚海关对入境者的诚信度，比美国等海关更重视，我们既然觉得自己鞋底有土，那就申报吧；他还举了一个例子，就是他的一个哥儿们，已经有了澳大利亚绿卡，去年从国内返澳，身上带的澳元超过了五千，按澳国海关规定，带超过这个数目的澳元入境必须申报，但那哥儿们觉得麻烦，就没申报，结果不知怎么被查问了出来，最后竟弄得给取消了绿卡；其实海关只是要携币过五千者申报而已，带进去并不犯法，更不会没收，往往也并不点验，人家只是要记录在案，加以统计，大概是为了细密掌握其货币的流通量吧；那哥儿们事后怎么也想不通，苦苦哀求移民局，但人家的回答是，诚实是成为新移民的绝对前提。听了小伙子一席话，我就在"鞋底有否土"和"是否携带了含有动物和植物成分的药品"两项后面都作了肯定性标记。

进关验护照签证时，我主动把鞋底抬起来请验证女士看，她微笑点头，说了声"没关系"，很快给我盖章放行。后来我弄清楚，所谓鞋上有土，是特指从某些特殊地区到来，鞋上严重粘携了野土或农土，澳大利亚严防有碍于其固有生态环境的生物或含有生物成分的载体入境，但对我把一般城市尘土也加申报，人家也不见怪，反而多了几分对我诚实的尊敬。到了出口前，我主动走向红色通道，到了行李检查台前，我想从提包里把所带的速效救心丸取出给他们看并加以解释，海关职员只问了句："药？自己（用）？"我答是，也就微笑摆手让我出闸，还说了句"欢迎来澳大利亚"，让我心里挺舒服。尽管我什么也不申报大摇大摆走绿色通道也能过关，但我丝毫不为自己"谨小慎微"的诚实申报后悔。

十二月的澳大利亚，开始进入盛夏，北京是草木凋零、寒流阵阵，悉尼却是绿树成荫、熏风劲吹，许多春花虽然谢了，一些花期长的植物还在烂漫开花，更有不少四季都开花的植物点缀各处，不过，像"姹紫嫣红"这样的形容词，似乎很难用来描述悉尼的花卉色彩。我注意到，悉尼栽种得最多的草本植物，是能从条形叶丛里挺出一米多高的花柱，顶端绽开绣球般形态的蓝色花，问了好多朋友，这花叫什么名字？或者说不晓得，或者只能说出一长串英文名称，而无法意译为中文；但这实在是悉尼最常见的草花，街边、公园、宅前、滩头，到处开放，仿佛给这座城市绣出了一张蓝色的网络。另外，特别让我眼睛一亮的，是一种树木，从那羽状叶片上看，很像合欢，但它开出来的却不是我在北京看惯了的那种金红色的马缨花，而是比蔚蓝浓重、比深蓝明快的那么一种穗状花，盛开时满树看不出叶子，蓝盈盈的全是花，非常壮观。这种花我问出了名字，英文两个单词，译出来就是蓝色铃铛，或者可以就简称它蓝铃树吧，它的花色好别致啊！

澳大利亚的圣诞节景象让我觉得有些怪异，以往在西方国家也都赶上过圣诞节，圣诞老人的装扮与雪花纷飞的季节非常协调，扮演圣诞老人该是件非常惬意的事，可是这里的圣诞老人按规矩也必须裹上大红冬装戴上软尖冬帽，所置身的环境却是盛夏气候，围着圣诞老人讨糖果礼品的女孩子们只穿着薄薄的连衣裙，男孩有的干脆光着上身，你说扮演起来苦不苦！我还注意到，澳大利亚各处的大小圣诞树上所悬挂的装饰物品，多以蓝色为主，比如大铃铛，也是蔚蓝色的。这是不是因为蓝是冷色，可以多少化解炎夏带来的燥热呢？后来与一位白人珊德娜女士攀谈，她告诉我，澳大利亚人喜欢蓝色，因为蓝色是诚实色，在人类的优秀品质里，诚实应该排在第一位，诚实令每个人自己能睡安稳觉，做任何事时都能克服困难，自信心十足地去获取受之无愧的利益，而人际间也只有诚实才能建立起彼此的信任与合作，诚实可以避免世界破碎、人类遭劫……

各民族自有其爱好的色彩，每个人更有选择自爱色的权利，倒不一定都得去喜欢蓝色，或者都去跟珊德娜那样的解释认同，但珊德娜的颂蓝之词，毕竟令人心动。在悉尼，有一天我在朋友庭院的蓝色铃铛树下，静静地坐了好久，到后来，闭眼冥想中，只觉得树枝上那无数的蓝色铃铛，嘤嘤地把其鸣声送进了我的心窝……

真的，它很害羞

雨中的塔蓉加动物园游人稀少，打着伞在雨中观看动物于我和陪游的朋友都是新的人生经验。悉尼周边有好几个动物园，塔蓉加动物园是离市中心最近的一个，位于杰克逊湾北岸一处岬角，与南岸的悉尼歌剧院遥遥相望。到澳大利亚，有几种动物不能不看，该国国徽上的袋鼠和鸸鹋固然必须要看，更令我神往的则是树袋熊、袋熊与鸭嘴兽，而鸭嘴兽是最最想一睹真容的。

袋鼠是最容易看到的，品种也较多，大型的直立起来可与成人比高，小型的蹲伏着跟兔子般大。鸸鹋也不少，体型都比较大。许多袋鼠和鸸鹋的展示方式令我惊奇，就是它们的居住区与贯穿其中的游人路径之间，并没有栅栏铁网，只以一些枯树枝干很随意地摆放着以作隔离标志，我纳闷：它们会不会跑出来呢？朋友告诉我，会的，这样的隔离的用意，是告诉游人绝不可以迈入禁区，但袋鼠和鸸鹋却可以在它们高兴时跳出枯树枝干随意活动，那时游人则可以有限度地亲近它们，但必须保证不致引起它们的恐慌与不快。这管理方式真奇特。依我想来，那隔离物对人而言只能防君子焉能防小人，有游人偏要迈进去可怎么处理？特别是出现"罪不罚众"的情况；再说，袋鼠鸸鹋自动跑出来后，游人又怎么把握"有限度亲近"的尺度，乱喂或伤害了动物怎么办？动物伤了人又怎么办？但朋友告诉我，这样的隔离方式，是基于"人道原则"，我听来听去，其实是"兽道原则"嘛，就是一切以这些动物觉得自由舒服为前提，人绝不能骚扰动物，这一原则已在澳大利亚民众中形成共识，他们的行为又影响着外国

▶ 图 3　澳大利亚·树袋熊
2002 年

游客，因此这样处理了多年，并没有发生过几起游人跨入禁区和动物与人之间发生伤害事故的情况。当然，整个动物园对不同的动物，包括袋鼠与鸸鹋里的某些性情凶猛的品种，还是分别情况给予不同安置的，有的还是以双方都不能跨越的栅栏围墙濠沟钢玻璃隔离开的。

虽然从图片上早已熟悉其芳容，但见到真的树袋熊（音译称考拉）时我还是非常激动。这动物园里有几处展示着树袋熊，其中一处有专人值班，游人可以走到树袋熊身边在值班人员指导下近观抚摩它们并与之合影。可惜我去亲近时它们都蜷伏在桉树上睡觉，一动不动，似乎是毛绒制成的玩偶。它们这样酣睡，是因为雨天寂寥吗？看了挂着的说明，知道它们四季都是这样的习性，一天二十四小时里，总要睡上二十二个小时，只起来活动两小时，并且多在晚上；它们之所以这样贪睡，是因为所吃的那几种桉树叶里，含有大量的催眠成分。后来又看到了体型比考拉大许多的、常在地上趴伏的、胖嘟嘟的袋熊，只可惜这些有袋类动物当时都没有小宝宝在它们腹部的袋子中。

我把在此动物园里观览的高潮设定为与鸭嘴兽面对面。这种动物不仅只在澳大利亚有，全澳也只有南澳大陆的少部分水域和塔斯马尼亚岛上才有，如今野生的数量已极其有限，它长着鸭喙那样的阔嘴，脚趾间有蹼，会下蛋，却又满身披毛，虽无乳房，孵出的小兽又需舔食其腹部分泌出的乳汁成长，它的发现在动物学和进化论研究方面具有特殊意义。我们在一处开放式池塘边静候了约半小时，杳无踪影，又到另一处建造成山洞模样的阴暗室内，那里面有一个巨大的可以从两面观察的弱光照水箱，箱里布置着适合鸭嘴兽居住活动的当中是空洞与卵石的枯树断干，以及许多的水生植物；来回来去地从两面仔细观察，就是发现不了鸭嘴兽的身影，急得不行啊，那时还有一位从美国来的年轻游客，他那急于在鸭嘴兽故乡一睹其真面目的心情跟我一样，可谓望穿秋水！我忍不住想用手指关节击打那玻璃箱外壁，这时朋友和那美国青年都朝我摆手，让我看墙上的图片和说明。细细一看，图片有鸭嘴兽从水中伸出上半身以蹼爪趴伏岸边的特写玉照，下面文字的大意是：它很害羞，请尊重它的性格。如果您在水中没有看到，那么它可能在水上部分。我拼命仰头朝水上部分望，所留出的可视部分竟非常有限，为什么不多留些空间？啊，再看另一张图片，是游动的鸭嘴兽全身照，下面文字的大意是：公兽体长约56公分，雌兽约48公分，它们真的很害羞……我明白了：虽然人类把它们从大自然里移到了这里，但它们的生存应该并不是为了让人类观赏，因此，这回没能看到它们，不是它们该求我原谅，而是我应该对它们说：对不起，害羞的朋友，打扰了……

我虽然没能看到鸭嘴兽真容，但这家动物园如此以动物为本的陈列原则，令我深深感动。朋友说是"很人性化"，这只有把动物和人平等对待才能理解。

厂房办公仓库安家

预定中午11点半去SBS电台录访谈节目，接我去的朋友11点到达我下榻的花园大厦，开车前往北悉尼的路上，他对我说："厂房快到了。"我吃了一惊："怎么，先要参观工厂么？那还来得及？"朋友笑了："你要去的不就是那厂房么？"车子不久就转进了一个厂房建筑的车库里，下车进入内部，我才恍然大悟，原来，SBS设在悉尼的电台所使用的空间，确实是利用一座宽阔深邃的旧厂房改造而成的。它利用原厂房的结构，前半部两厢造出二楼的大回廊，当中形成气势恢弘的天井，天井里布置成艺术展览厅，两壁悬挂着绘画与浮雕，当中是些圆雕和装置艺术，从二楼回廊下望，只觉得琳琅满目，美不胜收。其实二楼回廊墙上也悬挂着大大小小的造型艺术作品，一路欣赏过去，意识到这里的艺术品展示，是刻意突出多元的意蕴，原住民的艺术作品多有蟒蛇及各种其他动物的变形图像，还总会拍上许多大大小小的人手印，体现出他们认为自己跟那些生命一样都是大自然骄子的意识；欧陆移民后裔的作品则在现代主义或后现代主义的手法里，又强调出澳洲人的特殊装饰趣味，比如特别喜欢明快的蓝颜色；也有希腊、俄罗斯、土耳其、日本、韩国、马来西亚、菲律宾、印度尼西亚等移民的各具特点的作品，中国移民的书法、山水画扇面等作品也很抢眼。没想到节目没录，先享用了一顿艺术宴飨。

SBS是政府全额拨款的非营利宣传机构，它的任务就是弘扬澳大利亚作为一个移民国家种族、文化的多元性，求得各种族、文化间的亲好和谐。难怪他们那样布置其前堂天井与回廊，据介绍，他们这里展示的多元艺术作品不是永远固定，而是常常更换的，以期更能体现出澳大利亚多元文化并存、交融、提升的无限活力。

走到后半部分，那是利用原厂房改造成的办公室与播音间，迎见我的电台负责人先带我参观了一圈，他们这里播出的语种真多，我见到的标识就有西班牙语、波兰语、越南语等等，后来到了中文部，据介绍，现在每天下午都有两小时的普通话广播，收听的华裔公民和侨民很多。我很愉快地接受了他们电台记者的采访，录了约45分钟，他们说将剪辑成30分钟，过两天周末时播出。几天后我在墨尔本华厦中文传媒集团的电台又做了一期节目，巧的是，那家电台的办公室和播音间也是利用一个较小的厂房改造成的；那回是直播，且有热线电话打进来，我没想到来电竟接二连三应接不暇，其中有的恰是听过我在悉尼SBS电台所录节目的，热心听众不仅问及我个人的写作现状和国内文学动向，还问到我觉得澳大利亚有什么值得中国借鉴的地方。对此我立刻答曰：有的，比如合理地利用改造旧厂房。

目前中国各处地方都有若干工厂或因其位置在发展中的城市里已不适宜而搬迁，留下了掏空的厂房，这些厂房往往被视为赘物、废物，其地盘被有关部门出让了使用权后，获得地盘的开发商所做的第一件事就是将这些厂房拆毁，然后去盖些所谓能体现出现代化风貌的供"成功人士"享用的"尊贵邸宅"。这里面存在的问题很多。这些工厂原来属全民所有，搬迁或停产后，其土地使用权怎么能就成了有关部门的商品，可以卖给开发商，或与开发商联手经营用以发财，而这所发的财怎么就都属于他们这一小部分社会成员了呢？当然澳大利亚的情况与此有很大的不同，且不在土地归属问题上去进行讨论。澳大利亚的做法，前提是：城市里所有超过70年的旧建筑，一律视为文物，绝不允许随便拆除，但鼓励社会各种力量参与改造，使其仍能适宜当代生活，得到利用。我所去的两个电台，前者是政府用税金，后者是私人出资加以改造，都是外壳不能令其大变形，而里面允许将其营造为新的使用空间，据说对于一般澳大利亚人来说，这种外观保持住历史旧貌的厂房，与其他那些比如说维多利亚时代风格的市政厅、文艺复兴韵味的教堂一样，都能唤起一种审美愉悦感。

SBS 电台一位工作人员对我说，他在厂房上班，在仓库安家，乍一听，觉得他住得够差劲的，后来朋友开车路过了一栋那样的仓库，我才明白，那外表古旧的仓库，经改造为公寓后，是比我下榻的外表华美的新花园大厦还要贵上两档的高级住宅，而且住进那样的地方，是不少澳大利亚"布波族"所向往的。据说开发商为改造那样的仓库，投资比建新房大多了，技术上要求也极高，因为施工时只许掏空里面加以改造，外观一点不能动，还要深挖地下以形成停车场，只是因为许多澳大利亚人都具有"以旧为美"的"厚古薄今"心理，市场需求颇大，高投资高回收不成问题，所以有些开发商竟乐此不疲。

我当然不主张照搬澳大利亚人对废旧厂房和仓库的那些做法，但我们能不能至少也保留住一些那类的旧建筑，将其就便改造为展览馆、图书馆、购物中心、多功能会议厅、剧场、健身场所等公众共享空间呢？

A

奥地利

到维也纳去看白水屋

维也纳森林还没绣出浓绿，多瑙河尚未漾足蓝波，不忙去美泉宫看华宫喷泉，且慢去施特劳斯金色雕像前流连，急不可耐要去近观细赏的，是那奇诡曼妙的白水屋！

白水屋，是奥国著名建筑设计师 Hunderwasser(音译为洪德特瓦瑟，意译

▶ 图4　奥地利·维也纳·斯特劳斯雕像　2004年

即白水）的作品。坐落在维也纳市区东部一条离著名古迹颇远的小街上。白水
先生设计这座房屋是在上世纪 70 年代末，建成于 80 年代初。这座楼房与传统
的住宅楼相连属，有两个立面显露于外，它高处约有十层，低处只有三层，但
每层高度并不一致，窗户阳台不仅高低杂错，形状也各异，或高拱越层，或收
缩如眯起的醉眼，阳台有的与墙面平齐仿佛腼腆处女，有的却陡然突出如接雨
巨盘，墙面颜色似随意涂抹，多用极鲜艳的色块，凹凸相衔处的柱式怪模怪样，
有的竟如歪置支撑的保龄球，整座建筑绝少直线，望去竟是满眼各不相同的曲
线。此屋有五十个大小不一的公寓单元，十三座公共阳台，底部则有一家咖啡
馆一家餐馆。据说单元内部几乎没有一个空间是规则的，而且也不在一个平面
上。最奇特的是各层阳台与窗户内，几乎都有植物伸出蔓延，屋顶上更显露出
丛丛树木。其面向小街一侧有拱形门廊，可以隔着栅栏观看内庭景象，房屋的
内立面更具谐谑风格，令人拍案惊奇。楼侧的喷泉造型虽不那么古怪，但色彩
配置也够让人瞠目的。

　　白水屋产生的时期，旅美法国理论家德里达等提出的"后现代"理论风头

▶ 图5　奥地利·美泉宫　2004 年

正劲，"后现代"理论当时常常提出的实际例证，主要是欧、美的一些新建筑，认为其特质可以概括为"同一空间里不同时间的并置"。我去看白水屋之前，也以为会看到这样的一座建筑。但我看了白水屋以后，就得出了此屋与"后现代"宗旨两不相干的结论。"后现代"建筑是把历史上不同时期的设计元素，拼贴到一起，比如把科林多柱、潘迪翁圆顶、哥特式穹窿、巴洛克弧面、印度神庙像鼻门、日本神社大鸟居、中国亭子、巴黎铁塔、包豪斯线条、玻璃幕墙钛钢桁架等等杂凑为一个庞大的建筑群——美国就多有这样的购物中心，白水先生设计他的这座维也纳楼房时，却是几乎排斥掉了一切历史上我们习见的建筑元素，他完全从自己的童心出发，酣畅淋漓地挥洒出浓酽的童趣，这恰恰是"后现代"建筑所最缺乏的。白水屋看似拼贴，似乎在追求装饰趣味的极限，其实是胸有成竹后的一气呵成，装饰趣味只是外在的东西，内里所包蕴的，是白水先生所宣示的两个精神，一是"人应与自然共存"，一是"对不规范的容忍"。白水屋不仅让高树长在阳台，让藤蔓从墙面探入室内，体现出"房屋"与"植被"的亲和关系，而且那随心所欲的曲线、儿童画般色彩与奇想驰骋的空间切割，正体现着"内心的自然"。当各种理论纷至沓来，社会与人生被各种往往是多余甚至有害的规范束缚，公平、自主成为空谈时，白水屋通过以不规范的方式张扬美丽与快乐，祈盼理解与宽容，这一设计与建造的实践，其意义已经超出了审美与实用功能，正不断引发出我们深远的思索。

　　白水先生在维也纳的另一名作是施比特劳垃圾焚烧站，1992 年建成启用。这是一座功能性更加明确的市政建筑，按说这样的建筑只要能做到不难看也就行了，但白水先生却把它也设计成了一种童趣盎然的奇特形态。在色彩斑斓的楼体上，高耸出有一个"套罐"和一个"帽子顶"的塔体，我乍看到时以为那上面是旋转餐厅与眺望观览厅，其实，那是废气指标排放中心与控制中心。据说白水先生设计时正戴着一顶杂色毛线编结的小便帽，他兴之所至，随手就将那顶艳丽的小帽子画到了设计图上，现在人们在参观这座建筑时，常常就会指着惊叹："多像一个老顽童！"

　　并不是所有的人都欣赏白水先生的作品，他在欧洲另几处地方设计的建筑就没有维也纳的这两座建筑夺人眼目。就是维也纳的白水屋，也有人嗤之以鼻，认为不过是哗众取宠。白水先生已经仙去。他的设计由于风格化倾向过于强烈，即使你喜欢，也很难模仿，也不必在世界上加以普及。但到维也纳看白水屋后有一个想法总萦回在我的胸臆，那就是：希望中国的设计师们也能以童真的情怀，挥洒出胸中块垒，把功能性与想象力融为一体，给我们以奇趣，生出大欢喜来!

发现者的发现

想坐火车去维也纳旅行，到巴黎拉丁区一家火车票发售部去购票，那里是敞开式服务，旅客自己从自动发号机里扯下一张号码，坐到等候椅上休息，高悬的屏幕显示器上出现了你那号码，并指示你去几号售票员，你就可以过去买票了。售票员坐在台面那边，你坐在这边，你提出要求，售票员就从电脑上给你找票，这时候你还可以从台子上的糖罐里取糖果吃。售票员说有一种优惠票，是卖给发现者的，就是鼓励自助游的散客，去发现那些常被一般大拨轰的旅游团忽略的景观与细节。

我和专程到巴黎来陪我旅行的德国朋友福斯特，订了一套发现者优惠票，先从巴黎坐卧铺到维也纳，游完那里再到萨尔茨堡，又在德国慕尼黑下车观光，最后从慕尼黑坐卧铺回巴黎。

我的第一发现是那卧铺的三层床位，设计得跟中国的全然不同，中国第一层与第二层之间的距离，足可容纳旅客坐在下铺上休息，他们所留下的空间却绝对不容成人坐靠，当然那中铺可以放下来展拓空间，但若有买了中铺票的上车便躺下，那就谁也坐不成。福斯特告诉我，我们这发现者票指定坐这样的二等卧铺，相当于中国的硬卧，你看这二等卧铺也都是封闭成一间间的，我们欧洲人总是尽量地尊重隐私，中国的硬卧是完全开放式的，下铺与中铺的距离不妨碍坐靠，体现出家族式的亲和，但是我们欧洲人就觉得那样不能保证下铺旅客完全享用他的临时领地。原来不同的空间分割方式，反映出不同的文化心理。

　　我去车上卫生间，门上全是电子触钮，看不懂文字说明，试着按了一下亮绿光的圆圈，门先飘开十公分，停一下，再整个打开，我走进去门便自动关闭了，也是到离门框十公分的地方，停一下，再关拢。怎么从里面锁定，以免外面有人进来？触哪一个圆圈，我就能顺利地出去？竟都成为令我心慌意乱的问题。终于回到福斯特面前，如临大赦，福斯特说现在什么都用电子技术，他也觉得多余，像目前飞机厕所那样的机械推拉门，用起来不就挺好吗？

　　火车上的发现算不得什么。真正让我有发现感的见闻接踵而至。

　　在维也纳一条街上，有栋白色的小楼，外面院墙也是白色的，整个建筑摒弃了一切欧洲传统的建筑元素，但又不像后来包豪斯学派那样地追求简洁明快，它用多个立方体交错衔接构成，在单纯中又显示出深奥。这栋与周遭建筑别弹怪调的房子，是奥国哲学家维特根斯坦设计的，原是他的私宅，几度易主后，目前是保加利亚驻奥大使馆。可惜不能进去参观，那楼房里面的结构一定也充溢着哲学气息。

▶图 6　奥地利·萨尔茨堡·莫扎特故居　2004 年

在维也纳斯特凡大教堂附近小街的一家历史悠久的餐馆，点了著名的维也纳小牛排，端上来一看吓一跳，摊成薄饼状的热烘烘的牛排直径足有二十公分！我和福斯特胃口虽然都旺，却谁也吃不完。福斯特说这家店一切方面都尽量保持一百多年前的状态，忽然又问我可要方便，我说要，只是怕又遇上电子门，福斯特就向侍者打手势，侍者知道我的需求后就拿了一把有大圆铜坠头的钥匙给我，原来，这餐馆的厕所在门外的一个古典亭子里，在店里消费的顾客才有权持钥匙如厕，进去后发现一切保持着十九世纪的古旧而又典雅的风格，使用起来非常愉快。

在萨尔茨堡看完莫扎特故居，去米拉贝尔花园随喜，刚走过战斗者石像门雕，忽然眼前又出现了个雕像，怎么立在这么个位置？乍看浑身银灰色一动不动似新凿出来的，细观眼睛却在眨动，原来是活人装扮。福斯特递给他一枚硬币，他接过行古典挥帽礼。啊，又遇上了欧洲普遍存在的艺术乞讨。曾在巴黎卢浮宫外见到过浑身裹上金膜装扮成埃及雕像的，在罗马斗兽场外遭逢过扮成古代角斗士的，又在威尼斯水街前遇上过戴假面披大氅的戏剧人物。这种艺术乞讨似乎比地铁或街头的演奏者歌唱者更文明更波俏。

逛慕尼黑著名的以圣母教堂为中心的步行街，只觉得有三多：教堂多，人多，鲜花多。风格不同的教堂一个挨一个，都进去略作观览，有吃惊的发现：街上哪里都用不着排队，教堂里面却有人排队，排队静候的男女老少皆有，有的穿着还很时髦，他们是在耐心等候进入遮蔽的忏悔室向神甫忏悔。

回到街上，我让福斯特给巴黎的朋友打手机报平安，他说人家请咱们签名呢，我偏头一看是个摊档，旁边布置着宣传板，上头有漫画传单什么的，果然有摊主在请过路的人在他们摊开的呼吁书上签名，原来这是一群反对使用手机的志愿者，他们的漫画里最大的一幅画的是无处不在的电子辐射把各个年龄段的人的脑子都弄裂了。离开那些志愿者后，我接过开通的手机，对巴黎的朋友说："真的，这次有很多值得回味的发现……"

维也纳牛肉饼

我住处对面街上有两家涮肉店，一家东来顺，一家新开张的豆捞。东来顺是老字号，分店很多，一度那涮锅子都改换为小号的以固体燃料烧汤，一人一锅似乎更合乎卫生要求，但近来却又都恢复为烧炭的合涮大锅，锅体不是黄铜的就是景泰蓝的，古色古香。这种"复古"倾向到近年似乎达到高潮，有的顾客一进门就问："是炭烧锅吗？"如是酒精、固体燃料、燃气罐、电磁的，扭头就走，而店家多半早就在门外厅里大字宣示"古典炭烧"。人类在饮食文化方面的时尚变化，与发型、服装一样，大约都是三十年一轮回，复古往往等同创新。炭烧火锅最大的弊端是会产生一氧化碳，尤其是在无窗的包间里长时间用餐，尽管新一代的烧炭已经改进到无烟、低毒的水平，终究还是发生过中毒的个案，宜加小心。由此想到饺子，记得三十多年前，副食店宣布出售"机器饺子"，街坊们好兴奋啊，争先恐后地去购买不说，甚至还有围观那"饺子机"久久不愿离去的，以为那就是"现代化生活"的标志。到十几年前，人们生活普遍提高，口味也就挑剔起来，觉得"机器饺子"怎么着也"不够味儿"，尤其是封口处似乎总显得"单调"而有"硬结"，于是，到如今，连超市里的速冻饺子，也一再标识"完全手工"，"不是手工的不买"的顾客占绝大多数，"包饺子机"大概已经面临被彻底淘汰的命运。但这又丝毫不影响新的餐饮品类及新式餐厅雨后春笋般滋生。我住处对面的那家新开张的豆捞，有的街坊就望着霓虹灯发愣：什么玩意儿啊？敢情是从澳门传过来的一种涮锅，豆捞是"都捞"的口彩，意思是你那么一涮，就把福、禄、寿、喜呀，亲情、友情、爱情呀，运气、侥幸呀……一切你向往的东西，统统都捞起来啦！它的下锅货里，最有特色就是用鱼呀虾呀等海鲜制成的"肉滑"，用小勺往锅里氽，然后蘸粤式调料吃。食客们真是喜新而不厌旧，到豆捞尝新的很多，东来顺则照常爆棚。

这两家，我都请德国汉学家福斯特品过，我们相熟三十年了，交谈不来虚的，他坦言"都不怎么样"，说是希望能找到"祖传老店"吃那"江流石不转"的"原汁原味"。豆捞的"祖传老店"只好请他去澳门寻觅,东来顺呢,不待我开口,他先摇头:"王府井那家,没有按原样恢复,是个遗憾!"

于是想起跟福斯特结伴挎双肩包"自由行",在奥地利维也纳吃牛肉饼的情形。牛肉饼之于维也纳,犹如烤鸭之于北京,著名字号不止一家,我从旅游指南上查到,皇宫附近的菲格姆勒蜚声全球,福斯特却说不必到那里破费。我们先参观市中心著名的斯特凡大教堂,那座哥特式尖顶建筑已经有八百多岁,游客可以乘后嵌入的电梯抵达顶部"一览全城小",我跟福斯特说:"登山何必非极顶?我有恐高的毛病,你上去看吧,我在福音堂等你。"他笑:"你不是想吃牛肉饼吗?登高有助于增进你的胃口。"我说:"在北京,我吃一大张香河肉饼跟玩儿似的,门钉火烧我能一口气吃半打。"福斯特还是把我拉上了教堂顶部转悠一圈,更带着我弃电梯拾级而下。

感谢福斯特,我不但从制高点上观览到维也纳全城如绣的风光,当我坐到饼店餐桌旁等待时,胃口大张。但是,临到服务员端来那饼,我还是不禁"啊呀"了一声。我原以为是在盘子里有一张外面是面制包皮里面是牛肉馅的饼,完全出乎想象,端上来的是一个大木托子,上面是一个直径足有三十公分的红色纯肉饼!那饼比较薄,但非常密实筋道,乍看我不觉得它是牛肉做的,倒让我联想起北京的休闲食品果丹皮。用餐刀切下一块,用叉子送进嘴里,好香!从斯特凡大教堂出来后,福斯特带我曲曲折折绕到这家饼店,他说这是一家祖传老店,起码传了七代人,它的建筑几百年来只隔些时间进行一次维修,现在的桌椅餐具至少使用近百年了,最具特色的是它始终保持最原始的制饼法,其他饼店很早就实行了变革,比如配料上增添新东西,最后一道工序是淋上柠檬汁,而且如今的食客往往还要配色拉、汤品、甜点等,又都讲究减肥,牛肉饼的尺寸至多也就十公分,这家店却和几百年前刚开张一样,只供应纯肉饼和大杯自酿啤酒。

我吃了半张,吃不动了。福斯特问:"不好吃?"我说:"太好吃了。不过分量太大了。"福斯特建议我去一下洗手间,我说好像还不急,他笑说:"你一定要去。"他朝服务员招手,说明情况,服务员就递给我一把有大铜球坠子的钥匙,原来，那洗手间在餐馆门外，是一个锁住的古亭阁。我打开门进去，觉得仿佛迈入了一幅古画，里面有最早一代的抽水马桶。

餐饮文化里有历史，历史流变中不变的祖传老店，引发出我立新不必彻底破旧的温和情思。

B

比利时

滑铁卢裁纸刀

一位老朋友，半年前下岗后心情一直不好。我应邀访欧以前去看他。他屋里书桌上依然放置着刻有"永不言败"字样的座右铭，言谈间强作慷慨挥洒状。把我送出门时，我说："回国后再畅谈。"他苦笑道："那时不知道你还找不找得着我。"我心头一惊，却已来不及帮他调整心态。赴欧后我有时想起他来，隐隐地担心。他的性格属于刚硬而又内向的一类，此前的人生途程比较平稳，有志竟成的骄绩多，突降忽临的败事少。在转型急速的社会变动里，他若抱定"永不言败"的信条，恐怕会应验"峣峣者易缺"的老话。但我在海外转悠，新鲜印象纷至沓来，渐渐地也就暂把国内的人事搁放一边。

那一天，在比利时首都布鲁塞尔南郊滑铁卢镇，参观名叫狮子丘的名胜，那狮子丘是纪念 1815 年战役，英国威灵顿公爵指挥英国、普鲁士联军，击败了拿破仑率领的法国军队，彻底终结了拿破仑的政治生涯。此后拿破仑被放逐到比第一次流放更遥远的南大西洋的圣赫勒拿岛，并在那岛上悒悒而终。狮子丘旁有纪念馆，馆内绘有此次战役拿破仑惨败的环形壁画，作者为法国画家路易·杜墨兰。我问同游的法国朋友瓦尼克："你在这地方是不是多少有些不自在？"他耸耸肩膀反问："为什么？"我说："这杜墨兰也怪，这么投入地画本

▶**图 7** 比利时·布鲁塞尔 2000 年

国英雄失败的情景，他就没一点心理障碍？"瓦尼克说："人们应该而且必须能够接受失败的事实。在巴黎蜡人馆，有拿破仑被囚圣赫勒拿岛的场面，看着比这个更惊心动魄，回巴黎我带你去欣赏。"说着我们进入纪念品商店，只见到处是拿破仑的形象。有一种圆币头的铜制裁纸刀，那圆币一面是拿破仑戎装侧面像，还铸出他的名字。瓦尼克建议我买些拿破仑像的裁纸刀，回去送朋友。我说："在这地方应该买有威灵顿像的裁纸刀。"可是找了半天竟没有，其他形式的旅游纪念品，如 T 恤挂盘钥匙链什么的，也不见威灵顿而多半还是印着铸着拿破仑。胜利者的纪念地，到头来还是要用失败者的形象赚钱，这恐怕不能仅仅用"市场很犬儒，只选择知名度而不计胜败"来加以解释。

在巴黎，关于拿破仑的文物很多。有着镏金圆拱顶的伤残军人荣誉院里，拿破仑的大理石棺尤其令人过目难忘。一面铸着拿破仑像，一面铸着巴黎铁塔等标志性建筑的圆币头铜制裁纸刀，大批量生产出来，陈列在几乎每一家旅游纪念品商店和摊档上，持续地热卖着。书店里有无数关于拿破仑的旧书新著，而关于拿破仑的电影戏剧，累计下来数字惊人，其中不乏以批评嘲讽角度表现他的。后来瓦尼克果然带我去了蜡像馆，放逐中的拿破仑面对小窗外的茫茫大海，一脸的绝望。塑像者刻意用英雄末路的惨相来刺激参观者的神经。

英国的英中文化协会和伦敦大学亚非学院邀我去讲《红楼梦》。我去购买从巴黎穿过海底隧道直达伦敦的高速火车票，这才知道伦敦的那个终点站特意取名为滑铁卢站。这条隧道快线既是法、英两国合造，怎么到头来英方愣那么别有用心地给伦敦一头的车站取那么个名字？而更不可思议的是，法国人怎么到头来竟容忍了这一命名？我请教瓦尼克，他心平气和地说："那有什么关系？失败过就是失败过。要容许人家总提醒着你失败过。"我们深谈，达成共识：从不失败只是一个神话。只要你的人生里有过成功，失败就并不可怕。拿破仑做过不少错事，荒唐事，最后彻底失败，可是他并没自杀，如果不是有人毒杀了他，那就是病死的。他活过，奋斗过，做过好事，有意义的事，而且他原来很卑微，和最普通的人没有两样，甚至还差一些，比如说身高……他的一生昭示着我们：任何时候，任何情况下，都应该不放弃机会，不放弃努力，不放弃自己……

从巴黎回国时，我带上了若干裁纸刀。头一个要赠送的就是这篇文章开头提到的那位朋友，而且也要留给我自己一把。你说这是拿破仑裁纸刀吗？我却更愿意将它称为滑铁卢裁纸刀！

D

德　国

一篇小序的由来

1984 年 12 月 11 日，我在联邦德国（前西德）科隆访问了一天，这是我联邦德国之行中日程安排得最满的一天，除了参观举世闻名的科隆大教堂，浏览市容，我还赴"德国之声"接受了两个项目的采访、走访了两家出版社、拜访了一位著名的评论家。这里我想讲的是访问德得利 (Diederichs) 出版社的情况。这家出版社已有近九十年的历史。它是 1896 年在意大利佛罗伦萨成立的，后来迁回德国莱比锡，又迁到耶那，1947 年才迁至科隆。因为起家于意大利，所以至今出版社仍以意大利文艺复兴式的雄狮形象为徽记。它原来只出版经典性、学术性、资料性的社会科学著作，是一家以文化积累为己任的趣味比较高的出版社，但后来受社会风气推动，也出版少量的小说等文学读物。第二次世界大战前，它曾一度成为德国的四大出版社之一，但目前，它只是西德众多的中型出版社中较小的一家。当我登上出版社那栋其貌不扬的小楼，走过狭窄阴暗的甬道时，我眼里不时闪入楼壁上所悬挂的一些纪念性照片，耳内不时听到嘎吱嘎吱的楼板响，这家出版社悠久的历史和它现在所表现出的坚韧气概，立时给了我一个非常深刻的印象。一位身材修长的女编辑接待了我和陪同我访问的马汉茂 (Helmett　Martin) 教授。她那间工作室，面积大概不足十平方米，而且不

▶图8 德国科隆大教堂 2000 年

成形状，只有一侧有窗，窗外却是其他楼房的侧侧壁和坡顶，望不见多少天空。在马汉茂先生帮助下，我们一边喝着咖啡，一边无拘无束地交谈起来。

我首先坦率地说出了我的"第一印象"：这里非常雅致。这的确不是恭维。我已去过联邦德国的许多书店，几乎从门外的橱窗和旋转书架开始，就是一派花花绿绿的景象。进去以后，摆在最醒目的位置的，往往是消遣性的通俗小说，封面即使不直接呈现色情与暴力，也非妖即怪，要么便通体是甜腻腻的小市民气，给人一种俗艳的印象。而我们所到的这个德得利出版社编辑部，两面墙壁全是自上而下的书架，插满了书，工作台和另外的桌子上也全摊着他们已出版、待出版的书籍、版样，这些都传达出一种醇厚的文化气息和高雅的艺术趣味。

女编辑也坦率地向我们诉说了他们的困难与对策。他们现在出版社包括老板共有四个编辑，一年大约编发出版三十种新书。因为他们坚持只出严肃的著作，不出那种只赚钱却无价值的消遣性读物，因此他们财政上相当拮据。也曾有过这样的讨论："以俗养雅"不行么？即出一点准色情准暴力的畅销小说（尽量出的比别的出版社更"正经"一点、更"艺术"一点），赚了钱，再拿来印必然赔钱的有价值的著作。但他们最后的结论是：我们，不那样做。那么，现在他们如何维持呢？他们手里真还有两张"王牌"，这是上一辈给他们的遗产——《世界童话全集》和《世界宗教丛书》。这两套著作，至今在德国乃至于西欧仍享有盛誉，成为各类图书馆和各类知识分子乃至于各类自命风雅的藏书家的必备书。他们不断修订增补这两套书，销路始终稳定，这是他们出版社得以赢得薄利足以维持的根本因素。对于其他的书，他们可就全无把握了。他们每考虑一本书的出版，心情都很复杂：他们当然看重书稿的学术或艺术价值，但也要一再地估计它的销路和赔赚。"我们不能胡闹"，女编辑以十分郑重的口气对我们说："不要以为我们面对一部有不得了的学术或艺术价值的书稿，会忘乎所以地孤注一掷；我们绝不能赔得太多，我们不能自杀。"马汉茂教授随即对我补充解释说：现在德国有几家大出版公司，雄心勃勃地俯瞰着中小出版社，随时想把他们吞并掉，德得利是个"老字号"，早在它们觊觎之中，如一旦"胡闹"而破产，必沦为某大公司的子公司，它将被指定仍用原字号出书，但那时必然是"名存而实亡"了！

由此我们谈及了该出版社所出的有关中国文化的书籍。女编辑说，他们目前正考虑将有关的书逐步发展成为一套丛书，与《世界童话全集》和《世界宗教丛书》并列，形成支撑该出版社的三只鼎足。但眼下条件尚不成熟，主要是怕赔钱太多。所以他们暂时只搞了一小套关于《易经》的书，内中包括卫礼贤译解的《周易》两种和三种西方人研究《易经》的论文集。据她说联邦德国的《易经》热经久不衰，今天上午她还接到电话，有一个地方索购八千册，这是他们所出的书籍中少有的畅销现象。说着，她把最新出版的一册《易经》论文集拿给我看，封面上是三位西方研究者的照片，这样一些当代的西方人对我国三千年前《易经》有如此深入的钻研，令我感佩不已。不过，我总觉得联邦德国乃至整个西方的汉学界和出版界再不能总是对几千年前的中国和中国文化感兴趣，他们应当把眼界、兴趣和译介出版工作部分地转向当代中国和中国当代

文化，包括当代中国文学在内，这其实也是我在联邦德国所接触到的不少民众
的渴望。

　　谈到这里，女编辑又从书架上抽出几本书，递到我手中。原来都是他们
出版社近年来出版的有关中国文化的书，一册是唐代诗僧寒山的诗选，一册
是唐代大诗人王维的诗集，一册是西方人介绍中国禅宗的书，一册是联邦德
国汉学家 Marianne Bevchert 编著的豪华本《中国园林》，还有一册 Wolfram
Eberbard 编的《中国乡镇辞典》……我在赏玩之余，不禁感叹地说："印制得
都非常精美雅致，只是没有当代中国作家的作品……"女编辑听了立即又从书
架上抽出一册精装的袖珍本递给我，笑着说："我倒忘了先把这个给你，这是我
们今年刚出的，第一版印了五千册，很受欢迎，目前正准备再版，一过六千册，
我们就要开始赚钱了！"我接过一看，封面是具有浓郁东方色彩的两只彩蝶飞
舞的图案。原来是上海老作家赵清阁创作的历史小说《梁山伯与祝英台》的德
译本。见到这本书，我当然非常高兴。

　　这回到联邦德国，我到处搜集他们出版的中国当代作家作品的德译本。我
发现，似乎直到 1978 年以后，联邦德国的出版社才开始译介一点中国当代作
家的作品。我见到的有：巴金的《砂丁》和《寒夜》（是由西柏林一家比较著名
的出版社出版的），包括《班主任》、《乔厂长上任记》等在内的 1977—1979 年
中国短篇小说选（由一家小出版社出版），舒婷的一个诗选和张抗抗、张洁的一
个合集（同由另一家小出版社出版）；此外有一套红皮袖珍本的中国当代作家作
品选，包括一册《中国的当代政治和中国的当代文学》，所选大都是"干预生
活"和在国内引起争议、受到批评的作品，一册 1919—1949 的三十年短篇小
说选和一册 1949—1979 的三十年短篇小说选，这一套书近几年在联邦德国影
响较大，是由在联邦德国影响很大的 Subruamp 出版社出版的。还有 1981 年
由 Luchterband 出版社出版的《风筝飘带》，发行后各方面反应不错，目前已
由一家名为"猫头鹰"的出版社买去普及本的版权，印成袖珍普及本在全国发
行。这似乎是迄今在联邦德国读者中影响最大的一本中国当代作家的作品选，
内收五位作家的五篇作品：王蒙的《风筝飘带》、陈国凯的《我应当怎么办？》、
刘心武的《如意》、高晓声的《李顺大造屋》和高尔太的一个短篇。除此之外，

我所见就有限了。请教十分熟悉中国当代文学在联邦德国被译介情况的马汉茂教授，他能补充的也不多；不过，马汉茂教授对我说："自从中国实行对内搞活、对外开放的政策以后，特别是自从 1984 年秋天联邦德国总理科尔访华之后，整个联邦德国充盈着认识中国、向往中国的气氛，因此，很自然地，对中国当代作家、当代作品的了解兴趣也大大增强了。据我了解，慕尼黑一家有影响的出版社已接受了张洁的长篇小说《沉重的翅膀》的译稿，巴金的《随想录》、《真话集》选辑，你那一度遇到出版困难的中篇小说《立体交叉桥》的译稿，这些都可望在最近交付出版……"

那位女编辑听到这里忍不住笑了，她朝马汉茂伸出手说："把你准备好的书稿交给我吧——我们难道甘心在这股'中国热'里落后吗？我们原是最早向德国人介绍中国文化的啊！"

马汉茂便把所携来的一大叠书稿从皮包里取了出来。马汉茂用了半年左右的时间，主持编译了一本中国微型小说（即"小小说"）选，主要取材于上海文艺出版社编选的《微型小说选》，此外又从其他中国文学刊物上挑选了一些，最后共得三十余篇。其中王蒙的作品最多，约占四分之一，其余前有从维熙、蒋子龙、陈国凯、孟伟哉、中杰英、叶文玲、许世杰等许多作家的作品。这些作品虽然短小，却涉及到中国社会生活的各个方面，各种中国人的形象，各种中国的人情世态，特别是近几年中国的时代风貌，在这个集子中都有所反映，所以当早时候马汉茂带我到德得利出版社来，重要的目的之一，也是希望我的出现，能增强德得利出版这本书的兴趣。尽管他同这家出版社早有书信、电话来往，但登门造访，也还是首次。出版社对出版这本中国当代微型小说选虽然早表示过浓厚兴趣，但直到我们去访问前，毕竟没有向马汉茂宣布最后拍板。

没想到我们同女编辑谈到最后，中国当代微型小说选书稿的出版事宜终于瓜熟蒂落地敲定了。女编辑风趣地说："刘先生这个活生生的中国当代作家的光临，使我们意识到必须向我们的读者介绍活生生的中国。"这当然只是一句客气话。事实上他们出版社的四位编辑在我们到来之前进行了反复研究，一致决定要冒一次出这本书的"风险"，已作出了正式的业务决定。不过，我宁愿相信我的出现对那位女编辑增加了一些良好的心理因素。

　　这里不得不讲一个插曲。头几天，是个星期六，在鲁尔区的波鸿市，我在圣诞节市场上买热甜酒喝，卖酒的据说是大学里理工科的教师，他卖酒主要不在赚钱，而是追求一种休假日的特殊乐趣。他开头自然以为我是日本人，我告诉他我是中国人，他便问我的职业，我告诉他："我是中国作家，写小说。"他竟耸耸肩膀，坦率地表示他的惊诧说："写小说的作家？中国也有这种人？！"当时我很气愤，但没有发作。后来见到我国在联邦德国电台工作的同志，他们对我说，有相当一部分德国人对当代中国完全没有概念，就在1984年春天的狂欢节上，人们扮出了一个"中国人"形象：头上戴着斗笠，梳着清朝的长辫，身着宽袖黄袍，黄袍上绣着三个汉字："大中人"。他们这样做并非出于有意伤害中国人的自尊心，而的的确确仅是出于无知。因此，我虽然知道自己在中国当代作家中实在只是才疏学浅的一员，但既是一人独访联邦德国，我便也就不放弃任何一个机会，他们知道中国当代不仅有作家，有作品，而且，从总体上说，我们的作家和作品并无愧于同他们的作家与作品平起平坐。

　　正欢谈中，出版社老板来了，原来这是一位三十多岁的年轻人，好高的个头，好宽的肩膀，好厚的身板，好大的嗓门，好一圈络腮胡子！他同我握手，我真有如陷熊掌的感觉。他乐呵呵地自我介绍说"在下是科隆赫赫有名的野蛮出版人！"马汉茂遂向我解释说：他原是科隆出版界一个"道德委员会"的成员，该委员会由出版界知名人士组成，专门对付海淫海盗的出版物，虽是个非官方机构，那些拆烂污的出版社倒也不得不惧怕三分，这位年轻的老板原是其中最积极最有力的一员。但前不久爆发了一场古典名著中的所谓"黄色段落"算不算色情文字，该不该一概删除的争论。他主张古典名著一概照印不误，不得删节，被委员会其他委员所不容，他退出后，便被戏称为"野蛮出版人"。由此可以印证他这家出版社所特有的既严肃但又固执的出版作风。

　　马汉茂原选用了王蒙的一篇微型小说作为书名，这位老板不同意，因为他觉得那没有吸引力，会影响发行。最后他定下来，就按中国话死译，把这本书译成"小的小说"，因为德国本无这个称谓，所以他断定反而会产生特殊的吸引力。封面他们决定选用中国天津作家冯骥才的一幅漫画自画像，那样德国读者一眼望去便知道这是一本关于当代中国的书（但后来是用了丁聪的一幅漫画作封面）。马汉茂早就建议由我来为这本书写个短序，这时更"趁热打铁"，竭力向他们推荐。倘在国内，我是断难应允为这样的选集写序的，因为我实在不具备那样的资格。但在联邦德国，彼时彼境，我倒觉得也不妨一为。于是，从出版社告别之后，我便打上了腹稿，当晚灯下铺开白纸，挥笔而就。这就是我一篇小序的由来。现将此德文《中国小小说选》的短序抄录于后，以结此文：

19884年12月11日上午，我应邀到科隆"西德之声"接受采访。刚在椅子上坐下，只听"噼啪"一声，椅子竟破我坐破了，在场的人都大笑起来。采访我的马汉茂教授便对我说，他所主编的《中国小小说选》里，恰好有篇小小说就叫《椅子》，并立即拿出复印稿来给我看。我用一分钟看完以后，又大笑起来，我觉得这篇《椅子》写出了一种人的心态，真妙！

在中国，这种短小的小说被称作小小说或微型小说，还被称作"一分钟小说"，因为读完一篇顶多只需要一分钟。它们被印在报纸或杂志上时，也只占一小块篇幅，常被称作"豆腐块"；豆腐在中国是一种营养丰富而又价钱便宜的食品，一般都切成手掌般大小出售。用一分钟时间吃一个"豆腐块"，真是又经济又可口啊！

马汉茂教授所主编的这本小小说集，可以使德国读者用最少的时间，读最小的故事，而知道中国社会生活的各个方面。我希望德国读者能够喜欢这本书，犹如喜欢到德国的中国餐馆里吃一盘"麻婆豆腐"或"家常豆腐"。

好了，不写了，因为我怕椅子又被我压坏了！

1984年12月27日记于北京垂杨柳

蝴蝶窗

在德国一个小镇，微雨中徜徉在卵石砌地的小巷，忽然眼睛被一扇窗照亮，那所红砖老宅外观无甚特点，但它临街的窗却是中国古典式样，木制窗框四角有四个对称的如意头，当中呢，是用细木料拼镶的四面连环图案，我兴奋地指着那图案对福斯特说："呀，这叫冰竹纹，中国江南园林建筑里的阁楼窗常用这

▶图9　德国·慕尼黑·圣母广场 2004 年

个花样，怎么它飞到了你们这个地方？"福斯特苦攻汉学多年，也颇翻译了些
中国当代作家的作品，他能理解我"他乡遇故知"的心态，却并不能欣赏那窗
上的冰竹纹，说："那不就是些连缀在一起的五边形么？你怎么觉得那么美丽？"
我说不仅美丽，而且立刻引出我许多诗意联想，中国古时候这冰竹纹细木窗格
里头当然不会像这样镶上玻璃，而是要糊上透明的轻纱，"画堂人静雨，屏山
半掩余香袅"，里面的主人，难道正"闲坐小窗读周易，不知春去几多时"？
福斯特就试图敲门带我去造访那位主人，他说这位房主也许是在中国居住过一
段的人士，也许会说中国话，我们虽是不速之客，估计他也能热情接待。我阻
止了他。我到德国毕竟应该把了解德国的文化风情放在首位。穿出小巷，迎着
午钟，我让福斯特带我去细细观赏当地的哥特式古教堂。

晚上和福斯特用大而厚的玻璃杯喝啤酒促膝谈心，从我在那小巷里对冰竹纹窗格的反应，说到人与母语文化那不可割裂的相融为血肉的深切关系，又说到真正进入非母语文化之困难。福斯特精读过《红楼梦》的德语译本，又苦攻过中文原本，诚心诚意地想进入曹雪芹所营造的那个审美世界，可是到头来还是隔膜得很。且不说书中那些诗词歌赋的妙处他难以领会，就是像书里贾母在潇湘馆里大讲软烟罗、霞影纱，用那样的材料糊窗子如何能与窗外"凤尾森森"的翠竹相得益彰那样的段落，我读来觉得兴味无穷，甚至有时会径直翻到那几页，一边听着《空山鸟语》的古筝曲，一边重温雪芹文心所织出的锦绣文章，一诵三叹，会心莞尔；福斯特呢，则坦言阅读那些段落于他来说只是"学习之苦"，几无乐趣可言。不过，福斯特盛赞汉语的奇妙，像"照花淹竹小溪流，钿筝罗幕玉搔头"这样两句词，寥寥十六个字竟表达了三种自然景色和三种人文景象，并且将它们整合为了一个完整而深邃的诗境，的确了不起！但细究"玉搔头"这种中国古代妇女的头饰的名称来由，以及唐诗宋词里这件经常性道具所表达出的意蕴，福斯特就承认只能从理性上努力认知，审美情感是难以调动的了。

说到德国人难以欣赏《红楼梦》，福斯特就问我，你们是不是也难以欣赏施托姆？我说哪里呀！生于 1817 年逝于 1888 年的这位德国小说家、诗人，在 20 世纪 30 年代就介绍到了中国，他的小说《茵梦湖》有多种中译本，既有文言文的也有白话文的，中国人读过的很多呀！他进一步问我，你自己很欣赏施托姆吗？我只好承认，只是懂得他在德国文学史上的地位，也能理解他那描写包办婚姻造成的爱情悲剧的《茵梦湖》为什么在苏曼殊、鲁迅他们那个时代能引起中国读者，特别是青年读者那样强烈的共鸣，但是，到了现在，坦率地说，再读，就觉得内容并无惊人之处，主题过时了；文本虽然抒情味浓酽，写景细腻，但人物似乎写得扁了些，节奏也缓慢。福斯特就叹口气说，这都是因为你不能读德文原著的缘故啊，施托姆把德文写得那样好，必须读原文才行！我就笑说马上学德文，学好了立刻精读《茵梦湖》。福斯特就说，你就是能读德文，怕也只是像我读《红楼梦》一样，因为那文字里的文化底蕴，可不像潜水那样，背上氧气瓶套上鸭蹼，跳进去就能揽胜取宝的！

先旅英又旅美的刘索拉从音乐入手，努力地去进入西方文化，结果她得出了一个极而言之的悲观结论：文化不可交流。音乐使用的五线谱还属于人类共享符码，文学使用的是各自的母语，尤其是中文方块字与西方拼音文字之间的差别，真是太大了。知其不可而仍汲汲孳孳锲而不舍地为文化交流呕心沥血，单以文学而论，则各民族的翻译家、研究者们实在令人肃然起敬。

前些日子福斯特来华，我带他参观一处中国院落，那院子里大概曾住过德国传教士，在一隅的旧屋墙上，还保留着一扇洋气的窗户，其实也无非是窗户上半截呈尖拱状，因此那朝外向左右打开的窗扇形状也就比较特别，我看到不以为奇，福斯特却喊出声来："呀，蝴蝶窗！"他随之告诉我，施托姆的小说里，常常写到这样形状的蝴蝶门和蝴蝶窗，有时并不特别指明是蝴蝶形状，但德国读者一读到那里就会产生出相应的联想，而那样的合起来上部如莲瓣、打开后像蝴蝶翅膀般外直内弧的窗扇，伴随着一般德国人的生死歌哭，已融入了他们的文化血脉……

轮到我请福斯特喝燕京啤酒，再次促膝长谈，我们互相深究：在德国看到中国窗时我的兴奋，与在中国看到德国窗时他的激动，说明着什么？我们毕竟都是各自母语文化的产儿，再怎么交流，也别指望换一身客语文化的血液！但我们又都渴望着补入客语文化的精华，以使自己更睿智更通达，因此，他决心再加把劲，努力进入冰竹纹的中国文化之窗，而我呢，也愿意努力去领会德式蝴蝶窗里的妙谛。正是：把酒话文化，交流意未休！

你也是"绿的"吗？

主人用小轿车把我从法兰克福送往古姆斯巴赫。小轿车在高速公路上急驰。尽管已经入冬，公路旁仍是一派墨绿的景象，那主要是密布于路旁丘陵上的针叶树所显示出的郁郁生机。有时高速公路就如同少女秀发中的发缝一般，紧挨着路边便是真正的森林。高速公路旁自然竖立着许多的图示牌，其中有一种很特别，那上头画着一只扬起前蹄的跳鹿。我不禁问主人："这牌子意味着什么呢？"

"这是让我们开车小心的野鹿。"

"难道在靠近森林的公路旁还会有这么大的野生动物吗?"

"怎么没有?我就碰上过好几次。"

"它们不怕汽车吗?"

"当然还是怕的。所以在公路旁竖起这样一些牌子,让我们礼让。"

"礼让?对野鹿礼让?"

"当然。如果不管不顾,轧死了横过公路的野鹿,那不但会被警察追究,也会遭到社会舆论的谴责。"

我本想再问一句:"为什么?"但思路很快追上了主人的见识,便把已经蹦到嘴边的问题又咽了回去。

望着平整如常的公路,望着公路旁保护得非常好的森林,望着车窗外不断闪过的画有跳鹿形象的牌子,我不得不佩服联邦德国在环境保护方面所取得的良好成绩。

我乘火车从科隆去往维尔茨堡。乘火车旅行的人不多,我几乎一直是一个人坐在一个有六个软座的包厢里。

火车有很长一段路是沿着莱茵河一侧向前行驶。我贪婪地欣赏着窗外的景物。原来我分不大清西欧和美国在文化上的差异,经过在法国和联邦德国的旅行,再回想我从照片上、电影中见到的美国典型景观,我悟出了其中某些重大的差异。西欧人,特别是知识分子,一般都不喜欢以摩天楼和强烈的声光色电为标志的美国文化,比如我从火车车窗所望见的联邦德国的城镇乡村的景象,几乎没有什么高耸入云的大厦,也绝少方盒子形的建筑,基本上都是些至多不过四五层的古色古香的尖顶房屋,或裸现出木结构的梁柱轮廓,或装配着繁复的圆雕或浮雕,或以卷藤般的铁制栅墙和灯座传达出一种特异的情调,或以圆尖顶上的风信鸡或风向旗象征着一派古拙的情趣……这些古董般的建筑群,据了解,其实绝大多数都是近三十几年的新建筑,因为经历过第二次世界大战,联邦德国的许多城镇几乎都被炸成了废墟,战后的联邦德国在重建家园的过程中,这种尽量"复古"的思潮占据了上风。因此,除了法兰克福等少数城市建设得稍带"美国味儿"外,大体上都采取了经过详尽的调查研究,一幢幢、一片片复原到战前最佳景观的建设方法。当然，新修筑成的这些房屋外表上看起来是古董，内部的装修和设施却是完全现代化的。

我安坐在舒适的座位上，悠然地望着窗外掠过的一幅幅活的图画，说实话，我分不大出哪里是城市，哪里是乡村，当然，有的地方车站比较大，房屋比较密集，但那树木、草坪和经冬犹存的花坛也颇富野趣，有的地方明显地显得房屋寥落，简直构不成什么街道，但那房屋的质量与情调同人口密集区也没有什么区别，显然人们的生活水平同大城市里一般居民也相差无几。

在我所见到的景物中，有两种建筑大概是真正的古董，它们一般也都显得突出地高大雄伟，那就是修筑在丘陵顶端的古堡，以及总是从大片屋宇中挺拔而出的天主教或基督教的教堂。古堡一般都辟为了博物馆，教堂仍旧日夜迎接着它的信徒。

在丘陵谷地中静静流淌的莱茵河，呈现出一种半透明的灰蓝色。一些船舷几乎下沉得同水平面平齐的运货船在河中静静地行驶。我没有看到船上的烟囱，也没有听到汽笛声或马达声。但从那尾部激起的浪簇可以判断出它的行驶速度并不很慢。我不知道这些货船用的是什么动力。在一些静谧的河湾处，有一些不怕冷的人在默默地垂钓，说明那河中的鱼儿不会太少。我想，倘若是春夏来游，那景色定然更加优美。

忽然有人拉开了包厢的玻璃门，进来了一位年轻人。我一时弄不清他是小伙子还是大姑娘，因为他（或她）化装得实在古怪。全部头发都染成了翠绿色，并且一簇簇放射型地从他头部伸向各个方面，我想那一定是使用了某种胶状物，否则头发怎么能如同蜡烛般直伸着？涂着淡黑的眼圈，脸颊上用金黄色歪斜地写着些规整的阿拉伯字码。身上穿着一套单薄的"乞丐衫"（是一种价值颇昂贵的故意做旧并附着许多大大小小明兜暗兜的紧身粗布衫裤），脚上穿着一双崭新的美国乃基公司出品的蛋饼纹运动鞋，可是却不知为什么溅上了一些难看的水渍。

他（或她）上车后便安详地坐在一隅，抱着膝盖，两眼发直，大概是在想心事。

我知道，这就是所谓的"朋克"，"朋克"们虽然装扮奇特乃至于骇人眼目令人生畏，但他们一般并不伤害骚扰他人。

火车上查票的来了，查票员对我和那位"朋克"都彬彬有礼，我自然主动递过车票去请他检查，"朋克"无票，但他（或她）坦然地拿出足够的钱来补票并受罚，态度一直十分平和。

离开前西德前我在法兰克福参观游览了两天。

一位西德朋友问我："你喜欢法兰克福吗？"

我坦率地说："不怎么喜欢。这里银行多，高楼多，美国味儿太足。这还不算什么，问题在于相对来说，这里似乎比我去过的其他城市都要脏一些，乱一些，花草树木也少一些……"

他笑了。他问我："你也是'绿的'吗？"

我明白他说的"绿的"指什么。中国曾经翻译成"绿党"，主要是一些年轻人，他们主张一切应从维护生态平衡、保护自然环境出发，他们一直激烈地抨击政府，并且直接干预政治，参加了议会的竞选，也有一些人成为议员。但据德国朋友们说，他们实际上还构不成一个严格意义上的党，按字面直译，他们只能称为"绿的"而并非"绿党"。他们也普遍存在着说得多，做得少，以及抨击别人政策不遗余力而自己又提不出切实可行的正面计划这一类的毛病，也就是"述而不作"者居多。不过他们强调保持生态平衡，保护自然环境，反对各种形式的污染，确实也正中大多数国民的下怀，因此响应者甚众，势力也日渐雄厚。因为法兰克福相对来说污染问题比较突出，"脏、乱、差"的阴暗面较多，所以"绿的"分子也最活跃。当然，"绿的"分子在装扮上也绝非像那位"朋克"，连头发也染成了绿的。

我笑着对德国朋友说："从呼吁加强环境保护这一点来说，我确实也可以算是一个'绿的'。"

1990 年 11 月

秋水伊人

四年半过去了，你还记得吗？当我乘火车抵达维尔茨堡时，你从月台上迎着我走来，用纯熟的普通话问我："您是从科隆来的刘心武先生吗？"我很高兴，通过间接又间接的关系，来到这人地生疏的联邦德国（前西德）小城，能不经四顾探询，甫下车厢便有人接应，微笑是那样真诚，声音是那样柔美，语言上又不感到阻塞，这在中国叫做"吉人自有天相"……

我们一边往车站外走，一边交谈。你告诉我，是维尔茨堡大学汉学系派你来接我的，你已学了五年汉语，虽然还没有到过中国，但我判定你起码在口语水平上已达到优秀。你认为这确可引为自豪，特别是为维尔茨堡大学自豪，因为该校的汉学渊源及水准，不仅在联邦德国，在整个西欧，乃至在更大的范围内，都是"够份儿"的，眼下该校正与法国巴黎第七大学合作，进行一项研究总计 5485 卷的明刊《正统道藏》和《万历续道藏》的学术工程，其第

▶ **图10** 德国·维尔茨堡 1984 年

一步，便是将这 5485 卷经书的所有语汇用电脑梳理分类，比较注释，以利理解与探究道教的全部奥秘……听你介绍我已颇感吃惊，后来我进你们大学图书馆的东亚图书藏书库，被引到整整一列长达 40 米高达五层的书架前，并被告知那便是不止一种版本的《道藏》时，就真的只能用"惊心动魄"四个字来形容那场面和自己的心情了。在那浩瀚的道教经典中，我只读过 5000 字的《道德经》，因此，倘若你们正儿八百地要同我讨论"道"，以为我既是一个中国知识分子，一定对自己民族唯一成型的宗教道教及其理论能"头头是道"，那我可就在露大"怯"了……

当我们走出车站，坐到你开来的小轿车中时，我问你："你一定有汉名吧？你的汉名是怎样称呼的呢？"你微笑着告诉我："葛伊莎，'诸葛亮'的'葛'，'秋水伊人'的'伊'，'莎士比亚'的'莎'。"我不禁大为佩服——"秋水伊人"的"伊"！即使是如今中国的大学生，怕也不是个个都知道"秋水伊人"这个语汇吧！

葛伊莎，四年半过去了，我仍时时回想起你陪我畅游如诗如画的维尔茨堡的情景，我们在市区豪华的宫殿中仰观绚丽的穹隆画，在山顶神秘的古堡中想象古时的火炬与呐喊；在有着一尊尊高大雕像的主教桥上徜徉，在河畔绿藤萦绕的咖啡馆里坐在高脚凳上呷浓浓的咖啡……

葛伊莎，通过与你们这些热爱东方文化特别是中国文化的西洋人接触，其中包括政府的文化官员，大学的教授乃至于你这样的学了中文但尚未谋到合适职业更尚未功成名就的"小不拉子"（你的自称，亏你连这样的"非规范中国话"也懂），我深深地理解到，固然西方的"汉学"有悠久的传统和美好的发展前景；固然随着中国的改革开放，在西方有着一阵阵涨潮似的"中国热"；固然近七八年以来西方评介中国作家和作品日渐增多并不乏评论看好及在商业上取得一定成功的例子，但实际上，由于东西方社会制度、意识形态、价值观念、出版机制，特别是文化传统与文化现状的巨大差异，使得你们西方学汉学的人仍然基本上不能靠研究、翻译、出版中国当代作家的作品立业、吃饭，而社会上对中国的兴趣也很难引导到更不可能凝聚到对中国当代文学的关注上，所以，你们当中一部分人，特别是几位大学的教授和研究部门的研究员，这些年来致力于将中国当代文学的论题纳入教学研究的范畴，允许硕士生和博士生以研究中国当代作家作品的论文来取得学位，组织关于中国当代文学的国际性学术讨论会，到处找钱以邀请中国当代作家到西方访问，或亲自动手或组织多人翻译中国当代文学作品，并千方百计有时是相当辛苦曲折地说服出版商接受译稿，译本出版前后则大力组织报道和评论……该是多么值得我们尊重、理解与感佩！

葛伊莎，你现在做什么呢？你当时对我说过，学中文的大学毕业生实际上几乎是不可能谋取到与中国文学有关的饭碗的，较多的饭碗是德国企业家和商业机构为了同中国做生意而提供的，但谋取那样的饭碗也要靠相当激烈的竞争，你竞争到了吗？葛伊莎，我相信，不管你现在捧着一只什么样的饭碗，你对中国当代文学的兴趣，是不会减弱的，对吗？……

1989 年春

D

丹 麦

透明的哥本哈根

从瑞典的马尔默乘渡船越过厄勒海峡抵达丹麦哥本哈根时，恰好雾气散尽，眼前活现出已从安徒生童话里熟悉的一组组古色古香的建筑。细细观察，发现那风格同我已访问过的挪威奥斯陆与瑞典的斯德哥尔摩都不相同，奥斯陆的城市天际轮廓线比较平缓舒展，楼房大都显得敦实厚重，顶部装饰曲线不那么突兀，外墙的色彩也比较清淡；斯德哥尔摩则有众多的尖拱顶教堂，那些哥特式尖顶大都修造得十分纤秀灵妙，有的更将内部镂空，望去仙气盎然。哥本哈根呢？当我独自悠闲地徜徉在暖冬晴阳下的这座古城时，我发现它的大量古典建筑都显得比上述两个城市陈旧，外墙面以赭色为基调的居多；而且许多建筑的尖拱顶都显得比斯德哥尔摩的粗壮，线条不那么锐利而趋于圆润，尖顶上一般还盘绕着许多厚实的花饰，并且不知为什么总爱涂上一层奶绿的颜色——那颜色大都已失去光泽，还显现出一些脱落，但正如一只古鼎带着锈斑反比打磨成崭新模样更招人喜爱，哥本哈根那些古建筑群仿佛散发出一阵阵诱人幻想的香气，左观右望，流连之中，不禁心生彩翼。

哥本哈根的步行商业街比奥斯陆和斯德哥尔摩都多，而且连成一大片，我去时正巧是圣诞节期间，大片街区都是挂着松枝装饰的彩链，上面或缀着红心，

▶**图 11** 丹麦·哥本哈根·皇家卫队 1992 年

或缀着大铃铛，两旁的商店橱窗里除了平时应市的商品陈列外，也都增添了许多的节日装饰，有姿态各异的圣诞老人，还有麦秸扎成的弯角羊，以及装有节日糖果的大皮靴等。虽说整个西方世界的经济不景气也波及了北欧，但哥本哈根节日期间的商业步行街上仍然人流如过江之鲫，只见采购年货的人们大包小包地拎着，出入于各商店之间。

那天我在步行街上漫游，偶然走进了当地一家最大的百货商店。那家百货店正面是古典式建筑，前门外面是皇家剧院和一个装点得优雅有致的小广场；背面却是现代派风格，后门通向步行街区；我从后门进到里面，只觉得银光闪烁，原来那百货商店的第一层采用的是银白和粉红这两种色调，显示出一种高雅而洁净的气氛；我坐滚梯先到达地下层，那里有一个大理石的喷泉池，周遭设有若干咖啡座，还点缀着若干大盆的绿色植物，有的认得出是凤尾葵，有的叫不出名字……这时我忽然发现有些顾客的神情比较异常，似乎在侧耳聆听放音器里传出的广播声，有的本安坐在咖啡座的便起身，从一旁存衣架上取下衣物离去，有的刚坐滚梯下来，也没逛逛就又换乘上行滚梯返回……我也没大在意，因为仍有一些顾客自如地坐在那里呷咖啡，那些在长达二三十米的点心柜前买点心的顾客，也大都仍兴致勃勃地在向服务员指要草莓派或巧克力酥饼；我在底层逛了逛又返回一楼，正往通向二楼的滚梯上踏，耳畔又传来了广播声，这回用的不是丹麦语而是英语，我听不大明白，但模模糊糊听出是在请顾客暂且退出商店，仔细一观望，也确有为数不少的顾客并不慌张而坚定不移地朝大厅外走去……这是怎么一回事呢？令我无比纳闷。

我在百货商店二楼巧遇一位哥本哈根大学东亚系学汉语的大学生，他因为头天听过我在该系作的题为《90年代中国新小说》的演讲，所以认出了我，我忙问他广播里在说些什么，他说在告诉顾客们："本店五楼发生了一起骚扰事件，正紧急妥善处理中；特告知各位顾客，如顾客感到不便，请暂且离店，欢迎过些时再返回购物；我们将尽力保障每一位顾客的安全和利益；离店时顾客请勿慌张；我们为发生了这样不愉快的事，谨向全体顾客致歉……"其中重复得最多的是头两句。我感到非常惊奇。

我和那大学生没有离店，我们又同往地下层，坐在喷泉边喝咖啡。我问他百货店何以要进行这样的广播。他说这是他们丹麦的一种社会公德，凡涉及私人以外的公共事务，必须具有透明度，人们应享有无可争议的知情权，所以百货商店五楼发生的骚扰事件，尽管范围不大，不一定波及其他部分的顾客，却必须及时向全体顾客报告，并建议他们作出暂时离开的抉择，以利安全；但顾客知情后也可自主作出并不离开的决定……

我感到自己的思维定式，与他们丹麦人很不相同。比如我就觉得，至少应考虑到百货商店里有例如我这样的"外宾"，明明是一桩事关"国格"的骚扰事件，涉及范围又并不大，并已及时处理，为什么要把丑事张扬出来，使我这样的"外宾"也知道了，提供给我一个向外宣传"丹麦首都百货商店有丑闻"的机会呢？这事本应保密才对，至多事后出份"内参"，绝不应采取此种办法公开。

我们还没喝光一杯咖啡，广播又响起来，这回是宣布五楼的事件已全部妥处，希望顾客们安心购物，并感谢留下的和返回的顾客们对他们商店的合作与信任……

后来我同那大学生漫步到哥本哈根市议会前面的广场，广场周遭全是古典式建筑，广场中竖起了一株高及三层楼的大圣诞树，缀满彩灯；市议会大厦有一座高耸的塔楼，塔楼下马路当心有一座两个天使共吹一把双头号的铜雕，那雕像也漆成奶绿色，不知为什么丹麦人自古以来就那么喜欢赭石和奶绿这两种颜色，这两种颜色其实最不具有透明感。

北欧的冬日，下午四点钟天便黑了，到处闪烁着霓虹灯和烛焰的光芒。大学生带我去参观市议会，他说可惜已然休会，否则可以旁听辩论，而且每一个丹麦公民都可要求调阅除国防机密以外的所有政府卷宗，从最低一级至国家政府一级的行政机构都不能拒绝。我听了颇感困惑，便不由得问道："你们的政府就真那么透明么？"他接口便答："哪里！"他举出一个例子，说丹麦移民法规定得很清楚，已移到丹麦的成年人在一定年限后可接自己的子女到丹麦团聚，但他们的首相，就将一批泰米尔人移民的子女要前来丹麦同父母团聚的事压了下来，且不告诉丹麦国民……议及此事，他竟满脸溅朱，一副愤愤然的模样，我心里头不禁更加吃惊：眼下你们丹麦不是经济也不那么景气么？一些年轻人不是对移民来多了抢了他们的饭碗耿耿于怀么？怎么为几个泰米尔人小孩子来丹麦的事，你就能对自己国家堂堂的首相如此不恭不敬、不依不饶？

说实话我闹不清他们丹麦人的许多事儿。比如他们举行公民投票，竟以多数否定了关于欧洲统一的马斯特里赫特条约，问那大学生，他说他倒投的是赞成票，但他理解投反对票的人的想法，反对者主要是怕大欧洲的形成会扼杀了丹麦自己固有的民族特征，比如丹麦语，那时不仅外国人绝不会再来学，就是丹麦人自己，年轻的一代不也要渐渐生疏起来么？可这种想法又怎么同接纳泰米尔移民的子女来丹麦定居协调起来，殊不可解。但不管怎么说，我喜欢没有雾气笼罩的哥本哈根。在市政厅广场一侧，马路边上有一个比公共大巴士高大的自行车模型，原来那是出租自行车的地方，无人管理，租用者自己往投币箱里交费，推起一辆骑到城市任何一方，不用送回原处，只要搁放到那一方的租用点上便行了。这里确给人一种童话世界的感觉，尽管有魔鬼捣乱，但仍让人坚信美丽的公主终会与追求他的乡村小伙子结婚。

回到北京不久，便看到我们报上刊出消息，丹麦首相已因"移民丑闻"引咎辞职了。不管怎么说，这透明度不招人讨厌。我不禁回忆起在哥本哈根漫步的那些时日，啊，那些高耸的奶绿色尖拱顶，啊，那些浮游在湖水中的白天鹅，啊，那海滨永恒撑坐着的美人鱼铜像……

哥本哈根，留给我一个透明的梦。

1993 年 2 月 13 日

洋哥哥偏寻根究底

丹麦首都哥本哈根真是一个童话世界，尖顶花檐的楼房上，连长腰犬形状的水笕也仿佛在讲述着奇妙的故事，可是同北欧其他地方一样，当地的"食文化"似乎并不怎么发达，人们的想象力不大朝那个方向发展，要想摆脱单调与清淡的食品，到头来你还得找一家中国餐馆，以慰朵颐。

话说那天我在哥本哈根城内的淡水湖边，坐在长椅上望了一阵在湖中游弋的天鹅，又沿着湖畔林阴道漫步良久，身心大畅之余，忽觉有进食的必要，于是我乘地铁到达闹市区，觅到一家门口挂着中国宫灯的餐馆，走了进去，进去一看，吃了一惊，一是因为那餐馆的内装修"全盘中化"，而且在使用中国工艺美术品布置厅堂方面，达到堆砌烦琐的地步；二是金发灰眼的堂倌笑面相迎引座时，我一瞥之中，只觉偌大的厅堂里，似乎只有我一个食客，生意竟如此清淡，颇出我意料。

落座到一处由摆满仿古玩器的多宝格隔开大堂的雅座上，堂倌递过大如报纸硬如薄铁印制精美的菜谱，除了丹麦文，还有英文，我也不知都开列着些什么菜式，只是看清了价格，对于我来说，都贵得可以，不过既已落座，也就不惜破费，我让他先给我上一壶菊花普洱茶，点什么菜且再说。

堂倌取茶去了，我正琢磨菜谱，忽听有人招呼："刘先生……"抬头一看，一位似曾相识的洋小伙儿，微微躬身，礼貌地来与我搭讪。

原来我头两天在哥本哈根大学演讲时，他曾来听过，坐在头排，那细高的身材，宽阔的额头，还有粗糙而淡白的金发，特别是一双深凹的灰蓝色眼睛，

▶图 12　　丹麦小人鱼
前　1992 年

　　都给我留下了印象，我遂请他坐下，攀谈起来。

　　他并非哥大的学生，而且根本不是丹麦人，他是德国人，已从德国一所大学的汉学专业取得了硕士学位，目前是在作博士论文；因为他的女朋友是丹麦人，且在哥大攻汉学，所以他跑到哥市来小住，那天听我演讲，属"听蹭儿"性质。

　　他汉语普通话说得很好，自称汉名为麦思墨，在先秦诸子百家中，独尊墨子；我问他博士论文是不是关于墨子的，他说硕士论文已做过关于墨子学说的题目，现在的博士论文，是语言方面的；我问他是个什么样的题目，他从容地答曰："我正准备的论文是：《汉语中关于烹调的动词的研究》。"

　　说实在的，他报出的题目让我吃了一惊。

　　我虽是一个地地道道的中国人，一生得益于中国烹调自不消说，但我却从来不曾琢磨过，中国语言里究竟有多少关于烹调的动词。

麦思墨拿出一个拍纸簿，厚厚的一沓纸上，搜集着一大堆中国话里的烹调动词；他说今天机会真是难得，能在这家餐馆巧遇我这样一位中国专家，他忍不住要"不揣冒昧"，向我求教了……

我翻阅着他的拍纸簿，满眼跳动着虽然熟悉却从未如此集中的烹调动词：炒、烤、爆、炖、炸、烧、炝、烙、焖、熘、煸、烘、焯、灼、焙、燎、炼、炙、煲、烹、煮、蒸、煎、熬、熏、汆、涮、浇……

他解释说，这些还都只是直接与火上操作有关的，尚不包括凉拌腌渍等方面的动词，而且也都仅是单音的，像"清蒸"、"勾芡"等双音节以上的另辟专节分析，当然也基本上都是普通话里的，方言中的暂不涉及；至于在实践以上的烹调手段时所采用的技术性动作，如拿、取、洗、拆、切、割、磨、搅、铲、颠、按、转、翻、叉等也另外再算。

他请教我的问题接踵而至："炖和煲的区别在哪里？……是不是加水后，把单一的东西弄熟叫煮，而把多样的东西混合弄熟就叫熬？……您认为中国人的烹调术里，有哪些体现出典型的道家精神？……您认为同样用小麦磨成面粉后，弄熟的办法，西方人用烤，中国人用蒸，这里面是不是体现出了两种文明的根本性分野？……"

麦思墨对中国烹调动词的研究，真达到了走火入魔的地步，我无端地想到了《红楼梦》里的回目《村姥姥是信口开河，情哥哥偏寻根究底》，其实我们中国人对煮和熬的定义界定得并不那么严格，说煮粥熬粥乃至煲粥都行，谁知这位洋哥哥偏是个死心眼儿，非把这几个动词掰拆开不可。

我尽量回答他的提问，同他作些讨论；堂倌见我们用中文对话，一旁恭候良久，为了使麦思墨获得准确的概念，我想点一道水煮牛肉，但该餐馆并无此菜式；像炝白菜、焯芹菜等堂倌根本是闻所未闻；不过他们备有三鲜锅巴，这道菜可讨论的内容颇多，麦思墨说由他来付这道菜的款，我也同意；后来我点了蚂蚁上树和回锅肉，还有粟米汤，在哥市能做出这些菜来，也算难为他们了——当然，端上来后，色、香、味都不敢恭维，很像麦思墨说的中国话，遣词造句都无可挑剔，但听来总还是有点怪腔怪调。

麦思墨用筷子不成问题，餐后除三鲜锅巴由他单独付款，另外的，粟米汤他没喝，由我单付，其余的我们分摊，西俗如此，堂倌耐心地开出两份账单，分别交给我们两人，所找零钱，我们都放弃，作为小费；我因多次到西方访问，早已不以此种"算细账"的做法为怪。

麦思墨自言他之所以常光顾这家餐馆，正是为了把论文写好；这家餐馆价格居高不下，他之能以破费，是因为得到某基金会赞助，也就是说，竟有人给他钱，来鼓励他写这样的论文，做这种"中国学"的学问，他也曾要求到灶房间参观，乃至打工，以有更深入的体验，但都为老板拒绝，他就是付钱观摩，也不行。

我们走出时，整个餐馆里也不过只多了三两桌食客，我真不知那老板何以维持。

分手时，我忍不住问："你们搞这种研究，到底有什么用呢？"

麦思墨扬起眉毛，仿佛我这问题很是古怪，令他始料不及，他侧头反问我："有什么用？……为什么……要用？……您是说……让谁用？……我们……并不是都要马上拿来用的呀！难道一定要像——比如说筷子那样，拿在手里就用的吗？"

这次哥本哈根的奇遇过去好久了，可是我对西方人如此搞他们的"东方学"、"中国学"，仍在纳闷。

1994 年 6 月 11 日绿叶居

E

俄罗斯

白夜节的狂欢

我深深迷恋过陀斯妥耶夫斯基的中篇小说《白夜》，以及苏联时期据之改编拍摄的影片，前些年写过《边缘有光》一文，抒发从青春期一直延续下来的内心情愫——坚信平凡中蕴含着生命本体的价值、社会边缘依然有善美之光的照耀。

2007 年 6 月 23 日，我终于来到了圣·彼得堡，经历了那里每年最长的一个白夜。

那天上、下午参观了好几处名胜古迹，感觉圣·彼得堡整体上比莫斯科完美，其古典的城市天际轮廓线没有被突兀的现代派摩天楼破坏，涅瓦河的倒影仍保持着典雅的诗意。但是颇惊讶其街道上的清净，车辆行人稀少，有些街区河段给人一种风景画的感觉，与莫斯科大异其趣。

白夜无须等待。所谓白夜，就是一直黑不了天。到以撒金顶大教堂后面看过尼古拉一世铜雕，手表显示已是 21 点 40；转过那大教堂，再细赏青铜骑士，也就是彼得大帝跃马踏蛇的铜雕，不知不觉已过 22 点。天空无云，太阳不知降落何处，却依然满眼景物，不能说一派光明，却毫无夜幕可言。置身其中，陀氏小说和影片里的白夜，都成了旧梦，唯有此刻此地，是可触摸的新诗。

▶图 13 这就是"青铜骑士"彼得大帝 2007 年

　　往涅瓦河边走去，只见一些青年人在河边游动，有活泼的笑声传来。走近了，发现他们有的身披彩带，排列起来拍照，有的男青年手捏啤酒瓶，脸颊红红，似乎有些害羞地扬脖喝酒。原来这一天也是成人节，他们以种种方式宣布自己已经不再是幼稚的存在，而获得了成年人的权益，当然，也从此承担起成年人的公民义务。

　　涅瓦河里的喷泉射出一排高高的水柱。试射的烟花初绽艳容。路过了几辆电视转播设备车，朝冬宫广场那边眺望，竖起的几块巨大的屏幕上，已经有晃动的彩色光影。知道这是白夜节，从 23 点开始，那里将有盛大的演出，人们可以自由观赏。

　　我和几个朋友，打算届时也去看演出。还有一些时间，相约到涅瓦大街一家当年普希金常去的咖啡馆喝咖啡，据说那里面还有他的蜡像，可以合影留念。

　　刚进入涅瓦大街，眼前的景象就把我们惊呆了！满街是人，不仅人行道上

▶图 14　冬宫前的亚历山大广场

人流如织，街心上也全是涌向冬宫广场的男女老幼，我们逆流而动，极为困难，好不容易找到那家咖啡馆，没想到早挂出客满免进的告示。只好另进了一家，也好不容易才找到座位。从座位望出去，街上的人流更如过江之鲫。白天这些人都在哪儿呢？此刻只觉得似魔术中的场面，谁一下子把整个彼得堡的人全变到街市上了啊？

怕太晚了挤不进冬宫广场，匆匆喝完咖啡，我们出得咖啡馆，打算随人流而去。谁知我们停在门口根本就动不了窝。人潮汹涌，无人组织，却并不混乱。有些人挥舞着俄罗斯三色旗，有些人举着双头鹰的国徽，许多人自发地高喊："到露西亚！到露西亚！"就像俄罗斯把中国翻译为"契丹"并不准确一样，我们把它翻译成"俄罗斯"其实不如更准确地称之为"露西亚"。"到露西亚"就是"俄罗斯万岁"的意思。还有大群的年轻人一波一波地高呼："彼杰拉！彼杰拉！"喊的是圣·彼得堡的昵称。那些急速晃过的面容，那些阵发的俄语呼喊，是白

▶**图 15** 雨中谒陀斯妥耶夫斯基雕像 2007 年

夜狂欢节赐予我的不灭记忆。想到陀氏笔下的罪与罚，阿芙乐尔号炮声所引发的连锁巨变，二战时期德军围城使众多市民死于饥馑，萧斯塔柯维奇围城中谱出的第五交响曲，阿赫马托娃的持续困境与她少而精的诗作，以及城市的易名和新流行曲《嫁人就要嫁普京》……多少代人在这座城市的白夜里痛苦过、欢乐过、牺牲过、憧憬过啊，婉转曲折，惊心动魄，故事太多，变化真大，但却有其永恒不变的群体情愫——他们热爱自己的国家，热爱自己脚下的这座城市，人与土地，生命与传统，交汇出动人的圣乐。

我们最后没有去冬宫广场，回到酒店看电视转播。听不懂那些解说和随机采访，但涅瓦大街上所获得的印象心得，被进一步深化。我们的心灵中都有高纬度地带，愿那区域都有如此令自己和别人都感动的白夜存在。

滨河街公寓

看到这个题目，有人可能会马上想起苏联作家特里丰诺夫的同名小说。在莫斯科人的语境里，"阿尔巴特街的孩子们"——也有以此命名的一部小说，作者是雷巴柯夫——意味着"苏联时期的高干子弟"，而"滨河街公寓"，则意味着"高干（含高资）楼"。

乘游船在贯穿城区的莫斯科运河上观览两岸景色，你会发现，"滨河"可是了不起的地理位置。克里姆林宫、救世主大教堂、俄罗斯社会科学院、高尔基公园……这些河畔的建筑或绿地，全是了不起的空间。也有一座工厂一直坚守河岸，外墙上画着一个巨大的扎头巾的俄罗斯女童——那是历史悠久的"红十月巧克力工厂"，那女童头像就是他们所生产的巧克力的商标。巧克力不算稀奇的产品，也很难拿这家糖厂的产品跟西欧或其他地方的巧克力作比较，各地口味有别，配方不同，爱吃哪一种是消费者个人的事，但"红十月巧克力"的产品即使不喜欢它偏甜口味的游客，往往也会忍不住买些带走，这是因为从苏

▶图16　俄罗斯·莫斯科运河边楼宇

联时期直到如今，这家工厂的产品一直在推出以俄罗斯古典名画为包装的系列，买回去吃糖倒是其次的事，那些印制得非常考究的俄罗斯名画，百赏不厌，有的人就几十年来耐心积攒这个系列的糖盒，据说有的外国人在苏联解体后，害怕这家糖厂倒闭，或不出名画系列的包装盒了，后来故地重游，发现就这种巧克力而言，江流石不转，依然原汁原味，包装盒的名画系列，又推出了新品种，欣喜异常，购买之余，也痛感人类文明的某些成果，是绝不会因政治风云的变迁，而轻易消失的。

在游船上一边游览，一边回味与滨河建筑有关的故事，真的很有意思。

"看哪，那就是二战前的滨河街公寓！"朝朋友指点处望去，发现那是一栋外表非常刻板的灰色方形建筑。不算很高，公寓只有窗户却并无阳台，显示出权力的威严与冰冷的神秘。特里丰诺夫描写的应该就是这座公寓。它在那时候就有电梯，代表着一种特权，小说里的电梯工狐假虎威，常对来公寓找高干子弟玩的平民子弟歧视、刁难。小说里写到，平民子弟头一回进入那样的公寓内室，看到种种从西方搞来的东西，目炫神昏。后来传说很多，说有条暗道与克里姆林宫相通，常常是午夜时分，会有人来敲某家的门，那么，只会有两种可能：一是那家主人被紧急提升了，一是被带走后迅疾处决。萧斯塔科维奇回忆录里有类似内容。现在也只能姑妄听之。细观那栋公寓，显然已经加以重大改造，原来三合的格局改成了四合并且完全封顶，啊，是改成了一个剧场。作为观众，我们是希望生活本身富于戏剧性，还是希望戏剧具有生活性呢？这是个哈姆雷特式的问题吧？

"嗨，这才是真正的滨河街公寓！"朋友又指点，一位年轻的游伴不禁幽默："怎么忽然到了北京西直门外啦？"北京西直门外有座北京展览馆，五十几年前它叫苏联展览馆，当时上海也盖了一座形态雷同的，再后来北京使用至今的军事博物馆，也是那样的建筑风格。当时苏联向外推行它的优越性，这种大体量的，严格对称的，中央凸起，并且最后形成一个镏金的细尖塔，塔顶再装饰一个夺目的红五角星的建筑模式，被认为是最能体现苏维埃气派的典范。二战后率先盖起来的一栋是莫斯科大学，位于城市仅有的高地上，那时把小山命名为列宁山，现在恢复到原有的名字——麻雀山。莫斯科大学主楼现在望去也令

▶**图 17** 莫斯科大学——意识形态建筑之典范

人敬畏：密布的小窗在庞大的楼体上形成蜂巢式的意蕴，象征着个人必须融入集体，而挺拔的镏金塔高高托起红星，则昭示共产主义的理想一定实现。这种意识形态建筑，上世纪一共在莫斯科建成七大座，不熟悉的人到了莫斯科往往会把它们弄混，朋友指点的那座滨河街公寓，我就总跟乌克兰大饭店和他们的外交部大楼弄混。

这座蜂巢式、尖顶高举五角星的公寓楼，当年是需要特批才能入住的，大体而言，其中纯粹的官员并不多，主要是些有着荣誉称号和虚衔的社会名流，包括著名科学家、文学艺术家、赢得金牌的体育明星、宇航员……如今新一茬的富人和明星名流已经未必看得上这样的公寓，住在里面的或者垂垂老矣，或者是早年那些名人的后代，从外表上看，这滨河街公寓也俨然是美人迟暮的意态。

河岸那一边，有两栋并列的高楼，是俄罗斯社会科学院所在，顶部仿佛是建成后尚未拆尽的脚手架，细看，原来人家那是一种既富有装饰性又具有喻意的处理——表示"真理的追求是永无止境的"，嗨，总算看到了比滨河街公寓提气的楼房啦！

红星与双头鹰

克里姆林宫建筑群虽然吸收了某些西欧古典建筑的营养，比如哥特式尖顶等，但绝对是世界上独一无二的建筑杰作，是俄罗斯的骄傲。整座城宫的形状是不规整的，带堞缺的城墙当中，镶嵌高耸起十七座塔楼，这些塔楼除两座外，都有专名。这些塔楼几乎每一座形态都不一样，有的比较矮胖，有的则高挑身材，有的圆形身躯，有的方形底座，但放眼望去，却又统一在互相呼应的美学趣味中。

十七座塔楼中，上镜最多的，是列宁墓东边、瓦西里大教堂斜对面的那一座。

▶图18 红场留影 2007年

我在少年时代，从留学苏联的亲戚那里，得到过以它为主题的明信片，珍藏许久。我知道它的名字是斯巴斯基塔。在克宫的所有塔楼里，它体量最大，高耸度也堪称第一，比例十分和谐，造型格外优美，塔体上还有巨大的自鸣钟，按时发出优美的乐音，准确报时。

在苏联电影里，也总是看到这座巍峨瑰丽的钟塔。1957 年，苏联莫斯科电影制片厂拍摄了电影《雁南飞》，这部无论从内容还是形式都具有突破性的影片，叠印字幕的一组开篇镜头里，就出现了我早已熟悉的斯巴斯基钟楼，但令我大吃一惊的是，镜头里的钟楼构图是斜置的！能这样表现具有多重革命喻意的它吗？我看《雁南飞》，是 1958 年，在北京南池子的中苏友协俱乐部，那里周末经常放映苏联原版新片，对外售票。那天虽然听不懂俄语对白，我却被影片征服，后来到王府井外文书店购得《苏联银幕》杂志，正好上面有整页的《雁南飞》女主角扮演者萨莫依洛娃的出血大照片，回到家，毫不犹豫地将其裁下来，斜贴到自己的床头。

我期待着由上海电影译制片厂翻译配音的《雁南飞》早日公映——中国的《大众电影》杂志上已有介绍——却始终没有公映。那时候法国戛那电影节已经给了它最佳影片金棕榈奖，在中国，却被指认为是一部典型的"修正主义电影"。最近读王蒙自传，才知道他那时虽然"犯了错误"，却还让他到香山招待所集中，看片批判，以提高认识，所批判的"毒草"里，就有《雁南飞》，王蒙说他那时候如履薄冰，认真准备，积极发言，以示与这样的"毒草"从思想感情上划清了界限，不知道他那发言里，可有"斯巴斯基塔怎么能斜着拍"的"义正词严"。

最近又重看《雁南飞》的光盘，其余不论，光叠印字幕的那段"开篇"来说，把清晨的莫斯科运河河岸、红场、斯巴斯基塔……拍得非常漂亮，把以往一味显示阳刚面的事物，其柔美的一面，充分展示了出来，难怪让人耳目一新。

世事沧桑，人生多彩。65 岁，我终于站到了斯巴斯基塔面前。我仰望塔顶那巨大的红五角星。看资料，知道它由三层红宝石镶嵌在不锈钢制成的框架上，红五星外边的金属配件全部镀有一层 50 微米厚的黄金。中间两角端部间的宽度，将近 4 米，有 1 吨半重，借助特制的轴承，如此巨大沉重的五角星却可以随风旋转，实际上起着风向标的作用。夜晚，里面安装的达到 5000 瓦的电灯，会放射出艳丽的红光。无论如何，这是俄罗斯人民制作出来的，剔除当时政治上的前提，以及赋予它的意识形态含义，从形式上、工艺上，那闪闪的红星，都是壮观与杰出的。

最早那些塔楼尖顶上面，安装的都是俄罗斯国徽双头鹰，苏联时期在二战前全改装为红星。苏联解体后，一些党派一些人士致力于从符码上"去苏联化"，改地名，拆雕像，复旧称，竖新标。现在只有包括斯巴斯基塔在内的五座还是红星，其余的塔楼顶上都改装成金色的风向旗。一位俄罗斯朋友对我说，他和不少人对于胶着于符码甚不以为然，埃及金字塔也好，中国万里长城也好，印度泰姬陵也好，你非要从意识形态上去审视，那就都会发现其中的"问题"，难道就都给它们铲除？毕竟那是历史上许多普通人劳动血汗的结晶。我们活在当下的生命，应该尊重历史，把关注点聚焦到实际的民生事务上。他说他热爱双头鹰的国徽，却也喜欢斯巴斯基塔上那闪亮的红星，他要生活在既有尊重历史的理性，又有创造未来的激情，那样一种安定而活泼的现实里。我久久回味着他的话语。

罗姆再吸一支烟

许多中国人去参观莫斯科新处女公墓，照例会被带到赫鲁晓夫墓前，被告知那黑白两色 E 形交错的大理石墓碑，象征其人一生功过分明云云。其实在我看来，那墓碑的设计属于概念出发，生硬直白，没有把赫氏的复杂性揭示出来，你读读赫氏回忆录就会知道，他自己就承认其人生、心灵中有颇多的灰色区域，他主政期的所作所为，也并非只是对等的白功黑过，很做了一些不那么容易判断其对错的杂色事情。

那天和几位年轻的朋友彳亍在新处女公墓里，我一眼看见一座比较新的墓碑，不由"啊"了一声，他们大感不解，我就告诉他们，墓主拉迪尼娜，是苏联时期的电影演员，至今还被王蒙一代念念不忘的歌曲《红莓花开》，就是她主演的电影《幸福生活》里的插曲。她主演的电影，几乎全由她丈夫培利耶夫执导，从卫国战争前的《女拖拉机手》到战后的《幸福生活》（原名《库班哥萨克》），他们夫妻店拍出的现实生活喜剧片大受观众欢迎，也被斯大林褒奖，他们获得人民艺术家的殊荣，分享特权，风光无限。但人生总要经历世变，斯大林逝世，赫鲁晓夫上台，1956年赫氏作了一个秘密报告，抨击斯大林，并且在报告里把《幸福生活》作为助长"个人崇拜"、粉饰生活的阿谀性文艺的典型，加以痛斥，这样一来，培利耶夫、拉迪尼娜的创作与生活很快陷于困境。赫氏贬斥《幸福生活》究竟是功是过？他真的是反对"粉饰生活"？没多久我们就看到了苏联影片《荒地之春》，分明是为赫氏归于失败的开垦生荒地运动涂脂抹粉的低劣之作。而培利耶夫、拉迪尼娜的被秘密报告点名又究竟是祸是福呢？培利耶夫经过几年沉寂，重执导筒，不再涉及现实题材，也没有因赫氏的倒台去借机影射报复，而是深入探究陀思妥耶夫斯基作品的精髓，改编拍摄了《白痴》《白夜》《卡拉马佐夫兄弟》，终于算是有了超越政治变幻，具有长久审美价值的作品，这该是因祸得福吧。拉迪尼娜墓碑上刻着她2003年入土，以高龄谢世的她，过眼了无数沧桑烟云，对把她与赫鲁晓夫葬在同一墓园，那在天之灵，该莞尔一笑吧。

其实赫氏墓碑隔壁一排里，就有很值得一观的罗姆墓。墓碑不规则，灰黑色，上面以凹线雕出墓主燃烟待抽的漫画，我认为无论内涵还是形式，这墓碑都远比赫氏的耐看。年轻朋友们不禁问：罗姆是谁？我说是苏联时期的著名电影导演，说出他执导的两部电影你们就会"啊"出一声了——《列宁在十月》《列宁在1918》，他们果然长长地"啊"出一声来。

赫氏是过渡性政治人物。罗姆是过渡性艺术家。过渡性，意味着不彻底，不圆满，说好听点是连接前后，说难听点就是拖泥带水。谁不愿意清爽、稳定、划时代、立丰碑呢？但人生的悲苦就在于，往往你不得不镶嵌在一个过渡性的时代里，尽管你才华横溢、雄心壮志，但到头来你只能创造出过渡性价值。执导《列宁在十月》、《列宁在1918》时，罗姆才三十多岁，你现在再看这两部影片，你也得承认它们具有艺术感染力，属于好看的电影。斯大林开头没有通过《列宁在十月》的审查，要求罗姆加进补拍完全虚假的"历史事实"，我们今天

▶图19　在罗姆墓前

可以轻松地责备罗姆："你为什么不坚持艺术家的良心？"那正是 1937 年，斯大林开展的"大肃反"最严酷的时候，我们还是可以轻松地发议论："他为什么害怕当烈士？"

罗姆也曾抗争，最后还是屈服，出面逼他就范的文化官员，在影片公映后却被以"人民公敌"的罪名逮捕枪决，罗姆回忆说："那时候真的不愿意被逮捕处决。"

赫氏执政前后，罗姆拍摄了历史影片《海军上将乌沙科夫》。他以《一年中的七天》那样的影片，与爱伦堡的小说《解冻》相呼应。他培养出一批具有创新意识的电影导演，为苏联电影融入人类共有的文明谱系，做出了巨大的努力。他支持丘赫莱依拍出探究人性的《第四十一》，支持卡拉托佐夫拍出《雁南飞》使苏联影片第一次获得了戛纳电影节的最佳影片金棕榈奖。

现在谁还记得罗姆？俄罗斯总会有人记得。我这么一个中国人也还记得。

在罗姆墓前，我对人生的过渡性意义有所思考。不知道为什么他的墓碑上要镌刻再吸一支烟的漫画像，是根据他本人的遗愿？想必在他一生中，通过频繁吸烟，压抑或释放了他内心许多难与人言的痛苦。

这篇文章刚写完，就看到报纸上有关国际会议达成分步骤禁烟公约的新闻。罗姆的墓碑到头来会不会被指斥为不合时宜？啊，过渡性！

米·一只蚂蚁

刚听到不相信，后来发现是真的：俄罗斯目前还没有高速公路。当然，公路上也就没有任何收费站。无论是莫斯科还是圣·彼得堡，大街上很难找到正式的出租车，偶尔遇到一辆，往往也相当陈旧，如果坐上去，就会发现车价非常昂贵。俄罗斯普通人私车占有率在苏联时期就很高，现在莫斯科也依然领先北京，但是满眼的小轿车，老旧的多，亮眼的少，居民出行主要靠地铁——他们的地铁线路繁多、入地很深，而且许多车站堂皇富丽；还有就是搭顺风车——招手拦私车，车停互问，肯拉肯坐，侃好价就走，约定俗成，很少出事，搭车的比坐出租车省钱，拉客的挣到了外快——政府对此种拉活现象基本上听之任之，据说在苏联时期已成风俗。

小时候看过一部苏联动画片《黄鹤的故事》，根据中国民间故事拍摄，画面里有中国宝塔亭台，人物宽袍大袖，大体上很有中国味儿，但画街市上的商店，印象很深的是店门上写着很大的"米"字。那时候我家附近就有米店，店门上不是写着"米"字，而是写着它的字号，私营时期叫厚德福，国营后叫红星粮店。老字号在中国一度被指斥为"四旧"被废弃，但"破旧"后毕竟还要"立新"，东方红、东风、向阳、红宇等字号大量涌现，绝不会商店只写个："米"、"书"、"药"……了事。向往多年，终于到了莫斯科，满街商店上的俄文字，多是早年学过的俄语单词，触目生义，很是快活，但跟着就发现，绝大多数的商店，都是直书所卖商品，而并无一个字号，比如"服装"、"鞋"、"书"、"花"、"咖啡"、"面包"……当然，有的会稍微具体一点，如"男装"、"女装"、"童装"。我们在莫斯科下榻的三星级酒店，由几幢高楼构成，用希腊字母标出顺序，我们入住的那幢3号楼用俄文拼出"伽马"，算是有点字号的味道了，却也还不是清醒的字号意识的产物。莫斯科人互相约会，会说在某条街拐角的书店不见不散，那书店虽无字号，他们却绝不会弄错。《黄鹤的故事》编导为何想象中国的商店只大书一个"米"字，现在我清楚了。

"伽马"旁边，有个大树林，俄文发音是"依斯迈依"，这些年附近发展成了一个很大的摊档式零售市场，其中不少中国人在那里练摊。我问了几个俄国人，他们说"依斯迈依"无实际意义，但是中国人却将其明确为"一只蚂蚁"，似乎已成一个字号。前些时俄罗斯出台新政策，限制外国人经营零售业，原来在"一只蚂蚁"练摊的中国侨民，正在调整自己的赚钱方式。我感觉，俄罗斯尽管历史上经历了那么多的社会发展阶段，但总体而言，一般民众的意识里，经商致富的欲望平均值不高，所以将销售商品的店铺字号化的情况，直到如今还不普遍。

不过情况正在发生变化。美国的麦当劳，西欧的欧尚，北欧的宜家，韩国的三星，包括中国的某些品牌字号合一的店面，正陆续出现在俄罗斯，这也唤醒了俄罗斯本土的商业经营意识，在莫斯科，我们发现一个俄罗斯风味的快餐店，字号"哞哞"，就是牛叫的声音，门口以一只白身黑斑的大牛为标志，门面和内堂的桌椅也都以白底子黑斑点为装饰，器皿采用拙朴的陶器，所售卖的色拉、热汤和主菜很有本土风味，独特可口。听说已有俄罗斯人欲与中国人合作，计划将"哞哞"连锁店开到北京。

中国改革、开放以后，不少中国人走出国门，寻求商机，积攒财富，多苦的地方也敢去，多累的事情也愿做，可惊可叹、可感可思。俄罗斯实行新政后，多数民众还是愿意过一种有伏特加可喝、有普希金诗可诵即感幸福的非商业生活。其实两国大多数普通人即使在交往中偶有误解与碰撞，想想不同的文化背景，中国人尽量去理解那边的商业无字号传统，俄罗斯多琢磨琢磨全聚德、东来顺、恒源祥、吴裕泰的来龙去脉，两下里交融互补，岂不是都能生活得更充实、更有趣？

普希金决斗处

他乡遇故知，人生大快事。红学家梁归智在圣·彼得堡大学任客座教授，我在涅瓦大街一家咖啡馆里，听他在手机里跟我说："已经坐上地铁，正往你那儿去。"心头热烘烘的。

可是左等右等不见梁教授身影，不由再打电话，他报告："列车停在前三站，广播让乘客都下车，等候新消息。"看来俄罗斯的反恐工作也是非常细密的。咖啡喝完，又点了冰激凌，以逸待劳。梁教授终于进入咖啡馆时，差不多已经是23点了。他说在地铁站里，乘客们都安静地等候通车广播，后来终于告诉大家情况排除，才又各奔目的地。他说，本来是想到后马上带我去一个地方——那是一般导游都未必清楚，一般游客都未必想去的地方，他估计我一定感兴趣，而且那地方离他宿舍不远，他要带我去。那是什么景点呢？——普希金决斗处。

▶**图20** 普希金决斗处（左边石碣是当时他的站位，右边则是丹特士的位置）

在中国文豪曹雪芹去世三十五六年后，俄罗斯诞生了其文学之父——普希金。无论在圣·彼得堡还是莫斯科，以及俄罗斯其他许多地方，普希金的遗迹，他的雕像，以他命名的博物馆、文化机构、学校、街道……数也数不清。我告诉梁教授，圣·彼得堡郊外普希金上过中学的皇村，莫斯科老阿尔巴特大街的普希金伉俪雕像……我都已经细赏，他就说，据他所知，普希金和妻子冈察洛瓦牵手的雕像很少，我看到的可能是独一无二的，但普希金之所以决斗，并中枪不治身亡，一般史家论者都认为与冈察洛瓦的轻浮有关。夫妻中如果丈夫成了伟人，那么妻子要么会被夸为贤内助，要么就被说成红颜祸水。其实伟人也是复杂人性的聚合物，伟人之妻就更可能是非贤非祸或既贤既祸的一种自在生命，不必去贴简单化的标签。

梁教授第二天就要利用暑假去外地旅游，不能陪我去看那地方了。但有了他的推荐，隔一天傍晚，我和几位年轻的朋友，终于在俄罗斯司机的协助下，在市郊一处僻静的树林里，觅到了凄清的普希金决斗处。那里有一座镶嵌普希金浮雕的方尖碑，倒也不算稀奇，触目惊心的是附近有两块面对面的拙朴石碣，标明了决斗那天两位决斗者的站位，一边是普希金，一边是勾引冈察洛瓦的法国贵族丹特士。萋萋青草丛中，白夜将至中的两块碣石，望去令人心碎。

普希金为什么非去决斗？年轻的朋友们大惑不解。人是一定历史阶段主流文化的俘虏。当时的上流社会，男性间的为女性决斗，是一种强势社交文化，普希金也不能摆脱其羁绊。普希金在自己的诗体长篇小说里，就写到两位男主人公奥涅金和连斯基的决斗，一方挑战——一般是脱下一只白手套扔到地上，另一方拾起来，表示应战，然后，由双方的朋友作为证人，还带上医生，在约定的时间，在约定的地点，双方各备手枪，背靠背，听到证人指令后，各迈若干步，停下来，转身，证人会问哪位后悔，在那个时代那种风俗的约束下，鲜有男子不拾挑战的手套，更鲜有男子临场退缩，一般都会说坚持决斗，于是，互相瞄准，证人倒数时间，最后发出开枪指令，于是同时开枪，很少有双双倒下或双双无恙的情况，一般多是一方中弹，医生马上抢救，马车立即奔往医院——普希金笔下，是纯真的连斯基死去，现实生活里，是花花公子丹特士没事儿，还有旺盛创造力的普希金却悲惨地结束了生命，那一年，他才38岁。

普希金决斗致死，普遍被认为是沙皇尼古拉一世的阴谋。普希金同情反叛的十二月党人，对沙皇统治多有讥讽抨击，沙皇讨厌他，又碍于他取得的名气，不好公开除掉他，于是设下陷阱，让他自我毁灭。莱蒙托夫就是这样认为的。但小普希金14岁的莱蒙托夫，却也在4年后死于决斗，并且只有27岁。这就更值得探究，为什么他们明知决斗凶险，甚至也意识到那可能是一个阴谋，一个陷阱，却就是不能不进入那样一种贵族社交文化，最后让它毁灭掉自己？

回到北京，整理游俄照片，我长时间把目光停留在有关普希金的那些照片，尤其是决斗处两块碣石的那张照片上，思索不已。我感到，除了人性的复杂，一个历史阶段文化构成——包括主流风俗——的威力，也是值得我们深入探究的。我将通过"伊妹儿"，和梁教授讨论这一问题。

托尔斯泰青冢

许多人都知道莫斯科新处女公墓里，有许多名人墓。听说我要去那里面参观，一位亲戚就嘱咐我："一定要找到托尔斯泰的墓啊！替我也献上一枝花！"其实，那里面有的是阿列克谢·托尔斯泰的墓，此人是苏联时期的作家，著有《彼得大帝》等长篇小说，从历史长河的角度看，一生著述与事迹难与列夫·托尔斯泰相埒。

我那位亲戚并不清楚阿·托尔斯泰，他崇拜的是写下《战争与和平》《安娜·卡列尼娜》《复活》等巨著的列夫·托尔斯泰。列夫·托尔斯泰的墓就在他晚年长期居住的雅斯纳亚·波良那庄园里。

从莫斯科驱车前往位于图拉州的雅斯纳亚·波良那，需要三个多小时，半路上，我脑海里浮现出列夫·托尔斯泰一个短篇小说里的情境。他写到一个俄罗斯人，在一座小山上，把一袋金币放在一个鞑靼人跟前，那鞑靼人卖给他土地，他可以太阳一出就往山下跑，在山下绕一大圈，只要他在日落前回到鞑靼人面前，他圈下的地全归他。这个人日出就往山下跑，他舍不得拐弯，直到午后很久才拐弯留下记号，又跑了很远，天色都暗淡了，他才折转往山上跑，太阳在

▶图 21　65 岁终于来到了列夫·托尔斯泰故居　2007 年

往地平线下沉，他拼命往山上爬，希望能在最后一缕阳光消失前扑到那鞑靼人脚前，但是，虽然他爬得手脚流血，还是没能在天黑前回到起点，他也就气竭而亡了。这篇含有训诫意味的小说，在托翁的创作中属于可以忽略不计的一类，却不知为什么，在新的生活环境下，早期阅读的一般印象，竟被激活为一种强烈的感慨。

　　雅斯纳亚·波良那庄园保持着当年的原貌，池塘里的莲花静谧地开放，白桦林的木桶里似乎仍可以流出庄园自酿的饮料克瓦斯，就连故居门廊下睡懒觉的那只花狸猫，都让你觉得刚被托翁轻抚过顺毛。许多参观故居的人都很难理解，那时候托翁的生活是那么优裕舒适，他的主要著述也都问世，光《战争与和平》的外文译本那时候他就已经收藏了十几种，绝对是功成名就，可是他却异常痛苦！他总不断扪心自问：为什么我如此富贵安逸，而眼前的农民却仍然那么贫苦？推而广之，世界上不公、不平等的事情还那么多，他想把自己的财

▶**图 22** 托尔斯泰青冢

产完全抛弃，以求得心灵的慰安。但是通过参观他的故居，你就会发现，他和妻子育成六子三女，庄园里又总是食客盈门，站在他妻子索菲亚的角度想想，倘若把全部财产捐弃，这家庭如何支撑、生活如何继续？ 1910 年 10 月里的一天，托翁终于在与妻子索菲亚的又一次龃龉后离家出走，11 月 20 日，在一个小火车站里，因肺炎不治终止了其波澜壮阔的一生。

托翁去世时，已经有了电影，摄影师闻讯赶去拍了许多镜头，包括索菲亚与家人赶去料理后事，以及民众自发地抬着花圈去吊唁。在纪录片镜头里，索菲亚表情凝重，很难判断她内心的奥秘。托翁因为成了世界名人，人们多半乐于去咀嚼他的伟大，很少有人去探究索菲亚的思想感情。有些人把托翁的离家出走与意外死亡，归咎于索菲亚的平庸与凡俗。其实生命是平等的。列宁因为那时候正致力于以武装斗争改变社会，因此虽然肯定托翁的文学成就，却痛批他那"毋以暴力抗恶"和自我道德完善的救世主张。平凡的索菲亚与其伟大丈夫之间的分歧，当然没有列宁与托翁之间的政治伦理冲突那么高的层次，但是，历史发展到了今天，似乎也应该展拓出一个研究领域，就是探讨如何在伟大的社会理想与安定的庸常生活之间，找到一条不须付出惨重牺牲的通道。

遵照托翁的遗嘱，就把他葬在庄园林中的一隙空地上。如无导游指点，我们无论如何不会发现，也难以相信，那就是一代文豪巨擘的墓冢：绝无墓碑，亦无片石，就是一个两米来长、不足一米宽的长方形土堆，上面布满萋萋青草。我蓦地又想起来途中默思的那篇小说，题目是《人需地几何》，小说最后一句是结论，意思是所需无非是从头到脚的那样一个被埋葬的面积。现在中国实行火葬，生命归宿最后所需的土地，就更少了。

也遵照索菲亚的遗愿，她去世后不与丈夫合葬，她那有墓碑的坟在庄园的另一边，一般参观者都很少去看。

F

法　国

马塞尔小姐，请放心！——法兰西面影之一

当我们乘高速列车从巴黎抵达南特时，不免吃了一惊——车站月台上竟聚集着那么多欢迎我们的人。

其中最重要的那个人，直到步出车站以后我才注意到她。

她有着最典型的法兰西妇女的外貌——那种外貌是我们从米勒、马奈、雷诺阿等法国画家的画幅中早已熟悉的；她看上去也就三十多岁，穿着一件式样朴素的褐红呢大衣，举止上处处显露出一种社会活动家的灵活与干练。

来欢迎我们的人热情相同，而具体目的各异。电视台和报社的记者想抓拍和询问出最有趣的镜头和我们的"第一观感"，一般的法国朋友只顾向我们倾露对万里以外而来的中国文化界人士的热忱，而几位中国留学生除了焕发出对祖国亲人的特殊情感，又忍不住立即打听国内的最新消息……

从我们走下车厢，整个场面就不免有点紊乱，特别是步出月台那段，摄影记者们边往前跑边扭回身来抢镜头，录音记者挤开别人挨到我们身边，把细长的录音听筒伸拢我们唇前，而我们连手中最小的提包也早被欢迎者抢去代提，只觉得是不由自主地被人群簇拥着往前移动，一时间真有点腾云驾雾的感觉……

步出车站以后，由于那位一下子使大家不得不服从的妇女的从容指挥，整个场面才由紊乱转变为井然有序。

她首先使几家互不相让的新闻单位得以协调，然后嘱咐帮我们代提物品的人们不要把东西弄混弄丢，又提醒留学生们现在不是打听中国国内消息的时候，而应当充分发挥他们的翻译作用——然后，她便既精细又麻利地安排了把我们送往下榻旅馆的车辆。

她首先把我从记者中"抢救"出来，并带我走拢一辆小轿车旁，她一边打开车门请我进去，一边向司机嘱咐着什么，同时又让留学生小章及时地把她的话转告给我："先送你一个人去旅馆。你的行李不会弄丢的，请放心。你在旅馆前厅里好好休息一下，不要紧张——别的人过一会儿也会到达。为什么先送你去，我以后会向你解释的。我叫马塞尔·勒格洛，你就叫我马塞尔小姐吧！"小章译至最后一句，她把手伸进车窗同我热情地一握，就利索地转身安排别人去了。

车子开动以后，司机试图用法语同我交谈，我只好抱歉地耸耸肩膀。我试图用英语求得一点简单的回答，而司机却又对我耸耸肩膀。来南特以前听说这座城市很小，从车窗望出去并无小的感觉——马路颇为宽阔，两旁的建筑也相当高大宏丽，正当傍晚，马路上小汽车成串，霓红灯光在暮色中熠熠闪动，街心广场的喷水池喷射出簇簇银伞……拐了好几个弯，车子才抵达我们下榻的那家旅馆。坐进旅馆前厅的古式沙发中以后，我不免有一种难以譬喻的失落感——周围全是和我不同种族、不同语言的陌生人，而且不仅那个挂满现代派绘画的旅馆前厅，那旅馆门外停满小汽车的街道，那街道后面显露出的教堂尖顶，以及这整个城市，都使我感到难以适应——我好比一条本来活泼地摇头摆尾的淡水鱼，倏地被抛进了咸水湖中。我顿觉孤独、烦躁。但我及时地想到了马塞尔小姐，想到了她那指挥若定的面貌和小章所译出的那些话语，于是我心稍安——这件事过去得越久，我就越感念马塞尔小姐当时的那些叮嘱的宝贵，只有对朋友最体贴入微的主人，才能想到并说出那样的话。

我觉得过了好久，其实也就二十几分钟，另几位同志被马塞尔小姐和几位法国朋友以及留学生也送抵了旅馆。马塞尔小姐一看见我就迎上来微笑着问：

"你没有着急吗？"接着便让小章把她的解释译给我听，原来那仅仅是出于为我们节省开支的一种技术性原因。

我们是去南特参加"三大洲电影节"的活动。这个电影节是一个政府资助的民间性文化活动。电影节方面只承担我们的来回机票钱和一周内的住宿费，其他开支概由我们自理——这就必须花费我们从国内带来的宝贵外汇。马塞尔小姐并非电影节的组织者和工作人员，她是南特市法中友好协会的主席，她认为在电影节期间帮助我们安排好一切是她责无旁贷的神圣义务，所以早在我们抵达之前就作了精心布置——她发动友协的积极分子届时用自己的小汽车来接送我们，以省去我们雇用 TAXI 的麻烦；她为我们准备好了南特市区的地图，并在上面标明了电影节租用的几家影院和活动场所的位置；她并且考虑到我们每天如何吃饭才能既省钱又爽口……她还让友协司库为在南特留学的十位同学统一购买了电影节的"通用票"。

由于有马塞尔小姐的帮助，我们当晚就及时地同电影节的各方面人士搭上了钩，并在避免了许多曲折、误会的情况下迅速地成为了电影节快速转动的链条中的一环。

说话声音响亮、步履永远迅捷轻快的马塞尔小姐，当晚在电影节开幕式结束后用自己的小汽车把我们送回旅馆，这才在前厅里同我们一一握手告别。

"真感谢你！"我们代表团的陶玉玲同志对她说，"快点回去休息吧！为了我们，你可真累坏了！"

其实显露出疲惫的反倒是我们，马塞尔小姐红光满面，两眼喷射出充沛的精力，乐呵呵地对我们说："你们累坏了。快休息吧。我还要去上班！"

这话让我们吃了一惊。后来才明白，她那法中友协南特市主席和法中友协全国副主席的职务，都完完全全是一种义务性的社会工作。她目前的固定职业是市政府的社会协理员——这种职务我们中国没有，很难加以类比。她当晚所说的"上班"，即是应约去一位领取退休金的老人家中，进行"协理"——既要对他给予精神上的安慰，又要为他和子女、亲属间的财产纠纷提供法律解决方面的建议，并要同他商议如何根据市政府某年公布的某项法律修正案，为他争取一项新的冬季福利。

第二天一早，我们正在旅馆里吃早餐，马塞尔小姐已飘然而至。

"睡得好吗？"她笑嘻嘻地用发音不准的中文问我们。

我本想反过来问她，可一看她那精神焕发的面容，便没有问。心中却一直纳罕：她显然比我们睡得更少，怎么她精力如此充沛？

第二天我们便相处自如了，就仿佛我们早已相识。而她那见棱见角的性格，也显露无余。

我们接到一大堆请柬，都是酒会。当晚一个酒会在离旅馆比较远的地方，我们心安理得地搭马塞尔小姐的车去。她那辆小汽车不但陈旧，而且容积狭小——她开车，谢晋同志坐她旁边，后面我和陶玉玲以及翻译小郑三人勉强坐在一起。我胖，实际上只能偏着身子凑合着；虽然挤，可是我们熟了，热热闹闹的，也倒快活。马塞尔小姐一边开车一边激昂地议论着，小郑把她那直爽的话语译给我们："今天这个酒会，要不是陪你们，我才不去哩！举办这个酒会的商会，头面人物全是些暴发户，一身臭铜气！他们还不是附庸风雅——知道这回电影节来的全是世界各国的艺术名流，所以想通过这个酒会认识一下，让报界给他们拍一点照片，登上去抬抬他们的身价……我要是你们，我就不去！"

她那爽快坦诚的劲头，把我们都逗乐了。我们中国人毕竟太拘于礼仪。其实这类的酒会去不去都全凭我们自己抉择，或迟到，或早退，或缺席，主人一般都并不在意。我们考虑到当晚就要在"奥林匹亚"影院举行我国电影《如意》的首映式，我是原著兼编剧，陶玉玲是演员，谢晋是我们代表团的团长，都应郑重对待，我和陶玉玲还要上台同观众和评委见面——我们何苦非要去参加那商会的酒会，把自己弄得慌慌忙忙的呢？便接受了马塞尔小姐的意见，"打道回府"，到旅馆中养精蓄锐，以迎接那酒会后于我们格外重要的《如意》首映式。

马塞尔小姐把我们送回旅馆后，朗声笑着说："想起来多少还是有点可惜——商会他们可有钱了，酒会上的香槟酒和多味小吃肯定都是最高级的……哈哈哈，过两天我们友协为你们举行的酒会，可拿不出那么豪华的东西……"

其实一点也没有什么可惜。而法中友协南特分会为我们举行的酒会，是我们在法国参加过的所有酒会中最使我们动情的一个。

那酒会在法中友协南特分会的办公室兼活动室举行。整个屋子也就三十平方米的样子。是分会从南特市"社会活动中心"租来的。屋子朴素得就像中国一般城市中学的教室,为招待我们,事前特意进行了一番布置:一头的案子上摆着十来瓶红葡萄酒及许多玻璃酒杯,还有若干盘不同样式、味道的小饼干,以及两三盘切好的肉肠、奶酪,当中还点缀着两只陶壶,里面满插着类似我们中国"江西腊"那样的鲜花;另一头案子上摆着从我国国际书店买进的许多我国印制的、介绍我国情况的法文期刊、画册,以及我国外文出版社编印的中国文学作品法译本,还有一点中国剪纸、皮影、小风筝等工艺美术品,一方面意在展示法中友协南特分会在介绍中国方面作出的努力,另一方面也是利用这个分会会员聚会的机会,争取推销出一部分这类中国出版物和工艺品。四面的墙上,则张贴着从我国引进的若干幅年画,全是描绘当代中国工农兵形象和反映中国建设成就一类的题材。

在那活动室里走动了一圈,我不禁感慨万千。去参加那次酒会前,我们已参加过好几次酒会,大多在头上有亮闪闪的多层吊灯,脚下有明晃晃的镶木地板的豪华厅堂里举行,长条案上摆出的美酒及饮料红、白、黄、绿、紫色色俱全,高脚玻璃盏全是雕花精制,各色小吃中不仅包含着鸡鸭鱼肉,更有山珍海味;案上精瓷花瓶中插的全是鹤望兰一类的名贵鲜花;酒会一开始,穿着古典式衣装的侍从们便穿梭来往,不时用大银盘把斟满饮料的玻璃盏送到你面前,彬彬有礼地请你挑选……但那些酒会大都由营利性机构举办或有商会、财团作后盾,举办的目的也带有相当的功利色彩,所以场面豪华并非难事。马塞尔小姐他们张罗的这个酒会,却完完全全是出于一片赤诚的友情!需知:市政府对他们这个组织的资助,极为有限。他们的活动经费,主要靠热心法中友谊的各界人士捐献,而在南特开展法中友协的工作,比在巴黎困难得多——南特市和中国历史上很少发生关系,至今整个南特市的华人(包括留学生)还不到 50 人;南特又是一个以中产阶级为主的保守城市,并没有很多人自发地对远在万里之外的社会主义中国感到兴趣。许多低收入者——下层民众,对社会主义中国固然怀有朴素的好感,但他们在连年经济不景气的情况下,每天疲于奔走谋生,也很难定期参加友协的活动。各种类型的出访法国的中国代表团也很少来到南特,1982 年曾有一个中国皮影戏演出团到过南特,但只演了一场,在南特停留不到两整天……马塞尔小姐他们便是在这种情况下坚持开展他们法中友协南特分会的工作的。目前分会的积极分子已经发展到了 70 多人——比南特的中国人还多出半倍；今天他们能为我们召开这样一个酒会，你说我们心中能不感动吗？

马塞尔小姐那天大概穿出了她最好的衣服——一件用粗毛线织就的灰白色、灰蓝色与灰粉色相间的连衣裙；她头发照例朴素地鬈曲在耳根之上，耳垂是两个小小的圆形银色耳饰；但她最动人之处，还是那红喷喷的双颊和满蓄着电气火花的一对大眼睛。

我们去了没多久，那屋子便显得满满当当的——来了许多热情的法国朋友。马塞尔小姐的兴奋显然不亚于我们，她不是刻板地通过翻译把来人介绍给我们，而是不断以诙谐的话语把大家逗得发笑，使酒会的气氛极为活泼热烈。有一位年轻人穿着工作服跑来了，她倒退半步，双手在胸前使劲一握，耸起眉毛质问："天哪，你怎么好意思这个样子来见中国朋友？难道你不是来为他们修理自行车的吗？可是他们的自行车不在南特，而在北京和上海啊！"那年轻的工人红着脸，诚恳地解释：他原来不知道这次会见，是听他们厂一位工程师说了，自动跑来的，因为一会儿他还要接着上班，所以没换衣服就来了，他的愿望只是"同真正的中国人握握手"，因为他活这么久，还从未见过真正来自人民中国的使者……马塞尔不等他说完便迎上去吻了吻他的脸颊，自豪地把他引到我们身边，极为郑重地宣布："这回只许你每人握两秒钟。只有你今后积极参加我们友协的活动，知道更多中国的情况，才可以同今后来南特的中国客人久久地握手！"像这个小伙子一样，被这次酒会吸引而头一次来友协的南特人，那天颇不少，马塞尔小姐双颊简直要喷出火来，她在爽快地干掉一杯红葡萄酒后，捂住心口对我说："今天我感到非常幸福，因为你们的到来，使南特的法中友协又增加了新的积极分子！"

是什么样的动力，促使马塞尔小姐这样热情地投身于法中友好事业呢？

酒会上的一个细节，使我心中一亮。谢晋代表我们大家，把一件礼品赠送给法中友协南特分会，那是一幅竹帘式挂画。马塞尔小姐把那挂画展示给大家——画上画着一位中国古代仕女临窗修容，大概是体现温庭筠"懒起画蛾眉，弄妆梳洗迟"一类的诗意。那特异的东方情调使在场的法国朋友不仅鼓掌而且欢呼。但马塞尔小姐并不掩饰她个人一定程度上的失望，她对谢晋说："礼品很精致——但是送我们法中友协南特分会这样的礼品，可未免有点右倾了！"当时大家听了都笑起来。

后来越同马塞尔小姐接触，我便越感到她那句话并非全是玩笑。她做主布置的友协活动场所很反映出她的感情——她专挑选那些展示中国当代工农兵风貌和中国社会主义建设图景的年画来张贴，她向会员推荐的中国图书也都以反映当代中国新生活的为主。在她对中国的热爱和向往中，显然渗透着这样一种信念：中国共产党领导中国人民所进行的伟大社会实验，能够传递给法国人民一种新的信息和给予法国人民一定的启迪。

她看了我们送到电影节放映的影片《天云山传奇》和《如意》以后，同我们深谈了一次。她诚恳地说："你们开展'文化大革命'时，我和一些伙伴曾经向往过，认为那是一场很伟大的革命。后来你们粉碎了'四人帮'，否定了'文化大革命'，我们很困惑。再后来法国一些报刊又说你们变'修'了，不搞社会主义了。我们就努力地去了解真相。近几年我几次参加、组织了旅行团去中国，亲眼看到了中国的一些真情实况，我觉得中国还是一个了不起的社会主义大国，充满了青春的活力。现在看这两部电影，我觉得一下子懂得了更多的东西。'文化大革命'为什么是有害的，过去搞那么多政治运动，整错了许多的好人，为什么是错误的……我都明白了。可是否定了'文化大革命'和过去运动当中的错误，并不是否定社会主义的方向，恰恰相反，这证明了中国共产党和中国人民在建设社会主义、进行人类历史上伟大的社会实验方面，具有多么非凡的勇气！这两部电影很有分寸，在揭露过去错误的同时，又给人以美好的希望……祝愿你们拍出更多这样的影片！"

马塞尔小姐向我们交心以后，我们对她更加敬重。我这才知道国外许多有识之士，为坚持开展对中国的友好工作克服过多么多的困难。我们国内不断发生变化，我们搞"文化大革命"，使国外的友好组织分裂了一次。我们粉碎"四人帮"，又使同我们保持联系的友好组织处于尴尬局面——有些"文化大革命"期间来我国访问过、回去写过书的人士不但遭到所在国一些人的讽刺，还为我国一些不懂事的人所訾议，可这怎么能怪他们呢？后来我们反对"两个凡是"，又有一定变化，致使坚持开展对华友好的组织不得不又一次调整他们的工作——固然我们的许多变化是有道理的、必要的，但往往工作不周，不能及时向国外的老朋友宣传、解释，结果难免出现一些误解和厌烦情绪。即如在法国南特，人家国情跟我们不同，不会有任何人因参加"外事活动"而产生一种荣誉感和得到好处，各种社会组织如法中友协，绝对是自愿参加，不会有单位指派或动员，而且参加这种活动必得花费时间，而时间在他们来说就意味着金钱……你总变来变去，人家跟不胜跟，还能有多少人对友协的活动保持旺盛的兴趣呢？想到这些，对于法国和其他国家的马塞尔小姐式的友好人士，能十几年、几十年努力地来了解、理解、谅解、亲近中国，不辞辛苦、不惮麻烦、不畏挫折、不计报酬地在人民群众中介绍中国，点点滴滴地去促进两国人民之间的友谊，我们怎能不由衷地向他们致敬呢？

后来有一天我问起她那句"未免右倾"的话，究竟深意何在。她没有像往常一样快活地笑着回答我的询问，而是非常严肃地说："有一阵你们很'左'，拿了好多的'样板戏'画片、画册和宣传画来，使我们的会员很难接受。现在你们批判了极左路线，恢复了对传统的尊重，重新绘制出了这种古典风味的仕女图，而且不远万里带来送给我们，我们当然高兴。不过我们也确实提心，不要又来个一百八十度的转弯。前年我在中国看到一部中国影片，给我的印象是从各方面模仿西方商业性影片的趣味，而且把神圣的解放战争，说成仿佛是兄弟之间的一场令人遗憾的争斗……这就不好了。我们希望中国稳定，不要一会儿只给我们'样板戏'的宣传品，一会儿又只给我们古装仕女和佛像。"说到这儿，她双眉间现出两道竖纹，以一种不无忧虑的神态地问我："现在有的法国报纸，又在说中国要改变不久前才确立的路线，正在发动新的政治运动，运动的目标之一是旨在清除一切来自西方的影响……这是真的吗？"

当时我没有给她讲更多的道理，只是请她回忆："那天你们友协举办的酒会上，陶玉玲表演的是什么节目？"

马塞尔小姐眉宇间的皱纹展开了，她的双眼又闪闪发亮，并且不禁微笑起来。是的，我们双方都不能忘记那动人的场面……

陶玉玲，这位中国人民解放军的现役军人，"八一电影制片厂"的著名演员，当天穿着一身雅秀的旗袍，先用法文、后用中英文朗诵了法国十七世纪文豪拉封丹的著名诗篇《在清凉的泉水边》：

> 我散步在清凉的泉水边，
>
> 泉水是那样的甘甜；
>
> 我沐浴在清凉的泉水里，
>
> 长久以来我一直爱着你，
>
> 永远永远也不会忘记你……

在场的法国朋友们听完不及鼓掌，几个人便带了个头，便开声唱起了为这首诗谱写的名曲，优美动人的曲调在室内久久地回旋，使那天酒会上宾主的情谊达到了最炽烈的程度……

如果中国真的要恢复极左，要改变以"四化"建设为重点的方针，重新"以阶级斗争为纲"，拒绝借鉴西方从古至今的优秀争物，再次中断同西方的文化交流，那么，我们中国电影代表团能来南特么？《天云山传奇》和《如意》这样的影片能送往法国放映么？陶玉玲同志能以充沛的感情朗诵拉封丹的这首名诗么？

马塞尔小姐一定想到了这些，她不仅微笑，而且又活泼地手舞足蹈起来……

同马塞尔小姐这样非同一般的朋友分手，心里确有一种特殊的惜别感。她送我们回巴黎那天，仍穿着那件我们已经非常熟悉的褐红色呢大衣，因为天气骤冷，她竖起了大衣的领子，双颊比往日更其红润；她一直把我们送入车厢，并且为我们找到了最理想的可以四人对坐聚谈的座位，又连连嘱咐我们在巴黎下车前一定要穿好衣服，围好围巾，因为巴黎将比南特还要冷上两度。

握别时，我发现她手里提着一张当天的《费加罗报》，那张报我一早也看到，并且注意到有一篇猜测中国又将动荡的文章。我觉得我们既是老朋友了，便坦率地问她："你怎么有点忧郁？你不是明年夏天还要带一个南特旅游团去中国吗？我们今天分别在南特，不久便又会相聚在北京！"谢晋同志也笑着说："到了上海，我请你看我新拍成的戏！"

可是她晃晃手头那张报纸，也极为坦率地说："我总有点不放心——你们说我们肯定去得成吗？"

不必记下我们的回答了。因为我们的党，我们的人民，我们的国家，将以实际行动向全世界证明，我们将稳定地在建设四个现代化的道路上持续前进。

列车开动了。马塞尔小姐和许多法国朋友真诚地朝我们招手，马塞尔小姐并且忍不住跟随列车在月台上从快步行走变为了小跑，她手中的那张《费加罗报》掉在了地下，远远地抛在了身后……

马塞尔小姐，请放心！

1983 年 1 月 14 日写毕于北京劲松中街

"管不着"先生，咱们谈谈——法兰西面影之二

在法国南特市的"布列塔尼大厦"二楼，正举行着"三大洲电影节"的第一次酒会。来自三十多个国家和地区的上百名各国艺术家穿着样式、色彩各异的衣衫，举着酒杯游动着互相招呼、聚谈。

我同日本著名电影演员松田英子交谈时，已经注意到近处有一个人挺扎眼——那是一个大腹便便的欧洲人，可是他剃着只有薄薄一层头发根的光头，上身穿着件地地道道的中国"毛式制服"，衣扣全部敞开，身姿派头很像中国的一位"中层干部"……他是谁呢？

松田英子不会中文，我不会日文，我们只能用简单的英语句子达意，所以攀谈了几句以后，就不知该怎么继续对话了，只好互相微笑地举杯祝酒。离开松田英子以后，我本能地走向那位"中层干部"，心想跟他或许能较畅快地谈谈，他见我走去也便迎上来对我点头。

我问他："你会说中国话吗？"

他愣住了。想了想，便咕噜咕噜地用法文答我。我也愣住了。

刚好留学生小章走过我身边，我一把拉过他来，求他给我们翻译。

有了小章，我们总算形成了对话：

"您会说中国话吗？""一句也不会。""您去过中国？""一次没去过。""那您这衣服……？""啊，这衣服是我在巴黎买的。""您热爱中国？""啊，在法国我热爱巴黎。在法国以外我热爱佛罗伦萨。"我在心里头用北京话对自己嘀咕：这人，可真有点"格涩"。

我发现他那"毛式制服"的左胸兜上方，别着一枚长方形的徽章，式样很像中国大学的校徽，不过没有涂以白漆，保持着铝合金的本色，上头有一排凹进去的红色字母，我想那一定是他所属单位的证章。于是我们继续一问一答："您就是南特本地的吗？""不。我从巴黎来。""您是属于哪个单位的？"他扬起一条眉毛（确实仅仅扬起一条），仿佛听不懂小章译过去的问题，耸耸肩膀。

"我是问您，目前在哪个单位工作？"

小章又译过去，他仿佛还不懂。小章咕噜咕噜同他讲了一通法语，大概是把问题掰开揉碎了再提出请他回答。

他终于明白了，现出一个微妙的笑容。这回小章不是直接译出他的回答，而是穿插说明地向我转述："他说他不属于任何机构。他不懂为什么你们中国人总说你们是属于什么什么机构的。一个人即使同一个机构签订了长期合同，十几年几十年地为它工作，他也不能说就属于了那个机构。他说他目前也不单为一个机构工作，他也无法回答都为哪些机构工作——因为明天他可能自动停止为某个机构工作，而后天某个机构又可能拒绝他为他们工作……跟你说吧，他这种法国知识分子多了，我听他的意思，他好像是个写电影评论的自由撰稿人……"

这回我不问他而问小章了："可是他胸前别的那个徽章……那难道不是他目前受雇机构的证章吗？

小章眯起眼看了看，似乎一时不能甚解，他便问那位先生，那位先生自豪地用食指点着那徽章，解释着。小章豁然了，笑着告诉我："啊，那是一句话的缩写，意思是——本人拒绝接受来自一切方面的领导。也就是说，他是个完全独立自主的人……戴上这个徽章，就好比对别人宣布：你可管不着我！"

原来如此。领教了。

正好谢晋引着一位意大利朋友走过来向我介绍，我便同那位"管不着"先生点了个头表示暂别，他便也转身去同别人交谈了。

后来有两三天我再没见着他。他既然属于"管不着"派，当然不会像我们那样认真出席电影节的每一项活动。不过他在酒会上给我的强刺激，那两三天里并没有消失。

去法国之前，我当然做好了这样的思想准备——我们将不仅要同与我们观念接近的人接触，我们也将同与我们在各个方面的观念都不相同的人接触。但那位"管不着"先生所表现出的生活态度与思想方式，同我们之间竟有那么大的差异，以至于进行一点简单的问答也那么费力，却是我始料不及的。酒会后的第四天，我和小章在"奥林匹亚"电影院看完巴西影片《盖多利奥中士》，散步到一个街心广场时，遇上了那位"管不着"先生，因为酒会上交谈过，所以见面便自然而然地互相点了点头。

我本想问他："您也刚看完电影？"话到唇边又咽了回去。我想到西方社会的社交习俗，毕竟是在资产阶级个人主义、自由主义的长期浸泡中形成的，他们最忌讳别人打听他们的隐私，因此在路遇寒暄时万不能问他们从何处来、向何处去，对一般法国人尚且必须注意，更何况面前是一位直供不讳的"管不着"先生？

我正琢磨着该说句什么得体的话，"管不着"先生却主动问起了我来："刘先生，南特的气候对您还算适宜吧？"

我很乐于回答这个问题，我告诉他，我很适应南特这温湿的冬季气候，只是头两天的小雨有点令人腻烦。我问他南特冬季是不是经常下这种时断时续的小雨。

这样，有小章从中流利地进行翻译，我们便站在街心花园的草坪旁随便闲聊起来了。

那天下午正逢天气晴和，周遭的建筑物沐浴在玫瑰色的阳光中，显得格外华美精致。暗绿的草坪上飘落着许多深褐色的梧桐叶片，构成了富于装饰趣味的幽雅图案。喷水池中央的圆台上泻下水晶帘般的瀑布，几个喷头朝池心扬出扇面般的水幕，潺潺的水声中不时掺入鸽翅的扇动声——一群鸽子正自由自在、飞飞停停地在那喷泉旁觅食嬉戏。

　　大概是因为那天气和场所都实在宜于娓娓谈心，而我们双方晚餐前又恰好都没有别的约会，再加上双方都有一种互相了解的愿望，我们聊着聊着逐渐深入起来，最后竟干脆坐到喷泉旁，畅畅快快地进行了一次难忘的谈话——我难忘，相信他也难忘。

　　谈话间我问他看没看根据我同名小说拍摄的影片《如意》，他说当然已经看过。《如意》在电影节上是排在最前面放映的，而且在首映式的第二天上午，我和陶玉玲同志还在"布列塔尼大厦"举行了规模不小的记者招待会。他说他也看了《大洋新闻》和《西部法兰西》等报纸上关于《如意》的影评，以及我在记者招待会上的谈话和答疑。

　　我自然征询他对《如意》的观感。没想到他并不回答我的问题，而是反问我道："你们中国又在批判人道主义了？"

　　我便解释说"我们是社会主义的人道主义国家，我们的指导思想是马克思主义。我们一贯主张社会主义的人道主义。我们所批判的,是那样一种倾向——用抽象的人道主义来取代乃至反对社会主义的人道主义。"

　　他耸耸肩膀，尖刻地说："一个国家为什么要确定一种人人都得遵循的指导思想？我不理解！"

　　我心平气和地对他说："这就是两种社会制度的不同。我不知道你对中国近代社会的发展过程了解到什么程度。但我想你总不会不知道，近一百多年以来，法国和其他一些西方国家，曾经肆无忌惮，而且极其残忍地侵略了中国，使中国几乎面临着亡国灭种的危险。近一百多年以来，先进的中国人想过各种各样的办法，以拯救我们的民族，最早一批的这种先进人物，比如康有为、梁启超，乃至于早期的孙中山，都很想把中国变成类似你们法国这样的国家，但是都失败了，为什么？其中最主要的一个原因，就是你们法国这样的国家不允许。后来中国有了共产党人，受到苏联'十月革命'的启发，决心走社会主义的道路，才终于解决了中华民族的生死存亡问题。所以，且不说马克思主义是真理这一点，仅就中国近代史的发展过程来说，中国成为一个社会主义国家乃是客观规律所决定的。既然如此，中国这个社会主义国家确定马克思主义为它的指导思想，也就是顺理成章的事了。"

我这一番议论,小章极其流畅地翻译了过去,而且他还加上了既诙谐又深刻的结语——他用法文向"管不着"先生讲完,便又用中文转述给我:"我告诉他:你们祖先里头那些当权的人,容不得中国跟你们一样;可是当中国变得跟你们完全两样的时候,你这样的先生却又大惊小怪了!"

我原来有点担心,这样跟他交谈,会不会引起他的不快,没想到他听完我们这些议论,固然并未表示接受,表情却反比原来活泼自然。他回到原来的问题上:"你说你们主张社会主义的人道主义,社会主义的人道主义和我们的人道主义区别在哪儿呢?"

我告诉他:"其中最主要的一个区别,就是我们认为要真正达到人道主义的目标,只有一个途径——消灭产生剥削和压迫的社会制度,从社会主义过渡到共产主义。而你们所主张的人道主义,只是在不触动资本主义制度本身的前提下,提倡人与人之间的同情与友爱……"

小章刚把我的话译过去,"管不着"先生便扬起双手,大声地说:"我承认我对你们的人道主义是个门外汉,可你对我们的人道主义的理解,简直太肤浅了!"

我便微笑着请他见教。

"管不着"先生侃侃而谈起来。我真佩服小章,他在四年的留法学习期间不但已取得了两个化工科技方面的博士学位,而且博览群书,对人文科学方面的这种交谈也能达到近乎同声翻译的程度。

小章译过来的"管不着"先生的"高论"如下:

"我想我们既然都是来参加电影节的,谈问题时无妨举电影为例。你以为西方的人道主义就是主张爱,主张同情,也就是主张对弱者、不幸者给予帮助和援救,这其实只是人道主义的 ABC。西方曾拍过大量这类的电影,你们中国演得大概也最多。但是到了第二次世界大战以后,人道主义就有了更深入的发展。人们不再一味地去表现强者对弱者、幸者对不幸者的怜悯和援助,而是开始号召弱者自己起来向社会的不公正报复。当然,这种报复行为常常使他们更加不幸。当时从意大利兴起的一大批'新现实主义'电影,就常表现这个。如果把我们西方的人道主义发展比喻成上楼梯的话,那么这是第二个台阶。后来这种东西多得让人发腻了，于是又上到第三个台阶——人道主义表现为拒绝简单地划分强者和弱者、幸者与不幸者。你看过我们法国导演阿仑·雷奈根据玛格丽特·杜拉的脚本拍摄的《广岛之恋》吗？看过？太好了——你回想一下它的内容和情调。你大概也看过日本导演黑泽明拍摄的《罗生门》，也是根据小说改编的，那小说已经存在很多年了，可是黑泽明偏在那个时候把它拍成电影，并且引起震动，并不是偶然的——人们越来越发现，强弱之间、善恶之间、是非之间，其实并没有什么严格的界限，作为第三者很难去加以区分。你不要笑，这种观念当然不符合你们的意识形态，但我们西方却有许多人，比如我，至今仍然感觉到它的魅力。这远不是最高的一级台阶，再往上，第四个台阶，从时间上大概已经进入六十年代后期，人道主义发展为从恶中去发现善，从丑中去发现美，于是出现了一大批在你们看来是为犯罪分子辩护的影片，西方的这股浪潮在一些社会主义国家也引起了回响。比如，苏联已故的舒克申，就自编、自导、自演了《红莓》，这部片子你也看过？你这个作家看片子真不算少！《红莓》在西方受到重视，就是因为我们觉得它的人道主义水平已经升到了与我们同级的台阶上。它把一个犯过罪并且同犯罪集团藕断丝连的俄罗斯汉子，表现得多么动人心魄！到了七十年代，人道主义升到了第五个台阶，开始出现了这样的电影：它从人们一贯奉为正人君子的伟人、名人身上，发现了虚伪、怯懦、动摇、背叛、堕落、无耻……法国就很有几部名人传记片，采取了这种拍法，刚上映时令观众和评论界大吃一惊，你一部也没有看到过吗？当然，这种境界恐怕是你们绝对不能容忍的了。进入八十年代以后，人道主义变得更加深刻。最近两年西方不断出现这样的电影，表现普通的人，甚至至亲至爱之间，互相不能理解。谁也不想理解谁，谁也不可能真正理解谁。呼吁人与人之间互相理解，或者让人们承认互相之间永不可能理解……这可能意味着我们已经登上了第六个台阶。当然每一次升级都并不意味着对前一个台阶的遗弃与否定。往上看，台阶还多着呢。怎么样？刘先生，我这么长篇大套地讲述，你不觉厌烦吗？”

我笑着说：“我一点也不厌烦。但老实说，我感到吃惊。你这种‘人道主义台阶论’——如果可以这样概括的话——我确实还是头一回领教。在我看来，你们这样变来变去——变法其实也不止六种，就我看过的西方电影，还有好多种是你没概括进去的——实际上是万变不离其宗。你们的人道主义，归根结底还是把人看成可以随意解释的东西，把人性看成是一些抽象因素的加减乘除和排列组合。这说明我们和你们所尊崇的人道主义确实是两种不同性质的意识形态。社会主义的人道主义，对人的看法可以用马克思的一句名言概括：'人的本质并不是单个人所固有的抽象物。在其现实性上，它是一切社会关系的总和。'人性，人情，在阶级社会里不可能不打上人的社会存在——也就是阶级存在——的深深烙印……"

说到这儿小章打断了我，他说这样的谈论他翻译起来也感觉困难，特别是马克思的那句名言，看样子"管不着"先生完全弄不懂——当然，恐怕也是他翻译得太绕嘴——他请求我停一停，以便他加上一些自己的理解，再重复地向"管不着"先生解释一下我的观点。我当然同意。

小章在"管不着"先生面前，比比画画地向"管不着"先生讲述着。"管不着"先生双手箍在跷起的那条腿的膝盖上，仰着脸认真地倾听着。有只鸽子飞到了"管不着"先生的肩膀上，暂且歇息。我在巴黎和南特到处都看到这种不怕人的鸽子。直到"管不着"先生改变了一个姿势，那只鸽子才轻盈地飞到了喷泉的另一边。柔软的没有热力的阳光，优雅而晶莹的喷泉，温驯地飞飞停停的鸽群……这眼前的景色使我感到舒适，然而我的理智清晰地意识到，我和小章陷在了一个同我们完完全全不同的意识形态的汪洋大海之中。我忽然非常想家。

但是同"管不着"先生这样的法国知识分子谈谈，还是值得的。我认为，在我们同西方进行文化交流时，弄清楚我们和他们究竟有多么不同，比弄清楚我们和他们能有多少共同点更为重要。这样我们可以更清醒地知道我们应该坚持什么，反对什么和借鉴什么、容忍什么。

小章讲完了。"管不着"先生望着我说："可是你那个《如意》，在我看来，就属于我所理解的人道主义第一个台阶上的东西。我首先是觉得有趣——因为我认为中国是一贯反对人道主义的。在我以往看过的中国影片当中，很少有这样强烈的人道主义气息。当然，谢晋先生六十年代拍摄的《舞台姐妹》，特别是那部影片的前半部，人道主义的味道也是非常浓厚的，不过毕竟赶不上《如意》，因为《如意》从头到尾都体现着对弱者、孤独者的同情；我没想到中国的作家也能写出这样的作品，中国的导演也能拍出这样的影片。而且目前中国好像又在批判人道主义，这种情况下能在法国看到《如意》，我们西方人当然首先有一种惊奇感。请原谅我的坦率——我马上要说到我的第二个印象，那就是觉得《如意》相当幼稚，只不过达到了我们第一个台阶的水平。从人道主义的发展水平上看，中国比西方至少落后了一百年！"

我觉得我自然不可能使他改变他的观点，但让他知道他的这种观点是建筑在误解和偏见的基础上的，却是我义不容辞的责任。于是我对他说："你说中国一贯是反对人道主义的，这个命题至少是不准确的。社会主义中国一贯坚持革命的人道主义，也就是社会主义的人道主义。你对《如意》也没有真正看懂：不错，《如意》也许比以往的中国影片都更强烈、更集中地发散出了人道主义的气息。但我和导演在创作中都是很有意识地坚持社会主义的人道主义，摒弃抽象的、实质上也就是资产阶级的人道主义的。《如意》并不是一部抽象地鼓吹人类之爱、呼吁同情和帮助弱者、孤独者的作品。《如意》里的两个主人公，一个是学校里扫地的工友，他不是共产党员，不掌握马克思主义的理论，甚至还有点迷信，但他对剥削者的本质有朴素的认识，对解放了他的共产党和给民族带来复兴的社会主义制度，怀有深刻而真挚的爱；另一个是满族贵族的后裔，她在时代的潮流中努力地改变着自己的素质，终于成为了一个自食其力的劳动者，而且使自己个人的命运消溶在了社会主义祖国的温暖怀抱中。《如意》这个作品是对这两位最普通的北京市民的品德的赞美，绝不是对抽象的人性善、人情美的宣扬。当然，《如意》里有对'文化大革命'的反人道性质的激烈否定，也有对'文化大革命'以前我们工作中失误的坦率批评，但也都是基于对中国政治生活的审慎分析，意在引起观众的思考，以避免悲剧的重演和克服存在的弊病，并非是抽象地呼吁反对残暴和冷漠。因为我们的《如意》是一部出发点跟你们完全不同的作品，所以我想你也就没有必要归到你们的人道主义所设置的台阶上，去寻找它相应的位置。"

小章放慢速度，字斟句酌地把我的话译给"管不着"先生以后，他歪歪嘴角说："刘先生不但善于写作，也善于讲话。不过我还是认为中国实际上是不接受人道主义的。"他这种近乎蛮不讲理的态度，使我难以忍受，他大概从我的表情上看出了我内心的反应，便不等我开口，连连摆着手说："不，不，不，不要误会我的态度。我绝不是一个反华派。我对中国没有任何恶意。我对它只有一种神秘感。是这么回事：我最近正在读你们一本古典小说《水浒传》的法译本，我觉得这是一本了不起的书——它使我翻开就舍不得搁下，我简直感到震惊！我认为这是一本反人道的作品——一本直率的、强烈的反人道的作品！"

小章把他的话译完以后，忍不住立即用法语同他争论起来。我听了他那些话确实是目瞪口呆。

"管不着"先生耸着肩膀、双手在胸前夸张地比画着，试图向我们解释他那"并非恶意"的读后感，小章译给我听："是这样的，《水浒传》给我的印象是它只承认一百零八个好汉的存在价值，其余的人，特别是那些普通的士兵、农夫、市民、仆役、和尚、旅客……仿佛一点存在价值也没有。比如它写武松这个好汉去找仇人报仇，为了排除报仇的障碍，他很随便地杀了若干迎面遇上的奴仆，作者写得很轻松，完全没有一点痛惜。我这样一个法国人看了就很不习惯。我心里马上就要想：那被杀的奴仆家里有没有亲人？他在被杀以前曾经有过怎样的生活理想？他这条大自然的生命锁链为什么就这样断裂了……再比如那里头有个李逵，作者经常赞美他用两把斧头砍掉了多少人的头颅，那被砍的人有许多其实不过是在街市上看热闹的平民。书里还若无其事地写好汉夫妻开饭馆，卖人肉包子，仿佛只要他们所杀的不是好汉，包子里装的不是好汉们身上的肉，就完全是道德的。当然，书里的皇帝、大官，包括一百零八个好汉的仇敌，作者也还赋予他们一定的存在价值，可是普通的人，小人物，确确实实破看成同蚂蚁差不多的东西。所以读了这本书，我就觉得中国现在批判人道主义也不奇怪——中国的文化中固有一种反人道的素质。"

他的这番议论大出乎我的意料，我当然不能同意，但因为这牵扯到更为复杂的一系列学术问题，所以我只能简单地对他说："你把你个人对《水浒传》的印象坦率地告诉我们，使我们能增加对你这样的法兰西知识分子的思维方式的了解，我们欢迎。不过你仅仅根据对一本书的直感，就作出对中国文化素质的这种判断，我不能不对你的轻率和偏颇表示遗憾。看来你应当更多地了解中国，既了解它的历史，也了解它的现状。"

他站起来说："当然。我一想到中国，立即就想到一个数字：十亿。实在是惊心动魄。每一个关心世界命运的人都不能不关心中国。"

我便也站起来对他说："欢迎你到中国去看看。"

他伸腕看看表，显然，他预备结束我们这场并不轻松的交谈了，他仿佛是犹豫了一下，才响应我的话说："如果能有机会去中国，我一定不会轻易放过。"

我未加思考便客套地说："希望你尽快得到这样的机会。"

他同我握手告别，但倨傲地说："我希望这个机会留在两年以后。最近两年我本人并无到东方去的计划。"

他转身走了。胸前戴的那个徽章在阳光斜射下刺眼地一晃。啊，怪不得他那么回答我。我和小章相视一笑。

1984 年 1 月 15 日写于劲松中街

站在桥头望水流——法兰西面影之三

从法国归来，朋友问我："你在法国都看到些什么？"我说：看到的东西可多了，比如"艾菲尔铁塔、巴黎圣母院、卢浮宫、凯旋门……"朋友笑了："你怎么见物不见人呢？说说你对各种各样的法国人的印象吧……"

是的，我该说说那各种各样的法国人给我留下的不同印象……

在南特，留学生小嵇告诉我："此地的圣石门大教堂很漂亮，它的钟楼比巴黎圣母院的还要高……"于是一天午餐后，我便让他带我去参观。的确，那圣石门大教堂正面的两个钟楼，巍峨高耸，气魄宏大，从建筑艺术的角度考察，至少不比巴黎圣母院逊色。我们先在外面转了转，后来便进到其内部……内部怎么样呢？我形容不出，因为我已经无心观赏——进门时，一个乞丐给了我一个强刺激，使我至今一回忆南特的圣石门教堂，那钟楼的形状反倒模模糊糊，而那乞丐的身影却总鲜明地亘在我的心上……

他很健壮。至少，他体魄颇为雄伟。穿着一身黑色的衣服。那衣服看去不算单薄，却明显地粗糙，是陈旧的黑呢子衣服，有些地方已磨得露出了灰白的经线。衣服的样式辨认不清，大约上面是一件短大衣，下面是长裤；一条很长的黑围巾，先像妇人那样裹住头部，然后再围在脖子上，塞入短大衣领口中；下面似乎打着黑色的绑腿，一双黑色的靴子形状粗蠢，溅满泥点。他倚在教堂入口处的墙上，布满血丝的一双鼓眼睛，瞪视着每一个走近的人，他一只手插在衣袋中，另一只手毫不含糊地平伸着，手指微弯，仿佛随时要捏成一个拳头……

他是何人？为何如此？

据我看到的一册由"法中委员会"编印的《法国指南》，法国的失业工人不是都可以领取相当于工资 35% 的社会保险费（失业救济金）吗？而他们工人的最低工资，按 1980 年秋天的材料算，每月不也有 2480 法郎（约合人民币 878 元）吗？那么，为什么还会有这样的乞丐呢？

我问小嵇，小嵇叹口气说："这样的乞丐南特还算少见，巴黎可就不以为奇了。当然，他们每个人情况一定并不相同，你如果了解了他们的命运，大概可以写成不少小说……有一点我在这儿算弄明白了，就是这里高消费的社会，别看挣得不少，花也花得厉害；一点失业救济金够干什么的？如果是一个酒鬼，买上一打中等威士忌，喝上十来天，也就花干了！"

……从教堂里退出来时，我真希望那乞丐已经离开，然而他却依然保持那样一个姿势，仿佛一尊石像……忍不住地一瞥，我的目光正好碰到他的目光，他那双发红的眼睛仿佛灼了我一下，我的手不由得伸进自己的衣袋，捏住了一个 10 法郎的硬币……

在南特，出席了若干次酒会，总遇上他——据说他是一位法国名导演，瘦长个儿，头发已趋银白，下巴上蓄着修剪成楔形的胡子——胡子还大体上是黑的；他给我最深的印象，就是总在宾客们刚达到云集的程度，第一杯香槟酒刚呷上两三口时，忽然风风火火地抵达——先有三四位捧场的人物欢喧着开道，然后是他从自然形成的"人巷"中大踏步走向厅堂；他身上披着一件下摆拖曳到地的大披风，似乎不是简单地用带子系在胸前、两边均匀对称的那种披风，而是也不知怎么固定在身上的、两边明显地不对称的那么一件披风，面子是褐红色的，里子是漆黑的……

　　我始终没跟他交谈过，我们两人也没"对过眼"，但我不止一次从近处、远处观察他，我得承认，他的风度与他的装束，还是协调的。

　　如今的法国，人们的穿着打扮趋向于随便。据说以前去 OPERA（歌剧院）一类地方，必得礼服方允入内，现在是大体上整洁即可；知识分子比起政界、商界人物尤为便通，南特电影节的种种活动，即如一系列的酒会，电影界的人士们往往都穿着最家常的服装出现于斯，电影节的主持者雅拉多兄弟，高个子的哥哥很少打领带，矮个子的弟弟总随随便便地围一条红色的围巾，大家看着也并不觉得失礼。正因为众人皆极随便而那位大导演独独服饰惊人，所以不止我，许多外国的来宾也禁不住拿眼瞟他……

　　他似乎浑然不觉人们对他的侧目，姿态优雅地举着酒杯，彬彬有礼地同他挑中的对象娓娓而谈……照例是不到宾客们星散，他便又忽然曳着披风、快步而退。

　　显然，他的事业正在蒸蒸日上，他很富足，也很自负。他也是一个天主教徒吗？他会到圣石门教堂去吗？他或许与那教堂门口的乞丐同岁呢，可他与他的那一位同胞，命运是多么地不相同啊！

　　星期日，教堂的钟声响了。鸽群在雨后的晴空中飞翔。管风琴的乐音在教堂穹窿下回响。唱诗班的孩子们用童音合唱着赞美诗……这一切，我们似乎并不陌生。我们从许多的法国小说、电影中，熟悉了这类情景和气氛。

　　欧洲人所信奉的基督教，其实并不一样。法国、意大利、西班牙、葡萄牙、波兰、匈牙利等国，信奉的是所谓"加特力教"，也就是我们中国人习称的"天主教"。而希腊、塞浦路斯、南斯拉夫、罗马尼亚、苏联等，信奉的则是"东正教"[1]。至于英国、德国、瑞士、北欧诸国，则大都信奉所谓"新教"，也就是我们中国人习称的"耶稣教"。据说法国现在笃信天主教的教徒日渐减少，但泛泛的教徒仍旧很多，每到星期日，还是有约百分之二十几的教徒保持上教堂做礼拜的习惯。当然，以上了岁数的人居多，而其中又大半是妇女。

　　经常陪同我们活动的法中友协南特分会的司库勒芮·卢洛太太，平时沉默

---

[1]　俄国的"东正教"从十六世纪末又逐渐演进为使用斯拉夫语的"俄罗斯正教"。

寡言，见着我们只是诚恳地微笑着，我们同别的人会谈甚欢时，她往往主动退至一旁；但正是由于她的精打细算和巧妙安排，才使我们在南特期间住、行两便，在我们心目当中，她是一位善良而热心的老太太。

当教堂的钟声随风传来时，我禁不住随口问勒芮太太："您今天要去教堂吗？"

万没想到，一贯恬淡平和、笑容可掬的勒芮太太，先是神色变为严肃，继而眉毛微微颤动，显然，她竟生起我的气来！

我心中不免纳闷。像她这种年纪的法国妇女，十之六七都必定是天主教徒，而且十之五六都有上教堂的习惯，纵使她属于那十之三四，宗教观念已然淡薄，并不到教堂去寻求精神安慰，我问那么一句又何至于色变呢？

只见勒芮太太挺直胸膛，以极郑重的语调向我宣布着什么。翻译同志译给了我："我们家族从我以上的三代，都已经是彻底的无神论者！现在我和我的丈夫，我们的子女，以及我的孙子、外孙女，这三代人也都是无神论者。刘先生，我们是绝对不去教堂的！"

说完这话，她两眼灼灼地望着我，满脸洋溢着自豪的红光！

后来我才知道，勒芮太太的祖上不仅是无神论者，而且是巴黎公社的战士，她的外祖父，便是茹尔·盖德——法国工人党马克思主义派的著名领导人。《国际歌》的作者欧仁·鲍狄埃曾有著名的《铁匠的梦》一诗，题献给这位法国早期的马克思主义战士，诗中把盖德喻为"铁匠"，而从巴黎公社的血泊中重新跃起的无产阶级，则喻为"铁血犹如湛蓝的溪水，高举重锤的赤臂充满力量"的"巨人"，"巨人"向"铁匠"——当然也昭示着"铁匠"的后代们——说：一个目标，一股力量。这力量就在我身上。受难的巴黎曾宣告公社成立，使劳动者的血液闪烁神圣的光芒。五月的被镇压者，愿你们血沃大地！英烈啊！当总动员的号角吹响，你们要奋起为联合的人民高举红旗，让它在欧美两大洲飘扬！你呀，我的伙伴，要用理智、进步、科学和平等把思想武装。自己当家做主，胜过帝王！噢！劳动者呀，要成为人类的榜样！

肯定的，勒芮太太能把这首诗一句不落地背诵下来——不止是她，还有她的儿女和第三代人。

我对勒芮太太说："到了巴黎，我们一定去瞻仰'巴黎公社墙'。"

我以为这下她一定会现出微笑来了，没想到她反皱眉问我："你们要去看什么？"仿佛没能听懂我的意思。

我便比比画画地对她说："就是那有名的带浮雕的墙，浮雕上有一个悲怜的法兰西妇女，她披散着长长的头发，伸开双臂，保护着身后遭受枪击的人们——那些巴黎公社的社员……这堵'公社墙'我们中国的作家早就描写过，我读过以后一直盼望能有瞻仰它的一天……"

翻译把我的话译了过去。谁知勒芮太太却这样回答我："你最好不要到那里去！"

她脸上的确有了微笑——但那分明是一种表示鄙夷不屑的冷笑。

我愕然了。

勒芮太太激动地讲述起来。听了她的一番话，我才恍然大悟。

原来，那堵带浮雕的墙，是本世纪初一个叫沃蒂耶的人创作的。此人创作这个作品，并不是要颂扬巴黎公社的革命精神，他塑出的那位"法兰西母亲"身后的"牺牲者"面影，据他本人解释，既有被枪杀的巴黎公社社员，也有被巴黎公社社员击毙的凡尔赛军士兵，总之，包括一切"在历次内战中牺牲的不幸者"，他的立意，是主张取消一切斗争，达成全法兰西民族的"永久和解"。因此，这样一件石砌浮雕，绝不能称为是什么"巴黎公社社员墙纪念碑"，后来有人这么去宣传，即便不是别有用心，也是极大的误会，没想到以讹传讹到了这种地步——连中国的有名望的作家，访法后回到中国也错误地加以宣传。像勒芮太太的外祖父盖德那样的巴黎公社幸存者，该墙建成揭幕后是立即予以抨击的，从未到那里去"瞻仰"过，勒芮太太他们当然也从不去那里致敬。

"只有拉雪兹公墓里的那块朴素的石碑，上面简单地写着：'公社社员墓，1871年5月21日至28日。'才有瞻仰的价值。"勒芮太太以一种近乎严厉的表情，谆谆嘱咐我们说，"你们既然要向公社社员致敬，那就务必不要搞错地方！"

我们心里热烘烘的。真幸运，我们在南特见到了巴黎公社战士的后裔——她血管里流淌着同她外祖父一样的信念。

"您愿意参观参观我们家庭的所有房间吗？"戈洛特先生问我。

我当然愿意。

戈洛特夫妇都是南特一所中学的教员，我也曾在中国当过十多年的中学教员，所以，我们可以算是同行。参观他们的住房，对我来说当然有着不止一个方面的兴趣。

国内有的人以为西方国家大部分的人家都有着自己独立的住房和院落，这显然是一种不准确的估计。不错，在西方城市的郊区，现在出现了不少那样的住宅——独门独院，一座两层或三层的小楼，地下室包括存放小汽车的车库，有一条斜坡式的车道伸入楼底——但远不是所有的人都能有那样的经济能力。就我所见到的法国而言，比较多的人，特别是中下层职工和小知识分子，住的还是多家合成的公寓楼。戈洛特夫妇的住宅便很典型。楼是一栋旧楼。他家的门开门进去，先是一个可以对镜理妆和挂放衣物的甬道，甬道前方左侧是一楼房间的门，右前侧是上楼的螺旋楼梯。一楼的房间有三进，第一进只能算是个小过堂，第二进是客厅（也兼饭厅），第三进是厨房，厨房很大，用的是电灶而不是煤气灶，因此非常干净。二楼上各个房间各有自己的门，不相通。一间是书房，四壁全是书架，架上的图书有三分之一以上是学术性的，显示着法国一般中学教师的学识水平。一间是儿子的住房，一间是女儿的住房。厕所和洗浴间分开。另有储藏室和冲洗相片用的暗室。有一间他们没有请我进去，只是指着半掩的门说："这是我们的卧室。"整套住宅在布置上显示出主人一定的艺术趣味，如客厅壁上挂戏剧假面，书房中摆放有抽象派的雕塑……除了书房即工作室中书桌上的台灯是灯罩在上的直射光，其余的灯一律从下往上罩住或整个罩住，使其成衬射光——这是西方近二十年来已普及的用灯习惯。自然有二十时的大彩电。客厅中有柜式的组合音响设备，可以放送"激光唱片"（以激光代替针头，音质极为纯正且不毁唱片）；中国一般家庭常见的四个喇叭的立体声收录机，在儿子的房中摆着一台，显然属于他专用。

"您印象如何？"回到客厅中时，戈洛特先生问我。

"你们住得相当宽绰。布置得也很精心。"我赞美着。同时，心里在比较之余，也不禁想，他们所达到的这种水准，只要我们能持续地搞"四化"建设而不受干扰，似乎也不难达到——或许住房面积总要差一些，但在家具使用水平和电器使用水平上，用不了多长时间便可以大体相仿。

我觉得戈洛特夫妇属于那样一种法国人——他们对自己劳动所挣来的小康局面，颇为满意。他们似乎也不存在更大的奢望和野心——比如说，尽快拥有一座独门独院的新式住宅，楼顶是仿哥特式的，楼前有绿油油的草坪和小巧玲珑的池塘……

那是一个星期五的晚上。我问他们如何度过星期六、日这两个休息日。

"我们要参加星期日的示威游行，"戈洛特先生兴奋地对我说，"我们支持社会党提出的教育改革计划！"

戈洛特夫妇同许许多多的法国知识分子一样，他们经常参加各种社会活动，他们并非总利用休息日娱乐，他们似乎特别喜欢参加示威游行。

我试图弄清他们的示威游行究竟是为了什么，他们也试图向我作耐心而详尽的解释，但我至今仍不能完全明白。

法国的中小学教育虽是免费的义务教育，但学校分两大类，一类是国家办的学校，一类是教会办的学校；教会办的学校，开设宗教知识的课程，一些家长不愿自己的孩子受宗教教育，但在入学过程中偏被分配到了教会学校，所以产生了矛盾。两种学校的教师之间大约也有矛盾。密特朗上台以后，试图对教会学校进行改革。结果，先是教会学校方面举行了示威游行，口号是"教会学校要自由"，也有不少学生家长和社会人士支持他们；现在，戈洛特夫妇他们这一派准备发起反击，将在星期日聚集更多的人上街游行示威；戈洛特先生把一张印好的传单拿给我看，上面写着"非宗教教育要自由！"以及诸如此类的口号。我没有完全弄懂他们双方的主张究竟是什么意思，但我进一步了解了法兰西民族的特点——无论哪一派，他们总是高喊"要自由！"在法期间，我遇上各种各样的法国人，几乎都言必称"自由"。而他们的目的和要求往往是完全相冲突的。绝对的自由究竟何在呢？

我们在巴黎"伤残军人养老院"参观，那所建筑前面是巍峨壮丽的拿破仑墓，后面实际上是法国的"军事博物馆"。

一位女馆员，是个混血儿，在展览厅内负责维护展品。陪同我们参观的留学生小万，毕竟是个年轻人，不够稳重，他忽然拖拖我的衣袖，把我的目光从那些全副披挂的古代将领蜡人像上引开，一直引向他扬眉指示的地方，同时悄声地对我说："你瞧，这位法兰西女郎长得真漂亮——到底混血儿便比纯种的美！"我的目光落在那女馆员身上时，也不禁本能地产生这样的反应："啊，她是挺漂亮的。"但同时也就产生出一种愧疚：这样去注视人家合适吗？特别是小万的神色语调，不会引起她的反感吗？纵然小万跟我说的是中国话，但以她的聪敏，是完全能够觉察出小万那话语的含意的……

我都作好一旦她表示抗议，便上前道歉的准备了，谁知，万万想不到——她却不仅嫣然地对小万一笑，而且更微微地鞠了一躬，并且清清楚楚地道了一声"麦西！""麦西"，这不是"谢谢"的意思吗？

她在道谢？！为什么要谢谢小万呢？

后来，出得馆去，小万才笑着告诉我："她代表了许多当代法国妇女的心理和做派：她们希望别人注意她，欢迎别人欣赏她的美貌。"

在巴黎地铁的通道中，有一位妇女在乞讨，她把一个套着塑料壳的身份证，挂在自己胸前，脚下放着一个装钱的空罐头盒。她似乎是一个混血儿。她身材矮小，倒不算削瘦。穿得相当寒酸。她两眼低垂着，下巴几乎抵拢心口。

她那身份证上贴有她的照片，照片上的她要年轻许多，而且微笑着……

她为什么要把身份证挂在胸前呢？难道是为了证明她并非冒充别人来讨钱吗？

这是一家豪华的饭店，最高级的雅座在玻璃暖房的热带植物中间，置身其中，你会忘记外面是寒气袭人的冬巴黎，而恍若来到了赤道线上的珊瑚岛……

鲜牡蛎、大龙虾、烤蜗牛、烧乳猪……昂贵吗？不，这一切加起来，也敌不过那位女士项链上熠熠闪光的一粒珍珠。她正用特制的夹子和钩子，小口小口地吃着茴香烤蜗牛。她的眼窝精心地染成蓝色，眼皮上还涂了一些银闪闪的化妆品。她也是巴黎人——而且，在她心目中，巴黎是仅仅属于她，以及与她在同一层次中的那些人……我看到了那么多的广告，大幅大幅的广告，五光十色的广告，画面诱人的广告。

那天，我遇到了刷广告的人。

他登着梯子，用长柄的尼龙大刷子，熟练地刷着……原来那些约三米长、两米高的大幅广告，大都是由六张纸拼合而成的。刷完了，他下了梯子，收拢梯子，把东西装入小推车，推着往下一个地点而去。我有意走拢那新刷出的广告前，观察着。"天衣无缝"，真的，近看也难看出是用六张纸拼接而成的。

那广告宣传的是兰芬公司出品的"蔼珀芒牌香水"。

脸上的皱纹仿佛刀雕出来一般的广告张贴工啊，你自己可使用着这"蔼珀芒牌香水"吗？

我们从艾菲尔铁塔上下来，正往夏洛宫的喷泉那边走去。

忽然，一辆小轿车停靠在了我们身边。

是TAXI吗？我们并不需要。

那小轿车上也并无TAXI的标志。

车里只有一位司机。那司机笑容满面，连连地招呼着我们。

他是什么意思呢？出于友好感情，要义务地把我们送往欲去的地方吗？

我们不认识他。不了解他。我们不能搭他的车。

他似乎也并不是在请我们上车。他回转身，从后座的提包中扯出一件崭新的外套来，隔着车窗，比画着。

他干吗朝我们炫耀他的服装呢？

啊，他一定是位服装推销员。我们不买服装。我们朝他笑着摆手。

我们挪步朝前，他却也把车子贴着我们慢慢地滑动。依旧隔着车窗同我们叽里咕噜地说话。

真奇怪！

那就爽性弄个清楚吧！

他是什么人？他要干什么？

啊，终于明白了：他是一家服装公司的老板，他那家公司刚参加完巴黎的一个服装博览会，他随车带了若干件样品；他看出我们是从人民中国来的客人，他愿将那些样品送给我们，让我们白穿——穿回中国去，让大家看，大家一定都会喜欢，若问这服装是哪儿生产的——衣服里面有商标……他希望中国的外贸部门最终会记住那个商标；他相信，只要我们肯于穿回去，就一定会有那样的效果……

他一边说一边抖动着一件又一件的外套，男式的，女式的，领口、袖口的设计多么别致，各种大兜小兜多么实用……

他苦苦哀求我们白白收下他的服装。

他一个法郎、一个生丁也不要我们的，倘若我们收下，他只有无尽的感谢……

我们齐声婉拒。我们不要他的那些服装。我们觉得自己身上穿的就很好。

他终于开车走了，临告别时简直像要哭出来的样子。

巴黎随处可以遇到这类的怪人、怪事。

待的天数多了，我们也便"见怪不怪"。

一般的法国人分不清黄种人的国别。他们把黄种人统统称为"亚洲人"。近年来，由于日本的经济暴发，旅游者大量涌进法国，法国人开始能认出日本人来——不是从相貌上，而是从穿着和花钱的气派上。我们无论到了什么地方，服务人员一开始总以为我们是日本人，态度不但谦恭，而且嘴角挂着忍不住的微笑——赚钱的机会来了！可是一旦弄清我们是中国人以后，他们虽说态度依旧和气，神情中却不免带出几丝失望和轻蔑来——都知道我们中国人口袋里"硬通货"少。所以，我们中国人要进一步地扬眉吐气，除了维护独立、争取完全统一而外，确实还得扎扎实实地把经济搞上去。

法国的华侨／华裔不算太多。巴黎没有唐人街。近几年拉丁区一带倒是有条华人较为集中的街，不过其中大部分并不是从我国大陆及台湾去的，而是所谓"印支难民"，当中也夹杂着不少越南人、柬埔寨人、老挝人和泰国人，大多靠开小饭馆和小杂货铺谋生。在法国你可别一见有中文招牌的饭馆、商号，就以为是华侨和华裔所开。有一天在南特，我们想找个中国饭馆吃午餐，见到一家饭馆门口写着"月娥酒家"字样，顿生联想——月中嫦娥舒广袖……便进去打算要几碗中国面条吃，谁知进去一问、一望，方知那是家越南人开的卖越南饭菜的馆子，不禁扫兴而退。

这些情况都说明，中国血统的人和中国文化对法国社会的影响，都很有限。反倒是美国、加拿大、澳大利亚等国家中的华人，产生着较西欧华人更大的影响。

但法国的"汉学"却渊源长久、成绩斐然，在西方"汉学界"具有权威的地位。

　　我见到过不少年轻的汉学界人士，B女士便是其中之一。她身材袅袅婷婷，黄发垂肩，面貌颇为娇俏。她告诉我说，她正在研究我的创作，并准备撰写一篇关于我的短篇小说《爱情的位置》的学术论文。

　　我便对她说："《爱情的位置》写在一九七八年，那时候'四人帮'倒台不久，思想解放的闸门还没有彻底打开，所以我那样一篇稍微'开放'点的东西，当时获得了出乎我自己意料的强烈影响；现在回过头去看，思想内容和艺术手法两方面都明显地显得造作、幼稚。我简直不能重读——现在如果你想惩罚我，最厉害的刑罚莫过于命令我去读这篇小说了。所以，我以为你如果要写关于我的作品的论文，不如另换一篇近作去研究……"

　　她却丝毫不为所动，娴雅地微笑着说："我选这个题目是经过深思熟虑的。我恰恰是要把《爱情的位置》放到中国社会的总背景上去考察，我觉得很有意思……"

　　我当然只好"悉听尊便"。

　　法国的这类汉学界人士，他们是不大受我们国内评论界的影响的，他们对中国的作家、作品自有他们的眼光和见地。

　　另一位L女士，一头褐发，深眼窝、特高的鼻梁，年龄大约比B女士要大上十岁——当然，都不便于打听，也无须搞那么清楚；她显然有犹太血统，据她自己说她诞生在波兰华沙。她说她读过我的大部分作品，并且从提包里取出一册《大眼猫》来，那是一九八一年浙江人民出版社为我出的一本中短篇小说集，她告诉我是从巴黎一家专销中国图书的书铺买来的；我问她对我的哪一篇作品印象最深，她立即告诉我："我觉得你最好的一篇小说是《她有一头披肩发》。"这当然令我吃了一惊。我那个短篇只在贵州的《花溪》杂志上刊登过，后来收入在《大眼猫》集中，国内可说是毫无反响，无处转载，无人评论，也无读者因此篇而来信，连我自己也常常忘记写过这样一篇小说，可她却偏认为至今仍是我的最佳杰作。

　　她是客气么？或许她并没有读过我另一些重要的作品？……交谈一番后，我不得不承认，她读我的作品相当之多，而且读得很细，并且也还读了不少别人评论我的文章，但她还是觉得《她有一头披肩发》"最有趣，最有文学价值"，她说她正将它翻成法文，要争取到法国较大的刊物上发表，向法国读者推荐……

我能反对么？也只好"请君自便"。

我在报亭前站住，翻看着架子上插放的报纸，想看看有没有关于我们中国电影的反应，如有，我便买下来；报亭的女主人拿眼睐着我，很不高兴——她显然是嫌我翻完一种又换一种，却并不马上买下。她手里拿着一叠杂志，拍打着，表面上是整理货位，实质上是对我示以颜色。我马上取下一份中文的《欧洲时报》，不仅买下，而且不让她找钱，她的长方脸变成了圆形脸，连连对我点头谄笑，仿佛表示欢迎我多多光顾——我过几天便要回国了，我们恐怕今生今世再难相遇，但她那张脸——也是法兰西的面影之一，却留在了我的记忆之中。

我边往前走边翻看报纸。位于巴黎第十区的"富丽宫大酒楼"的大幅广告。出售"游水龙虾、鲜美膏蟹"，并特聘星马"磁性歌后"和香港"影视红星"隆重登台献唱……啊，"法国农家夫妇谋杀九名亲儿"，"因持械行动服刑五年后甫获释，巴黎警察通缉犯——挟律师对峙七小时，枪伤一警员后终于投降"……法兰西啊，要对你"面面观"，不但得有兴致，也需足够勇气！

我到公共汽车站去等车。几个中学生放学了，背着双肩背书包，在车站那里互相告别——英俊的法兰西少年人，互相交错亲脸施礼，夕阳中构成动人的剪影。金发碧眼的少年们啊，等待着你们的，将是怎样的命运？

在南特，我随中国留学生去大学食堂进餐，当我们坐定之后，留学生小王让我往右前方看——"看见那一对了吗？你猜他们的眼圈为什么那么黑？"

那是一对几乎肩贴肩靠着吃饭的男女，他们无精打彩，似乎是极其勉强地用铝勺往嘴里送着早已不热的汤……

"是不是现在又不时兴涂蓝眼圈，改成时兴涂黑眼圈了？"

"不"，小王对我说，"他们跟我住在一条楼道里——他们的黑眼圈不是涂出来的，那是连续吸毒的结果！"

大学生当中吸毒的不少。学校也禁，也查，但收效甚微。据小王说，吸海洛因的毕竟不多，但吸大麻则极为普遍。和他同宿舍的那位法国学生有时就吸，还不是一个人吸，经常召来两三个相好的一块儿吸。"我也不能总躲出去。尤其是现在这个季节，常常只好待在宿舍。他们都劝我吸，说吸了能产生一种幻觉，连声音都有了色彩……我当然拒绝。可是他们弄得满屋都是那种气味，我在一定程度上也被迫地吸入了一些——怎么说呢，那气味像中国的中草药，我既没觉得难受，也没产生什么幻觉……咱们对面那边的二位，肯定是早就觉得大麻不过瘾了……"

那二位的面貌，今天已回想不出来，印象中只存留着两对灰黑的眼圈。

据说法国有 365 种奶酪。一年中可以每天吃一种而不重样。

又据说法国有 365 种香水。每种香水都有着独特的气息和用途。

不吃奶酪的法国人我还没遇上过。

不洒香水的法国人我见到不止一个。

不洒香水的法国人也并非都是社会下层的穷人。

在法中友协南特分会为我们举办的欢迎酒会上，我见到了邦德尤亚先生。他穿着西装便服，里面就是一件朴素的白衬衫。我们两个站得很近地谈话，他身上绝无半点香水气息。

他是南特市前任市长。社会党人。市议会刚刚进行完改选,南特的"保守派"上了台，他卸任刚刚几天。

他的个人职业是电子技术工程师。他看上去知识分子的气质盖过了社会活动家的气质。

他告诉我，他将组织一次大规模的示威游行，以抗议新组成的市政府的"倒行逆施"——如削减工人文化宫的经费，迫害深受群众欢迎的民间剧团，在教育方面偏袒教会学校的弊病、反对教育改革……。

他下野了，但他的观点还在，他们那一派势力还在，他们所联系的那部分群众还在。显然，他还要为他的社会理想继续奋斗。

他对我说："你知道吗？我们法国有一句谚语——站在桥头望水流。你能理解这句话的意思吗？"

我说我能理解。"站在桥头望水流"，这当然并不意味着消极观望。这是不计一时的成败，把眼光放远大些，随时掌握事物的发展趋向，看准了便因势利导，对所追求的目标充满信心的那么一种气概。

我不了解南特的情况，我也不完全理解和赞同邦德尤亚先生的社会政治观点，但我很感激他介绍给我的这句法国谚语。

法兰西是一个伟大的民族。它有着足以自豪的过去，它也有着无比灿烂的未来。现存的一切——世态，面影，各种社会力量的相激相荡，都不过是这来有脉去有向的历史长河中的一个环节。

的的确确，应当"站在桥头望水流"。

1984 年 1 月 23 日写毕于北京劲松中街

大西洋边谢晋热——"三大洲电影节"小记

一听说我刚从法国归来，人们自然问我对巴黎的印象，但我说这回访法印象最深的倒不是巴黎而是南特，人们不禁都要好奇地问：南特？南特在哪儿？你怎么到那里去了？

南特在法国西部，位于卢瓦河注入大西洋的河口处。这是一座典型的西欧以中产阶级为主的富裕、安谧的中等城市。城内的主要街道与建筑大都是百年以上的产物，街不宽，楼不高，但随处点缀着浮雕、圆雕、花坛、喷泉，颇为典雅秀美。去年十一月我们抵达南特市时，只见主要街道的上空都横悬着"f3c"的徽号，在一些交叉路口，也都布置着一种由白鸽、黑鸟、红日、蓝天组成的宣传画——原来那都是"三大洲电影节"的标志。

"三大洲电影节"自 1979 年起每年 11 月在南特举行，所以又称"南特电影节"，去年已是第五届。由谢晋、陶玉玲和我及翻译郑海珍组成的中国电影代表团抵达南特市两小时后，便赶赴市中心布列塔尼大厦参加电影节开幕式前的酒会。布列塔尼大厦是一幢一反南特传统建筑常态的现代派摩天楼，进去后只觉满眼是轻金属和钢化玻璃分切成的非对称活动区，明晃晃、亮闪闪之中，饰物琳琅，人影绰绰。当我们步入酒会现场时，我不禁想起临行前从一位二十几年前到国外参加过电影节的同志那里听来的"经验之谈"：要准备"坐冷板凳"，当记者们包围那些外国电影大师时，不必羡慕；如果人家跟你并不谈论电影，你也不必勉强，可以多谈两国人民的友谊……我们这回来南特，难道也要"坐冷板凳"吗?

但是,一迈进酒会现场,我们便被一种始料不及的热浪所席卷。迎面的屏墙上,在八幅巨大的电影剧照中,《舞台姐妹》竟独占两幅;稍一转弯,作为大厦的固定装饰之一,竟又是巨大的谢晋的工作照——他正在《天云山传奇》的拍摄现场与人交谈。我们还来不及拿起酒杯,各国的电影工作者便热情地围了上来,而记者们则简直恨不能将谢晋肢解——电影节的新闻秘书不得不宣告:采访谢晋需事先预约,由她统一安排,不得擅自"拉郎配"。

酒会结束,大家便齐集"奥林匹亚"影院,举行了电影节的开幕式,当电影节主席雅拉多介绍来宾时,第一个把谢晋请上台去。台下响起了热烈的掌声。从此以后,无论哪一种场合,谢晋总是排在第一,如出席南特市市长举行的招待会,谢晋就第一个被邀至市长面前,接受市长所赠的城徽和巨型画册,握手之际,闪光灯亮成一串。难怪南特市有的法国朋友说:"谢晋是南特电影节的皇帝!"

出现这种情况,并非偶然。首先是近年来中国电影已开始在整个西欧引起人们"刮目相看",意大利曾举行过规模不小的"中国电影回顾展",就在"三大洲电影节"举行的同时,法国国家电影中心、法国文化部、法国对外关系部和中国驻法大使馆联合举办的"中国电影月"正在巴黎形成高潮,并且谢晋已在巴黎出席过《牧马人》的首映式和接受过法国电视二台的录像采访;法电视二台正式购买了《舞台姐妹》准备在今年中法建交二十周年之际隆重推出的消息,也已见诸法国报端,所以,对中国电影和中国导演谢晋,法国和西欧已经是并不陌生的了。

然而真正形成"谢晋热"的,还是"三大洲电影节"。这"三大洲"的概念并不等同于"第三世界"。我们最初一听"三大洲"也以为是"亚、非、拉",其实是"亚、非、美",就是说,它把北美包括美国和南美洲加在一起算"美洲"。这个电影节虽然历史短,目前规模也不大,但因为极富特色,所以颇引人注目。它意在向世界影坛推荐、播放一批往往被戛纳、威尼斯等老电影节所忽略的电影和电影导演,所以每届除有比赛和会外放映两种活动外,还举办另两种独具慧眼的活动,一种是专门介绍一个国家、地区或一国内某种专门电影的"概貌展",如 1979 年举办的美国黑人电影概貌展（展示一批黑人导演拍摄的反映美国黑人生活的力作），1980 年举办的印度南部电影概貌展，1981 年举办的菲律宾电影概貌展，1982 年举办的巴西电影概貌展；本届则是墨西哥电影概貌展，同时在两家电影院推出从 30 年代到 80 年代的 23 部墨西哥影片；另一种是专门介绍一位成熟的导演，举办他的个人回顾展，本届则是中国导演谢晋的回顾展，集中推出他在各个不同时期的九部作品：《女蓝五号》、《红色娘子军》、《大李、小李和老李》、《舞台姐妹》、《青春》、《啊，摇篮》、《牧马人》、《天云山传奇》、《秋瑾》。

中国虽然经常参加各种各样的电影节，但以往送赛或送展的影片至多不过三四部，每片放映至多也不过三四场，这回的南特电影节仅谢晋一人导演的影片就推出了九部，而且用"阿波罗"电影院专门来放映，一天映四场，所以用"盛况空前"来形容，是一点也不夸张的。事实证明，这种集中推出、反复放映的影展活动，是扩大我国电影在海外影响的最佳方式。

首先被谢晋个人回顾展所震动的，是外国同行。一位瑞士导演说："想不到中国有这么大的导演，这么好的导演！"一位意大利电影评论家说："谢晋善于把感情和政治性的题材联系在一起，看了他的一系列片子，使我们对中国的历史进展有了一种清晰的了解，他的影片可以用三个词来概括：历史、政治、人。"许多外国电影工作者都认为谢晋是一位善于描写爱情的导演，而在爱情描写中又最善于细腻地体现出女性的微妙心理，所以不止一位外国朋友把他与美国导演乔治·寇克和日本导演沟口健二相提并论，认为他在塑造女性形象方面取得的成就，堪与这两位电影史上的名家媲美。谢晋在七天中共接受了十四次记者的采访（大型记者招待会还不算在内）。电影节虽然在距巴黎四百多公里外的南特举行，但巴黎各大新闻机构和电影杂志的记者、编辑都涌到了南特，谢晋是他们的头一个甚至是唯一的"猎获物"，因为谢晋连日过分疲劳，我们都劝他婉谢一部分采访，结果有的记者始终未能如愿，不禁感叹："见谢晋真难哪！"有幸先得采访机会的如法国电视三台、法兰西电台、《电影手册》杂志、《正片》杂志等，都免去客套，而是抓紧时间向谢晋提出一系列学术性的问题，如《正片》杂志编辑问："《舞台姐妹》开始的长镜头，从绿水青山、小溪篷船摇到露天舞台，再从台下小摊推至台前，我认为是世界电影史上最好的开片镜头之一，请问您的美学追求是什么？构思中的银幕思维是怎样定稿的？具体是如何拍摄的？准备时间有多长？"当然，问得最多的是他如何选择演员和指导演员，显然，谢晋几乎每部新片必推出一位新星的特点，不仅国内尽人皆知，而今已闻名海外。国外那种以为"中国无大导演"的无知与偏见，以及国内某些人的妄自菲薄，在谢晋个人回顾展所取得的声誉中，都应有所克服了吧？

更可喜的是，谢晋的片子赢得了南特市民的理解和欢迎。谢晋回顾展和电影节其他节目一样，不是只映给专业人员看，市民们可以自由买票观看，谢晋的九部片子都很卖座，而且越卖越旺，到最后两天映《秋瑾》时，因为南特市几乎已经是"人人争谈谢晋片"，结果不但座无虚席，影院不不得不允许一部分观众"席地而坐"。我们通过法中友协南特分会的法国朋友，搜集了一部分法国普通观众的反应，他们最喜欢的是《红色娘子军》、《舞台姐妹》、《牧马人》和《天云山传奇》这四部影片，认为"又有中国特色，又有国际性"，"不但让我们了解了中国，也使我们得到了一次健康的艺术享受"。当然，他们也坦率地指出，影片中有些具体的政治背景看不大懂，有些中国人表达感情的方式，他们看明白了却又觉得古怪，个别演员的表演使他们觉得造作，《牧马人》中所表现的西方人（指华侨富商及秘书）他们觉得不像，但总体感觉是谢晋的片子"水平非常高，有的如《舞台姐妹》是无可争辩的一流，是我们看过的千百部影片中最难忘怀的少数几部中的一部"。

当我们登上从南特返回巴黎的火车后，谢晋才算有了个喘息的机会。我俩并肩而坐，望着车窗外闪过的森林、牧场和带尖顶教堂的小市镇，共同回味着南特电影节的种种情景。我对他说："回国以后,我要写一篇《大西洋边谢晋热》。"谢晋诚恳地说："你那'大西洋边谢晋热'的提法，其实应当改成'大西洋边中国电影热'。"我没吱声，心里想他说得很对。在电影节上同外国朋友的接触中，我得知不仅仅是一个谢晋，像水华、谢铁骊等许多的中国著名导演，都已引起了国际影坛的瞩目。更令人感到高兴的是国外已开始注视我国一批新导演的崛起。影片《如意》在电影节映出后，一位外国朋友对我说：本来我们不太清楚中国导演的水平，最近我们才熟悉了水华、谢铁骊、谢晋，知道他们非常出色，没想到在他们之后中国竟还有黄健中这样的咄咄逼人的新导演，听说《如意》才是他独立执导的第一部片子，他何以对电影导演的手法运用如此娴熟？尽管我认为这部片子还有某些雕琢之处，显得不够圆熟，但给我的印象真是太深了——实在说，有点出乎意料！"我告诉他，现在中国还有一大批这样的出手不凡的导演，世界影坛对中国的这个势头最好早有一点认识！

在法国，我们看了几十部各式各样的外国影片，我们的一致感想是，中国值得向各国、各地区的影片借鉴的东西很多，但中国电影总体来说并不落后，如果中国电影的发展能进一步摆脱为具体的政治乃至政策服务的概念化倾向，能进一步在坚持中国民族特色的基础上，从世界优秀影片中汲取丰富的营养，塑造好血肉丰满的中国人形象，反映出真切动人的中国现实生活图景，给人以进步的力量，给人以独特的美感，就一定能在国际影坛上取得更大的声望，在国外观众中引起更强烈的反响，从而进一步促进中国人民和各国人民间的了解。

1984 年 2 月

一条大河波浪宽

我在南特一家音响设备商店橱窗前停留时，一个人忽然拍着我的臂膊问："您是中国人吗？"

我扭头一看，那人虽然穿着地道的法国西装，但黑头发、黄脸膛，显然是一位同胞，便点点头，反问他说："您呢？"

"当然啦，当然啦……"他搓着手，激动地说："当然是啦，我姓蔡……"他从胸兜里掏出一张名片，递给我——我一看，原来他是此地一家专营旅行提包商店的经理。

再望望他——典型的中国南方人模样：身材瘦小紧凑，眼大而瞳仁黑如亮漆，颧骨略高而下颏稍尖；我忍不住地问："您府上是——？"

"浙江温州，"他仿佛不无自豪地回答我，"瓯江那边的！"

我便也拿出一张名片给他，他一看兴奋得不行："啊，刘先生你是作家，中国作家也到南特来了,好啊好啊……"他同我紧紧地握手,把我的手攥得那么紧,仿佛怕我跑掉似的。

我对他说:"这名片原是预备着给外国人的。其实我也还没写出多少东西来,称作家是不敢当的……我这回倒不是参加作家代表团来的,我是跟一位导演和一位演员,还有一位翻译同志,组成一个电影代表团,来参加这里的电影节的……"

"啊,"他恍然大悟地说,"你们原来是参加'三大洲电影节'来的!你看,我这个不爱看电影的人,对电影方面的事没放在心上,这回险些误了大事!"

误了大事?我有点不明白。误了他什么大事呢?

他亲热地攥住我的胳膊说:"刘先生,你们到南特好几天了吧?你看你看,我这些日子忙着办一笔批发生意,就没顾上看报纸,报纸上一定登了消息——你们来南特是件大事情呀!这个电影节也搞了好几回了,以前从没来过中国电影界的人士啊……唉,巴黎大使馆的文化处,这回怎么没给我打电话呢?上回皮影戏演出小组来南特,他们就事先给我打了电话,我算是尽了一点绵薄之力……你们下榻在哪里?这几天吃饭吃得怎么样?身体上适应不适应?……"

我渐渐明白了他的意思。他是此地的华侨领袖之一,他见到我,不仅有"他乡遇故知"的强烈认同感,而且,他还为未能及时同我们挂上钩、关怀照顾我们而感到惶急惭愧,他显然是想立即补偿他的"过失"。

我忙对他说:"我们一切都好。谢谢蔡先生的关心!欢迎蔡先生有空来我们住的旅馆玩——我们住在'科洛尼兹'旅舍……"

"不不不不……"他脸上竟现出一种类似小孩子向大人认错的表情,他挽住我的胳膊说:"我现在就去你们那里,现在就去。"

他随我到了"科洛尼兹"旅馆。他目验了我住的房间,呼出一口气来说:"还好。我真怕电影节方面给你们包没有电视机和电话的房间,如果那样,我们华侨来帮你们调房间好了……电茶壶有吧?茶叶有吧?要速溶咖啡吗?……"乘电梯下了楼,回到旅馆前厅,他找到侍者领班,叽里咕噜说了一通法文,我虽然听不懂,但从他那表情、手势和侍者领班的不断点头称是上,知道他是在嘱咐对方一定要给予我们更优渥的服务与照应,末了,他同侍者领班一握手,估计是握手之间已递去了一笔颇丰的小费，侍者领班满面春风地转身去了……

因为我们团的谢晋等同志另有活动，一时回不了旅舍，我便劝蔡先生暂且回去——我到法国虽然时间不长，但耳濡目染之中，也很快便懂得那个社会里"时间便是金钱"，我是怕蔡先生误了生意；蔡先生却招呼我一齐在前厅画廊下坐了下来，他说他一定要等到谢晋先生、陶玉玲女士他们回来，见了面，才能走。

我便趁等待的时间，向蔡先生介绍了一下我们这回带来的中国影片，并递给他一张日程表，请他抽空去看看祖国的电影。蔡先生在日程表上认真地挑拣着合适的场次，同时不无抱歉地说："我真是大意了，不知道这回有这么多国内的电影来这里放映，我一定要看，一定要看……刘先生，你不知道，我虽然来这里二十多年了，可是我爱看的，还是我们温州的瓯剧，前些时，我们旅法华侨和旅荷华侨联合起来，自己凑钱，通过大使馆联系，请来了我们温州的瓯剧演出小组，在阿姆斯特丹、巴黎，演了几场，我和我爱人，自己开着车子，在高速公路上跑了 4 个小时，从这里赶到巴黎去看了演出，有《僧尼会》，有《断桥》……啊呀呀，看完回到这里，几天睡不好觉，乡音乡情，牵心挂肉呀……"说到这里，他眼里闪着泪光，我的心弦不觉共鸣，一时不知该说点什么才好——不仅一般的"套话"不适用，就是精心挑拣的抒情语句，似乎也无法充分传递出彼此的心声。

恰好这时谢晋他们回来了，大家相见，分外亲热，蔡先生以不容置辩的语气对我们说："明天中午我们聚一聚，先请你们到我家里小坐，然后，我们一起到'长城楼'吃饭——'长城楼'的孙老板才三十多岁，1981 年来此地的，我们要尽其所有，招待你们，这是应该的——你们不要多话，自家人，到时一定来就是了！"

第二天中午，我们便应约先去了蔡先生家，然后到"长城楼"赴宴。"长城楼"门面不大，以中国人的眼光而论，不过一间屋的铺面，名曰"长城楼"，其实只底层营业，二层和三层阁楼住家。店面几乎全用轻金属框和整块玻璃构成，店门设在一侧，店面的大玻璃上写着鲜红的"长城楼"三个汉字；营业面积估计也就三十平方米，呈窄长条形，但座位设得非常紧凑，有双人席、四人席、多人席多种，布置得颇为雅致，糊壁纸、衍射灯等都以暖色为主；在靠近里面柜台的地方，墙上设一壁龛，里面供着福、禄、寿三星的彩陶，前面有鼎式香炉，燃着三炷线香；此外，还悬挂着一些中国蒙纱宫灯和贝雕画；这可算是法国城市中典型的中国饭馆景象，后来我又去过巴黎的一些中国饭馆，大如"富丽宫大酒楼"，小如"鲁园饭店"，布置上虽有豪华、简约之别，但风格上都与南特的这家"长城楼"相近，法国人进到这种饭馆，自然会顿觉置身于中国文化的氛围中了。

所谓孙老板，其实是一位胖乎乎、憨哈哈的"小知青"——他因爱人的舅舅是此地一家专卖中国工艺品的商号的经理，所以有机会到这里来设一个"个体户"。他自然也是浙江温州人——后来我才知道，不仅在法国，在荷兰、比利时等国，华侨中主要也都是温州人，可能是因为温州三面环山，一面向海的缘故吧，历史上就有那么个漂洋过海出外谋生的传统，又大概是因为新（加坡）、马（来亚）、泰（国）等南洋地区，早被福建、广东人"捷船先登"的缘故吧，温州人不出海则已，一出，便出到了西欧，而且成为法、荷、比、瑞等西欧国家华侨社会中的中坚力量，老一辈打下根基以后，便不仅吸引了一些晚辈西去，而且时不时地牵三挂四、携五扶六地把同乡人引到那边，或开商店，或当厨师，或以手缝皮活取胜，或以制作螺钿镶嵌的漆器闻名……所以，对于温州人来说，出国一事对于他们来说并没有什么惊心动魄之感；我过去也曾有过比较狭隘的观念，认为一个中国人如果跑到国外谋生，便是不爱国的表现，现在看来，爱国不爱国的界限，不能以出国不出国来划分，除了极个别跑到外国去投靠政治上的反动派，从事反共反社会主义活动的败类外，无论是出国求学还是出国经商、做工，也无论是学成归国还是在那边长期定居，只要他承认自己是中华人民共和国的公民，不做违背祖国利益的事情，我们也就没有道理责他"不爱国"，况且有的人之所以出国，还有一定的特殊原因，如遭受"四人帮"的迫害，受极左势力压抑、政策长期得不到落实等等，万万不能不分青红皂白地一概以"反动"论之。

孙老板和他的夫人——一位动作麻利，总那么笑眯眯地透着好脾气的女青年——你端我送，不一会儿我们的餐桌上便摆满了即使在巴黎也要算高级的种种菜肴：红烹大虾、蒸鲜海蟹、干烧大黄鱼、香菇菜心……蔡先生还连连代他们一方——包括孙老板夫妇和蔡太太——向我们致歉:"从昨晚起我们就分头去弄大龙虾,可惜没有好的……"我们忙说:"就这样我们心里已经热烘烘的了……"忽然孙太太用托盘端来了几碗热腾腾的汤菜,她笑着对我们说:"刚才的那些不过是贵重罢了,我们也卖给法国人的,现在这个可是我亲手做的家乡菜了——你们快趁热吃吧,这个我们是不外卖的……"我们接过来一看,原来是汤清丸莹的温州鱼圆,略尝一口,便觉清香溢颊,其中滋味,真是一言难尽了。

孙老板夫妇开这家"长城楼",除他们亲自上灶炮制和出堂服务外,还有两个更年轻的亲戚帮忙,据孙老板说,他们开业后生意不错,因为这里的法国人都很喜欢吃中国菜,尤其喜欢吃中国烤鸭;但是他们四个人应付一切,每天都累得腰酸腿疼,尤其是当法国人头一日定下了烤鸭后,他们一则以喜——因为可以赚较多的钱;一则以忧——因为他们并不专营烤鸭,为提前准备供应,极费工时,他们又生怕烤得不好,坏了中国烤鸭的声誉,也砸了自己的生意;他们每日营业,从不休息,中午生意清淡一点,晚上一般总能满座,有时一桌还能卖出两轮;就这么苦干,他们也才刚刚还清了贷款,勉强达到了收支平衡,要想赚更多的钱,发展这个饭馆,看来总还得再有个三年五载。

孙老板夫妇到法不过两年,那两个亲戚比他们小,才二十岁左右,刚到一年,所以他们的言谈风貌其实与国内的一般"知青"无大差别,他们当然都很熟悉谢晋和陶玉玲,谈起《红色娘子军》和《舞台姐妹》,以及陶玉玲扮演的"二妹子"和"春妮",俨然如数家珍;对于我的小说,也或读过几篇,或听人提及;蔡先生和蔡太太在这方面,就比较"无知"了,特别是蔡太太,她只会讲温州话,而温州话我们听着竟比法语更像"外国话",所以她只能以热情的微笑和频频为我们挟菜来表达她的同胞情谊;我们在这次聚会中谁也没有直截地说什么"我们爱祖国"之类的抽象话语,但为什么相逢在这万里之外的大西洋畔时,心与心之间织就了那么多牵不尽、扯不断的丝丝缕缕呢?

孙老板的"长城楼"同别的法国饭馆一样,放送缥缈然而清晰的音乐为顾客佐餐,他所安排的全是中国民族乐曲,忽然间,我们都听见了郭兰英那深情的歌吟:"一条大河波浪宽,风吹稻花香两岸,我家就在岸上住,听惯了艄公的号子,看惯了船上的白帆……"大家不约而同地静了下来,仿佛这时唯有那悠悠的歌声，能诉尽我们心中的所思所念所感……

　　当晚，为了去看电影节上"谢晋作品回顾展"中的《大李、小李和老李》，孙老板夫妇和两个小帮工牺牲了当晚的营业收入，关起店门，挂出"暂停营业"的牌子，安步当车，朝电影院走去，我在半路上遇到了他们，大家一路走，一路聊。我直率地问："孙老板，你跑到法国来开饭馆，究竟是怎么想的呢？"他憨兮兮地回答："我嘛，想法很简单。我是'文革'里的初中毕业生，后来上山下乡去了东北'生产建设兵团'，1979年回到温州，一直待业。中国人口太多，我们温州人口更密。国家如果能给我安排工作，我当然高兴，我就去做。国家一时安排不了工作，我也不生气，不是国家待我不好，实在是安排不了嘛！我不愿意吃闲饭，我也想在温州干点什么事。可是我这人笨，自己写书，像你这样，当个作家，我干不来。学外语，搞翻译，我也不行。搞发明，当专家，我更没有条件。在温州那边开饭铺，倒行，可我也贷不出款来。恰好我爱人舅舅来信，说可以帮我们来这里开饭铺。我就申请，批准了，我们就来了。来了，我们就开了。这里比温州好吗？也有不少好的地方。可是温州也有比这里好的方面。我想温州，想老家，可也还安心。我在这里自立了，为国家省了一个招工名额，也为温州的'知青'饭馆少了个竞争对手，我想也好。我回去吗？要回去。可那总要好久好久以后，因为要赚好多的钱，才回得去。反正我就是这么个普普通通的人，就这么些普普通通的想法。她比我好一点……"说到这里孙老板扭头望望落在我们后面的孙太太，仿佛检举揭发似的贴拢我的耳朵又说："……她不那么普通，她有个计划，保密的——她说我们再过十年，要给我们的母校捐一笔钱，盖一座图书馆，要盖得漂漂亮亮的……啊呀，我就跟她争，我说十年哪能行，怕要二十年哩！……"

　　我笑了。我很高兴，因为我所看到的和听到的，丰富了我的思想。对于海外普普通通的华侨们，我增进了宝贵的理解。

　　我们从南特返回了巴黎，刚从火车站乘出租车抵达"理想旅舍"没多久，便接到了巴黎华侨领袖刘友煌先生的电话，他是从大使馆文化处那里得知我们行踪的，他的电话非常简单，概括起来说，就是："你们等着我，我马上开车去。"我们刚洗漱毕，他的车便到了。刘友煌先生身材较为高大，肩宽体壮，眉黑唇厚，虽已届花甲之年，却精神抖擞、步履轻捷。他的气魄比南特的蔡先生大多了，他一见到我们，便如同大哥见到弟弟妹妹般既亲热又随便地说："这里怎么样？不舒服、不方便，就搬到我那里去住。你们可以自己做饭吃——我的冰箱里反正总有东西，你们爱怎么吃都行。你们在巴黎的这几天，我这车子就给你们用了。要到哪儿去，你们尽管说。我送你们去。凡尔赛、枫丹白露……都可以去。你们缺什么就跟我要吧。你们拍的照片，都给我拿去冲洗好了……"一番话说得我们心里注满了春风，我不禁笑着问："刘先生，您什么事都愿意为我们做，可我们能为您做什么呢？"他严肃中带有几分威严地说："我只要你们满足我一个要求……"什么要求呢？请亲爱的读者们暂且猜上一猜……

刘友煌先生在巴黎经营着一家规模不小的家俱店，专门制作出售具有中国民族特色的漆器，大到镶螺钿的组合柜，小到嵌金丝的首饰盒，在巴黎一年一度的商品博览会上，他总租下一块相当不小的展览坪，因此在巴黎及法国都颇有名气，他家客厅所挂密特朗总统参观博览会时与他及夫人握手欢谈的照片，便是明证。他对我们的要求，难道是帮他在法国文学艺术界去推销漆器么？当然不是……

刘友煌先生接连两天，义务开车送我们去各处游览，他是一个极有修养和学识的导游，他对我们说："你们在巴黎的时间毕竟有限，我给你们设计了一个最好的参观路线，我知道你们搞文学艺术的对逛商店和去一般化的娱乐场所没有兴趣，所以我给你们安排的头一个节目就是去罗丹博物馆……"在罗丹博物馆里，由于他的亲切指点，我们才没有漏掉去欣赏陈列在庭院一隅的名雕《加莱义民》；刘友煌先生真可谓一位雅人了，但他绝非"附庸风雅"，除非我们坚请他一起合影，他总是让我们单独或组合着拍照纪念。有的人见了名导演、名演员，总忍不住要提出与之合影的要求，然而刘友煌先生并无此种与明星合影以资炫耀的欲望……

刘友煌先生在家中设便宴招待我们，在市内豪华饭店设宴款待我们，陪我们去采购纪念物品，赠我们人头马牌柯涅克酒和大马尼叶金桔酒……他究竟是有求于我们什么呢？

该把谜底公布出来了。那是在我们即将离开巴黎回国的前一天，刘友煌先生开车把我们带到了巴黎旅法华侨总会。总会会址是刘友煌先生等华侨领袖发起，由全法华侨集款购下改装的。那是从一栋楼房中隔离出来的一组房屋，正当中有约一百平方米的会堂，正面平挂着鲜艳的五星红旗，两边墙上挂着反映祖国四化建设的照片和图画；会堂中有成排的座椅，不但可以集会，还可以看电影和演戏；此外，则有小会议室、阅览室、游艺室、照片洗印和静电复印室和图书馆；为了提供召开酒会、茶会的方便，还有一间颇大的现代化厨房，可以迅速提供冷热饮料和荤素菜点……刘友煌先生带我们一一参观后，最后把我们引入到图书馆中，郑重地提出了他那神圣的要求："给我们弄点反映祖国新面貌的新材料来吧，我们现在缺少的，就是这个！"我们听了，心中都很感动。我注意地检阅了书架上的书籍，发现他们确实是"饥不择食"——其中有不少"文革"时期的小说、散文集，还有一些粗制滥造的印刷品，而国内的许多优秀读物，这里都暂付阙如。刘友煌先生说："大使馆虽然大力支持我们，不断给我们提供一些新的材料，但是他们要做的事很多，也不可能让我们的收藏一下子丰富起来；我们也向国内订购了一些图书期刊，但运送周期长，有时还中途遗失。最好的办法，就是来法访问的代表团，每人都随手给我们带上一点，现在中法交往频繁，每天总有一两个、两三个团体到达，如果我们每天都能得到一点最新的信息，那该多好！所以我代表巴黎旅法华侨总会，请求你们回国以后，一定要把这个意思替我们广布周知，无论是一本小说、一本画册，还是一张年画、一张照片，或者一张唱片、一盘卡带，只要是反映祖国新貌的，我们都如饮甘霖，如获至宝！"

刘先生这一席话，说得谢晋、陶玉玲和我心中又感动又惭愧——真后悔，我们来法前竟全然没有想到应向旅法华侨总会赠送他们所渴望的礼品，尽管我们个人都向刘先生赠送了泥人、剪纸一类的工艺品以作纪念，但他所渴望的，原来并非是增添个人客厅中的摆设……

我们在巴黎还接触了另一些华侨。我问一位与我同为四川籍而且年龄相近的华侨"你们在这里，受歧视吗？"

话题是从当时法国出现了某些法国人歧视北非阿拉伯人和中非黑人的事件引起的。

那位华侨朋友回答我说:"一般来说,由于法国几百年前的启蒙思想家就宣扬'自由、平等、博爱'这类的资产阶级人道主义思想,所以法国民众总的来说是一贯厌恶种族歧视的。不过,也一直有少数法国人有一种优越感,他们看不起阿拉伯人、黑人、亚洲人,这倒也并不一定是出于肤色的区别,主要是觉得阿拉伯人、黑人、亚洲人——日本人除外——穷,受教育程度低。我们有时候也遇到这种歧视性的对待。前些时,我到奥利机场去接我的姑妈。我们一出海关,就有法国人迎上来用日语兜揽生意——请我们去他那个旅馆下榻;因为日本现在比法国富裕,大量的日本游客涌向巴黎,所以一些法国人就对日本人另眼相看,日本人一下飞机,就有人用日语去兜揽生意,把他们迎到以日语服务的、适应日本人生活习惯的旅馆、由日语导游为他们安排游览和进行解说,甚至有专门为日本人开设的购货场所……总之,可以让一句法语也不会的日本人,仿佛在日本生活似的、舒舒服服地观赏法国风光、采购法国商品……可是这种在日本人身上打算盘的法国人,一旦发现他们面前出现的不是日本人而是中国人,便会公然流露出失望、鄙夷乃至歧视,那天我和姑妈便遭到了他们的白眼,多亏我能以法语同他们反唇相讥,才算维护住了姑妈的尊严。所以,我们旅法华侨聚在一起,常常这样议论:自从中华人民共和国成立以后,确实再没有人敢从政治上、人格上歧视我们了。可是,倘若我们中国不能保持稳定,不能快一点富起来,不能赶上世界科学文化教育发展的新潮流、新水平,到头来我们在外国人心目中还是要低人一等的……所以我们都竭诚地祈盼着:祖国啊,你富得再快一点吧!……"

直到乘上返回北京的飞机了,我耳边还回响着这位华侨朋友的话,我陷入了深深的思索中。我想起了近年来一些同志常引用的一句谚语:"儿不嫌母丑,狗不嫌家贫。"当然,这句话里所包含的那种不向外人折腰的骨气,的确是值得阐扬的,然而,祖国并不是一个不能改变容颜的母亲,我们中华儿女有义务让她由嫫而妍;我们也不必自比为仅能看守门户的家犬,对于我们的国家,我们不能容忍它总比发达国家贫穷,我们一定要坚持对内把经济搞活,对外实行开放政策,让我们的国家迅速地富强起来。

想到这里,不知怎么搞的,我耳边仿佛又响起了郭兰英那真挚而动情的歌声："一条大河波浪宽，风吹稻花香两岸……"为了祖国更快地富强起来，我们的思路、胸怀、眼光、路数……都应当像长江一样宽阔宏博啊！

"一条大河波浪宽"的旋律，伴我飞回我亲爱的祖国。

1984 年 4 月 2 日追记

儒勒·凡尔纳博物馆记诧

所谓记诧，不仅是记下我的惊讶，也要记下法国人对我的惊讶。

1983 年 11 月 28 日上午，我在法国参观了儒勒·凡尔纳博物馆。这所博物馆在法国西部城市南特近郊，高踞在卢瓦尔河一侧的高坡上。

说实在的，儒勒·凡尔纳这位法国近代科幻小说作家，在我心目中本没有多高的位置，好容易到一趟法国，值得参观的地方太多，即使预定日程时允许我提出十种文学方面的项目，我想我也不会主动排进这个儒勒·凡尔纳博物馆的。

恰好那天上午原订的一个活动项目因故取消了，在南特进修的同胞王正烈来看我，他建议我无妨到南特市郊走走，并顺便参观一下儒勒·凡尔纳博物馆。我便跟他去了。

因为这次参观带有相当的偶然性，所以对于我将看到些什么，并没有任何思想准备。

我们乘公共汽车来到卢瓦尔河分叉处，站在高岸上，近可俯瞰现代化的码头和河上的航船，远可观览南特市的全貌，精神为之一爽。岸边有一种"自动导游装置"，只要投进一定数量的硬币，从"法、英、德、荷"四种语言中任选一种，揿一下按钮，它便会对你娓娓地讲述起卢瓦尔河和南特市的历史变迁；又有一种投进硬币便可使用一段时间的高倍望远镜，可供游客在一百八十度的范围内旋转观赏景物的细部。我和王正烈同志坐在河岸边的长椅上，呼吸着滋润的空气，观览着如绣的景色，竟一时忘记了所来为何。

忽然王正烈同志指着对面高坡上一座奶黄色的带尖顶的楼房说："那就是儒

勒·凡尔纳博物馆。"我抬眼望去，不觉吃惊，因为法国文学史上文豪甚多，仅就 19 世纪以后而言，从夏多勃里昂、贝朗瑞、司汤达、巴尔扎克、雨果、梅里美、福楼拜、都德、左拉、莫泊桑、罗曼·罗兰……一直到萨特，似乎都值得设博物馆纪念，而一部简要的法国文学史，像儒勒·凡尔纳这样的作家很可能连提也不提。可是，这里却有他如此庄严、华美的一所专门的博物馆。我一边朝通向该博物馆的石梯走去一边想：人家并不那么"论资排辈"，你为民族做出了一定贡献，有条件时便郑重地纪念你，这只能解释为对进步文化的一种尊重。这种尊重文化的态度，我们也应对之尊重才是。

进得馆去，只见一位管理员端坐在那里，他看见我们的到来，毫不掩饰他的惊奇。因为我们是两位中国客人。南特市在距离巴黎四百多公里外的大西洋边上，全市华侨据说至今仅四十人左右，近年来到该市大学和科学机构留学、进修的中国学生和科技人员有十人左右，合起来也不过五十来人，所以南特的法国人见到中国人，远比我们在北京见到法国人觉得新鲜。管理员一边卖票给我们，一边笑着说："今天你们是头两个参观者。你们中国人能知道儒勒·凡尔纳，能从市区赶到郊区来参观我们博物馆，这真出乎我的意料！"

可是更出乎意料的还是我们——我们从上午九点多一直参观到十一点半，馆内的参观者始终只是我们两个中国人，没有其他任何参观者。整个博物馆一上午的收入，仅是我们那两张门票，不过才三十法郎，于是一个朴素的想法不禁浮现脑际：这博物馆毫不赢利，如何维持？显然，在法国这个国家，也并非任何事业都"向钱看"，固然在街头报摊上可以看到许多纯粹是为了赚钱而编印的无聊刊物，但许许多多的博物馆，都以开启民智、熏陶后代为宗旨，宁愿"贴钱"而坚持开放。从巴黎著名的卢浮宫，到南特这不大为人所知的凡尔纳博物馆，每逢节假日参观者甚众时，都一律免费。我们问了一下管理员，他说头一天星期日，来馆免费参观的计五十四人，比起夏天最多的一百五十人次，少了两倍，言下不禁有恨其不多之慨。他虽喜欢人多，但对当天我们这寥寥的两位参观者，也颇热情，不但耐心地回答了我一系列问题，还赠与我一套文字材料和两幅彩色宣传画，显然，他很喜欢他这工作。

儒勒·凡尔纳出生在南特，我原以为这博物馆即其旧居，后搞清楚不是。

他 1828 年出生在从这栋楼房窗户可望见的卢瓦尔河中的小岛上，旧居早不复存在。这所博物馆原是 19 世纪末一所中产阶级的住宅，是市政府为纪念凡尔纳而专门购下的。

整个博物馆的布置，随楼房原有的房间、通道、楼梯自然安排，既条理分明，而又趣味盎然。给我最深刻印象的，是"实景"的生动感。比如第八厅叫"一个孩子的梦"，利用楼房中临河的一间小屋，"复原"出当年小凡尔纳的生活图景：那从凌乱中显示出创造力的书桌，那从斑斓中显示出想象力的壁挂，以及神态生动的推窗眺望外面世界的小凡尔纳蜡像……都在显示出他的创作动力来源于对世界和宇宙的充沛探索精神。还在第一厅，布置出他晚年在亚眠的客厅一角，壁炉上中间搁着文艺复兴风格的座钟，两边则是东方色彩的香炉，他似乎刚刚走出客厅，看至一半的报纸和眼镜很随便地放在了沙发上，旁边一把椅子上搭着他夫人长长的黑纱披巾……把他的气质透过这样的气氛鲜明地介绍了出来。

布置者把儒勒·凡尔纳的生平划分为六个时期，用许多当年的照片、图画、实物和早期版本，穿插着一些生动的模型，把他的主要创作活动展现在参观者面前。比如，他小说中所写到的"空中飞船"，展览厅中就有很生动的模型——前后两个大螺旋桨，中间高耸出六个中等螺旋桨，而甲板周遭分布着二十八个小螺旋桨。在航天飞机已经升天的今日，我们面对凡尔纳这种天真的想象，不免觉得好笑，但谁又能否认，他这样的早期科幻作家的作品，对于激发人们征服宇宙的热情，开拓人们的思路，起过不能低估的作用呢?

在参观过程中，还有两件事令我惊异。

一是从第三厅起，便有一位海采尔 (J·Hetzel) 的相片出现，大小与凡尔纳不相上下。及至在第六厅看凡尔纳的生平年表，发现那年表与其说是关于凡尔纳的，不如说是关于他与海采尔两人的。这是怎么回事呢? 原来，凡尔纳之所以成为这样一匹公认的"千里马"，在很大程度上是由于得到了海采尔这位"伯乐"的赏识。凡尔纳二十岁时从家乡南特来到巴黎，他原是学习法律的，但却酷爱文学，二十二岁时他写成一出喜剧，虽然也有人演出，但毫无反响，他也就没有再往戏剧创作的路子上去蹭。后来他找到了最适合他个人气质的创作路子——写科幻小说，但一则"长安米贵，居大不易"，二则科幻小说在那个时代几乎不被任何出版商所容纳，所以他虽笔健稿多，却屡遭退斥。这样蹉跎了十多年，直到 1862 年他三十四岁上，遇到了独具慧眼的出版家海采尔，这才有了出头之日。海采尔眼界开阔，处事果断，对自己所办的出版社并不划定那么多的框框。他从凡尔纳的"自发来稿"中看到了闪光的东西，当即把这位其实已经不算太年轻的无名作者请来，签订了长期性的合同，从此，凡尔纳便在他的支持下，定居亚眠，潜心创作，以每年一本至两本书的写作、出版速度，开始了颇为系统的科幻小说的写作。1863 年出版了《气球上的五星期》，1864 年出版了《地心游记》，1867 年出版了《月界旅行》，1868 年出版了《格兰特船长的儿女们》……以后更有一长串我们中国读者早已熟悉的书名：《海底两万里》、《机器岛》、《八十天环游地球》、《神秘岛》、《蓓根的五亿法郎》……海采尔支持凡尔纳直到他先凡尔纳而逝。固然海采尔作为一个出版商从一开始就不可能不考虑通过凡尔纳来赚钱，但他对凡尔纳的发现和始终不渝的支持，我想不仅凡尔纳在世时应当永志不忘，就是我们后人作客观分析，也不能不承认海采尔是一位颇有魄力的出版家。在博物馆中统观凡尔纳的著作年表，海采尔共为他出版了六十四部著作。据管理员说，其实其中佼佼者也就十来部，仍有生命力的（就是说目前一般法国人仍愿拿来看的）也不过占三分之一，其中有些相对来说并不成功，甚至有几本分明是败笔，但海采尔同凡尔纳签订了死合同，对他无比信任。只要凡尔纳写出一本，便给他出版一本，从未后悔过。我想海采尔这样的出版家，确实比某些鼠目寸光、只求立竿见影、不容作家创作既有高潮也有低潮的出版商高明多了。你写出佳作时我便蜂拥而至，什么条件都可以答应，你创作处于低潮的苦闷时期我便避而远之。只愿锦上添花，不能雪中送炭，这样的出版风气不是到处都有吗？从克服这种市侩作风上说，海采尔的确是大可为鉴。所以，等我参观完后面几厅，再发现关于海采尔的材料时，惊异感便逐渐转化为省悟感了。不知我国今后开办文学方面的博物馆时，能否也为确实具有伯乐风范的出版家和编辑们提供如海采尔般的"版面"？

　　二是博物馆中展出了儒勒·凡尔纳作品的各国译本。欧洲的各种译本自不必说，就连日本、印度等东方国家的译本也颇不少，但唯独没有中国的译本！这就不仅令我惊诧，而且颇有些不平了。

我便去告诉管理员，我国大文豪鲁迅早在 1903 年就翻译并发表了儒勒·凡尔纳的《月界旅行》和《地心游记》，那时凡尔纳还健在（他 1905 年才逝世）。后来我国更多次翻译、介绍了凡尔纳的小说。中华人民共和国成立以后，仅中国青年出版社就以同样的装帧风格出版了几乎包括凡尔纳所有优秀作品的一套译本，再版多次，印数颇大，在中国读者，特别是中国青少年读者中产生了相当大的影响。

王正烈同志将我的一番表述译给那管理员后，他显然比我更其惊诧，他说他简直想不到中国人竟对凡尔纳和凡尔纳的小说已经有了八十年的兴趣，他一直就以为不可能搜集到中国出版的凡尔纳译本。末了，他以一种好奇的语气问出一个对他来说最为朴素的问题："谁是 LU—XUN(鲁迅)？"

说实在的，当我听到这个问题的一刹那间，我本能地激动得发抖，原本对这个儒勒·凡尔纳博物馆及这位管理员的好感，在一阵冲动中几乎消失殆尽。但我还是尽可能让自己迅速地冷静下来，直面我在万里外的异邦的这个现实。

我想起了我读过的凡尔纳的小说。他那奇瑰的想象、紧张的情节、丰富的知识（现在看来有些知识是不准确的乃至错误的）固然曾令我爱不释手，但我也曾为他小说中有意无意流露出的那种白人优越感所刺伤。现在我在纪念他的这所博物馆中，也有一种民族自尊心受到了刺伤的感觉。为什么中国的一般知识分子都知道雨果、巴尔扎克、罗曼·罗兰，而法国的文学博物馆的管理员连中国的鲁迅都不知道？

后来我在南特和巴黎对另外十名法国人（都是受过高等教育的，但职业不同）进行了有意识的调查，知道鲁迅的只有两名，知道巴金的只有一名。而在我反复询问他们"究竟读过哪位中国当代作家的作品"时，竟有九名都肯定地回答：韩素音。

韩素音我同她有交往，甚至可以算是朋友。我知道她对中国所怀有的感情是深厚真挚的，而且读她的自传体小说时，我感到她也的确从一个特殊的角度把中国部分真实地介绍了出去，关于她的一些流言飞语和恶意中伤是我们绝不可听信的，对于她在法国所达到的知名度有那么高，我由衷地为她高兴——但无论如何，法国人把她当做一个典型的中国当代作家，只能算是一种误解。

当然，如果我们在巴黎进入汉学界的圈子，那么，我们不但会发现周围有许多满嘴中国话乃至"京油子腔"的金发碧眼的先生、女士，而且当他们提出同我们讨论诸如司马相如《上林赋》的艺术特色、中国 20 世纪抗战文学的评价、王蒙小说中的新技巧因素一类问题时，我们往往会为他们对中国文学的了解之深之细而惊叹，但通过我这次在法国的观察和分析，我以为这个汉学圈子在法国的知识分子中所占比例小而又小，他们辛勤的开拓，还远未产生如中国的法国文学译介者、研究者在中国一般知识分子中的那种影响。

由此我想到，我们不能任这种文学交流上的"入差"如此触目惊心地继续下去。我们可以主动做许多工作，如争取有更多的中国现代、当代作家的作品在法国出版（头两年巴金的《寒夜》、《憩园》的出版开了一个很好的头，就是要争取由那种在全法国乃至全欧洲有相当影响的、历史久、"字号响"而又比较严肃的出版社出我国的优秀作品）。除了同法国的汉学界加强交流外，还应争取利用蓬皮杜文化中心这类法国一般知识分子经常出入的场所，举办诸如中国文豪鲁迅展览、《红楼梦》展览一类活动（规模不必求大，但传达信息要强烈、鲜明），以及主动向法国一些博物馆提供必要的展品——像南特的这所儒勒·凡尔纳博物馆，就可以给他们送去鲁迅所译的《月界旅行》和《地心游记》，以及中国青年出版社所出的一套译本，这倒并不是为了给该博物馆锦上添花，而是向到馆的法国观众显示我们中华民族对人类进步文化的一贯尊重，从而反转唤起法国一般群众对我们中国文化的尊重和兴趣。

我们出馆时，那位管理员一再叮嘱我早日帮他们弄到中国出版的儒勒·凡尔纳译本。望着他那友好的、渴望的目光，我原谅了他对中国和鲁迅的无知。

走下高高的石梯后，仰望着博物馆那颇为巍峨的楼体，我心中仍存留着一种惊诧的情绪：儒勒·凡尔纳这样一位实在远算不上是伟大的作家，竟然有这样一座完整的博物馆来纪念他……

1983 年 12 月 14 日

绿色纪念碑——巴黎书简

亲爱的朋友，我已从南特回到巴黎。

十多天以前，当你在北京天竺机场送我来法国时，你曾叮嘱我："一定要把对南特的印象，详细地告诉我们。"

好奇心是一种健康的心理。越是以往知道得少的，就越容易好奇。

当我得知我能有机会访问法国南特市时，赶忙把法国地图找来查看，坦白地说，足足用手指头在地图上摸索了两分钟，我才终于认清了它的位置——在法国西部布列塔尼半岛的下端，卢瓦尔河最下游，濒临大西洋。

从北京起飞，途经阿拉伯联合奠长国的沙力、德意志联邦共和国的法兰克福，终于到达巴黎的戴高乐机场。以后，一见到我国大使馆的同志，我便问他们："南特是怎样的一座城市？"

使馆一共来了三位同志，竟有三种说法。一位说它是法国几大名城之一，一位说它不过是只有一条大街的小城；另一位用慎重的口吻估计说："大约是一座没有什么特色的中等城市。"

这也不奇怪。使馆很多年都没有人去过那里，头年文化处一位同志去了一下，但只待了一天，所获印象不深，也就没有把信息输送给大家。就是华侨，南特也不多，据说把大人小孩全都算上，持有我国护照的，不过四十来人。近几年倒是陆续去了十来个留学生、研究生和进修人员，但几乎都是搞理工的，南特究竟如何，恐怕他们即使回了国，也没有兴致来向大家形容。

中国作家去南特，我大概是头一个吧。亲爱的朋友，我尽量把对它的印象如实地告诉你们，不过，我输送给你们的这些信息，究竟能不能使你们多多少少加深一点对法国社会的理解，实在是没有把握。

试一试吧。

凡事总愿试一试，该不是缺点吧？好奇心加试一试，也许会导致犯错误。但故意搞破坏和在探索中失误，实不能混为一谈。前者是我们"四化"成功之阻，后者是我们"四化"成功之母。

从巴黎乘四小时火车，抵达了南特。把行李摆在了旅馆以后，立即走向街头。

南特，你究竟是怎样的一座城市？

　　从旅馆服务台拿到一张南特地图，附有若干"典型场景"的彩色照片，并有文字说明。据那文字说明，南特市内有二十五万六千多人，以我国的观念而论，自然不过小城而已，但在法国，它的人口却排在各城的第六位，所以似乎也不能小觑。

　　主要的大街确实只有那么一条，但中等街道和小街却蛛网般交错，似乎向四面八方伸延颇远。有点像缩小的巴黎，也有带铜雕和喷泉的广场，也有带尖顶的天主教堂，也有酷似巴黎 OPERA 的剧院，甚至那座现代派摩天楼"布列塔尼大厦"，也仿佛是巴黎"蒙帕那斯大厦"的投影——只不过都按同一比例加以了缩小。满眼所见的建筑物大都是五十至一百年前所造，楼层不高，最高的一层墙体与屋顶呈弧面相连，使楼窗凸现出来，窗边充满卷涡、藤叶一类的浮雕，据说是"路易十五式风格"，但显然内部都改装成现代化的了，底层的商店更一反古典式的繁琐与沉稳，门面几乎一律采用钢化玻璃结构，不但尽量突出摩登的橱窗，也以能从门外透视店内景象为时髦。

　　在中国，商店的霓虹灯要入夜才亮，而且几乎一律采取玻璃管弯成的形式，颜色则大红大绿居多，南特同巴黎一样，白天商店内外的光电设备也往往不息地闪亮，玻璃管弯成的形式已存留不多，有的以透光不透明的玻璃匣构成，底色多乳白、橙黄；有的以"扫描"方式不断重现店名、图案及宣传字句；"正色"很少而中间过渡色颇多，总体的印象是没有桃红柳绿式的俗艳而趋于银辉冰莹般的雅奢。

　　法国近来经济的萧条，在南特也是一目了然。超级市场固然顾客不少，但那是为"过日子"而进行的匆促购买；凡有独立门面、仅管一类商品的商号，进内购物的顾客寥寥无几。透过亮闪闪的橱窗和门扇，往往只见确实华美精致的商品中间，呆立着无所事事的店员。偶尔瞥视一下橱窗中陈列品的价码，也就不难理解何以无人问津——一只超薄型的打火机可以标价一千法郎；一条式样新颖点的腰带标价三百法郎，还不一定是牛皮制品；好不容易在一个微笑的木制 Madame（太太）身上发现了仅为一百法郎的货签——难道"她"那件剪裁特殊、缝制精巧的上衣竟那么便宜吗？啊，再一看，看清了，原来一百法郎所指的不过是"她"肩上的那条未见多么出色的披巾……路上的行人们步履匆匆，几乎没有一位有我们这种"蹓大街"的雅兴，他们从以金银色为主，水晶感十足的灯具店橱窗前走过，从陈列着几十种香水并带有诱惑性广告的化妆品商店门前走过……他们穿过城中著名的"商业走廊"：上有浮雕装饰的穹窿，下有圆雕点缀的大理石台阶，旁边众多的商店似乎都在以闪亮的门面和斑斓的样品向他们召唤，然而只听他们的鞋跟一路咯咯作响，绝大多数甚至连瞥视一下那些店铺样品的兴致都没有，径直向着他们生活中的下一个环节冷然而去。

购销两方面都明显地表现出呆滞。不过，说实话，完全没有贫困的景象。巴黎给我的感觉，是宏大中不免有杂乱之感，而且繁华处与陈旧处对比度颇大，地铁中弹奏电吉他的卖唱者、街角裹着阿拉伯式长袍的北非流浪汉、夏洛宫广场上追着游人兜售塑料飞鸟的黑人……这类明摆着的"阴暗面"，在南特我都没有遇见过。

后来，有一天，我与同行的陶玉珍在城中散步时，半认真半开玩笑地约定：我们要找到南特的贫民窟。我们见到比较狭隘、比较僻静的街巷便往里钻。结果，很遗憾，我们未能找到那种足以满足我们特定心理的景观，并且后来我们才知道，越是那种"小街小巷"，越居住着地地道道的富人。敢情那些爬满藤萝的古旧小楼远比门面光洁的新楼高级。要去接近南特市的低收入者，我们反倒应向那相对来说是热闹和宽阔的地方去找。后来我们经留学生帮助也终于找到了，在一所类似北京东风市场那么大的超级市场旁边，有几块巨大的草坪，虽已入冬，那颜色还鲜绿鲜绿的，草坪后是一栋栋灰白色的居民楼，楼窗是铝合金的，依稀可见窗内的纱帘和盆花，据说那便是所谓的"低租金成套出租的单元住宅"，是市政府专为低收入者建造的。望着那呈现在我们眼前的景象，我们只能承认，要透过现象去剖析本质，看来套用现成的、简单化的公式确实不灵。

南特的居民们对他们的城市满意吗？当然，有各种各样的居民，因而也有各种各样的情绪。

在我接触到的南特人中，有的就对南特的现状非常不满。

一位"白领女士"愤愤地对我说（当然是通过翻译）："南特从来没有像现在这么不景气——失业的人越来越多，商品一个劲地涨价，听说连大学生的伙食费也要从八个法郎一餐再涨到十个法郎一餐，真丢脸！"

大学生食堂的饭票涨价，这确实是一桩丢脸的事。对于法国人来说，自从启蒙运动之后，二百多年来他们引以自豪的事情之一就是对国民教育的高度重视。法兰西高等师范学院是牌子最硬的高等学府。罗曼·罗兰等文学巨擘都以持有它的毕业证书而倍增荣耀。中小学教育早实行免费，大学的注册费一贯极为低微，而且大学生的伙食概由国家补贴。在南特我有意随进修生去南特理工学院的大学生食堂吃过一餐，进食时可自选一盘凉菜（如生菜色拉或火腿色拉）、一盘热菜（如意大利奶油通心粉加猪排，或炸土豆条加茄汁煎鱼）、一钵热汤、一杯酸奶或一份果冻，面包片随便拿，这样一份食品，一般大学生（包括外国留学生）收八法郎一张的饭票，进修生和助教以上的职工收十六法郎一张的饭票。我同街上饭馆的价格比较，实在便宜之极，因为即使到街上的快餐馆去，一份"热狗"也要七个法郎，一份"美国三明治"（切开的圆面包夹生菜和肉饼）便要十六个法郎。但人们的不满也有道理：去年大学生一餐的饭票还仅仅是五点八法郎，随着法郎步步贬值，今年年初便升到了八法郎，而这竟仍不是极限，看样子确实不久便会涨到十法郎。难怪在我们步出大学生食堂时，在自由揭贴的告示牌上便有一幅不小的漫画，漫画边写的是呼吁大学生们为抗议饭票涨价而上街游行的口号。

亲爱的朋友，你知道我和同代的一些作家的共同缺点，是太容易偏颇和太爱轻易下结论。临行前我们的一次促膝长谈中，你曾叮嘱我对赴法后的所见所闻所感一定要多消化消化再下断语。我觉得你的意见非常中肯，而且，我在南特种种经历本身，也容不得我以一种简单化的方式对事物作出轻率的判断。

即如那位愤愤然的"白领女士"，因为她毫不留情地抨击了南特以至法国的现实，按一种我们习惯了的简单化逻辑，很容易在心目中把她封为一位"进步人士"，但通过已在南特居留了四年的留学生的进一步了解，原来她不过是一位典型的资产阶级议员。她的观点，主要是怪现在法国当权的"左翼力量"，即密特朗政府，把法国的经济搞成了一团糟。

对于法国的政治、经济详情，我至今仍然缺乏明晰的了解。法国经济上目前出现的问题，是否能一概归咎于本届政府，显然不能听信她的一面之词。不过在南特，"白领女士"这派力量已占了上风，新近的市政府改选中，他们已获胜利，新任的市长，便是他们一派在当地的首领。

在南特市政府举行的一次酒会上，新任市长在众多来宾中首先把他们三位来自中国的文化界人士请到前面，并赠我们每人一枚古色古香的铜铸南特市城徽。举杯欢谈中，极表对人民中国的友好之情。也就是在这次酒会上，一位当地的学者对我说："在法国，南特是以保守而著称的。"他说这话时并无任何愧疚之意，反倒透露出几分自豪。法国人就是这样，他们认为"保守"或"激进"都不失为一种值得尊重的姿态，你自诩"保守"或"激进"听便。

在南特，我禁不住常把眼前的景象同在巴黎的感受相比，我觉得南特也确乎是那么一座以中资产阶级为主的富裕而保守的城市。在巴黎，当我在协和广场和巴士底广场上行走时，心情确实非常激动。想到二百多年前，法兰西人民敢于把路易十六皇帝和他的皇后，在现协和广场那里送上断头台，并且能把象征封建皇权威严的巴士底狱——一座巨大的坚固的城堡，拆得连一块砖头都不剩，并在那夷平的广场上，建起顶端立有展翅奋飞的自由女神铜像的高高石柱，真不禁钦佩法兰西人民那种彻底的反封建精神！然而，在南特，那市中心喷泉辉映的广场，却依旧叫做"皇家广场"。这还不算，有一天我们散步到另一广场，格局与巴黎巴士底广场颇为相像，广场中的高高石柱上也耸立着一尊铜像。仔细望去，绝非展翅欲飞的自由女神，而是一位细瘦的古人——一问，扫兴之至，竟是路易十六的铜像。据说是1789年资产阶级大革命后，法国城市广场中唯一保留的一尊这位断头皇帝的铸像，而那广场的名称，也至今仍保持着"路易十六广场"这样一个"保皇"的称谓。亲爱的朋友，说来更让你败兴——我们下榻的那座双星级旅馆，设备、服务都颇佳而且宿费不算昂贵，但名称却叫"柯洛尼兹"，意译的话，便是"殖民地旅馆"——你看，在法属殖民地已所剩无几的今天，特别是在人人闻"殖民地"而厌恶的世界潮流面前，南特的这家旅馆竟然还在心平气和地沿用前名。我问过侍者领班，他说他们老板并非主张殖民主义，之所以不改旧名，不过是习惯而已。

习惯习惯，习以为常，惯而不改，这便是保守。南特市的这股执拗的保守劲头，你说我能喜欢吗？

话又说回来，所谓南特的保守，只是就它的社会心理所构成的平均值，相比于法国别的地区而言，其实南特也有许多并不保守的人士，在一次招待会上，我就见到一位个子矮小、皮肤偏黑、衣着朴素、上唇上汗毛颇重的女士，她是该市一个剧团的成员——看来她既是经理也是导演又兼演员，她听说我头天刚同新任市长干过杯，不禁冷笑道："啊，那个老顽固，糟糕透了，一上台就迫害我们！"

面前是一位遭受"老顽固"迫害的人士，而且从她那朴素的衣衫和短发素面的外貌上看，很可能是我们概念中的"下层民间艺人"。我不禁肃然起敬。忙通过充当临时翻译的留学生问她："市长怎么迫害你们呢？"

"他一上台就削减市政府对我们的补助，让我们没法维持，这等于对我们实行禁演！当然他找了个借口，说我们新排的一出戏败坏道德——说穿了吧，他玩的其实是政治把戏，他怀疑我们剧团被共产党所控制！"那女士激昂得满脸通红。

这回果真遇上了一位左派人士，即便那位市长对她的怀疑毫无根据，她的"左倾"可是一目了然。我都有点为头天跟那位市长碰杯而脸红了，对眼前这位遭受保守势力打击的左派艺术家给予道义上的支持，难道还该有所迟疑吗？

但毕竟还是再打听清楚一点为好。我问那出等于遭到禁演的戏叫什么名字，是什么内容。

她立即说出了戏名，留学生翻译给我听，那出戏叫《肚脐眼以下》。

她还在那里讲述戏的内容，我却愣住了。

幸好我还没有向她表示道义上的支持。《肚脐眼以下》！乖乖！

但她和在当中翻译的留学生都没有觉察出我的心理变化。她讲完了，留学生译给我听："那个老顽固，其实他连我们的戏看也没看，光听了听个名字就给我们定罪！我们的戏其实再严肃不过，是把一系列著名文学艺术家的作品片段，联在一起演出，其中包括莫扎特、波特莱尔、米琪尔、贝盖特、维廉·博洛斯、布科夫斯基等人的作品……"

那女士扬着下巴，等待着我的反应。

亲爱的朋友，你说我该跟她说什么呢？我只觉得法国的事情太复杂。对于我们无从辨析的是非，自然不好轻率表态，于是我只好微微一笑，转换话题，同她扯些别的。我深感自己所掌握的信息还是太少，而自己所应当深入了解和理解的东西真是太多。这似乎也并不是我一个人的问题。

我当然不会改变我的基本立场和观察、分析问题的基本方法，但我学会了慎重。

有一天我们去电影院看电影，拐过街角，迎面楼墙上突然显现出一条标语——他们写标语不用排笔，而是用喷漆的喷筒那类东西往外喷颜料——墨蓝的字母很不规整地排列在一起。经问翻译，才知道那标语是"法国人滚出南特！"乍一听简直怀疑自己的耳朵，难道南特不在法国，南特人不是法国人吗？但后来找了解情况的留学生一问，才知道几十年来南特一带一直有一种地方民族主义者在活动。他们自认是"布列塔尼人"，认为布列塔尼半岛一带包括南特市都应当独立成为一国，而"法兰西人"则应"滚出"这个地区去。持这类观点的人虽然极少，但他们有时会生出令人叵测的事端，这也构成了南特表面平静生活中的一种潜在的威胁性因素。鉴于此，我们同行的几人又一次互相叮嘱随处都要小心。

我们从国内出发前，已有近期曾去过法国的同志告诫我们，在公共场所活动时可得提高警惕。他给我们举了这么个例子，一位刚到巴黎的同志，搁下行装刚走出旅馆，正立在旅馆门前的台阶上考虑该怎么就近观览一下市容，忽然迎面走来了一位看报的妙龄女郎。说时迟，那时快，妙龄女郎陡然把手中的报纸往他脸上一捂，另外三位潜伏一旁的同伙立即上前：两位从左右掀开他的西服外套，一位伸手从他里兜麻利地抓走了他的全部法郎，这"迅雷不及掩耳"的一击使他懵然不知所措。待反应过来，只见四位窃贼已朝四个方向跑开，倏尔不见踪影——他后来从头回忆了一遍被劫过程，最令他寒心的是四位巴黎窃贼全是豆蔻年华的婀娜少女，四散奔逃时全都飘扬着一头金色的秀发！

我们飞抵巴黎，在戴高乐机场办理入境手续时，就见到机场的墙体上粘着用法、英、德、日几种文字写着的"小心扒手"的招贴，大概是为了让不懂那几种文字的旅客也能明白吧，还画着一只手伸进一只旅行袋的图样，旁边是一个大大的惊叹号，连巴黎警察局也在告诫我们外国来客小心，你说我们敢松懈警惕性吗? 后来又听说因为其他来客大都只携旅行支票和信用卡, 窃去不易使用, 唯独中国人携的是现金, 扒去便可立即花掉, 所以诸巴黎窃贼们最乐意光顾中国来客云云, 把我们搞得相当紧张。初到巴黎时, 街上一有人边看报边迎面走来, 我便不免本能地"气运丹田", 准备必要时显示一下我们中华气功的神威。

但后来并没有遇到过什么险情。在南特就更觉得安全。不唯没有遇到扒窃一类的事, 说实话, 无论在街头行走还是乘坐公共汽车, 没遇上过吵嘴、斗殴的场面, 就是在商场或电影院中, 也没有遇上过喧嚷叫闹, 汽车不响喇叭, 人们也不高声说话, 什么哇啦哇啦大声播放"迪斯科"舞曲招徕顾客的商店, 一家也没有, 任何音响似乎都只局限在它的自愿享用者的空间之内, 而以防碍他人为耻。在这样一种宁静平和的气氛中, 有时我又不免纳闷: 难道这些法国人在日常生活之中, 果真不存在剧烈的冲突吗?

我们那天在南特看到的法国影片《为了我们的爱》, 在一定程度上回答了我心中的这个问题。看一场新上映的电影, 票价是二十六个法郎, 不算便宜, 但那天我们都觉得票钱花得不冤。这是一部最新的片子, 据说我们看时它才拍成不到两个月, 该片从风格上来说属于法国"新浪潮"电影的余波, 反映的是法国最当前的现实生活。影片里没有一般商业影片不可阙如的色情与暴力, 没有豪华场面与悬念巧合。故事发生在巴黎, 但绝不把艾菲尔铁塔、巴黎圣母院、凯旋门、卢浮宫一类名胜古迹点缀其中, 当然更没有什么配之以甜腻腻的空镜头、以电子琴伴奏、以"气声"演唱的插曲, 就是朴朴素素地展示普通法国人的日常生活, 而在这展示之中, 用一把无情的解剖刀, 把遮蔽于外的优雅、宁静的生活面纱划破, 一层层、一丝丝地将巴黎普通住宅中那些普通人的感情的、心理的、理智的冲突剥示、爬剔出来, 而达到一种惊心动魄的程度。因为不懂法语, 只凭留学生在一旁临场翻译, 所以我对所获得信息的理解可能不那么准确, 但我得承认, 影片本身的"无技巧"感紧紧地抓住了我, 从而事后冷静地一想, 那恰是一种很高的现实主义的艺术技巧。影片主要是展示两代人的冲突——女主角, 据说是导演从理发馆找来的一位理发员扮演的, 相貌极其平凡, 在镜头前也绝不寻找所谓"美"的感觉, 而是近乎拙朴地塑造出了一个在道德

▶**图 23**　巴黎·艾菲尔铁塔 2000 年

观念、价值观念、生活目标等方面都与上一辈发生冲突，充满了憧憬也充满了苦恼的少女形象。她的父母开着一爿保留大量手工劳动的小小皮货作坊，自认为是最诚实最正派的巴黎市民，他们爱女儿，但又看不惯她的"放荡"和"任性"，他们认为是女儿滑出了生活的正轨，为了挽救她，他们甚至于激动得抓住她的头发，把她的头往墙上撞，而女儿虽然直到最后也还爱着双亲，却始终拒绝他们的教诲和管束，认定自己的抉择并不是"脱轨翻车"，而是另铺新轨，另觅新地。她在激动时也干出了捆自己父母耳光的蠢事。影片编导者对这场冲突的是非并没有明确地表态，银幕上的每一个形象似乎都立足于证明他（她）是有道理的，所以谁也无所谓正面人物或反面人物，也无所谓"中间人物"。这种美学观念和艺术趣味同我们评论界所提倡的当然大相径庭。这且不去说它，但它至少可以使我们明白，法国的普通人，不论哪一代的，都有他们的烦忧和痛苦，在那表面的礼让、谦恭和文雅、宁静的社会外貌后面，人与人的关系不但非常紧张，还经常爆发出剧烈的形于外的尖锐冲突。同时它至少也可以使我们明白，在纯商业性的东西之外，他们的一些文学艺术工作者也在力图反映现实生活中的矛盾冲突，塑造真实可信而复杂多味的艺术形象，并力图促使读者、观众对社会生活作一些严肃、深入的思考。这部影片卖座上当然敌不过《一把椅子俩人坐》、《第一次欲望》、《间谍007》等纯商业性的片子，但看的人也还不少，评论界和观众的反应都很强烈。

看完这部电影，我们在霏霏冬雨中，散步于南特街头，情不自禁地交换着观感。再望见被殷红的爬山虎叶片所包围的那些窗户，望见那窗内依稀可辨的白纱窗帘和葱绿的盆栽植物，我便不再只是想象到一双纤手抚弄着钢琴键盘，一只浇满巧克力汁的奶油蛋糕上插着点燃的小蜡烛……我深信那里也许正有人争吵、有人哭泣、有人正恨不得把自己的指甲咬断……

忽然陪同我们的留学生小嵇惊呼："呀，我的雨帽哪儿去了？"他穿着从当地超级市场买来的一件墨绿色羽绒衣，台湾产的，那上头原用子母扣连着一顶风雨帽，因为小雨时停时下，他也就时戴时揭，不知何时竟将那风雨帽丢失了。

他决定折回去沿路找找。我们都觉得希望不大。然而我们还没走完一条街，他就返回追上了我们。他手里拿着那顶风雨帽，激动地告诉我们："是在卖明信片的小店门口弄掉的，一个老太太在店外的停车自动计时器边上，手里拿着我这顶雨帽，已经等了二十分钟——她说她估计到丢帽子的人会回去找的……"

我们都很感动。这位南特老太太的行为，冲淡了那四位"巴黎女贼"在我们心中落下的阴影。然而这些事例毕竟都还是浮在社会表层的东西，要真正把握和理解法国社会和法国各阶层人士的真谛，我们必须知道得更多、辨析得更深……

话说那天我们在冬雨中继续前行，在一座停车楼的墙面上，我们看到了此行中所见字母最大的一条标语，是用黑颜料喷出的，小嵇翻译给我们听，写的是："我恨世界！"

毕竟到法国已经很多天了，对南特的历史、现状也有了一定的了解，所以我没有大惊小怪。初到资本主义国家，我们往往会在一目了然的物质文明和社会表面呈现出的清洁、礼貌等普遍的文明习惯面前感到困惑，从而对一切带有否定、反抗当地现实色彩的事物轻率地表示同情与支持。这种幼稚病必须克服。倘是初到南特，见到这"我恨世界'的大标语，我或许会感到解气——在一种令人窒息的中产阶级情调的安适和沉闷之中，总算有人发出了愤懑的怒吼！然而那天我却已能冷静地分析、思考。也许，喷出这条标语的是一位对现实极度不满的失业工人，他对给他带来痛苦的资本主义制度充满仇恨，这固然可以理解，但他喊出的这个口号却肯定是错误的。为什么要恨整个世界呢？就是法国，就是南特，世世代代的法国劳动者创造出了那么多美好的东西，值得我们全世界人民永久地珍惜，为什么要统统加以仇恨呢？也许，喷出这条标语的是一位虚无主义者、无政府主义者，乃至新法西斯主义分子。法国有这种人，南特据说也有，他们仇恨现存的一切，从共产党到英国女皇，从天安门到凡尔赛宫；说他们"极右"或"极左"都行，因为"极右"或"极左"都必然表现为强权和暴力，表现为对人类文明和进步人类的蔑视和践踏，本质是一样的。

我们议论着那条标语，不知不觉地来到了南特那条最宽最长的大街上，几天里我们横穿过它好几次，但一直没有注意它的名称。我偶然问起它的名称，小嵇告诉我们："这是'五十人质大街'。"

五十人质大街？这名称一定有不寻常的来历！

果然如此。小嵇把那典故讲给了我们："1941 年 10 月 22 日，德国法西斯驻南特的城防司令被抵抗运动的游击队暗杀了，恼羞成怒的法西斯在城内进行了大搜捕，抓了五十个市民当人质，要游击队出来自首，但那五十个市民都自称本人就是暗杀者，结果被集体枪杀在这条大街上。南特光复以后，市民们为感念他们，由市政府将这条大街命名为'五十人质大街'，并在街的尽头建造了一座"五十人质纪念碑"。

听了这段故事，我们都很感动，便一齐朝那"五十人质纪念碑"走去。

啊，到了。这条大街的尽头是卢瓦尔河支流爱德河的一个小小港湾。在港湾前面的广场上，矗立着一座绿色的铜铸纪念碑，那便是"五十人质纪念碑"。

在法国，我已经见到了许多的纪念碑，其中包括举世闻名的巴黎协和广场的方尖碑，但至今留给我最深印象的，却是南特的这座绿色纪念碑。

伫立在这座庄严的纪念碑前，进入法国后一直横亘在心头的那种隔膜感，一下子消除殆尽。中国和法国的差异虽大，但有一种最基本的东西把我们联系到了一起，那就是对霸权主义、法西斯主义的痛恨与抵制。

这纪念碑设计得朴素有力。中间的碑体浇铸得厚重挺拔，上面镌刻着当年捐躯的五十位市民的名字。两旁是两位妇女的雕像，造型简洁而凝重，一边的妇女护卫着一支巨大的麦穗，另一边的妇女手持一把出鞘的利剑——还用解说吗？除了占人类比例极少的一小撮法西斯分子，最大多数的人，从法国的所谓"右翼"、"保卫共和联盟"，到法国的"左翼"社会党以及共产党人士，从南特的新任市长到那位对他极其不满的剧院经理，从号召为饭票涨价上街游行的大学生到我们这万里外而来的外国客人……面对着这绿色纪念碑，都可以找到相互之间的"最大公约数"。

那绿色纪念碑的圆形碑座下，摆放着当天人们奉献的鲜花，微雨把花束润得更其鲜洁，最大的一束上系着嵌金线的黑缎带，上面写着"绝不允许重演！"题款说明，这花束是曾在同一个德国法西斯集中营中蒙难的十几个幸存者敬献的。据说不管是春夏秋冬，还是阴晴雨雪，这碑下总少不了市民们奉献的鲜花，来这里奠祭"五十人质"的既有工人、店员、学生、教授、艺术家，也有资本家、高级职员、市府议员和流浪汉。既有白发苍然的老叟老妪，也有红颜似花的少女少男，因为他们全都清楚，那五十个被德国法西斯枪杀的人质，就既有老板也有工人，既有饱学之士也有文盲，既有孱弱的老人也有妙龄的少女，既有天主教徒也有共产党人……以"保守"而著称的南特啊，我怎能忽略你这清醒而正义的一面？

亲爱的朋友，如果我告诉你那天我在霏霏的细雨中，在那绿色纪念碑附近徘徊了很久，并且最后便坐到街旁小公园的长椅上，任湿漉漉的梧桐叶飘落肩头而不拂去，沉思、沉思……你该不会见怪吧？我想到我们这个世界仍然存在着法西斯细菌。就是在中国，"四人帮"的一度肆虐也说明我们并不能松懈防疫——当然，法西斯细菌的温床毕竟还在资本主义世界中，帝国主义、霸权主义、种族歧视、恐怖活动……每日每时都在孳生着这种毒菌；制止它蔓延，同它进行斗争，最终把它像天花、霍乱那样彻底扑灭，不正是整个进步人类的神圣职责吗？

　　亲爱的朋友，我很高兴地告诉你，从南特回到巴黎的第三天，我们便看到了令人振奋的景象。那天中午几位法国朋友请我们在波列瓦尔德大街的一家餐馆吃饭，吃完饭出来，我们发现整条街道上满涌着游行示威的队伍。他们打着横幅、标语，有的示威者更把口号写在臂章上和帽子上。其中不少人显得风尘仆仆，疲惫中显露出一种青铜般的坚毅。我们立即了解情况，原来这是一次声势浩大的反对种族歧视的示威游行。它的导火线是一个半月之前在法国南部马赛发生的一件事：几个法国青年打死了一名阿尔及利亚青年。表面上看，是一桩酒吧中间时而总要出现的寻常刑事案。究其心理上的冲突，是由于近年来北非和中非原法属殖民地有大量劳动力涌入了法国，法国一些资本家看出这些来自穷国的劳动力又肯干活又甘愿接受低工资，便解雇法国工人而改雇他们，从而使一些法国工人嫌厌、鄙弃他们。但这仍然不是最本质的原因。深究下去，资本家之所以给北非人、黑人、亚洲人低工资，以及那几个白人青年之所以视阿尔及利亚青年命贱，敢于下手将其打死，盖出于种族歧视。这件事首先激怒了流落在马赛的阿尔及利亚人。四位阿尔及利亚青年率先指出，种族歧视才是这件事的总根子，而种族歧视是法西斯主义的最大温床，他们便发起了从马赛徒步游行示威到巴黎的运动，促使法国广大民众觉醒，掀起一个扑灭种族歧视和法西斯细菌的高潮。他们的义举不仅感动了许多深有同感的北非阿拉伯人、中非黑人和亚洲黄种人，也得到了沿途广大法国民众的踊跃呼应，许许多多富于正义感的法国人停下工作（等于罢工），加入到这支徒步跋涉八百公里的示威队伍中，终于在11月3日那天冒着严寒进入了巴黎市区。一贯以公布过《人权宣言》而引以自豪的巴黎市民，在马赛的血腥事件面前感到愧疚和激愤，因为早从报纸和电视中得知这支游行队伍的到来，不少人一早就纷纷走到街头翘望。待队伍入城时，便纷纷涌入其中。我们所见到的，恰是最壮观的一幕——游行者高唱着反对种族歧视的歌曲，浩浩荡荡地向法国总统办公所在地爱丽舍宫而去。据说密特朗总统早已表示完全支持这次游行示威活动，并将接见他们的代表。

　　游行队伍虽像潮水般密集，而且并无整齐划一的行列，但给人的感觉却是井然有序的，昂奋的情绪使我们也受到了感染，不禁走下马路，随他们前行了一段。

突然，从一条斜街冲出了一辆卡车，显然那是一种有意的破坏，因为它故意呈 S 形前进以搅乱队伍。被激怒的示威者纷纷高声抗议，有的便挺身向前要将其拦截。那卡车见势不妙，便仓惶取道逃窜了。我注意到几位示威者找到站立路旁的警察，敦促他们采取必要的行动……

亲爱的朋友，那天我们因为还有一个重要的活动必须参加，所以很快便乘车离去，但在街头所亲眼目睹的这一幕，使我永难忘怀，我既看到了反对种族歧视的洪流，也看到了坚持种族歧视、敌视进步人类的反动分子的猖獗，不知为什么，此刻我眼前又浮现出了南特的那座"五十人质纪念碑"，并且仿佛眼前是一个变焦距的电影镜头，从绿色纪念碑的整体推成碑下花束的特写。那花束所系缎带上的一行字火辣辣地烙在我的心上："绝不允许重演！"我的灵魂在剧烈地颤动，我比任何时候都更强烈地意识到，作为一个社会主义大国的文学工作者，我们应当具有怎样的眼界和胸怀，我们在国际文化交流中应当而且可以发挥怎样的作用……

窗外是巴黎那彩色的夜。这里离祖国是多么遥远啊，而且这是一个多么不同、多么难以一下子认识清楚的社会！亲爱的朋友，真想你们，不仅想念亲人朋友，也想念那些并不知名姓的同胞，那些往日在街上摩肩接踵、在公共汽车上挤成一团的北京人。不过，我不像刚到法国时那么觉得陌生和神秘了，因为我毕竟发现了"最大公约数"，它可以使两个远离的东西缩短它们之间的差距。

今晚，几个法国文化界的朋友为我在一家餐馆饯行，他们一致举杯对我说："欢迎你再到法国来！"我感谢他们的盛情。倘若我能重到南特，我一定不再空手去那绿色纪念碑前，我将带去一束盛开的金菊。亲爱的朋友，你说对吗？

1983 年 12 月 3 日草于巴黎

12 月 19 日整理于北京

巴黎鳞爪

悠悠塞纳河，巍巍卢浮宫……

巴黎，在匆匆相会中，你给我留下了深刻的印象。然而那印象很不好概括，譬如在晨雾中见到一位妇人，从这边望去，她面貌娇俏、步履轻盈；从那边望去，她却人老珠黄、步态蹒跚……

巴黎呵，我要把你映在我脑中的斑斓印象，撷取出若干或明或暗的色块，在这里放大、显现……

第一印象

我们从西德法兰克福乘法航班机飞往巴黎。

飞机进入法国境内后，我把两眼紧贴舷窗，希望能鸟瞰一下法兰西风光。然而飞机下面只有云、云、云……那连绵不断的云，近处白，远处灰，最远处呈青黛色，你可以把它想象成海洋、雪原或童话里的仙境……可就是无法透过它窥见法兰西的面容。

"空中小姐"敦促旅客们系妥安全带。飞机要降落了。我把两眼睁得更大，为的是充分享受从空中鸟瞰巴黎的乐趣。"云平线"陡地倾斜起来，又渐渐放平，飞机拐了一个弯，明显地在下降；飞机钻进云里去了，舷窗外一片乳白，乳白色渐渐稀薄，别眨眼，抓紧看——然而当能见度达到可辨析出景物时，我看到的已是机场的跑道！

这是一次惊险的"二类盲降"，云层离地面仅仅三十多米，降落时全赖飞机仪表和机场指挥系统的精确无误，倘稍有纰漏，便会形成一次"空难"。

巴黎，我未能先鸟瞰你的全貌，再进入你的细部；我只能从你的一个窗口——戴高乐机场——获得对你的第一印象。

相当现代化。整个机场既气魄宏大又经济实用。入境厅呈一巨大的正圆形，当中是漏斗形的天井，天井中有若干交错、倾斜的自动通道相勾连，这些圆筒状的自动通道都以透明的有机玻璃为构件，通道中旅客的流量可一目了然。入境厅有 36 个出口，整个机场虽然每一分钟即有一架飞机起落（一昼夜的起落量为 1400 多班次），但入境旅客疏散得很快，不会出现滞塞。

使馆来接我们的车未到，正好在机场中多作些观察。

未识巴黎人，先惊巴黎狗。绅士、太太们牵着各种各样的狗。有的大如豹，有的小如猫。有的似乎光皮无毛，有的只见蓬蓬松松一团毛，而不知脚爪何在；有的令人望而生畏，有的显得楚楚可怜。各式各样的套索，各式各样的衣衫——因时届冬令，最流行的是鸭绒"登山服"。我们望着那些绅士、太太牵着狗在漂亮的机场大厅中匆匆来去，甚至径入咖啡室，售货部，总忍不住想喊一声："喂，请勿——"可后来也就明白，只有穷人进不去的地方，没有狗进不去的地方——有钱人养狗，比待子女还好，真舍得大把地花钱；你肯给钱，我便肯服务，因此不但有专卖各种精致狗食、华丽狗服的商店，连美容院、夜总会，乃至飞机舱中都备有狗的专席。后来更听说，那部在香港和东南亚都创最高票房纪录的《少林寺》电影，法国电影发行商也曾兴致勃勃地要去试看，打算买下拷贝在法国发行，但一看到其中吃狗肉的情节，便傻眼了——他们断定这样的情节会败掉爱狗成风的法国观众的兴致，便没有买它。所以我们乍到巴黎见狗生诧，真可谓"少见多怪"了。

面前是一个花花绿绿的售货部，无妨弯进去看一看。它所占面积不大，所设货位却颇多。我们中国北京的天竺机场建造得也相当不错，但不知为什么在空间的使用上却很奢侈，售品部占地很大，货位相对来说却宽松稀拉；还有大块不知为何而设的空间，就那么旷在那里。这戴高乐机场总面积显然比天竺机场要大许多，但它在空间的使用上却精打细算到近乎吝啬的地步…当然啦，对于他们来说，不仅时间就是金钱，空间更是金钱。

这售货部一半的货位上是些包装华美而未必实惠的商品——从印着裸体美人像的圆珠笔到做成圣诞老人模样的巧克力糖，发散着一股小市民的俗荡气。另一半呢？啊，是些五颜六色的杂志。一大半是消闲、消遣性的。在日本东京访问时，我也曾见到过一些日本出版的这类杂志，当时就觉得实在黄得可以。但日本的法律是不准直接显现性器官的，而法国这里根本不以为然——放杂志的货架上充满了以性感招徕作封面的最新期刊，有一种杂志的封面上爽性印着一对正在做爱的嬉笑男女——巴黎啊，我不愿这样开始我们的见面……我匆匆走出售货部，迎面遇到了来接我们的使馆同志，我把我的感受告诉他，他苦笑一下说："这里摆着卖的还远不算是下流的，这些叫做'艾罗蒂克'，有一种叫'波诺'的只在所谓'生商店'出售，那就更不像样子了。"我想，这也许就是所谓的"性解放"吧。公开怂恿纵欲———一直怂恿到刚刚入境的旅客，这种"解放"是巴黎之荣，还是巴黎之耻呢？

半城雕塑半城泉

巴黎毕竟是美丽的。

美就美在那样一种浓郁的文化气息。

虽然到处都有我在机场中见到的那类东西，散见于报刊摊亭、广告招贴、店铺橱窗……乃至于某些直截了当用闪烁的霓虹灯标明"SEX"（性）的场所，那当然也可以算作是一种广义上的"文化"，但实质上只是些玷污着巴黎的秽物。

幸好巴黎远未被那些秽物遮蔽、淹没。

显现在我们面前的巴黎，它的基调还是由欧洲文艺复兴运动所奠定。文艺复兴在历史上是一次应当给予充分肯定的思想解放运动和文化运动。它的性质固然是资产阶级的，然而它那彻底的反封建精神，直到今天仍值得我们无产阶级认真地借鉴。

据到过伦敦的同志讲，英国资产阶级革命的不彻底——它至今仍称"大不列颠及北爱尔兰联合王国"，是一个君主立宪的国家——甚至也反映到伦敦的整个市容气氛上，对比于巴黎，它显得拘谨古板、保守沉闷。又据到过美国的同志讲，美国的那些大城市尽管充满了巴黎并不多见的摩天楼，其繁华程度甚至远在巴黎之上，然而处处暴露出其历史短暂所造成的文化上的浅薄。我到过日本的东京，东京倒是一座传统文化与现代文明杂陈的都市，然而恕我直言——它的那种文化气息缺乏巴黎这样的魅力，它的那种暴富景象也难比巴黎长期繁荣所沉淀出的优雅。

登到1889年建成的艾菲尔铁塔顶层，可以从容地转着圈观赏整个巴黎的市容。你会发现，构成巴黎城的那些主要建筑，大都是一百多年前的略显陈旧的楼房，它们的特点是极讲究外部的造型，无论门窗、柱壁还是屋顶，都精心地配置以繁复、纤巧的浮雕与圆雕。据说巴黎市政府早对每一幢这样的楼房进行了详密的考察、登记，无论公产还是私产，都不许擅自拆毁改建。因而所谓现代化的高楼大厦，大都修建在城边或城外，城内比较显眼的也就是塞纳河右岸的一片以及左岸突兀而起的"蒙巴纳斯大厦"——说实在的，从铁塔顶上望去，无论高耸着钟楼和尖塔的巴黎圣母院，还是处在蒙马特尔高地上的以雪白的圆顶夺人眼目的圣心教堂，都觉得十分和谐美丽，唯有那些呈立性、圆柱状拔地而起的现代化新偻，让人瞧着很不顺眼。

漫步在巴黎街头，最令人心醉的是什么？是那比比皆是的雕像与喷泉。

在星形广场上，巍然屹立着赫赫有名的凯旋门。无论是那建筑物本身，还是它所企图褒扬的拿破仑战功，都不值得我们为之动容。然而仰望着镌刻在它正、反两面门洞边的巨型雕塑——又尤其是仰望着正面右侧的《马赛曲》雕塑时，你绝不可能无动于衷。

那雕塑凝聚着、迸射着多么强烈的力与美啊！

上半部是一位长着双翼的自由女神，她一手持着出鞘的利剑，奋力平指着前进的方向，一手高高地挥动在上方，她面容严肃而激昂，张开的嘴中仿佛发出了我们能听见的呼唤："为保卫革命，前进！"下半部是一组浑然构成一体的人像，有赤裸着块块肌肉紧绷的胸臂、手持剑盾的士，有弯腰整理强弓和回身吹响号角的士兵，有拈须思考着战术的智者……而处于正中的，是一对父子，父亲一手重重地拍在儿子的肩臂上，一手激动地摘下帽子用力挥舞；儿子用坚定的目光回答着父亲的嘱望，一手紧握拳头，一手紧贴在剧烈跳动的胸膛前……

那雕塑所表现的虽是1792年的情景：激昂的马赛军民奔向巴黎，誓为保卫受奥地利侵略军威胁的大革命献身……然而它的艺术魅力已经冲出了它所表现的具体内容，无产阶级、共产主义者，从中也能得到一种激励、一种启示，焕发出一种为了真理和正义而赴汤蹈火、义无反顾的战斗激情。

为了最充分地体现出那雕像正中的马赛少年的献身精神，雕塑家吕德有意把他的造型处理为全裸体（但头上戴有帽子、脚上穿着靴子、身上斜挎着武器），这种处理方式和自由女神背后的巨大翅膀一样，洋溢着浓郁的积极浪漫主义气息——那少年的身体愈显得稚嫩康健，就愈使人感到他将自己花朵般的青春献给革命有多么高尚。

在《马赛曲》的雕塑前，我体会到了人体美的魅力。透过人体美来表现一种精神上的境界和理想的力量，的的确确是健康而高雅的艺术趣味。这同我在戴高乐机场所看到的那些杂志封面上的东西，是很容易加以区分的，前者的直观效果是性欲的挑逗与撩拨，后者的直观效果却是精神的升华与飞扬。

巴黎城几乎无处没有雕塑，绝大多数又都是人物雕像，人物雕像中绝大多数又是半裸或全裸的——从顽皮的幼儿到沉思的老翁，从《圣经》人物到古希腊神话中的诸神，从体现明确主题的到纯装饰性的……实事求是地说，大都给人一种地面的珍珠雨……

“红磨坊”外的黑影

严格来说，有两个巴黎，或两个以上的巴黎。

一个是有钱人的巴黎。他们只到最“体面”的商店去买东西，他们关心的只是商品的时髦程度，而全不细问商品的价格（至少在表面上要拿出这么个劲儿来）；他们只在“地位均等”的人士间进行交际，只去那最豪华的娱乐场所消遣。对于他们来说，巴黎这个世界上最大的销金窟，自有别处无法比拟的绝妙处。

巴黎两家最大的夜总会——“红磨坊”和“丽多”，便是为这些有钱人服务的。

我曾路过“红磨房”——它看去并不是一座高楼，以大红和赤金两色装潢的门面好像一家电影院，但它那独一无二的标志——以无数光电器材构成的有几层楼那么高的大风车，红得刺眼地在巴黎夜空中徐徐转动——却给了我一个强烈而反胃的刺激。

这种恶俗的暴富景象，与凯旋门上的《马赛曲》雕塑太不谐调了，可它们已经并存了很多年——“红磨坊”的老板据说原籍荷兰，荷兰是一个充满风车的国度，所以他把自己开的这家夜总会搞成这么个模样；此人由此发了大财，另外又经营了许多别的企业，并且又在另一条街搞了个豪华不减“红磨坊”而“风格别异"的"丽多"。

不要说巴黎的穷人,就是一般的"白领阶层"和自由职业者,也进不起这家"红磨坊"——据说进去一落座便得付三百法郎,酒钱还在外——而那里面的一瓶白兰地至少又得三百法郎,姑且按一人五百法郎的消费计算吧,也约等于人民币一百三十元左右,相当于巴黎一个普通市民一整月的伙食开支!

"红磨坊"里头有些什么玩意儿,不得而知。一位巴黎富商曾对我辩解式地说:"你们不要以为夜总会都是污七八糟的,那种干力气活的大汉去的夜总会才是下流的,至于'红磨坊'——它里头表演的节目其实都很美丽。自然,也许你们东方人接受不了——那些可爱的姑娘们身上露得很多……"我觉得没有必要同这样一位先生讨论问题,因为我们实在缺乏统一的前提。我问他:"罗丹博物馆离先贤祠远吗?"他微微躬身,深表遗憾:"我不太清楚,因为我一直抽不出时间去那个地方。"这也就等于说清楚了"红磨坊"里究竟是一种什么样的趣味。

那天我是去拜访一位法国文化界的朋友,匆匆从"红磨坊"门口路过。正当我在它那刺目的红光中感到不适时,忽然,一个黑影从我身边倏然闪过,并很快拐进了前面一条小巷中。我看出那是一个衣衫单薄的黑人,他手中拎着许多个女式提包。我还来不及思索,又见一位戴着高筒圆帽、身穿笔挺制服的警察,从我身后匆匆走到前面,但他到黑人消失在小巷中以后,步子便松缓下来,双手背到腰上,成了一种威严的踱步……啊,我明白了,那黑人肯定是一个违章在人行道上兜售手提包的小贩,警察不许他在"红磨坊"附近妨碍阔佬们的观瞻,把他轰到小巷以后,这才"睁一只眼闭一只眼"……

这样的黑人我在巴黎已经见到许多。他们大都是从原法属非洲殖民地流落到巴黎来的,来时可能正逢法国各工矿企业招募壮工,一度有过固定职业,但眼下法国经济一片萧条,他们首先被抛进了失业大军。便只好搞一点这种"小本生意"混日子。记得头两天我们去游巴黎铁塔,在铁塔下遇见几个黑人兜售一种塑料飞鸟——上好弦扔向空中能盘旋几匝,一位同志出于好奇问了一句价钱,嗬,惹得几个黑人围着他竞相抛售,我好不容易才把他解救出围,但一直逃到铁塔那边的田原大道,还有一个高个子的黑人追上来,半哀求半威逼地让我们那位同志买下他的塑料飞鸟。巴黎的一般市民构成了第二个巴黎。巴黎的外来人特别是有色人种——北非来的阿尔及利亚人、突尼斯人、摩洛哥人;中非来的黑人;亚洲从印支三国来的难民……他们中的绝大多数汇在一起,构成了第三个巴黎,一个贫穷和屈辱的巴黎。

那从"红磨坊"门前慌忙遁走的黑人,即便他把手中所有的提包都卖了出去,所赚的钱也不够进一回"红磨坊"的吧?

关于一件外套的故事

呈现在我眼前的巴黎市容,实在美丽。

展现在我眼前的巴黎市面,实在萧条。

法国朋友对我说:你这回来,可没赶上好时候。法郎近期已经贬过三次值,眼下又面临着第四次贬值。

供销两方面的呆滞,一望而知。

凯旋门一带的繁华街道上,那些门面堂皇的商店简直没有什么人光顾。不少商店在门口贴出色彩夺目的告示,那些法文我不认识,但写得大大的"-20%"、"-30%"、"-45%"一类数字,其含义是谁也能明白的。真是"不惜血本"啊,但似乎也并没有多少人被其打动,踊跃地跑去采购。

超级市场里还比较有生气。因为人们总得往下生活,总得采买最基本的生活用品。不过据法国朋友说,以往那种走进来就拿、拿了就去付款的人减少了,确实也是,我在超级市场中注意观察,就发现顾客们大都挑拣得很细心,有时已经拿来搁进购物车的东西,想了想又取出来搁回到货架上。

只有一家商号,不但依然顾客盈门,而且最近更有爆满之势。

那就是"大地"(DATI)。它以出售廉价商品、薄利多销而闻名于巴黎。在一般的情况下,巴黎的富人自然以进入"大地"为耻,就是中资产阶级也绝少光顾。它主要是面向巴黎的低收入者和穷国的侨民。整体的经济萧条反倒造成了"大地"这局部的繁荣.原因不讲自明。

有一天我陪同胞老章上街。老章是个电影演员,身材魁梧,仪表堂堂。他和我不是一个代表团的。我刚到巴黎，他却第二天便要回国。他临走前想外出采购。当然，他手头没有多少法郎，所以想尽可能买点物美价廉的东西。他让我陪他上街转转，因为他一句外语也不会，我虽然也只能说一点简单的英语，到底不失为一个聊可充任的帮手。我也正好想借机会接触一下巴黎的日常生活，便欣然允诺了。

听说"大地"的东西比较便宜，我们便乘地铁来到那里。

原来"大地"不止有一个门面。在一条大街的一侧，有一连串叫作"大地"的商店。我们首先进入其中最大的一家，那里面倒也漂漂亮亮，楼上楼下，七穿八达，货位频密，商品齐全，大都挂在那里、码在那里、堆在那里任顾客自选；顾客极多，真有点熙熙攘攘，让人想起北京的王府井、上海的南京路，成交额显然也很大，只听收款台那里的女士不断揿按着电算机的键钮，"哒哒哒"地形成一种热闹的气氛。

刚进去时，只觉斑斓五彩、琳琅满目，似乎有很大的选择余地。待我和老章逛至二楼，便觉索然无味。

价倒颇廉，物则不美。比如那些线衣线裤、混纺短裤、幼儿套服，样式呆板，毫无特色，其水平都在中国省会级的百货商店之下，倘若把它们买回中国，是无人相信出自巴黎的。也有一些外观上具有西欧特色的商品，如一套半透明的果酱餐具，当中一只带长柄勺的高脚钵，四周四只造型雅秀的带把杯，索价只有三十五法郎，包装盒还相当华美——但仔细一看、一摸，就发现不过是塑料制品，欧洲人用来盛冰冻果酱则可，中国人用来盛热粥热汤怎行？

有一些质量稍好的商品，如手编草包、儿童玩具，看看标签，就知道是我们出口到法国的。一只带彩色嵌花的手编草包，在北京不过一元多人民币一个，那里却标价四十法郎，或许法国人会觉得东西稀奇而价钱持平，但对于老章来说，倘若他背回一个去，告诉他爱人是用相当于十多元人民币的法郎买回的，那后果可就不堪设想——即便不是"记大过一次"，也总要受到"严重警告"。

逛了半天"大地"，竟一无可买之物。

老章和我扫兴地出来，沿着大街懒懒地朝前走。那一连串门面较小的商号似乎仍属"大地"的范畴。许多商品就堆到门外的摊位上，摊后的售货员除了没有场声吆喝，那期待的眼神、殷勤的手势，都体现出他们急切兜售的心情。可是老章和我大都不屑一顾——一大堆制作粗糙的人造革鞋；一箱子色彩吓人的尼龙牙刷；一厚叠毫无特色的腈纶围巾……

有些没有到过西方发达国家的人，总以为那里是遍地黄金，每一家商店里都出售着令人瞠目结舌的"奇装异服"，街上的行人个个都穿戴得光彩照人……其实并不是那样。街上何来遍地黄金？倒是时有狗屎——所以行走中要格外多加小心；"奇装异服"确实不少，我就有意钻进一家最高级的服装店去考察过，那里出售的服装没有任何一套是与别套重样的，衣服袖子像蝴蝶翅膀者有之……裙子像倒三角形者有之，故意印上逼真之极有脚印手印者有之，以鸡毛缀嵌者有之……街上也时有以其服饰之奇特令我们忍不住侧目的人走过。但能进入那种服装店和穿得起那种服装的人实在只是少数。同是御寒的外套，在那种地方买一件可能要比在"大地"买一件贵上一百倍。还有一种阔人，并不以服装之奇异炫人，而是以质地高级、剪裁合体、缝制工细的"标准西服"显示自己的绅士身份，这种人在香舍丽榭大街上常可遇见……不过归根结底，还是穿戴平常、随便者居多。男人一般并不打领带，女人一般也并不花枝招展，入冬以后，最流行的是里面一件毛衣或绒线衫，外面一件或皮或呢、或羽绒或人造毛的外套；男人穿长便裤（很少讲究裤线笔挺）、女人穿短便裙（腿上当然有长袜），脚下一双并非光可鉴人的便鞋，如此而已。当然，因为各行其好、随随便便，所以色彩、样式相对来说，比我们中国丰富多彩。

回过头来说我和老章的遭遇吧。

我们正当百无聊赖之际，忽然前边出现的货摊令人眼目一新——它挂着一圈羽绒外套，无论那色调、样式、气派都显示出一种与众不同的巴黎水平。所谓巴黎水平，是相对而言，除了那些平庸的大路货和走极端的东西，一般来说，巴黎较好的商品总显得比其他资本主义国家、地区来得雅。最鲜明的对比就是巴黎货和香港货，它们或许都透着"洋"，但前者往往显示出一种高雅的文化背景，而后者只暴露出浅薄的商业性趣味。

老章忍不住停步在那货摊前翻弄起来，他让我帮他问问价钱，我说不用去问，那架子上标着价呢，每件都售一百五十九法郎。老章一听动了心。他手里有二百来法郎，买一件不成问题。我帮着他挑，我俩很快都喜欢上了一件面子类似作旧的毛蓝布、剪裁拼缝方式新颖而暗兜很多的外套。可惜的是：对老章的魁梧体态而言，那外套的肩宽明显地不足。

我俩正议论着，商店老板满面喜色地搓着双手出现在我们身边，嘴里叽里咕噜地说着法语。我用英语问了价钱，证实了标签上的标价确实包括我们看中的那件在内，然后比比画画地用英语告诉老板："不行，小了。"

正当老章和我要举步离开时，老板忽然激动得满面通红，绕到我们前面拦住我们。并且不容分说地牵着我们的袖子，低声下气地把我们强拉进了他的那家服装店。

一进去我就明白，这家商店已不属于"大地"范畴。里面挂满了形形色色都颇雅秀的服装，但除了被拉进去的我和老章，竟再无其他顾客。

老板喘着气，把我们引到一处货架前，麻利地挑出了一件类似我们在门口所见到的那种外套，并且频频地张开食指和拇指比画着外套的肩宽，意思是说："这件合适，先生，这件准合适！"

老章被这突如其来的超级殷勤弄得手足无措，他只好接过那件外套来！他手一接外套，便听老板打了一个榧子，于是乎一个店员立即恭候在老章身边要替他宽衣，另一个店员立即"刷拉"拉开了试衣室的门帘，而老板则立即弯下粗腰，笑眯眯地打了一个"请"的手势。

我也被这家服装店的服务态度之佳妙惊呆了。但吃惊当中我到底还保持着一定的清醒度，我瞥见了那件外套上的标价签——它的售价是三百三十九法郎。

老章兜里只有二百来法郎。倘若他去那试衣室试了，恰好合体；倘若鞠躬尽瘁的店员们立即给他包装好，并给他献上热腾腾的咖啡；倘若老板在频频致谢后委婉地向他索要货款……那将酿成一个什么局面？想到这些，我便立即告诉老章："这件衣服要三百多法郎。我们找个理由出去吧。"

老章明白了我们的处境，便把那件外套还到老板的手中。我用英文对老板说："这件太贵了。抱歉，我们不买。谢谢你们！"说完便拉着老章往门外走。

天哪，我们怎么走得出去啊！老板一个眼神，一位店员便拦在我们面前，一边微笑、鞠躬，一边说着挽留的话；另一位则以救火的速度去里边什么地方翻找能使我们满意的外套⋯⋯

我和老章以坚定不移的气概，终于突围出店，心想这下总算解脱了，没想到那老板像头狮子一样，手里拿着那件外套。一下子冲到我们面前，只见他气咻咻地扯下了那吊在衣襟上的标明三百三十九法郎的价签，把那外套重重地挂在了我们最早看见的那个露天货架上，用手拍打着那架子上"一百五十九法郎"的标价牌，满脸是一种悲愤、哀告与气悔、绝望相混合的表情⋯⋯

我和老章竟被他吓跑了。

我们一溜烟跑进地铁入口，才停下来喘气。

事后老章有点后悔——那件外套一下子跌价一百七十法郎，为什么不把它买下来呢？

我也替他惋惜。

我们互相问："咱俩干吗跟逃命似的逃跑呢？"

冷静下来以后，不禁哑然失笑。

在国内，我们总嫌商店售货员态度不好，我们都被恶劣的服务态度气跑过。这次在巴黎，我们遇到了在国内无法想象、无法比拟的最佳服务态度，可我们又受不了，居然一逃了之。

这件事里所包含的多种滋味，很值得细细琢磨。

地铁琴音

在巴黎活动，利用地铁不仅节省时间和金钱，而且有一种特殊的乐趣。

巴黎地铁的最大特点是四通八达而乘坐方便。一个初到巴黎、不谙法语的单身外国人，只要他事先搞清了巴黎地铁的乘坐方法，便可以放心地利用地铁去游览、办事。

乘地铁最好买十张一本的"本票"，因为单买一张要比"本票"中的一张贵许多。随着经济萧条，地铁票也涨价了。1980 年一本票售价为十七法郎五十生丁，目前已涨到了二十八法郎。即便如此，乘地铁还是比乘地面上的出租汽车要便宜几十倍。

巴黎地铁所有的检票口都设有自动验票机，你把票塞进去经过自动打戳，票便从一米外的地方跳出来，这时你便应当赶紧推动入口处的转挡，走进去；倘若你不塞票或乱塞废票、假票，那转挡便"泰山石敢当"，使你无法入内。

我几乎乘坐过巴黎地铁一半以上的线路，经过了近百个车站，发现除了卢浮宫等极少数车站装修得比较华美和另具特色外，几乎所有的车站都并不求外观美丽而只求方便实用。车站顶棚都是砖砌的无梁穹窿，朴朴素素地漆着乳白色和橘黄色。两侧的墙壁上排列着间距、大小都均等的广告栏，每一个时期上面刷出的广告也总是那么几种——我们在巴黎滞留那阵，几乎天天、站站所看到的都是电影《同谋者》、《我与丈夫一边高》、《一个少女的最后夏天之梦》……以及关于一种干制蔬菜、一种老牌美酒、一家皮货商号……的画面相同的广告。广告下的墙边固定着一溜溜橘红色的塑料坐椅，以备乘客候车时歇息。有的车站还设有小小的商亭，大多是非洲人和亚洲人经营，卖一点香烟糖果和艾菲尔铁塔模型一类的小工艺品。每一个车站都张贴着全巴黎的地铁、公共汽车和地区高速铁路的路线图。我在巴黎乘地铁活动，全赖这些路线图指迷。

不谙法文，甚至读不出那些地名的音来，都不要紧，只要能认字母就行（法文字母写法同英文完全一样）。先从图上找出你要去的地方，然后看它在地铁哪条线路上，如果你所在的站台不在那条线上，那么到图上去找你这条线和那条线相交的站，然后就可以乘车到那里转换了；为不坐错方向，要先看一下站台上吊下的灯牌，那上头写着这条线这个方向的终点，如果反了，可从一个有橘黄标志的地方转到反方向的站台上去；到了转换站，要转哪条线路，也有若干橘黄标志指着，顺着走去即可。在到达目的前无论转换多少次，都不用出站，因此也不用另用一张车票。到达目的地车站后，可从有自动启闭门的出口处走出，那门只能从里面走出而不能从外面走进，因此决不会被入站的乘客误认作入口。

巴黎地铁中浓缩着普通巴黎市民的生活图景。这里面的快速节奏与其说是体现在频频穿梭的地铁列车上，不如说是体现在从面容、体态、步伐各方面都透着紧张劲头的乘客身上。一位身上裹着皮大衣，小腿却近乎裸露的女士，足蹬一双跟细如笔的高跟鞋，刚从停稳的列车上跨到月台，便微扬着下巴咯咯咯地朝出口处急促走去；一位穿着花格呢外套，颈上很随便地围着一条腥红大围脖的先生，刚落座在车厢里的坐椅上，便打开一本书读了起来；一个穿着皮茄克的黑人青年，上车后便紧挨车门站着，仿佛急不可耐地要去往什么地方，到了某站，车还没停稳，他便急躁地揿动门上的把手，待门一开，他便子弹般射了出去；一位头上裹着厚重的头巾、身躯佝偻的老妇，上车一落座便抓紧时间打瞌睡，但双手紧紧抓住自己那黑色的皮包……这所有面影都让你不禁想到：啊，人们到处生活，这里人们的生活该有多么紧张……巴黎的地下比巴黎的地上要显得人多、显得拥挤，然而却并不热闹、并不欢娱，人们在这里更显得是偶然相聚，各自的生活轨迹混乱地搅在了一起，但互不相关，各奔前程……冷。冷淡。冷漠。乃至于冷酷。

是的。恰恰是在地铁中，我发现了巴黎人冷酷的一面。在一个站台上，我看到了一个醉汉。他不算太老，但也总有五十岁以上。他穿着一件显得过分宽松的旧呢子大衣，头上戴着一顶旧呢子礼帽。他的皮鞋和呢子裤裤腿上溅满了半干半湿的泥点，他的围脖不知道哪里去了，露出敞开的衣领、赤红的脖颈。他的胡须至少有三天没有刮过，两眼发直，脸颊铁青。他失神落魄地在站台上踉跄地来回走动，嘴里还絮絮地叨念着什么……从他整个身体都散发出一股难闻的酒气。

在北京，我曾为一些市民过分热衷于围观而叹息——无论是两个人拌嘴还是民警在训诫违章的司机，总有一些人不惜浪费宝贵的时间，伸长脖子、张开下颚在那里围观。然而，在这巴黎地铁的站台上，我痛心地发现，不但没有任何一个人去帮助或管束那醉汉，也没有任何一个人去注视或回避那醉汉，人们只是匆匆地走自己的路，甚至也并不特意在那醉汉身边绕出一个弧形，而是径直地从他两肩侧面快速走过……当时我甚至希望出现一点有人询问、有人围观的景象，然而没有，没有！看，又走来一个穿着如今巴黎最流行的女式上装的窈窕女郎，她那上装好比把一块正方形的料子在当中剪一个洞，套进头部后，使它前后呈三角状，然后两边用细绳稍加连结构成两袖；那上装是腥红色滚黑边的。她两耳上挂着中国折扇式的大耳坠：耳坠是金色为底银色为花的。她的眼神、面容、步履在显示出至少在目前她很幸福，对于她来说，仅仅在一瞥中给予那不幸的醉汉些许的同情，该是件极容易做到的事，然而当她走至那脸色发青的醉汉身边时，虽然也有一瞥，那一瞥却是冷而又冷，她似乎无论厌恶、蔑视还是同情、怜悯都懒得趁便赋予。她有她的事，她不能耽搁哪怕是半秒钟，她继续走她的路……

我深深地感到痛心。

至少在巴黎地铁里，红女绿叟两不知！

人理解人该有多么困难啊。而没有理解也就没有真正的谅解、同情和互助。这也是我在法国期间看到的一些法国影片的主题。显然不少法国的文学艺术家都敏锐地洞察出了西方社会中的这个痼疾——尽管那里是人文主义、人道主义的发源地，最早发出了所谓尊重人、爱护人的呼唤，然而在存在着人剥削人、人压迫人的制度这一前提下，又怎能真正培植起普遍的互相尊重、互相爱护的风气呢？那些影片的编导者极其严肃、极其痛苦地提出了问题、发出了呼号，但他们不可能给予观众明确的答案，也不可能使广大的观众根本改变他们的生活态度。

就在遇到醉汉的那一天，我往地铁出口走去时，又一次听到了弹奏电吉他的声音——那是地铁中的卖艺者在献艺。转过一个弯，我看见了那位卖艺者，是一个个子很高、脑袋显得过小的青年。他手里抱着一个电吉他，电吉他上有一根线通到搁放在地上的音响中，他的手在轻轻拨动。那音响中发出洪亮的音响。他在脚下摊平了那电吉他的黑布琴套，琴套上已经有一些人们舍施的硬币。他是我在地铁通道中所见到的第五个卖艺者。另外四个中三个也是弹奏电吉他，一个是吹奏萨克斯管，回忆对比一下，似乎那四个所得的舍施，都不及他多。

人们从弹琴者身边匆匆来去，大多都如同从那醉汉身边匆匆来去一样，但是，我看到几个人朝那琴套上扔了硬币——其中有一个分明是刚刚告别少年时代的小青年，他不但认认真真地掏出两枚十法郎的硬币扔到了那琴套上，还满含同情地朝那弹琴者现出一个稚气的微笑。啊，巴黎人，我因那醉汉之被冷落，对你们的评论失之于苛刻了，从这巴黎青年的微笑中，我看到了你们灵魂深处的闪光！

琴声如诉，勉强支撑的欢快旋律中，散发出阵阵深沉的忧郁，又渗透着不倦的期望……

啊，巴黎地铁那淙淙的琴音，你使我永难忘怀。

进去不想出来的地方

巴黎有许多这样的地方。

比如，罗丹博物馆。

自五四运动以来，中国一直在介绍罗丹。建国以来，出版了多种关于罗丹的画册。近几年来，各种刊物更常以罗丹的雕塑作为封面和画页，一本《罗丹论艺术》早在1978年就印行了十一万四千册，不少年轻的小说作者以罗丹的格言作为自己作品的题辞，甚至于大学生们谈恋爱时也要议及罗丹。在西方的雕塑家中，罗丹在我国的影响显然最大，已远远凌驾于米开朗琪罗等人之上。

去罗丹博物馆前，我自认对罗丹是熟悉的。至少，他那些代表作：《思想者》、《巴尔扎克像》、《青铜时代》、《沉思》……我脑子里都有从照片中得来的深刻印象，因此，我去观赏原作时该不至于感到惊奇。

然而进入罗丹博物馆后，使我不仅惊奇而且感到震动的，还不是那些过去没有见过照片的作品，首先给我以强刺激，并使我迸发出奇想的，恰恰是我自以为最熟悉的那些作品。

罗丹博物馆并不宏大，就是一座小楼，周遭一片庭院。那小楼在巴黎远不算豪华，那庭院在巴黎更属一般，然而一进入博物馆的庭院，两座静静屹立的铜雕顿时使你眼热，你立即会觉得那庭院闪动着辉煌的光芒。

在高高的大理石基座上，"思想者"坐在一块粗糙的巨石上，粗壮的胳膊弯屈着，手背托着下颏，俯首继续着他那永恒的思索。从照片上观赏毕竟不行——不管那照片摄取的角度如何巧妙，光影处理得如何得体，它不可能把原作的那种神韵悉数传递给你。我在这《思想者》雕像四周慢慢地转动着欣赏，渐渐进入了同他对话的境界。我第一次发现他的背部肌肉有着一种特殊的紧张感，那不是人在剧烈运动中和肉体苦难中的紧张，那是中枢神经发挥着最大功能所形成的一种亢奋状态。"思想者"啊，人们在解释你的形象时，常强调你求索的痛苦与艰难，罗丹创造你时，本是把你置于大型组雕《地狱之门》的门楣上，显然，他赋予你俯瞰众生、思索整个人类生活真谛的沉重使命时，也确实从你肌肉的内在性紧张中，传递出一种为追求真理随时准备殉身的勇敢精神……然而，我今天却从你背部肌肉的表情中，从你似乎在微微颤动的手指中，从那因深深的思索而血液畅流的脉管突起中，特别是从你那深藏在弓起的眉骨下的眼睛中，发现了你的欢乐——作为一个人，作为一个独立思考的人，作为一个为真理而独立思考的人，作为一个不是为个人而是为整个民族、整个人类求得真理而执拗思考的人，你在巨大的痛苦中感受着巨大的欢乐！是的，唯有处在巨大欢乐中的人，才能有你这样充满弹性的健壮体魄，有你这样不仅保持平衡而且稳如磐石的坐姿……

当我在《思想者》的原作前得到这样的启示时，我感到我的灵魂如受电火触及，我深深地体验到一种震撼感。

《巴尔扎克像》在庭院另一隅，雕像下的基座比较矮，无妨把它想象成巴尔扎克住室外的台阶。巴尔扎克身披睡衣，睡眼惺忪地傲立在那里，睥睨着巴黎的天空，关于这座雕像，中国已经有许多文字议及，有的更撇开罗丹由此去分析巴尔扎克的个性。我在这《巴尔扎克像》四周徘徊良久，却有不同的感受。我以为这与其说是一尊体现巴尔扎克个性的雕像，不如说是一尊体现罗丹本人个性的雕像。这雕像反映出罗丹后期创作趋于印象主义的一面，他有意使轮廓线模糊，使所塑的这个人物的精神状态如梦游般迷离。许多法国文学史家都并不像我们那样把巴尔扎克当做一个现实主义作家，而是当做一个浪漫主义作家去看待，一本"法中委员会"为中国来客编写的《法国指南》，也"理所当然"地给巴尔扎克冠以了"浪漫主义作家"的头衔。这大概是因为尽管巴尔扎克极其真实地描绘了那一时期的法国社会生活，但笼罩他全部著作的那种对贵族社会的留恋，实在只能算作是一种消极的"理想主义"，而这消极的"理想主义"也就构成了一种消极的浪漫主义气息。罗丹的这尊雕像，显然是突出了巴尔扎克的这种"如入无人之境"的浪漫风度。从我们把巴尔扎克作为一个批判现实主义的文学大师的角度来看，这尊雕像应当说并没有概括出巴尔扎克的品格中的主要方面。

后来我在那小楼里的展览厅中，看到了罗丹当时为巴尔扎克所作的另两尊雕像。一尊塑的是巴尔扎克半裸着身子，双臂横抱在胸前，显示出他公牛般的体格和大腹便便、不修边幅的风度，他显然是正处于写作中的短暂间歇，松弛中又透露出沉思，沉思中又不禁发出浅浅的微笑。另一尊大概是参考了巴尔扎克那帧仅存的相片，巴尔扎克正把那只握惯了如椽之笔的大手，伸进敞开的衬衣领中，似乎在长久的构思中终于得出了最佳方案，不禁喜上心头。我以为这两尊雕像其实都更能反映出巴尔扎克作为一个批判现实主义文学大师的品格风貌。然而罗丹自己所最中意的还是庭院中的那一尊。广大的法国民众所最中意的也是那一尊。在巴黎蒙巴那斯大街和拉斯巴府大街的交叉路口上，现在屹立着这尊雕像的另一复制品，很难说那是为了纪念巴尔扎克还是为了纪念罗丹。我建议来巴黎观赏这雕像的同胞们不妨对着它多想想罗丹。我以为那是罗丹之魂附在了巴尔扎克的躯体上——这样的感受，自然是在国内看照片时全然没有的。

罗丹博物馆的藏品每一件都可以一赏再赏。楼上楼下几个展厅都不算大，把每件展品都看到并不困难。问题是当你看完一轮之后，总忍不住想折回去再挑出几件最重要的作品重观——但折回去以后你又会发现每件作品都那么重要，都值得重观。这就使你为难了，你走进这个地方就舍不得出去了。更何况那庭院里不仅仅有《思想者》和《巴尔扎克像》，还有激昂悲壮的《加莱义民》原件和凝重神秘的《地狱之门》小样……

罗丹自然有他阶级的、历史的局限性，越到后期，他的技巧越趋娴熟自如时，那种神秘主义、唯美主义的气息就越浓厚。他似乎陷入了一种极度的痛苦和迷茫中。然而罗丹的艺术是永恒的。他代表了一个时代。他把通过具体的形体塑造出灵魂的雕塑艺术发展到了极至。那《青铜时代》曾被保守派指控为用人体翻模浇制，逼得罗丹后来不得不真的翻制一个来给他们以对比，原来他所雕出的人体并不符合真实人体的比例，然而我们看去却比人体更像人体——又特别是活在其中的精神。那《沉思》为题的少女像，罗丹爽性雕出头部便不再往下进行，但谁能说这从粗糙的原始状态的石砣上伸出的少女头像，不灌注着真正的人类的沉思默想呢？后来罗丹更爽性抛弃一般意义上的形式美，直截了当地以人物的灵魂同我们相向——这最集中地体现在老娼妇欧米哀尔的雕像上，她那枯槁而丑陋的裸体，使我们不忍多看，可是我们的灵魂却在哪怕是短暂的一瞥中被震撼。和我一同参观的电影演员陶玉玲事后对我说："原来我不理解，罗丹雕这么个像干什么？他为什么要去表现丑？现在把他所有的作品都看了一遍，我好像明白了。他是通过这欧米哀尔的雕像告诉我们，一切外在的美，包括妇女的青春美、容貌美，都是空虚的。一个仅仅拥有这种美的人，到头来也只能是如此干枯丑恶。他用这雕像警告我们，要追求真正的美，那就是灵魂的美。他用一个悔恨的灵魂告诫着我们．因此他这件作品也就成为了一种美，一种富有哲理意味的艺术美。由此我想到了我自己，我是二十来岁时扮演美丽的农村姑娘一举成名的。结果这成了我的一个思想包袱。这几年不少导演请我去演片子，我总怕观众忘记了我青春时期的美好形象，总是挑拣那些角色年轻的剧本来演。前年同时有两个剧本送到我面前，一个让我兼演母女二人，那女儿可以装扮得非常年轻；一个让我演一个农村大婶；我便错误地选择了前者。后来两部电影都拍成了。我参加演出的那部因为整个不真实，等于没有魂儿，毫无反响，我演了就跟没演一样。而另一部却因为浸透着真实的生活气息，人物形象有血有肉、有灵魂，取得了成功，尤其是那外貌不求美丽惊人的大婶一角，扮演者的演出非常成功，深受观众喜爱……至今我还为这件事后悔。倘若我能早一点受到罗丹的启示就好了！"罗丹那从坚硬冰冷的铜、石中塑造出鲜明灵魂的作品，就具有这般巨大的艺术魅力和哲理内涵。

你说进了罗丹博物馆，我们怎么舍得走出去呢？

至于卢浮宫，那就更是走进去舍不得走出来了。特别是因为它是那么宏大，要把它所收藏的艺术品一件件地看上一遍，起码也得半个月。我们在巴黎只有半天的时间去卢浮宫，所以我们只能抓重点——一进去先奔三个重点：达·芬奇的《蒙娜丽莎》、米洛的维纳斯和萨莫德拉克的胜利女神；把这三件举世闻名的珍品鉴赏够了，再去完成第二阶段计划：寻找并观赏席里柯的《梅杜萨之筏》、德拉克洛瓦的《自由领导人民前进》、库尔贝的《画室》……但是当我们还没有找到安格尔、柯罗、戈雅的代表作时，闭馆的铃声就响了。卢浮宫啊，什么时候才能有充裕的时间，细细地观赏你的所有宝物呢？

巴黎，你这拥有世界上最美的博物馆的城市，自豪地微笑吧！

看看就想出来的地方

从最雅到最俗的场所，巴黎全有。

那些恶俗不堪、低级下流的场所，不足与论。那类地方，巴黎的富人一般是绝不会去的。中产阶级、知识分子一般也不去。倘若去，也是偷偷地去。一位中学教员或是大学讲师，倘若被人发现进入了"性商店"或"SEX"处所，或让人知道自己喜欢翻阅"波诺"类杂志，不但别人要予以鄙视，自己也要感到羞耻。

一般巴黎市民爱去的地方，是蜡像馆那一类的消遣场所。为考察巴黎一般市民的生活趣味，我也随华侨朋友去过巴黎蜡像馆。

蜡像馆据说以伦敦的最为著名，但那位华侨朋友说，巴黎的比伦敦的更具特色。

我们走进蜡像馆大门后，只见二门边上有两个不动的人形，穿着招待员的服装，打着"请您入内"的手势。我不禁说："嗬，从这门口起就摆着蜡人。"但左边的那个"蜡像"闻声动了起来——原来他是真人，故意对每一批进入的游客摆出一个僵化的姿势以"乱真"；右边的那个才是真正的蜡像。

馆内前厅陈列的全是历史上和当今世界最著名的政治人物的蜡像，包括中国现在的领导人。其他各厅则在布景中展示法国历史上的若干著名事件，以及世界各地风物和世界文学艺术名著中的场景——如莎翁悲剧《哈姆雷特》中的"鬼魂出现"一场，等等。也许对儿童来说，不无增加知识的作用吧，我看着却了无意趣。而且我觉得制作者思想明显地浅薄，比如有一景是展现法国大革命中革命领袖马拉被刺，蜡塑者的处理方法是：马拉已被刺死在特制的浴桶中（马拉有皮肤病，必须坐在有如巨靴的浴桶中撰写文章），闻讯而来的革命卫队和群众已破门冲入，而刺杀马拉的女凶手并不逃跑，神色坚定地靠在窗边待捕。戏剧性气氛倒是蛮浓郁的，但整个场面的重点，不是落在马拉身上而是落在女凶手身上；那"吉伦特派"的女反革命分子的形象被塑造成"大义凛然、临危不惧"的"女中豪杰"，而且异常地美丽。我想这蜡像的制作者倒不一定持有什么反对法国 1789 年资产阶级大革命的观点，他之所以这样处理，不过是追求一种小市民趣味而已。以这种方式"再现"历史，其实也未必能使儿童们从中得到什么正确的教益。

这地方我转了转便觉得已知内中情调，真想马上出去另看一些值得看的地方，但华侨朋友已经买好观看魔术和"海市蜃楼"的入场券，盛情难却，只好跟着去看。那魔术实在平平，开头变出一些鸽子，高潮是变出一只活兔——比北京的"古彩戏法"差远了。所谓"海市蜃楼"，则是观众走入一圆形大厅，随着灯光的明而灭、灭而明，利用镜面反射、机关布景和光电设备，变幻出种种奇形怪状的景象来——如忽然变化为一巨大的庙堂，传来和尚诵经的轰鸣声；但他们法国人并不能准确地掌握佛教知识，所展现的庙堂中，佛教塑像与婆罗门教塑像以及东方古代凡人塑像混陈其中，因而那佛教诵经的音响便显得十分荒唐。整个"海市蜃楼"要变幻半小时方为一场，中途不能退场，我看至一半已觉索然，终于结束时不禁吁出一口气来。

走出蜡像馆时，那华侨朋友问我："怎么样？"

我笑笑说："看看也好。看看也好。"

同谋者，同谋者，同谋者……

巴黎到处都是"同谋者"。

此话怎讲？

我们乘汽车乍入巴黎市区，迎面的建筑物上扑面而来的便是两位嬉笑的"同谋者"，一位在后面叉开两腿弓腰挑逗，另一位在后面举起摩托车头盔咧嘴朝他后脑砸去。当然，他俩都是广告上的人物。这是一幅关于电影《同谋者》的广告。广告上画在前面的那个角色由法国眼下最知名的喜剧演员皮尔·里克扮演，在广告上，他的名字比导演方西·韦伯的名字要大上三倍。

后来，我们在巴黎处处见到这两位"同谋者"——每个地铁车站的拱墙上、每个街头圆柱形的广告栏中、一些公共汽车的车身上，许多商场的入口处……自然，还有几乎每一座电影院的门裙上。

这广告设计得画面单纯——就画着那么两个人物，背景上只有单一的颜色，广告上除了写出片名和明星、导演的名字，也并无诸如"天下第一笑剧"、"观此一片，方不虚度此生"一类的招徕性字句，但它给予人们的印象，却实在极深。究其原因，就是因为它无处不在，而每处所出现时都是同一设计样式（只有大小上的区别），因此，弄得你不想看见也得看见，不想留下印象也终究还是留下了印象。有时坐上巴黎地铁，我在座位上闭眼养神，想暂时忘却一切，可总有一个信号不肯消逝，固执地在那里显现着：同谋者，同谋者，同谋者……

我们这回到法国，主要是为了参加"三大洲电影节"，这电影节值得一观的影片极多，如美国黑人影片、拉丁美洲影片、土耳其影片……都极具特色，光看电影节本身的影片，已觉精力有限，所以，我们上街观看电影节以外的影片，只能选择确实值得一看的去看，一位了解情况的法国朋友为我们列出了六部可供参考的"节外影片"，其中并不包含这部《同谋者》，因为我们实在被它的广告弄得欲轻视而不能了，便忍不住问那位法国朋友："你怎么不让我们看《同谋者》呢？"他笑了："啊，你们如果有充裕的时间，当然无妨一看；但我以为你们在时间有限的情况下，完全没必要去看它，你们肯定是受了它那些广告的影响。这部片子的发行商花了创纪录的广告费，所以最近不仅在巴黎，在法国到处都是《同谋者》……"

这就说明巴黎的广告商积累了最丰富的经验——深得顾客、观众消费心理之三昧。他们现在更以信息论的学说来指导自己的广告事业——要想使一种信息透过人们的感官达到意识，并在"意识槽"中形成"稳定储留"，便需这信息具备以下特点：一、单纯。越单纯的信息越便于储备。二、重复。不要为一种商品设计更多样式的广告，至多两种，最好一种——让它们在各处同时出现。这样，消费者在无意中也会因广告的重复而被动地"输入信息"。三、留有余地。所以现在越来越多的广告去掉了诸如"世界首创"、"誉满全球"、"不尝其味，枉度此生"、"观看此片乃人生第一乐趣"……之类的夸张性词句。因为信息输出如果太满，信息输入者在整理、分析信息时便越容易从"信息储留槽"中溢出一部分信息，而未溢出的信息也会有一种挤压、饱闷感，从而使人生出一种被强制的不快心理。现在巴黎的一些广告已简化到一个简单的画面加一行商品名称，企图在留有充分余地的情况下，调动消费者的想象力，从而获得最佳的效果。

当然，也不是所有的广告都从这样一种前提出发来设计。在从戴高乐机场通往巴黎市区的高速公路旁，有一种饮料的广告是用一只横亘一面土坡的巨瓶显示的；而在一个街心广场侧面的新型汽车广告，则是在高耸的纪念碑式底座上，停放一辆闪闪发光的样车来形成强刺激的效果。

广告也不都是用印刷、彩绘、模型的方式出现。现在巴黎和西方国家（包括日本等发达国家）大量的街头广告是用灯箱显示的方式构成，一种是在灯光箱中显现出固定的幻灯片效果的彩色广告，一种是在更大的灯光箱中定时自动更换幻灯片广告，它们的最大优点是透明度好，能给人一种明朗光亮的印象。

我喜欢巴黎那古老而优雅的建筑，喜欢它那些美轮美奂的艺术雕塑和那些生机盎然的街头喷泉，喜欢它那即使在冬天也显得壮观的林荫大道和落满金叶的灰绿草坪；我不喜欢散布其中的那些商业性广告，尤其不喜欢到处跳进我眼帘来打岔的"同谋者"。但我又有什么办法？我在前面说巴黎是"半城雕塑半城泉"，如果把这句话理解成"半个城都是雕塑和喷泉"，那么，另外半个城呢？至少其中有一半都是商业性广告。当代巴黎人就生活在这样一种环境中。

终于看到了孩子

在巴黎活动了好几天，每天的印象都斑驳陆离、难以消化，按说不该有什么空白感——但回到旅馆房间整理巴黎"面面观"的信息时，总朦胧地觉得失落了某个不可或缺的方面——哪方面呢？后来冷静地一想，啊，原来是这么起劲地逛了一通巴黎，却很少看见孩子！

在中国，农村自不必说，就是到大城市的居民区里走走，扑进眼里的首先就是嬉笑跳跃的儿童。作为一个在国内见惯了孩子的中国人，在法国的都会活动了许多天却没怎么见着孩子，这就难怪会产生视觉上的一种空缺感了。

据"法中委员会"编印的一份资料，1980年法国全部人口中，二十岁至六十四岁（即工作年龄）的人口占55.6%，六十四岁以上的老人占14.10%，二十岁以下的未成年人只占30.3%，如果在二十岁以下的当中除去十六岁以上的那部分，能称为孩子的就连百分之三十也不到了。这就是说，我们在巴黎没见着多少孩子，本是由法国的人口状况本身决定的。

我们同法国朋友谈起这个问题，有的笑笑说："你们未免言过其实。你们在各处活动的时候，巴黎的孩子们正在幼儿园和学校呢，自然见不到。节假日里，还是到处可以遇到孩子的。"有的耸耸肩膀："我可没有到处看到孩子的欲望！这算什么问题呢？"显然，他们要么是真的不以为然，要么就是回避同我们讨论这一问题。

后来同一位久居巴黎的华侨谈起，他才讲出一番底蕴："第二次世界大战以后，法国的人口出生率原是逐年有所增长的，但到了六十年代中期，因为享乐主义渐渐盛行，青年男女不大愿意正式结婚、生孩子。出生率就开始逐年下降，现在法国是每年死亡率都略高于出生率，所以许多有识之士和政府都很着急，发出许多呼吁，还制定了奖励生育的法律——倘若一位母亲能生到第三胎，便可得到一万法郎的奖金（约合人民币三千元）。尽管如此，还是不能解决问题。就以你们这几天相识的法国电影界新秀而论，有几个是有子女的呢？"

我不禁立即想到了几天里陪同我们参观了不少地方的那位年轻的女演员，我们姑且叫她黛安娜吧，她几年来一直同一位副导演同居，当然，她没有也不想当母亲——至少在最近的将来。

她是一位享乐主义者吧？

不。我认为她不是。她的容貌并不美丽，也绝不讲究装扮。她一头金发总是蓬松到凌乱的地步，高高的鼻梁边，有一些密集的雀斑；她的眉毛细而长，眼睛大而深；她一只耳朵上坠着一只大而单纯的耳环，另一只耳朵上贴着一只小而精致的耳饰，这也就是她唯一显示出化妆痕迹的地方；说到她的衣着，那就再朴素不过，一件半旧的呢子外套里露出银灰色的高领衫，一条黑裤子的裤腿塞进了暗黄色的长筒靴中。她同我们谈话时态度友好而活泼，但一到她暂时独处，比如在展览厅中她落在了后面，在花园中她离开人群走拢一尊雕像前，在快餐店她默默地吮吸着橘汁……你从旁注意一下，就会发现不但她两眼中满蓄着忧郁，而且她的整个身姿也显示出她个人生活的悲剧性色彩。

她以优秀的成绩毕业于巴黎电影学院。中国的电影学院毕业生一毕业就有固定的单位、固定的工资，表演专业的毕业生分配到电影厂的演员剧团，就是演不上角色也照样享受所有的待遇。黛安娜她们可不行。她毕业至今已拍过四部片子，有一部还是扮演女主角。但她最近一年却没有再得到任何制片人和导演的聘请，因此，她实际上已是巴黎失业大军中的一员。仅赖以前所获得的酬金生活，手头拮据，这于她来说还不算多大的痛苦，未来的事业、生活何所附从？这才是最让她揪心的问题。

"你毕竟主演过一部片子，"我借一个适当的机会，安慰她说，"全世界该有多么多的电影演员啊，其中绝大多数演一辈子也演不上主角呢！"

"当过一次不成功的主演，比现在连一个配角也没演过更糟！"黛安娜深深地吸了一口烟，徐徐地将烟圈吐完，然后以极其沉重的语调这么对我说。

我默然了。是呀，在资本主义制度下，让一位从未演过主角的演员当主演，实质上是一次投资冒险；你失败了一次，即便从道理上来说，人家也未见得否认你还有成功的可能，但又有几个制片人乐于再在你身上进行一次冒险呢？

黛安娜追求真正的艺术。她希望能成为一个性格演员。她不愿去拍那种很容易赚到现钱的床上戏。她想拍的艺术片人家不请她拍，她不想拍的色情片却有人在向她招手，难怪她那么痛苦、那么忧郁。

她似乎很爱那位和她同居的副导演。至少在目前，他们的同居是很严肃的，就是说，互相顾及精神，在事业上互相砥砺，在生活上互相照顾，并自愿承担一定的责任与义务。为什么不正式结婚？因为正式结婚便要付家庭所得税。为什么不愿意要孩子？因为在失业的情况下不可能为孩子提供必要的物质条件。

"你以为我就不需要当母亲的人生乐趣吗？"有一回不知议论到什么问题，黛安娜突然冒出了这么一句。

我把本来注视着她的眼光赶紧移开。我不忍望那两池蓝幽幽的湖水。

我想，关于法国孩子少这件事，那位华侨所讲的道理还不全面。黛安娜的事例可以补充另外一些原因。

有一天我们去看了个晚场电影，片子是纯商业性的：《间谍007——"我再也不干啦！"》这部片子集西方商业性影片之大成：电脑操纵的导弹横飞啦，摩托车汽车大追逐啦，全息摄影构成的赌博机啦，眼镜蛇和塑胶炸弹并用啦，豪华舞会和长桌盛筵啦……自然也少不了手枪对射、徒手打斗和色情镜头。这是我们有意进行的一次"抽样考察"。这部《间谍007》并不是一部带 × 的商业片。它属于向所有年龄人都开放的最一般的那种商业片，而且是一种一集续一集的"系列片"，影片中的男女明星都为法国一般观众所熟知，所以我们觉得无妨从这一典型例子中窥知国外商业片的动向与特点。

看完片子我们去乘地铁回旅馆，在地铁站台上，我们终于看到了巴黎儿童——不是一个两个，而是一大群。

原来全世界的儿童都差不多，都那么不能安静，都那么叽叽喳喳。我们忍不住过去同他们亲热，拍拍头，摸摸脸，他们高兴地围着我们，叫着"中国！中国！"

我觉得巴黎地铁顿时充满了茏葱的春意。

有一位卷发的青年领着这群孩子。原来他是带他们集体来看电影的。我马上问他："您是小学教师？"

他摇头。翻译把他的话译过来，原来他不是小学教师，而是一位"社会协理员"。他的职务类似我们北京居民委员会中负责校外活动站的委员。他经常把居住在一个地区的孩子们组织起来，或带他们远足，或带他们看展览、看电影……

那群孩子穿戴得都很漂亮，红润的小脸全像盛开的花朵。看来他们和这位年轻的"社会协理员"相处得也很好。

"你们是刚看完《白雪公主》吧？"我问他们。

我想起我们刚离开的那个电影院，门口有很大的彩色广告——放映迪斯尼不朽的动画名作《白雪公主》的新拷贝。法国的电影院一般进去以后都不止一个放映厅，有的里面多达六七个放映厅，最小的只有几十个座位；每个厅放映着不同的影片。眼看圣诞节快到了，"社会协理员"带着这群孩子们来看《白雪公主》，不但是一件顺理成章的事，也让人感到这些孩子们是多么幸福！

"不——我们看的是《间谍007》！"

没想到，翻译刚把我的话译过去，那群孩子便喧嚷起来，有的用手比画着"开枪射击"，有的用嘴唇发出"嗤嗤嗤"的声音表示导弹凌空，有的更发出模拟间谍的狂笑和狂叫……

我傻眼了。

我终于见到了一大群巴黎孩子，我感到非常高兴。但我又至今仍感遗憾——他们那晚看的电影为什么不是《白雪公主》呢？

1983 年 12 月 29 日 – 1984 年 1 月 3 日

写于北京劲松中街

秃头天鹅

在巴黎，我和刘再复得到两张芭蕾舞《天鹅湖》的戏票，兴致勃勃地前往塞纳河畔著名的城市剧院观看。再复是个难得到剧场观剧的学究，北京时有《天鹅湖》的演出，他竟从未看过，当然，从电视屏幕上，他是欣赏过片段的，柴柯夫斯基那不朽的旋律，他也颇为熟悉。在乘地铁前往剧院的过程中，我以内行观众自居，告诉再复这回既是瑞典的芭蕾舞团出演，想必技艺高超，第二幕的双人舞、三人舞、四小天鹅舞以及男女主角的独舞，第三幕的西班牙舞，需静心屏息作重点欣赏……

到得剧场，我们发现，观众席中似乎只有我们两位是亚裔人面孔，而到场的西洋人，全都穿着巴黎最有派的时装；序幕音乐声响，我向再复小声预告着即将出现的恶魔将少女变为天鹅的场面……可是，幕一升起，我们不禁目瞪口呆。舞台上的布景，竟是一放大至比人体还高的街头蛋卷冰激淋顶部的旋转鬈鬈，而舞动着的那几个人体，哪有什么习见的恶魔、王子、少女、天鹅、村姑、王后……的形象，简直古怪得不能再古怪！终于出现勉强能使人联想起天鹅的舞蹈演员了，却偏又一律是秃头！而他们（我不用"她们"是因为可以看出，那些秃头天鹅既有女演员扮的，也有男演员扮的）的舞姿，竟包括诸如吐舌、缩脖、耸肩、不用脚尖而用脚跟移动等正宗古典芭蕾舞绝对不允许出现的"错误"动作。再复面对着这意想不到的场面,不住地摇头,并凑拢我耳朵说:"怎么可以这样呢?这怎么行呢?"可怜再复在国内虚担了理论家的名儿,在这巴黎大雅之堂的《天鹅湖》面前,他却实在是个传统得不能再传统的美学家!

比起再复,我倒还多少能消化一点这个《天鹅湖》,看来编导者有他的整体追求,那个传统的故事几乎完全消失了,舞台上的演员全都化为了某些颇有深度的符号,而这些符号的舞动也确乎为柴柯夫斯基的乐曲提供了全新的诠释……当然,我的审美心理在观剧时是极度紊乱的,闭上眼睛,听觉所唤起的是印象很深的古典剧画面,睁开眼睛,视觉所获得的是强烈的怪异刺激,说不清道不明那临场感受,啊呀呀,好一个《天鹅潮》!

闭幕了,观众席中爆发出比演出更令我们吃惊的狂潮般的掌声和喝彩声。演员们一次又一次地谢幕,直至20次之多!最后一次,是终于迎出了该剧编导——玛茨·埃克,看去约三四十岁,随随便便地穿着一件T恤,他也激动地向狂热的观众张臂致意。戆直的再复拒绝鼓掌,他喃喃地自语着:"天鹅怎么能是秃头的呢?"我觉得至少出于礼貌,还是要给他们鼓掌。

回到住处,请教懂法文的同胞,他将说明书口译给我们,这才知道玛茨·埃克所领导的这个芭蕾舞团,已有15年的历史,他们对演员采取严格的古典芭蕾舞训练,但演出的剧目均为独到的现代的芭蕾舞剧,最有声誉的保留剧目是请13位作曲家作曲、分为13幕的《公园》,而这《天鹅湖》的演出,则是他们"重新拥抱古典"、"重新挖掘善与恶搏斗这一古老主题的内涵"的最新奉献,据说经他们处理后的这个《天鹅湖》,以舞蹈形式探索了现代人内心挣扎不已的五个不同层面。过后几天我们知道,这《天鹅湖》的演出,法国所有严肃报纸均有评论,好评如潮,竟成为那些天里巴黎高档艺术生活中的一桩大事。

回到北京,我同再复还时时议及那天观剧的感受,再复认为观此一剧,方知西方的前卫艺术已走到了什么地步,由于我们平日所掌握的信息,如戏剧只不过到耶日·格洛托夫斯基的"贫困戏剧"为止,早已远非西方活跃着的前卫艺术,从那到这玛茨·埃克的《天鹅湖》,当中的无数过渡性追求和剧目,我们全然无知,因此我们平日无论是赞赏性地侈谈"西方现代派",还是批判性地议论"西方现代派",都不免带有井蛙气。我们商定:今后对不甚了了的事物,切勿轻率置评,一定要使自己的眼光,从井底升出井外。

1988 年 7 月 30 日

凡尔赛喷泉

在法国,每到一处地方,我总禁不住要拿它同中国相应的地方加以比较。

几位法国朋友陪我们去巴黎郊区游凡尔赛宫,还没到达那里,在汽车上我便对杜阿梅说:"看样子,巴黎的凡尔赛宫正相当于北京的颐和园。把它们对比一下倒挺有意思的。"

杜阿梅是一位褐发灰眼、娇小玲珑的法国妇人,曾到中国留过学,所以不但能讲一口流利的北京话,而且给自己取了这么个中国味十足的汉名。她一听我这话便笑了:"我在北京的时候,每回到颐和园去,也总是自觉不自觉地用凡尔赛宫去对比。比一比确实有趣。"

一位同行的华侨便问她:"那你说说看,凡尔赛和颐和园,哪个好呢?"

她应声说:"都好!都差劲!"

她那顽皮的神态把大家都逗笑了。

我替她解释说:"加以比较,并不是单纯地比优劣。各有长处,也各有弱点,这是很自然的。光这么比没什么意思。主要是琢磨出两个民族的不同审美趣味来。"

杜阿梅连连点头:"对,对……"

大家更开心。好几个人都说:"那一会儿就请你们两个评一评,比一比吧!"

车到凡尔赛,下车一望,凡尔赛宫的宫室部分几乎一览无余——布局正面呈凹形,侧面两边另有宫殿与凹形的主宫呈一字相连。除右边的教堂耸出尖顶外,所有宫殿大体都是四五层高的楼房,楼顶是典型的"洛可可式风格",呈弧线向上卷去,最后收束在一个比底部略小的平面上。楼的立面呈浅褐和浅灰色,但那楼顶部分却涂以粉绿色。在每一扇门、窗的框架上和每一楼层之间的檐板上，都满布着纤巧、繁复、细琐的装饰性浮雕，而屋顶部分的檐围上则均匀分布着恣态各异的人物圆雕，给人整体印象是奢华有余而威严不足。

游人穿过一道铁栅当中的栅门，便进入了凹形宫殿当中的广场。铁栅颇高，花样典雅，栅门上更饰有镀金的图案，显示出一种皇家的气派。那广场的面积约比颐和园宫门前的空场大两三倍，地面用天然石料铺砌而成。因年代已久，每块石料都磨得中心光亮，四边残缺，看上去很像一块块鞋底般大的鹅卵石。广场中央高高的基座上，是自称"太阳王"的路易十四的铜像——他耀武扬威地骑着骏马，傲视着宫前的三条放射形大道——大道那边即是如花似锦的巴黎城。

"太不含蓄，"我评论说，"你们回想一下北京的颐和园，哪能这么便宜地让你们一目了然。离大门挺远，就先有牌楼，这牌楼则是大影壁，还用砌着白石雕栏的'月牙河'拱卫着，绝不让你轻易望见宫门。转过大影壁，这才见到东宫门，进了东宫门，且不让你见着仁寿殿呢，又是松柏夹道的套院，又是太湖石屏障……非得等你敛气屏息，诚惶诚恐了，这才显露出巍峨雄壮的殿堂来。"

"你说得对，"杜阿梅呼应我说，"我们法国皇帝喜欢哗啦一下把什么都铺开在你的眼前，让人一下子就被他吓唬住；你们中国皇帝喜欢把什么都先掩藏起来，让人在一种深奥莫测的气氛里产生出敬畏……"

大家都笑了，一半是因为她的伶牙俐齿，一半是因为她那个特殊的形容词"哗啦"。

走到路易十四铜像附近，我们发现有几个人在那里以铜像为背景拍照。看样子是日本游客。

同行的一位法国电影导演耸耸肩膀，摊开手嘟囔了几句，我问杜阿梅："他说什么？"

杜阿梅告诉我："他觉得那几个人很无聊。巴黎充满了美丽的雕像，就是这凡尔赛宫后面的花园里，也有许多值得拍照的雕像。这位路易十四分明是位暴君，雕像的艺术性也差，干吗要津津有味地去跟他合影？"

我便让杜阿梅把我的话译给那位还在摇头的先生："让他们照吧。外国游客总难免要这样浪费胶片。你们法国旅游者到了北京故宫，不也有人轮流站到殿基下的大铜缸边拍照留念吗？其实那大铜缸是储存雨水，以备救火的，算不上什么艺术品！"

大家边说边往宫殿内部走去。北京颐和园的宫室虽说也相对集中，但毕竟分割成了若干自成体系的院落，这凡尔赛宫却宫室密密相连，穿过这个厅，又来到那个厅，拐弯又是一厅连一厅，上楼是厅，下楼也是厅，厅有大有小，四通八达，连续不止。单以一厅与颐和园的宫殿相比，未必更显豪华，但因其中并无廊亭、甬道及露天的花木加以中断、调剂，所以走了几厅，便禁不住感到目眩神昏——特别是因为那厅堂内部大量的装饰部件都涂镏成金色，而穹窿上又满绘着文艺复兴风格的彩画，大都是《圣经》题材，或云霓中上帝显圣，或山林中使徒遇险，肉翅安琪儿飞满角落，善男信女们密布其中……加上巨大的水晶玻璃吊灯和枝形烛架闪闪发光，真不知该怎样形容那一派满溢横流的穷奢极欲，看来唯有杜阿梅发明的"'哗啦'一下子铺开"的说法，庶几可概括其一二。

我们去参观的那天，游客寥落。凡尔赛宫和颐和园不同，它的设计构想，是必须随时有许许多多浓妆艳抹的贵族帮闲——退而求其次，有许许多多衣衫各异的游客也穿行——活动其中，才能显示出其妙处，否则便不免暴露出宫室布置的单调、雷同弱点。这座宫殿连同它后面的巨大花园于法王路易十四在位的 1661 年始建，到路易十五王朝才全部竣工，历时百年，最盛时每天有侍从一万、食客五千陪侍其中，厩内养马两千五百匹，这还没算上在宫外附属的凡尔赛镇随住的贵族们，以及经常应召从巴黎城内乘马车赶赴盛宴、舞会的各种名流。可以想见，从路易十四到路易十六的三个朝代中，每天晨夕，该有多少缀满缨络的马车进出于那宫前的广场，马蹄和车轮在地面上击轧出多么喧闹的音响，而在这巨大的重叠勾连的宫殿中，既有乐声响彻穹窿、男士燕尾和女士裙裾在香风中摆动的舞会，也有镂银盘中铺开山珍海味、水晶盏中斟满香槟美酒的盛宴。既有夕照斜射进彩色玻璃镶嵌的巨窗、管风琴的轰鸣使祈祷者更其肃穆的皇家教堂，也有供皇帝皇后及权贵公卿三三两两策划阴谋、谈情说爱的幽堂秘室……而现在这一切已是"人去楼空"。我们人数不多的观览者穿行其中，只能努力地调动自己的想象力，才能体味出这种设计布置的用意。

我们边走、边看、边议论。杜阿梅说："我在中国时，去颐和园游览过三回。每回我都觉得美中不足的是人太多。现在回想起来，颐和园的布局本来就是为人少而设计的。"

我点头说："确实如此。凡尔赛宫兴建的那一百来年，恰是中国清朝鼎盛的康熙、雍正、乾隆兴建圆明园的一百来年，两国的皇帝都可谓穷奢极欲，但对宫室园林的享用趣味却大有不同。中国皇帝喜欢把巨大的宫殿、园林分切为许许多多具有独立性的小区，虽然游园时免不了也要一班前呼后拥的侍从，但并不喜欢随时有很多的贵族公卿在宫廷、苑囿中充当点缀。除了偶尔搞一点热闹的庆典活动，他们平时更愿意携引少数宠信，清清静静地在那些宫室、园林间逍遥。圆明园后来被你们法国和英国的侵略军一把火烧得精光。颐和园原名叫清漪园，是圆明园的外围园林之一。慈禧专权的时候，主要在颐和园里生活，她更讨厌人多，你看那把一系列景物连缀到一起的七百米长廊，设计得也只有那么宽，而且既保持一定的弧度，又用四个八角亭把它分切成四段，怕的就是这头有人那头看见……"

我一边说，杜阿梅一边把我的话翻译给几位法国朋友听，那位高个子的导演不禁又嘟囔起来，杜阿梅译给我，原来他是在幽默："中国应当制定限制超量游客进入颐和园的法律，法国应当制定强制巴黎居民轮番充实凡尔赛的法律。"

我听了不禁大笑，这当然不可能。中国风景区之所以人满为患，一方面固然是因为中国人口基数太多，另一方面也确实是因为人民生活水平不断提高，越来越多的人有了旅游的要求。法国的这个凡尔赛宫游人不能经常多至应有的饱和度，除了它实在太大而外，也是因为法国的人口基数有逐年下降之势（年轻人不爱正式结婚和生孩子，出生率低于死亡率），加以近年来法国经济萧条，就是从巴黎城内来一趟凡尔赛，经济上、时间上的耗费都令人不免畏难。我们出发时，杜阿梅就告诉了我，她有生之年统共也才来过两次，一次是小时候随父母来，另一次是结婚时陪丈夫来（她丈夫是意大利人，平时都在意大利），这回陪我们中国朋友来，算是第三次。我想到她平日从早晨六点钟就要为事业（也是为生活）奔忙到晚上一两点钟（当中绝无午睡之说），也就理解时间于她比金钱更为宝贵，理解她之轻易舍不得用一上午的整块时间来凡尔赛游逛的心情。

不过毕竟有比金钱和时间更宝贵的东西，那就是友谊，所以杜阿梅不但"舍命陪君子"地开车送我们来了凡尔赛，而且还兴致勃勃地同我讨论法、中两国皇宫苑囿风格之差异。

走着走着，我们来到了路易十六皇后的卧室，卧榻和上面的帐幔都充斥着令人眼花缭乱的细琐装饰，周围的摆设更是金闪闪、银晃晃，真个是珠围翠绕、花团锦簇，豪华到了一种令人发腻的地步。由此我不禁联想到慈禧的一件藕荷色"灵仙祝寿氅"，费工四五百个，用银三百六十多两，缀满了金银、珊瑚、翡翠、宝石饰物，这还不算，外加的披肩，是用三千五百颗"大如黄鸟之卵"的珍珠编就的，也奢糜到了不堪的地步。谁说中外封建统治者没有共同的"美学"趣味呢！不过最值得注意的，是路易十六皇后卧榻两侧的墙壁上，各有一扇暗门，门后是复壁和暗梯，一直通向地道和秘密出口，为的是一旦遭到"不测"，得以从中逃命。1789年法国大革命爆发时，她果然用上了那墙上的暗门，然而终被群众擒获，最后与她的夫君先后被送上了断头台，使全世界痛恨封建专制的人们至今拍手称快。来法前我恰好买到一套《清朝野史大观》，读时发现其《宫中之秘密》条云："……宫中有地道，通外方。有室、有户、有床几、坐椅、灯、镜等。遇变，帝后辄率宫人入地道。外立一最亲信之内监，手执枪支，每连呼曰'打拿'！'打拿'者，满洲语'平安'也。危迫，则不呼'打拿'，帝后皆自尽死其处，或由地道遁去。光绪季年，吴樾炸弹事发，满人日夜数十惊，而宫中尤疑惧。慈禧太后除坐朝数小时外，则偕帝后妃嫔等潜入窟，至数日之久……"敢情中、法封建统治者都有这么一手！不过路易十六夫妇从登基到断头才作威作福十五年，而慈禧一人却跨越二朝擅权半个世纪，大大地阻碍了中国近代历史的发展。当时的革命党人要能把她也从地窟中薅出来，切下她的头颅以绝封建，该是多么痛快的一件事！可是历史性的遗憾是无法弥补的。

我正这么胡思乱想着，不觉已随大家步入了凡尔赛宫中最有名的"镜廊"。此廊全长七十二米，一面是十七扇朝花园而开的巨大的拱形窗门，另一面则镶嵌着与拱形窗门对称的十七面镜子，这些镜子由四百多块镜片组成，把装饰得堂皇富丽的廊厅映照得更加绚丽神秘。同行的华侨来过多次，他把细部一一指点给我："那穹窿上画的是《圣经》中的战争场面，你看气氛多么紧张……这仙女灯柱包的是真金，你看有多晃眼……那边壁龛里的雕像要不是战神阿瑞斯，就是火神赫菲斯托斯……你注意到了吗？刚才我们经过的紧接着这'镜廊'的方厅，穹窿画和雕塑全是准备打仗的景象。穿过这战火熊熊的'镜廊'，那边的方厅，穹窿画和雕塑就全是和平的景象了……你知道吗，第一次世界大战结束后的《凡尔赛和约》，就是在这个厅里签订的……"

一听到《凡尔赛和约》，我就不禁想到1919年中国的五四运动，想到尽管发表了《人权宣言》，公布了《拿破仑法典》，在法国这块土地上似乎真正飘扬着"自由、平等、博爱"的旗帜，然而从这里开到中国的军队，却焚掠了圆明园，屠杀了义和团，直到辛亥革命以后，中国成为了英、法等国的"盟友"，将炮灰和劳工源源送到欧洲战场，才总算也挣了个"战胜国"的名义，但到这"镜廊"里来参加"巴黎和会"时，各个帝国主义国家——当然也包括法国——还是把中国当西瓜切。偏偏中国又不乏丧权辱国的败类，使我们的近代史上密布着那么多的"国耻"！想到这些，那"镜廊"我再也不愿多看，便匆匆径自朝外走去。

杜阿梅仿佛窥出了我的思绪，她一边招呼大家都到后面的花园里去，一边追上我说："咱们还是就园林论园林吧，要净想那些历史上的糟心事儿，兴致全得跑光了！"

说的也是。倘使一位法国工人来到这里，专去想象1871年5月，梯也尔如何在这里坐镇指挥，反动的"政府军"如何从这里开往巴黎城区，"巴黎公社"战士们如何被他们残暴镇压、血染街头，那他怎能再参观下去，他怕恨不得把这凡尔赛宫整个夷平！

凡尔赛也好，颐和园也好，虽然当年是为反动统治者所修造，所使用，而且处处渗透着他们那种病态的审美趣味，但毕竟其设计者、修造者是与他们不同的脑力和体力劳动者，他们在不得不适应统治者要求的同时，也必然要把世代劳动群众对美的追求，沉淀到他们殚思竭虑所创造的作品之中。

因此，我们还是应当把在这些宫殿范围里所进行的反动勾当，同宫殿范围本身的存在价值分开；把其中所渗透的病态审美趣味，和沉淀在其中的民族审美心理分开。

当我定神环视着呈现在眼前的凡尔赛花园时，我不禁被它那宏大潇洒的气魄慑服了。

凡尔赛的宫殿算得了什么！无论是同北京故宫的三大殿相比，还是同颐和园从排云殿到佛香阁到智慧海的建筑群相比，都明显地显得小气。然而凡尔赛宫殿后面的花园，就是昆明湖之开阔，亦很难与其雄浑相匹敌。

那花园布局的特点是简洁而豪放。与宫殿垂直的中轴线上形成三次平面的下跌。每个宽阔坦实的平面上都主要由两种景观组成：一种是极其巨大、规整的水池，周遭布置着众多的铜雕和喷泉；一种是栽种、修剪成异常齐整的几何图形的常绿灌木。据说步入其中小径常会迷失绕出的方向；而这两种景观又以其中轴线的一望无际和两侧绿篱花圃的严格对称夺人心魄。为了使这种气魄贯串到底而不使其受到阻碍，规整的人工修饰部分最后都放射形地消融在周遭田野的自然林木中，因此这凡尔赛花园并无围墙，换句话说，也就是你可以把它的范围理解为无限远。在人工修整的道路与林木交界的地方，分布着一系列的大理石雕像。整个花园的三个平面之间，主要都由铺着细碎石子的环形坡道相通。中轴线有三公里长，中轴线及其两侧水池的喷泉，据说原有一千四百座之多，今存六百零七座，仍居世界花园中喷泉总额之首位。

这凡尔赛花园的设计，自然也适应着法国皇帝的需求与趣味。宫中所豢养的成百上千的食客和马匹，正好在这开阔的空间中派用场——盛妆的妖男艳女可以在绿篱构成的迷阵中穿行嬉戏，打猎的马队可以在号角齐鸣和猎犬欢吠中从花园直入森林……的的确确，这种意境可以给皇帝那恣肆的享乐欲、占有欲和无限膨胀的自我感觉以最大程度的满足。

然而，我以为对比于那造型刻板和装修烦琐的宫殿，这宏大的花园较多地沉淀着法兰西民族健康而独特的审美意识。它把人造的繁华与天然的野趣融为了一片，使苑囿的朗阔与田原的幽深相得益彰，而最令人叹为观止的，则是那种以成百上千的喷泉宣泄奔放不羁的热情所形成的瑰丽画面。

我把这感受对大家说了。杜阿梅耸起眉毛问："今天这些喷泉一个也没有开放，你怎么就感觉到了它的瑰丽？"

凡尔赛花园的喷泉冬天一般是不开放的，我们所面对的仅是那些浮着薄冰的水池。

"我能调动自己的想象力，"我回答她说，"因为这些天我在巴黎城内跑来跑去，到处看见喷泉。艾菲尔铁塔和夏洛宫之间的喷泉，我欣赏得最久。当那铸成排炮形状的喷水口喷射出飞瀑般的水流时，我真不知该怎么形容自己的心情——我觉得自己灵魂深处的一股热情也忍不住要奔涌出来！我也在夜幕下观赏过协和广场附近的喷泉，直上直下的水柱活像一挂挂冲向星斗的水晶链，闪动着欢快活泼的光芒，使人联想到法兰西民族那爽朗豪放的性格……"我见大家都望着我，微笑着听我倾诉，便索性把自己的见解和盘托出："说实话，这几天的参观游览活动中，你们所强调的那些引以自豪的东西，往往并不能引起我的震动。比如宫室穹窿上的那些彩绘，美则美矣，但中国宫殿屋顶上的藻井，似乎比那更为神奇；又比如星形广场、协和广场等众多著名的广场，气魄不可谓不大，但若拿来同中国的天安门广场相比，也就只能算是小家气象；巴黎的林阴道未必有北京中山公园的古柏林动人，卢浮宫的建筑更未必有天坛的祈年殿那般完美，唯独巴黎的喷泉，北京只能甘拜下风。到目前为止，以园林之胜而闻名全球的北京城，似乎统共也没有几处喷泉，我记得军事博物馆、北京展览馆前庭有两个大的，民族文化宫和北京饭店西楼前有两个小的，但都很少喷水。大概新建的一些饭店门前廊下点缀了一些吧，其他风景点里简直寥寥，像故宫的御花园，中国皇帝把形形色色的园林之美都尽量集中到那里，可偏偏没有喷泉。啊，它那堆秀山下似乎有两个简陋的细如手指的喷水装置，但就连它们也是后来才添加的……"

"哪里哪里，当年圆明园里，不是就建有西洋式的'大水法'吗？"那位慈厚的华侨不禁打断我。由李翰祥执导的中国故事片《火烧圆明园》、《垂帘听政》已在巴黎试映，里面再现圆明园"大水法"的镜头显然给了他很深的印象。

"确实如此。不过，那仅是作为一种特殊的点缀，聊备一格而已。中国皇室和中国园林的设计者，后来都并没有把喷泉这种景观推广开来。这一点，我以为是意味深长的，"我对他说，"回国后我就要翻翻资料，研究研究。"

回国后我果然翻检了手边的资料。关于圆明园的资料颇多，但无论是卷帙浩繁的《日下旧闻》和《日下旧闻考》，还是晚出的《宸垣识略》，其中关于圆明园的段落中都绝少提及"西洋楼"和"大水法"。近人崇彝的《道咸以来朝野杂记》，有关圆明园的叙述最为详尽，也最权威——因为他是根据祖传的园图铺陈的。据说那图"二厚册，四十景，皆水墨画，颇潦草，似画稿形。然皆活页，折下以方向对准，人居中看之。即是全园之景；拆之即书叶……为最珍秘之本，盖道光朝先祖静涛公管理圆明园事务所时所得"。但就是他据图所叙，关于"西洋楼"也仅占极小的篇幅："卡春园……本隙地……园北部有意大利建筑，楼台俱系白石雕刻，系罗马式。上图为谐奇趣，《日下旧闻考》仅存其名，楼制系泰西式，俗谓'西洋楼'，其中皆游戏之所。下图为万花阵，阵植短松，分列小道无数，往往对面见人，而行道最易迷惑。阵东有白石建筑之楼，曰海源堂，正西向。堂为清帝水戏之所，前有喷水池，其顶可蓄水，楼中则长形，由西而东，如一'工'字。老人陆纯元谓堂中水戏最多，大概可上下流转也。今犹可见水漕。远瀛观在海源堂东。南向，石刻最精致，说者谓意大利人造，但未见记载。观其门窗石柱，方圆之准正，刻镂之精美，中国人不能作也（按：此说谬甚。设计者虽是意大利人，施工修造者都是中国人。何谓"中国人不能作也"？！）。转马台又在远瀛观之东，陆老人谓系清帝骑马由台上下旋转游戏之所。自谐奇趣而下，其中历史皆陆老人云。"请注意最后一句，倘若不是有一位"陆老人"以口碑相传，那么这位崇彝从祖传的圆明园图册上所提到的关于"西洋楼"的信息，便还要简略得多。

为什么清朝官方或准官方关于圆明园中"西洋楼"的记载总那么简略？我以为这同清朝统治者并不那么看重它有关。谐奇趣（即"西洋楼"）——万花阵——海源堂（即"大水法"）——远瀛观——转马台这一组建筑，显然是模仿凡尔赛宫的产物。那本是供奉于清廷的意大利天主教传教士郎世宁、法国人蒋友仁向乾隆皇帝献媚的产物，我们现在所看到的若干图片和有关说明文字，多从西欧反馈回来，因为西方人对存在过这一组建筑物的考究兴趣，显然比当年的中国皇室和王公贵族对它们的兴致要浓厚许多倍。这也不奇怪。中国的皇帝，包括慈禧太后在内，一贯自以为是世界的中心，对于所谓泰西的"淫巧奇器"，他们可以享受之，却不愿褒扬之。仔细想来，那"大水法"的喷泉所构成的气氛，也确实与中国固有的审美观念不合拍。中国一贯以自省、含蓄、蕴藉、内秀、恬静、清幽、澹泊、循矩、守拙、方正为美，所以中国的园林尽管也使用借景、错综、点染等手段使其灵活多变，但一圈将其封闭起来的又高又硬的围墙，却总是不可或缺的。即如颐和园，本来昆明湖的风光与周围景色已融为了一片，但那也非用围墙把它圈起来不可。我们可以回想一下，颐和园东面自知春亭一带到廓如亭铜牛一带，那堵裸露的围墙是多么"煞风景"——当然这也可以用统治者害怕群众潜入暗杀他们来解释，但我以为更主要的，还是一种心理上的要求——终究还是封闭起来的好。对水的运用自然也受这一心理因素的支配，可以使其平稳如镜，可以使其流响如筝，可以用来种植菱藕，可以用来载舟浮灯，最激烈的用法，也不过是使其从高处坠下成为瀑布。至于使水以脱离地心引力的姿态向上喷射，在潜意识中就难免判定为"忤逆不经"。这也就是为什么钦定的《圆明园四十景》中只有"竹深荷静"、"石间磕余清"、"兰溪隐玉"、"夹镜鸣琴"、"水木明瑟"、"淡泊宁静"一类水景，而并不包括"泰西水法"在内的原因吧。由此我们也不难理解后来慈禧重修颐和园，以及后来中国的官僚地主们修造苑囿馆舍，为什么几乎都忽略喷泉的设置，北京是新中国成立后才有了几处像样的喷泉，可惜经常闲置，而且至今仍未推广，在这方面已远远落后于世界上绝大多数国家的首都。国内其他城市或许有稍多于北京的，但也都远未把设置喷泉当做一桩改进审美意识和民族心理的事情来抓。

喷泉确实是个好东西。从功利上说，它可以调节、净化城市空气，滋润居民们的心肺；从形式美上论，它能增加城市景观的立体感、曲线感、灵动感、水晶感；而最重要的还是一种心理熏陶：它可以在含蓄蕴藉的民族性格中补充一些奔放的热情，可以在贞静谦逊的民族美德中渗透一些自信的昂扬，可以在尊重传统的基础上诱发出一定的想象力和升腾力。总而言之一句话，面对着巴黎凡尔赛花园的喷泉，我觉得中华民族在这方面大有向法兰西民族学习、借鉴的必要——其实也不仅是法兰西民族。从造园史的角度上看，公元前七世纪巴比伦的悬空园已有喷泉，后又传入北非、西班牙和印度。而在意大利文艺复兴运动中形成系统的"水法"，后来才传入法兰西而形成凡尔赛喷泉网的壮观景象。世界各民族的优点，我们都应当尽可能当做营养吸收，以丰富我们中华民族的素质。

当然，那天我们在凡尔赛花园的喷水池边散步时，我不可能这样系统地向同伴们表达我的思考,我只是大概地讲了讲自己的感受和见解。

杜阿梅一方面对我由凡尔赛喷泉所引出的关于法兰西民族的赞美表示感谢,一方面笑着说:"你也该知道,这凡尔赛喷泉在设计上也有问题。据说花园修好以后,把这附近所有的水源都引来供喷泉喷水,也还是不够,弄得路易十四的侍从们每天每人只发一盆水用,狼狈不堪。后来动用三千名士兵挖渠,企图把塞纳河水引来解决问题。可是闹起了疟疾,死了好多士兵,也没成功。因此从路易十四到路易十六,皇帝们也难看到全园喷泉一同喷水。直到上个世纪,从这西南的高原上取得水源,又建了水泵楼,才基本解决问题。所以,这凡尔赛喷泉既反映出我们法兰西民族奔放豪壮的一面,也暴露出我们自高自大、夸张挥霍的一面。"

杜阿梅这种实事求是的态度,使同游的人们都很钦佩,我更受益不浅。我想,我们当然不能把人家的缺点也吸收过来。倘若法兰西民族能从中华民族的秉性中多吸取些谦逊勤俭的美德,而中华民族能从法兰西民族的秉性中多吸收一些热情奔放、富于想象的素质,那么这两个民族都将变得更加成熟。

我们乘车返回巴黎市区。凡尔赛渐渐消失在我们背后,然而一座座式样各异的喷泉不断在车窗外闪现。大家每见一座喷泉都不由得欢呼一声。那位法国导演让杜阿梅告诉我,他将在新的影片中把人物的性格变化用喷泉来加以衬托,他要努力从喷泉的银幕造型中挖掘出深刻的哲理来。那位华侨则表示他愿为北京公园、绿地增设喷泉捐一笔款子……

我满怀信心地对法国朋友说:"你们今后去中国旅游,我一定带你们去欣赏与中国固有园林布局相协调的、富有中国民族特色的喷泉!"

车内爆发出一阵喷泉式的欢呼。

1983 年 12 月 24 日写于北京劲松中街

巴黎圣母院印象

我第一次目睹巴黎圣母院真景，是在入夜以后。

对于巴黎圣母院的兴趣，我同无数的中国文学爱好者一样，是因阅读法国文豪雨果的名著《巴黎圣母院》而产生的。在去法国之前，从照片上、电影中，早已多次领略过巴黎圣母院的风姿，所以一旦真的置身在它面前时，不免要把眼前的真景和从间接信息中获取的印象，作一对比。

说来好笑，我头一回站在巴黎圣母院面前时，竟觉得眼前呈现的景物是假的！

仔细想来，这也不奇怪。那天晚上我在巴黎市区参加了几项活动，使馆司机开车送我返回住地时，已是晚上十点多钟。他听说我到巴黎后还没能去观光过巴黎圣母院，便有意在归途中把车子拐到了塞纳河中的"城岛"上，停在了巴黎圣母院正门前的广场边，让我下车作短暂观览。

那天晚上我们观览时，巴黎圣母院前庭中阒无一人。那些能把圣母院正面照得纤毫毕露的探照灯，一盏也没有打开，因此只能凭借朦胧的月光，来揣摩它的面目。这就使它显得活像一堂巨大的布景——而且是在演出结束后、寂寞地闲置在舞台上的笨重而粗糙的布景。

巴黎圣母院的位置，应当说正处于巴黎市区的中心。巴黎市的历史，即开篇于圣母院所在的小岛。打个比方，倘若巴黎是一位美人，那么巴黎圣母院便恰似她腰带正中所镶的一块灿烂宝石。但到今日，这仅只是就它在巴黎市区地图上的位置而言。巴黎是有名的"花都"，"夜生活"是最活跃佻伛的，不过，那霓虹灯闪烁、香水气浓郁的所在，并不在巴黎圣母院所处的这个中心岛上，而主要在塞纳河北岸（又称右岸）的商业区。其中最为花团锦簇、溢脂流芳的，又当数以香榭丽舍为干线的一片网状街巷。晚上十点多钟，那些街巷的所谓"夜生活"才开始不久，"红磨坊"、"丽多"一类夜总会刚刚开始上座，附设电子游戏机的小咖啡馆里也远未达于笑语喧哗，然而，巴黎圣母院这里却已一片冷寂。

忽然，从巴黎圣母院的阴影中，逸出一个修长的身影，令我们吃了一惊。

定睛一看，似乎是一个金发女郎，在这寒气袭人的巴黎之夜，仅穿着一件单薄的短风衣，双手插在牛仔裤的裤兜中，踽踽独行，若有所思。她为何不到星形广场、香榭丽舍大街、蒙帕那斯大厦一类热闹地方去寻趣，而独自徘徊在这古老的圣母院旁？从她那身姿步态上看，她仿佛有排解不尽的忧愁与思虑。她的出现，使我对面前的巴黎圣母院陡然改变了印象。它当然不是假的布景，而是真的实体——古老的教堂，忧郁的少女，把法兰西的历史和现实交糅在一起，使我心中生出无限的感慨……

那晚昏暗中的匆匆一瞥，当然不能算正式观览了巴黎圣母院。

后来，我到法国西部城市南特参加完"三大洲电影节"的活动，又回到了巴黎。在一个晴和的冬日中午，我才正式参观了这个举世闻名的古迹。

那天我是乘地铁去的。从地铁出口一登至地面，便已置身在巴黎圣母院正面的广场上。啊，那天呈现在我眼中的景象，和前面所说的那晚竟全然不同。

明亮的天光，把巴黎圣母院映照得巍峨壮丽；广场上人来人往，大都是外国来的游客——手里捏着巴黎游览指南，脖子上挂着照相机，其中似乎又以日本人居多；鸽群在灰蓝的晴空中飞翔，卖鲜花的老妇人推着花车在兜揽生意……

我站在巴黎圣母院正面，不由得倒退几步，再倒退几步，最后，我眼中所见的景象，便与我从雨果《巴黎圣母院》一书插图中所获得的印象，取得了完全一致。

1982年人民文学出版社印制的陈敬容所译的《巴黎圣母院》，不仅译笔传神，所附法国铜版画插图也很精美。雨果在该书中特辟了第三卷，专门描述了圣母院和巴黎风光。在该卷之首，便有一幅"1842年的巴黎圣母院"的铜版画，我可以向尚未去过巴黎的同胞们保证：今日的巴黎圣母院正面景观，与该图所示几无差别。你仔细观赏这幅插图，便等于置身于今日巴黎圣母院面前了。由此可见，一百多年来，法国人民对自己民族的古迹保护得很好，不但巴黎圣母院本身无甚毁损，就是周围的环境，也未加以改观——附带说一句，巴黎市政府为保持巴黎从路易十五以来所形成的城市面貌，严格控制市内的房屋拆建，不许随意拆改那以后的房屋，亦不许在市内随意建造所谓现代化的高层建筑——

试想，倘若我们站在巴黎圣母院面前，突然发现它的侧面高耸着镜面镶嵌式的火柴盒形"摩天楼"，或从它的背后，显现出圆柱体的现代派豪华旅馆轮廓，那该有多么扫兴！

一般的西洋建筑史，都把巴黎圣母院当做"哥特式建筑"的代表作——尽管雨果对此还有异议。在封建社会里，宗教建筑自然最能体现出一个又一个时期文化的特征。在 9 世纪到 12 世纪，西欧的宗教建筑以所谓"罗马风格建筑"为主，特点是厚实的砖墙、半圆形的拱券、逐层挑出的门框装饰和交叉拱顶结构，代表性建筑如意大利的比萨教堂、法国普瓦蒂埃圣母教堂；到了 12 世纪以后，则"哥特式建筑"大盛，直到 15 世纪以后，才又被"文艺复兴建筑"、"巴洛克建筑"、"洛可可建筑"等新的建筑风格所代替。"哥特式建筑"的特点，是以墩柱、薄围护墙、尖形肋骨交叉拱顶、飞扶壁、花窗棂、彩色镶嵌玻璃、高耸的尖塔取胜，简言之，就是以挺拔高耸显示上帝和皇权的威严，以震慑信徒和"子民"。这种建筑风格，自然是与封建社会烂熟期的政治经济状况相适应的。所以也有人把这种建筑风格译为"高直建筑"。除巴黎圣母院外，西德科隆大教堂也是这类建筑的典范。

从正面望去，巴黎圣母院威严雄伟。整个建筑可分五个层次。据雨果说，巴黎圣母院原有将它从地基升高的十一级阶梯，但到他写《巴黎圣母院》一书时已不复存在，原因自然是巴黎街面的不断升高。现在望去，最下面一层由四个结实的墩柱切割成三个部分，每部分中都是一个圆尖拱型的门洞，门洞由一层层往里面退缩的复杂浮雕构成，门洞中装嵌着对开的木门，门缝处另有雕像遮掩，因雕像之不同，三门各有称呼，左边叫圣母门，右边叫圣安娜门（圣安娜是圣母的母亲），中间叫最后审判门。中柱上雕着《旧约》中所述的天主于"世界末日"审判世人的景象：一边是得到超度的灵魂升入天堂，一边是被判有罪的罪人被推入地狱。在这第一层之上，是一排雕有二十八位穿着绣花长袍的君王像的神龛。再往上，则亦由四个墩柱分割成三部分，左右都雕有对称的圆尖拱型图案。圆尖拱下再各包含着一对圆尖拱窗和一个圆形小玫瑰窗，而正当中，则是一个巨大的玫瑰形圆窗，窗前有三个长着肉翅的天使塑像。第四层，突然一变下层的饱满坚牢感，而呈镂空栅栏状，特别是中间凹下去的那部分，使你从相对来说相当纤细秀美的三叶形支柱中，可以望见圣母院后部高耸入云的尖塔，顿生一种缥缈、神秘之感。第五层，则是左右对峙的大钟楼，距地面已有六十九米，南钟楼的巨钟重达十三吨，北钟楼设有一个有三百八十七级台阶的旋转楼梯，可供游客登临，以鸟瞰巴黎市容。

站在巴黎圣母院门前的广场上，雨果小说中的人物和场面不禁涌现于心，哪里是卡西莫多被缚示众的所在？何处有埃斯美拉达牵着金角白山羊的踪影？雨果的《巴黎圣母院》深刻地揭露了封建僧侣的虚伪与丑恶，展示了巴黎下层民众的悲惨生活与愤懑情绪。一个半世纪以来，雨果的这部作品被译介到了世界上大多数国家，被多次搬上舞台、银幕，许多读者、观众都无形中把小说所写的故事当做有根有据的历史事实。其实，雨果的这部小说纯属虚构，他只是以积极浪漫主义的艺术手法，阐发着对封建势力的控诉和对被侮辱与被损害者的同情而已。在巴黎圣母院中，并不曾有过卡西莫多那样一位"钟楼怪人"。事实上是，在雨果的这部巨著于 1831 年刊印以前，圣母院已被冷落而濒于颓圮，而小说的发表所形成的巨大社会影响之一，便是促成巴黎民众重新修整圣母院的决心。

圣母院凝聚着巴黎劳动人民的智慧和汗水。据雨果在小说中说，"给它放上第一块石头的是查理曼大帝"，"给它放上最后一块石头的是菲立浦·奥古斯特皇帝"。查理曼大帝公元 768 年成为南斯特里王，公元 771 年成为法朗克王，公元 800 年便成为整个西欧之王，距今已有一千多年；菲立浦·奥古斯特皇帝公元 1165 年至 1223 年在世。这样一算，巴黎圣母院前后竟修建了三百多年之久。不过雨果的小说难免夸张，还不能当做信史。我国编印的新《辞海》上，说巴黎圣母院于 1163 年兴建，1235 年建成，前后仅用了六十二年。但我在巴黎所购的游览指南上，却说圣母院是巴黎主教莫里斯·德·苏决定修建的，始于 1162 年，毕于 1345 年，前后共历时一百八十三年。看来，还是后说较为精确。不管根据哪种说法，巴黎下层工匠修造巴黎圣母院的艰辛，想来都足令人鼻酸。他们把汗血淋漓的一生奉献在了上帝的祭坛上，可是上帝究竟赐予了他们些什么呢？

走进圣母院大门，是一座长达一百三十米的大厅。入口处有一排现代化的自动解说器，投入规定数量的硬币，从英、德、法、荷、日几种语种中挑选一种，按下揿钮，把听筒贴到耳朵上，便可听到一篇事先录好的娓娓解说。大厅中的祭坛、回廊、墙壁、窗饰、忏悔室等处全都充满了雕饰，或是圣徒天使的雕像，或是阿拉伯式花纹，一时也不及细赏，只觉琳琅满目、层叠交映。不过给人最深印象的，一是彩嵌玻璃窗，泄入的天光经它一筛，便成了暗红青紫的光束；一是管风琴那高悬的金属发音管，犹如一堵密栅组合的铜墙铁壁，乐器能有那般高耸雄踞的外观，真令人惊叹不止。乐器之王，非它莫属了。圣母院每星期日下午举行免费入场的管风琴演奏音乐会，可惜我去不逢时，未能听到它所发出的和谐而恢宏的轰鸣。

其实，真正要领略巴黎圣母院建筑的妙处，从正面看，到里面看，都还不足以获得最强烈、最生动的印象。最好是离开小岛，从桥上散步到塞纳河南岸（即左岸），隔河从侧面望去。它的侧面中间，突伸的楼面上，有一扇比正面第三层更其巨大而华美的玫瑰圆窗，上面接续着一个三角形的护墙，护墙上又有一个较小的玫瑰圆窗，再配以两侧的小尖塔，以及从它后面显现出的高达九十米的棱锥形大尖塔，比从正面望圣母院更觉轮廓线灵动多变、装饰繁丽纤巧。特别值得一提的还有圣母院后部的飞扶壁——从侧面望去，它们活像从舰艇般的圣母院躯体上放射出的飘带，似乎正被迎面而来的和风吹得涨扩到最大限度，把圣母院后部衬托得格外美丽。其实，飞扶壁原非为美观而设，因为"哥特式建筑"一味追求上耸的直观效果，使得它未免"头重脚轻根底浅"，设置肋骨形的飞扶壁，为的是支撑住它的本体，使其不至于因受力过分而坍塌。

雨果有言：巴黎圣母院"可以说是一部规模宏大的石头交响乐"，它能"用它的庞大把观众吓住"。前一句话，自然可以当做巴黎圣母院的定评；后一句话，显然已经过时。当我随着各国游客离开圣母院时，我注意观察身边的人们，他们虽然同我一样，都不免时时回头留恋地仰望着圣母院，但似乎并没有任何一个人显露出被它吓住的神情。据我所知，就是在法国，虽然目前还有百分之二十六左右的人保持着上教堂做礼拜的习惯，但真正慑服于"天主威力"、一望圣母院便膝盖发软的人，也已少而又少。

我最后定睛望了望巴黎圣母院，便转身朝地铁入口走去。不一会儿，我便置身在与古色古香的圣母院全然不同的环境、气氛中，巴黎在我面前显示出了另一副面孔……

1984 年 4 月 1 日

四色郁金香

从法国回来，我给冰心老前辈写了封信，并随信寄去了一张从巴黎带回的卢浮宫画片。几天后便接到了她的回信，她在信中说："得来信，十分高兴，怪道许久不得你消息！原来你逛巴黎去了。1937 年春，我在那里住了一百天。你注意到卢浮宫博物馆门前大圆坛内的四色郁金香吗？"

我去巴黎时届冬令，卢浮宫博物馆门前的大圆坛内暂时无花，但我依然看到了郁金香——在宫门外的巨大花棚中。那花棚是个营业性的花木商场，里面从整株的树到单枝的花全有供应。在一隅陈列着一片本应在春日开放的郁金香——那杯状的花朵傲然挺立着，不但有红、黄、白、紫等单色的花朵，也不仅有单色上洒斑点、带金线或复瓣变形的花朵，更有若干盏一朵纷呈四色，令人不禁叹为观止。

郁金香虽然最盛最尊之处在荷兰，但整个西欧都很流行。如果说西欧人一看到梅花，便会感受到一种中国文化的特异气息，那么，我们中国人一看到郁金香，也不禁会联想到西欧文化的特殊情调。

我想，冰心老前辈四十六年前在巴黎，对卢浮宫门前的郁金香留下那样鲜明的印象，事非偶然。若要问我对卢浮宫里所藏艺术珍品的总印象，本来我觉得很难概括，有了冰心老前辈的启发，我倒觉得有了五个极传神的字：四色郁金香。

巴黎的卢浮宫，对于中国本世纪以来的几代文化人，不管去过的还是没有去过的，都绝非生疏之所。近年来中国的各种报刊上，更大量印载卢浮宫藏品的照片，也出现了许多篇介绍卢浮宫沿革、戢藏，乃至于其开馆时间和收费制度的文章，随手翻翻手边的近期杂志，去年十月号的《文汇月刊》和十二月号的《北京艺术》上,就分别有柳鸣九《在卢浮宫观赏古希腊雕塑》和沈大力《卢浮宫的珍宝》这样的文章。许多地方举办"振兴中华读书活动"的"智力测验",也竞相把有关卢浮宫的题目列入其中。看来,今后在中国不但文化人必定谙熟巴黎卢浮宫,就是一般的群众,也将"如若不知卢浮宫,怎称知书识理人"了。

正因为如此,我不想在这篇文章里再对卢浮宫作一般性的描绘。而且我去那里统共不过半天,要把卢浮宫仔仔细细地看上一遍,据说起码得一个月。我既时间有限,自然也只能首先去把那"卢浮宫三宝"加以瞻仰——即达·芬奇的油画《蒙娜丽莎》、古希腊雕塑《米洛岛上的维纳斯》和《萨莫德拉克的胜利女神》;把它们看够了,这才再去细赏席里柯的《梅杜萨之筏》、德拉克洛瓦的《自由引导人民》、库尔贝的《画室》等不同风格的油画名作。坦率地说,大概因为在国内看过许多的照片、复制品和有关文字材料,真的来到卢浮宫的若干真品面前时,我竟反而并无震撼感。即如达·芬奇的《蒙娜丽莎》,我第一眼望去的直感是——"啊,怎么这么小?"尽管我国在印刷复制品时,也常注明它的大小不过是 77 厘米 ×53 厘米,但因为宣传过多,形容过奢,而且有的年历上印得已几与原作同大,所以当真品迎面扑进眼帘,我反倒惊异于它的小巧了——特别又因为同一大厅中的其他画幅大都比它要大上几倍。当然,站在《蒙娜丽莎》面前细加品味,原来所有的书面知识都自然而然地涌上心头:这幅画大师画了三年之久,为使模特儿弗德·乔贡德之妻现出那奇妙的微笑,每次作画时都有人演奏琉特(一种拨弦乐器,有说演奏竖琴的,恐不确,因竖琴产生于达·芬奇时代后二百余年),并让戴尖帽、着花衣的小丑不断在其面前翻滚谐谑。这是西欧文艺复兴运动中首次弃宗教题材而表现平民(即新兴资产阶级),首次在写实方面达到由貌出神、由神入魂的高度,首次在运用明暗法、空间远近法、景物衬托人物法诸方面达到完美境地的绝代之作。画上那"蒙娜丽莎"(实为乔贡德夫人)的微笑,为后世无数艺术家所倾倒,如 19 世纪英国唯美主义作家王尔德,就曾费尽心思企图用文字把那神秘莫测而悸动人心的微笑再现出来,终于不得要领而叹叹作罢等等,等等。我得承认,即使我原来从文字材料上所看到的最淋漓尽致的赞誉,眼前这幅杰作也担当得起,不过,至少对于我来说,面对着这件瑰宝,因为该想到、该说到的前人已经说尽,我自身的想象力和思考力反施展不开，所以那乐趣也就仅止于"啊，今天我可看到真品了"而已。

所以事后我后悔没有听取一位法国朋友的忠告，他曾对我说："既然你时间有限，那么，你去了卢浮宫，对于那些你早从书本和复制品中熟悉的作品，倒不如看上几眼就算，你应当到那大画廊中去发现完全意想不到的美。"而我那半天却几乎是不断奔跑着去寻找那些"神交已久"的"熟人"，对于许多本能引起震撼的"意外之美"，大都失之于交臂！

现在进一步回想，那天倒也有几件本来并未蓄意寻索，"遭遇"后驻足欣赏却久久不能忘怀的作品，其中之一便是晚达·芬奇一百余年的荷兰画家弗·哈尔斯的《吉普赛女郎》。这幅画我国近年来的杂志和挂历上也时有复制介绍，但究竟没有鼓吹到《蒙娜丽莎》那般神乎其神，因而我品味时既不用战战兢兢生怕获大不敬之名，也有着充分而自由的想象余地。这幅画与《蒙娜丽莎》大小相近，也是画一青年女子，也显露着笑容，但给我的冲击力不同。"蒙娜丽莎"矜持，"吉普赛女郎"活泼；"蒙娜丽莎"笑得忧郁，"吉普赛女郎"笑得爽朗；"蒙娜丽莎"令人觉得可敬而不可亲，"吉普赛女郎"令人感到可亲而又可爱。而合之一句话："蒙娜丽莎"毕竟是刚刚从神界下凡的阔太太，而"吉普赛女郎"却活脱脱是通体市井气的穷妇人，两者相比，后者具有更浓郁的社会生活气息；而从油画技法上来说，我个人也觉得哈尔斯那相对来说颇为奔放不羁、粗犷洒脱的笔触，比达·芬奇那似乎过分规整、纤细的描绘，更富"栩栩如生"的效果。这当然大悖于权威们的"定评"和一般人习惯性的轩轾之分，但我想作为艺术品的审美主体，个人有自己的独特感受总还是允许的吧！

出了卢浮宫，沿着塞纳河岸边漫步，西岱岛（即"城岛"）上的巴黎圣母院那高耸的钟楼扑入眼帘。其实整个巴黎市区也就是一座宏丽的大卢浮宫——沿着塞纳河岸边一路前行，无数文艺复兴以来的名胜古迹显露于斯，也仿佛是一道宏丽的画廊布置着无数目不暇接的名画。巴黎这座文化名城，不仅抚育、滋养了无数西方世界的文化人，也熏陶、影响过一大批中国现代文化史上的著名人物。巴金不仅在巴黎写成了他那永世留芳的名著《家》，而且他早期的某些小说，干脆直接取材于法国的史实。他不止一次在文章和讲话里提到，他当时就住在巴黎先贤祠旁边，常常去到那卢梭的铜像前，用心灵诉说内心对那充满压迫和不平等的社会的绝望和痛苦，回到住处，便在巴黎圣母院沉重的钟声中开始昂奋的写作。以法国为代表的西欧文学对他的影响，是显而易见的。冼星海和徐悲鸿都曾在法国留过学，从以法国为代表的西欧艺术中汲取了丰富的营养，使他们在音乐、绘画领域里都达到了相当高的境界。还有不少已故或健在的中国文化人在巴黎受过艺术陶冶。至于间接从书本、图片、电影中获得信息，消化后取其精华加以借鉴的例子，那简直俯拾皆是。在中国，不要说已经成名的作家，就是一般的文学爱好者，谁能没有读过巴尔扎克、雨果的书呢？谁头脑里不储藏着巴黎卢浮宫里若干藏品（首先是《蒙娜丽莎》和《米洛岛上的维纳斯》）的鲜明印象呢？当然，考究起来，也就不难总结出这样的规律：对以法国为代表的西欧文化顶礼膜拜、照搬照套的人，到头来总是没有什么出息。而凡是真正取得成就的人，总是把自己的根子深深地扎在本民族的生活土壤中。首先从本民族的文化遗产中汲取营养，然后再积极地借鉴外民族文化传统中的长处，加以融合，加以发展，最后形成自己独有的中国气派和中国风格。巴金的《激流三部曲》等一系列作品为什么产生了那样大的影响？难道仅仅是因为它采取了最早从西欧产生并兴盛起来的、不同于中国传统章回体的那种叙述方式？当然不是，它们的价值首先在于真实而生动地再现了本世纪前半叶中国的社会生活和众多人物的不同命运。冼星海的艺术生命，并非存在于他在巴黎音乐学院的毕业创作——深得教授们好评的交响诗《风》中，而充分地体现在他创作于革命圣地延安的《黄河大合唱》等作品里。徐悲鸿也是这样，他自己明确地宣称："（对中国画）古法之佳者守之，垂绝者继之，不佳者改之，未足者增之，西方绘画可采入者融之。"他的《九方皋》、《愚公移山》、《奔马》、《风雨如晦》等杰作，便是守、继、改、增、融的辉煌成果。

过了桥，来到塞纳河左岸，只见沿河的墙栏上，一字儿排开无数的旧书摊。那些旧书摊几十年里都保持同样的面貌——摊位就是些嵌于矮墙上的长形木箱，盖子打开翻转便成为陈列图书的条案，卖书的摊贩静静地坐在一旁，任凭顾客在案前翻检，你翻检立读一通并不买他的书，他也不太在意，大有"姜太公钓鱼，愿者上钩"的意味。但一天下来，销售额倒也并不算少，所以这个行业得以延续至今。我走近那些书摊时，因天已晚，不少书摊都已收拢上锁，只有少数书摊因还有顾客流连，尚在营业。我虽不懂法文，但因爱书成癖，所以在法国见了书店，只要时间允许，总忍不住要钻进去胡翻乱检一通。对于这塞纳河边的旧书摊，也便不能放过，见有法国顾客立在那边上翻检，我也凑上去翻翻认认——我认出有一本是西姆农的侦探小说，有一本是马克·吐温的《哈克贝利·芬历险记》的法译本，有一本是介绍耶路撒冷的画册……"啊，"我不禁呼出了一声，以表示我的喜悦——原来我发现了一本从封面装帧上看就充满我们中国情调的小书。仔细辨认了一番后，我断定它是一本中国唐代大诗人李白、王维、白居易等的法译诗集，可惜我无法认出它译介的究竟是他们的哪些篇什……卖书的老人从我的表情上看，认为我是要将那书买下，所以当我终于还是将书"璧还"时，他不禁耸肩摇头。我离开那书摊以后，一边朝地下铁道的入口走去一边想：为什么我逛了那么多法国书店，经常还有留学生陪同指点，却极少看到中国文学作品的法译本呢？不仅当代的罕见，就是古典的，除了今天看到的唐诗选，也仅看到过一次《水浒传》而已。可是走进我们中国当今的任何一家新华书店，只要它卖外国文学作品，就几乎总有法国作家的著作。记得我去年在云南最南端的金平县新华书店里，也看过好几种傅译巴尔扎克小说和四本一套的《约翰·克利斯朵夫》，甚至还有只能算二流以下的儒勒·凡尔纳的小说和不能入流的欧·仁苏的《巴黎的秘密》。

坐上地铁列车以后，我继续想：中国的中学课本中收有都德的《最后一课》、莫泊桑的《项链》等法国小说，法国的中学课本中究竟有没有我们中国的文学作品呢？中国有的文学杂志全年十二期的封面全用西欧美术史上的名作装饰，这几年仅法国印象派画家马奈、德加、莫奈、雷诺阿等人的作品，就不知被多少种杂志刊登、介绍，更不用说年年都有好多家出版社印行以"西洋名画"为内容的豪华年历了，而法国究竟有几家杂志介绍过中国自古至今的画家及作品？至于音乐方面，对比更加悬殊，西欧的古典交响乐我们不但时常演奏而且开始在群众中普及，而绝少听说法国哪个乐团经常演奏中国作曲家的作品。据我所知，尽管我们印行了大量的法国文学作品的中译本，而且几乎自高中学生以上就人人知道巴尔扎克、雨果、罗曼·罗兰，而法国仅仅是在前几年，才有伽里玛这样的大出版社翻译出版巴金的《寒夜》、《憩园》、《家》等作品。除了汉学界人士以外，你去问法国一般的知识分子，他们可以坦然地承认不知道谁是杜甫，谁是关汉卿，谁是曹雪芹，谁是鲁迅……

我当然绝不是认为我们对法国以及西欧的文化成果介绍、借鉴得过多，其实就其所具有的丰富性而言，我们所作的译介、评析、研究工作还远远不够！但他们对我们的了解、介绍、重视相对来说也未免太差了。双方在文化交流上的巨大逆差，真是触目惊心。

原因何在呢？我只觉得是多方面的，但一时也理不清、道不明……

晚上到一位华侨朋友家里做客，喝着"科涅克"酒，对坐畅谈，我不禁涉及两国文化交流上的"逆差"问题。这位朋友的父亲是中国血统，母亲是奥地利血统，所以能超脱于法国人之上。他对我说："你没感觉到吗？法国人是最骄傲的，巴黎人的自我感觉就更其膨胀。他们骄傲的本钱，不在政治方面和经济方面，而在文化方面。他们认为英国的文化早已衰落，意大利虽是欧洲文艺复兴的发轫地，但人文主义毕竟滥觞于法兰西，其他的欧洲文化不过都是从他们这个中心发散出去的。至于美国文化，一般法国知识分子都看不起，认为美国败坏了西方文化的声誉。对于日本，他们只看做'经济动物'，固然日本的'浮世绘'版画曾对法国近代的美术发展有过刺激，近二十年来日本电影也得到他们一定的承认，但作为一个整体的日本文化，他们也还是瞧不起。对中国文化，古代的一些东西，如老子的《道德经》、敦煌壁画、盛唐诗歌、明清瓷器……法国的知识界倒是始终保持着兴趣，但说穿了也主要是猎奇；对中国的近代、当代文化，普遍是一种淡漠的情绪，骨子里是根本看不起……"

他的话听来让人心里很不是滋味，但却印证着我在法期间的感受。的确，所谓"地中海文化中心论"的毒素，相当普遍地渗透在一般法国知识分子的意识中。比如有一天我同一位法国编辑对谈，留学生小章给我们当翻译，他问我看过法国当今最走红的畅销书作家埃维·巴赞的书没有？我说没有。他便又伸长脖颈问："那么，于连·格哈克的呢？"我自然还是如实作答："这个名字我还是头一回听说。"他不禁耸肩摊手，仿佛为我的无知而遗憾。可是我问他知道不知道王蒙，知道不知道茹志鹃，他却极为轻松地回答："他们是谁？我不知道。"可见在他心目当中，我们不知道他们的作家是缺乏见识的表现，而他们不知道我们的作家却恰恰体现出他们的"高口味"、"高标准"。应当附带说明的是，这位法国编辑对中国总的来说充满了无可怀疑的友好感情，他那种"文化优越感"不过是一种下意识的流露——而这也就更令人不快。

由此我想到，我们对自己民族的文化，一定要有一种自尊自重的感情。我们中华民族文化的价值，并不需要"地中海文化中心论"者来加以认定。而我们自己，更不能无形中成为"地中海文化中心论"的俘虏，似乎只有越往他们的那种文化上靠，才越高级似的。近一两年来我们文学刊物上发表的一些小说，常用西欧作家或西欧文学作品中的人物的言论作为题辞，郑重地引在篇首，这本来未尝不可聊备一格，但我发现有时竟把在西方也视作二三流的作家作品的"格言警句"，奉为圭臬印在那里，这就未免太自轻自贱了。

那华侨朋友客厅壁上，挂着一幅抽象派的油画。画面上是些黑、白、灰、红的色块和若干乱麻般的银线。他说那是在蒙马特尔高地的画摊上买来的，作者是个落魄的画家。我问他这画如何理解，他说这类作品原无定解，他买下它只是因为觉得顺眼，并且他这客厅原有的色彩过于暖热，挂上这幅冷峭的油画能起点调剂作用。我们自然而然地由这幅油画议论到法国和西方的"现代派"文艺问题。

那位华侨朋友对我说："巴黎的卢浮宫，关于法国和西欧的美术作品只收容到库尔贝、米勒那个时代为止。对于卢浮宫的藏品，国内现在仿佛一致赞好。我看到国内一些杂志上的文章，对法国和西欧的古典艺术推崇备至，好像那样的文章也没有人去指摘他崇洋迷外。对印象派画家和作品的介绍，国内近几年也很多，而且大都也是在充分肯定。可是一到离开具象进入抽象境界，就不大相容了……"

我点头说："的确如此。对第一次世界大战以前的西方文化，我们文化界在评价高低上固然也有争论，但大体上是积极地予以肯定的。文学方面，从但丁到契诃夫，也就是说从欧洲 14 世纪文艺复兴到 19 世纪末 20 世纪初的批判现实主义，都得到很高的评价。如果现在一个中国作家说他要像巴尔扎克或托尔斯泰那样去写小说，他不但不会遭到责难，还会得到鼓励；至于如果有批评家站出来说他的作品很有契诃夫的味道，那简直无异于是最高级的褒扬了……像

19世纪俄罗斯美学家、批评家别林斯基、车尔尼雪夫斯基、杜勃留罗波夫的言论，一些评论家在文章里是放在同马克思、恩格斯相同的地位加以引用的。可是一到'契诃夫之后'，除了早期的苏联文学，我们文化界的态度就转而严峻了……这同对西方造型艺术及其他艺术门类的态度，是相一致的，具体来说，一到进入'现代派'这个领域，大多数人就倾向于基本上否定。"

他问我："那理由是什么呢？"

我便耐心地告诉他："第一条：西方进入本世纪以后，资本主义制度走向了腐朽、没落，特别是两次世界大战，使西方一大批知识分子感到迷惘、惶惑、苦闷、颓丧，所谓'现代派'文艺，便是在这样一种背景下产生的，它所传达出的，也大多是一种世纪末的情绪，因而我们理所当然地不能予以肯定……"

他争论说："你所说的那类东西，固然不少，但也不能以偏概全。你这次来巴黎，不该只去卢浮宫，你还应当多去些博物馆——特别是展览现代派艺术的博物馆，你知道巴黎有无数大大小小的画廊，同卢浮宫的藏品相衔接，从印象派一直到最近的创新之作，全有陈列。前不久毕加索纪念馆的永久性画廊也已开放，你应去仔细地看看。我认为'现代派'艺术中也有好东西，就同19世纪以前的欧洲艺术中也有坏东西一样。记得去年看到国内一家权威性杂志上有篇文章，它为了捍卫具象艺术反对抽象艺术，竟不惜拿德拉克洛瓦的《自由引导人民》和毕加索的《格尔尼卡》作比，表扬前者，批评后者。这让我感到震惊。德拉克洛瓦自然是一位进步的画家，但他的资产阶级性质，是再明白不过的，那幅《自由引导人民》所反映的史实，是1830年7月28日，巴黎市民为推翻复辟的封建王朝而进行巷战的情况，那并不是一件现实主义的作品，而是一件浪漫主义的作品，画家把资产阶级美化为一位艳丽的自由女神，高举着象征共和的三色旗引领人民前进。它的进步意义在于反封建，它的局限性在于为资产阶级歌功颂德。可是你们那位评论家对这幅画简直是全盘肯定。而毕加索的《格尔尼卡》，创作于法西斯势力猖獗的1937年，当时西班牙的格尔尼卡小镇被德国法西斯的飞机炸成了平地，举世震惊，毕加索及时地创作了这幅抽象手法的巨作，发出了他对法西斯主义的强烈抗议，引起了广泛的共鸣，等于为欧洲人民抗击法西斯势力发出了一道动员令。这也是毕加索本人政治上转向共产主义的开始。第二次世界大战后期，他便正式加入了法国共产党。对这样一幅作品，你们的那位评论家却大加贬抑。其根据，便是《自由引导人民》比《格尔尼卡》容易看懂。其实这也只能代表那位评论家个人的理解能力。德拉克洛瓦的画在当时只挂在沙龙中，并没有多少人能够看见，而毕加索的《格尔尼卡》后来印成了明信片，广泛流行于整个西欧，每一个普通工人都熟悉它，当然也理解它。我举这个例子，不过是想向你说明，仅仅因为艺术形式上使你们不习惯了，你们就断定'现代派'只是腐朽没落、颓废绝望的东西，那是不公正的……"

我便又对他说："毕加索也许另当别论。但我们对西方'现代派'艺术持严峻的批判态度，第二条理由还是很充分的：它们大都以与马克思主义格格不入的哲学为前提，如虚无主义、非理性主义、弗洛伊德主义……"

他忍不住打断我问："可是你们推崇备至的巴尔扎克、托尔斯泰，不也有相同的问题吗？巴尔扎克的政治态度你们很清楚，是个保皇党人，他的哲学前提能与无产阶级所尊崇的马克思主义有一丝一毫共同之处吗？列宁写文章讲过，托尔斯泰的哲学观、历史观反动，而且是在'反动'这个字眼最全面、最准确、最深刻意义上的反动。既然对他们能'一分为二'，为什么就不能对西方的'现代派'作家也'一分为二'呢？"

我说："也不是没有'一分为二'。许多人在基本否定西方'现代派'艺术的前提下，也承认它们在一定程度上有认识价值，承认它们的某些技巧值得借鉴。"

朋友笑了，他凝视着我问："你不要光是概括别人的意见。你个人对这个问题究竟怎么看呢？"

我也笑了："你以为我是在回避吗？不，我无论在哪里都可以坦率地说出自己的看法。我首先承认自己对西方的'现代派'艺术相当无知。所以我无从对它作出整体性的判断。就我个人接触到西方'现代派'作品而言，有的我理解并且感到兴趣，有的我能理解但并不喜欢，有的我不能理解。不过有一点我是清楚的：我们中国的文学艺术家，应当以我们的创作为我们中国人民服务。目前我国读者、观众的文化素养水准决定了他们的欣赏水平，而且就是总体水平提高以后，基于我们这个民族有着自己固有的文化传统和欣赏习惯，也必定要求我们向他们提供首先是具有民族特色的作品，这是我们必须认真加以考虑的。因此，我认为西方'现代派'文艺非但不能在中国照搬，就是那些确实有价值的因素，因不合我国的国情，也并非都可借鉴。所以，我主张：一、把西方'现代派'文艺中有代表性的东西适当地加以引进，主要不是作为欣赏对象，而是作为了解西方世界的参考材料；二、对西方'现代派'文艺要给予科学的评价，评价它们时不必和它们在中国可能派生的影响生硬联系；三、对于它们当中的积极因素，特别是艺术创新的勇气和经过检验证明是行之有效的艺术技巧，可以大胆借鉴，在借鉴中允许失败，逐渐积累经验，以使我们的文学艺术在广采博收的过程中不断丰富、发展。"

谈到这里，热心的女主人端来了热腾腾的咖啡，提醒我们电视上就要播出一部我们约定同观的影片。于是我们便暂停议论，端起咖啡呷着，并把眼光投向女主人随即打开的电视机屏幕。我得承认，那影片开播好久了，我还不能抑制住自己原有的思绪……

由冰心老前辈来信中的提问，我随想随记，不觉已写下了这么许多。是的，郁金香确实别具风姿。四色郁金香尤为华贵。不过……我倏地想起，在巴黎另一家较小的花店中，我还看到了黑色的郁金香，据说那比四色郁金香更难培植，从标价牌上也说明了这一点——四色郁金香的标价数额已给人一种昂不可及的感觉，黑郁金香的标价数额就更令人目瞪口呆。黑花难道是美的吗？巴黎人为什么要殚精竭力地去培植那样的郁金香呢？

1984 年 1 月 19 日

巴黎有条小胡同

"巴黎回来不看街"，跟"黄山回来不看山"是同样的极而言之的说法，漫步巴黎市区，随便朝哪边望去，那些绝不横平竖直，往往是放射形交错的大小街道，实在是都氤氲着既古典又现代的独特风韵，令人赞叹有加。巴黎街道有大小长短之别，但给人类似北京胡同那样的通行空间，却极为罕见。那天一连翻译了我四个作品的译者戴鹤白先生对我说，巴黎有条小胡同，应该去看一看，我还以为他是开玩笑，就跟他说，巴黎该看的地方实在太多，我连巴尔扎克故居还没来得及去呢，哪有工夫去看巴黎小胡同？他就笑说，好，我先带你看那故居。

按说巴尔扎克故居离铁塔不算太远，但那里是一片叠层下降的坡地，开车去很不方便，乘地铁在附近下车后也还得步行登高一阵，又不与其他旅游参观点挨近，一般旅游团都不会安排到那里参观。散客有的对巴尔扎克兴趣不大，有的想去，没人指引也很难找到，因此我们那天走到跟前时，竟是门可罗雀的景象。

故居的铁门在一条小街上，但铁门里却是一道颇陡的石梯，通向巴尔扎克的那平房住宅和附属的院落，其住宅的屋顶，离铁门外的街面起码已有五六米远，落差之大，令人吃惊。更令人惊异的是，那住宅后墙外的现代风格的楼房，看去体量颇大，也颇堂皇，前面飘着别国的国旗，细看可以悟出是土耳其驻法国的大使馆，楼顶却又只比巴尔扎克住过的平房略高，显然那又是坡地的一个层面。在这些几度沉降的路面与杂错的建筑物的天宇背景上，是露出大部分身躯的巴黎铁塔。

那故居的平房总面积虽然不算太小，跟位于玛莱区孚日广场的雨果故居相比，那就只能用寒酸两个字形容。院落里目前也只有些许草坪和花木，想必当年还要荒疏。故居里展出的遗物寥寥，最引人注目的，是他用过的一套瓷咖啡壶，据说他写作时常废寝忘食，但咖啡却总是一壶接一壶地喝个不停。我在一间展室里流连最久，那里四壁橱柜里排列着他小说里诸多插图的刻版，其中许多是我在读傅雷译本时一再鉴赏的，原作估计是钢笔画，刻版把那些细腻的笔触完全保留了下来而又浑然一体，人物肖像多过场景描绘，造型与文字刻画吻合，神态宛然，性格毕现。那些插图下面则是《人间喜剧》的人物谱系，复杂而又有序。遥想当年并无电脑，甚至也没有打字机，连现在这样的钢笔都没有，全靠鹅毛笔蘸墨水一行行写出，却产生出了九十多部皇皇巨制，真令人惊叹不已。

现在不少人抨击文学创作的市场化弊端，我也对一味地追求商业利益，以致把推畅销书当做"印钞票"来运作非常反感，但在巴尔扎克故居里，想到此公的绝大部分作品都是在"赚稿费还债"的情势下，被出版商催赶着不舍昼夜地赶写出来的，也就觉得不能把一种道理弄成僵硬的圭臬，"不要为金钱而写作"和"不该为金钱而出版"固然是很好的道理。但像巴尔扎克，还有俄国的陀思妥也夫斯基，他们的扛鼎之作居然都是"还债之书"，这就说明不能一概地责备作家"为钱写"。从故居里巴尔扎克一再修改的校样可以知道，他写作的主要动机还是要表达自己对世界和人类的看法，并且在表达方式上精益求精，这与"图钱"的目的是交融在一起的，而那出版他著作的商人，能容忍他一再地修改校样，并不想囫囵着印书，也就说明还不是只图"印钞票"的奸商，如果把上述道理柔和地表达为"不要单为金钱写作与出版"，是不是更有利于形成文化界的公序良俗呢？

那故居有后门，却不开放。戴鹤白说带我绕到那后门外去看看，那能有什么好看呢？先上阶梯出故居门，走一截路再往坡下，啊，一条酷似北京胡同的黑灰色通道呈现在我眼前！戴鹤白告诉我，当年前门来了不依不饶的债主，仆人一通报，巴尔扎克就赶紧从这胡同里的后门逃跑。前门、后门在坡地的两个层面上，而且后门所在的胡同外面左右皆有不止一条小街，巴尔扎克虽胖大也能很迅捷地藏匿起来，债主其奈他何！

此夜只应花都有

花都巴黎花儿香又艳，主要体现在艺术之花上，它那空间的艺术——举凡保存完好的古城风貌、满布全城的博物馆、塞纳河两岸的旖旎风光……其琳琅满目、美不胜收自不必细说，它的时间艺术——各类音乐、舞蹈、戏剧、杂技演出，每晚总有大小一千余场，犹如杂花生树、群莺乱舞，也足令人惊叹，让人艳羡。按说这已经是满城飞花、街巷淌诗的局面了，可是巴黎人并不满足，从1981年起，他们又创立了一个音乐节，时间定在每年立夏日，从傍晚到午夜。音乐节许多城市都有，比如北京前些时候就举行过，但无非是在规定的时间里，在若干个演出场所里，集中地安排音乐会罢了。巴黎音乐节不同，各个固定的演出场所要安排音乐演出自不待言，它的主要特色，是把整个巴黎城作为一个大舞台，让音乐响彻街头，用雅·克朗的话来说，就是在这一晚要充分地体现出"音乐无疆界"，使每一个公民懂得音乐和吃饭一样地重要，是生命中不可或缺的宝贵元素！雅·克朗何许人也？他是著名的知识分子，又是活跃的政治活动家，1981年时他担任法国政府的文化部长，音乐节就是他具体倡立的。这是一个全国性的艺术活动，不过重点放在了巴黎。2000年时他担任教育部长，仍关注音乐节，因为当初创立音乐节的一个动机，就是要通过把音乐渗透进日常生活，浸润到每一个人的灵魂里，来对所有法国人，特别是青少年，进行有效的音乐教育。

2000年的立夏日是6月21日，吃过晚餐，我就和法国友人一起走向街头，领略花都音乐之夜的魅力。我们没有去铁塔、凯旋门、协和广场那类最著名的场所，这是我的主意。我跟朋友说，那些地方在这个日子里搭起舞台搞音乐演出，我凭想象也能了解个八九不离十。前些天，电视里刚转播过铁塔下万人观赏的，法国著名歌星约翰尼·哈里戴的演唱会，给了我很深刻的印象。那位歌星已经快六十岁了，如果是美声唱法，那么个年纪还受到狂热欢迎并不稀奇，可是哈里戴却是通俗唱法，甚至算得上是摇滚歌星，却有那么长的艺术生命，这一方面说明了他本人宝刀不老，有股子韧性，另一方面也说明法国的一般听众，特别是青少年歌迷，跟美国的歌迷还有所不同，不那么喜新厌旧，审美立场比较稳定、持久，换句话说，就是不那么浅薄，不盲目追风，欣赏音乐的童子功比较扎实。我们边议论边朝玛莱地区走去。这个地区二百多年前是贵族居住区，现在还保存着不少当年的豪宅琳宫，但近代已成为了一个比较平民化的居住区。我是想看看，这样的地方，人们怎么参与音乐节。

一路上，我们看到不少当地居民自发地携带着乐器，选择着合适的场所。花都立夏夜音乐节的最可贵之处，就在于不仅是搭许多的台子，让一些受过训练的音乐家表演给居民们看，而是尽可能实现全民参与，人们既是观赏者，更是表演者，而且，首先是自奏自唱自听自娱。几个年轻人选定了街角开阔处，把电吉他的馈线接进旁边店铺里。老板亲自出来表示欢迎，还给他们供应免费饮料。于是，他们就活泼地演奏起来了，看那表情，完全沉浸在音乐的境界里，根本不注意是否有人驻足倾听。而路过的人们，或对他们微笑致意匆匆走过，或驻足略事欣赏，或在那里停留较久，随着旋律扭动身体……马路斜对过，一座教堂边，出现了一群少男少女，他们很随意地排成两列，唱起了古典风格的歌曲……再往前不远，街头咖啡座边，又有几位穿戴极为讲究的绅士在演奏弦乐五重奏，这种乐曲被称为室内乐，可是他们这晚却在露天咖啡座的风雨棚下演出，能看出来，他们并非平日在这种地方靠卖艺得些赏钱的街头艺术家。朋友认出来，其中一位是在银行里工作的邻居……在一家散发出烤羊腿气味的餐馆门外，阿拉伯族的男女在边舞边唱；在一座小喷泉边，几个黑人在徒手击鼓，那鼓声变化多端、意蕴丰富……接近著名的叙利宫了，那本是 17 世纪亨利四世的大臣叙利的府邸，以有雕像的老虎窗在建筑风格上独树一帜。忽然有人向我们散发小广告，是在推销什么产品？朋友看后，笑对我说："你是他乡遇故旧了！"原来，在叙利宫院落里，正有中国陕西歌舞团的表演，那是节目单。我们便进入叙利宫。该组建筑现在是政府文物部门的办公场所，但其庭院平时都向公众开放，这晚更搭起了一个舞台，陕西歌舞团便在那爬满青藤的古墙下演出他们的吹奏乐。进入庭院的法国观众或坐在折叠椅上，或倚着廊柱，或者干脆盘坐在绿草坪上，兴致勃勃地欣赏这来自异域的妙曲，每一个节目完了都报之以热烈掌声。朋友告诉我，这音乐节每年都会专门邀请一些外国的演出团体来助兴，为的是丰富法国人的视听，使公民的音乐素养能更全面更丰富。

那一夜经历的高潮，是在共和国广场。那里聚集了总有万余人，非常拥挤，却又很有秩序。人们载歌载舞，人人忘我，互敬互爱，心和心在歌舞声中离得很近，欢歌劲舞的人群仿佛大海上的波涛旋涡……

夜深人不静，花都音乐节如一张光盘，贮藏在了我心臆中，回国多日了，有时还会让那光盘播放起来，于是灵魂里又怒放出簇簇浑圆芳菲的花朵……

我要问：难道此夜只应花都有？如此成功的全民文化活动，我们应该尽快借鉴！

凡尔赛大章鱼

朋友驱车带我和妻子去凡尔赛，说："你们可以看看大章鱼。"我以前两次旅法，都曾去凡尔赛观光，记得那里有富丽的宫室与葱郁的森林，何尝有什么大章鱼？只当他是随口说笑。及至到达凡尔赛，先在宫室里转悠，满眼金彩，移步惊奢；后到花园里流连，花圃如锦，喷泉壮观——可谓美景重温；只是远望人工湖渠尽头，林木依然青翠，眼里却似乎少了些高耸厚实的刺激——也还没怎么深想。后来朋友又带我们去大宫殿尽后面的翠安侬宫。这翠安侬宫又分为大宫与小宫，我们先到大翠安侬宫。甫抵宫前广场，与粉红色殿柱同时扑入眼帘的，竟是——不错，只能称之为：大章鱼！

那大章鱼有两个，对称分列于宫门前广场两侧。走过去细看，是巨大的带根系的树墩，锯断的剖面立着朝向游客，那剖面直径有两米五左右，上面年轮清晰可辨，倘耐心点数，恐在四百轮以上！树墩后辐射出粗缆般的根系，根须在辐射中又相互纠结蟠曲，恰似汪洋中巨型章鱼那狂舞的长腕。站在那大章鱼面前，不禁为其狰狞的气势而惊心动魄。这是用合成材料仿制的雕塑品吗？如果是真的根雕，谁忍心把那样雄伟的古树伐倒剜出？岂非伤天害理？

朋友给我们解释，原来，1999 年最后一夜，巴黎地区忽来怪风，风起之突，风势之猛，风旋之烈，风啸之锐，都是史书记载上不曾有过的。这场风灾不仅刮倒了巴黎大街上许多的广告牌，将刚修整好的圣母院上的若干圆雕摧折抛下，还将巴黎地区森林里的万余株树木连根拔起——凡尔赛灾情最重，用浩劫形容，实不为过。风过之后，巴黎市政府立即组织救灾，刮倒的广告牌更坚固地竖起，圣母院的圆雕重现光彩……花最大气力的，则是清点所有被摧毁的树木。将确实已无望生存的树木加以不同方式的处理，并尽快在凡尔赛等重要的风景名胜地补种树木以恢复观瞻——那补景工作确实做得不错，从花园平台朝人工湖渠尽头望去，风灾本已使那边森林成了"癞痢头"，至半年多后我们游览时，已大体又融为了一派鲜绿，如非对原来林木茂密稠厚留有记忆的重游者，浩劫前后的差别是感觉不出来的。

把两株毁于风灾的巨树残墩，郑重地作为艺术品般陈列在古宫门前，使人联想到恣肆于汪洋里的大章鱼，这是法兰西式的幽默。史无前例的怪异风灾偏在世纪之交子夜降临，这很容易使迷信的人产生"天象示警"的想法，搞邪教的人更可以用来证明"世界末日"将临，进一步蛊惑人心，从中渔利。当然，这类的心态动向都有，但就整个法国，特别是巴黎地区的市民而言，据我那从事社会学研究的朋友调查，并不怎么严重。人们收拾好风灾残局，照样过日子。坐到协和广场的世纪大转盘的吊篮里，仰望蓝天白云，鸟瞰花都盛景，没有"怪风奇灾何日再来"的焦虑，有的只是过上更加惬意生活的憧憬。

凡尔赛的那两个树墩构成的大章鱼，也昭示着我们全球气候越演越烈的异常趋向。西欧本是最风调雨顺的温润之乡，近年来却不仅有邪风，还有暴雨，出现了历史上罕见甚至没有过的自然灾害。如今不少人对全球一体化的走向多有诟病，那批评的声音中，要求消除发达国家与尚未发达国家经济交往中的不平等，要求保护地域文化特征而不被发达国家以经济强势打前阵的强势文化所吞灭，是我们最该呼应的。但是，地球毕竟是一个整体，人类社会的大同理想，其含义也是把人类共同的经济文化成果加以公正分享，因此，解决人类经济发展中的生态破坏问题，补救大气臭氧空洞，扭转全球气候异常趋势，只能是所有国家地区、所有民族来一齐协调努力。否则，在宇宙里，地球和人类岂不是要被自造的魔鬼般的章鱼所吞噬？

有去游凡尔赛的人士么？除了堂皇宫殿华美园林，请莫错过一览那意味深长的大章鱼！

巴黎屋顶

美国富人现在多住城郊的单栋住宅，许多城市里的公寓楼多由较穷的人居住。当然这只是概而言之，也不尽然，比如纽约曼哈顿岛上中央公园附近几条街上的高层公寓楼，那就是最富有的人士才住得起的了。法国情况跟美国恰好相反，尤其巴黎，富人首选是市中心，而且往往是多户合用的公寓楼。一套可望见塞纳河景色的公寓房，那价值往往超过城郊一整幢别墅一倍或数倍。

巴黎之美，可以从各方面来描述。但巴黎屋顶之美，值得特别提出来说说。单栋建筑的屋顶之美，例子极多，这里却从略，因为我想强调的是，巴黎市区众多建筑的屋顶，相互之间的那种和谐感，真是世界上众多都会中绝无仅有的。

巴黎圣母院、卢浮宫、歌剧院、先贤祠、伤残军人荣誉院……以及矗立于蒙马特高地上的圣心大教堂……这些宏伟的古典建筑，其哥特式或罗马式或巴洛克式、洛可可式的或尖或圆或平中嵌以花样的顶部造型，绣出了巴黎古韵飘逸的天际轮廓线，自不消说，但构成巴黎屋顶如诗如歌整体之美的建筑，却还不是这些"水落石出"的庞然大物，而是那些歪来斜去的一般街道两旁的普通楼房。这些石料为主灰色为本的楼房大多只有七八层高，多数已经年事很高，平均楼龄总有一百五十年以上，外表大体上还保持着初建时的风韵，里面则早改造为现代化的住房。漫步在由这些楼房构成的街道，左看也觉顺眼，右看也很怡人。外国游客到了巴黎，不必非到这个博物馆那个参观点，就是随便地"走向歧途"，也会觉得满眼是景、随处生趣，尤其是在塞纳河右岸的孚日区和左岸的拉丁区，这种感觉会更加深刻。

古今中外，建筑物的"收顶"，是一桩决定建筑物功能性与审美性能否和谐体现的大事。巴黎市内绝大多数临街临河建筑的收顶方式，我觉得可以称之为"内敛"式。就是最高一层（一般都不会超过或低于前后左右建筑太多，平均在七层的样子）都会特别注意装饰性，绝少取平收齐、草率封闭。线条一般都会变为弧形；有的或许会在拐角处形成一个小型的圆穹顶，但左右延续线上会是铁皮或类似材料构成的弧坡顶，在小圆穹顶下部，以及延续发展的弧坡顶当中，会有老虎窗凸现，有的不造小圆穹顶和金属材料的弧形顶，则会是一系列斜坡顶，老虎窗不是从侧面凸出，而是从上面凸出，但无论花样如何翻新，都很注意保持一种内敛的气质，就是跟前后左右的那些建筑的屋顶，尽可能地和平相处，不去"勾心斗角"，不求"哗众取宠"，虽然细看各不相同，但望去却有浑然一体的视觉效果。

不知道当年巴黎人建造这些楼房时，是怎样取得"顶部共识"的。楼房高度街道宽度的和谐比例，大概是市政当局规划出来的。建筑风格特别是收顶手法，难道也会有强制性的规定吗？这些楼房绝大部分都是私人财产，占了地皮，运作资本，盖房子应该是随心所欲，谁能限制谁呢？法国人特别浪漫，巴黎人更是常常地匪夷所思，但他们在城市里盖房子，却偏能在屋顶造型上约定俗成地在"百花齐放"中去取得"满城同韵"的效果，这是巴黎人平均文化素质高的一种表现？

巴黎城近百年来也出现了不少的新建筑，有极成功的如艾菲尔铁塔，这座如汉文人字的纯钢铁怪物，竟被世界上绝大多数人认同，以为不仅没有破坏巴黎的古韵，而且恰恰起到锦上添花的作用。也有极失败的例子，那就是美国式的摩天楼蒙巴那斯大厦，所谓"城市败笔"对它而言不仅是理性判断，也是一种观感的白描。有的现代派或后现代派的建筑，高度上控制在与一般古屋平齐或略低，不走近看不见，所谓"养在深闺"，如蓬皮杜文化中心、卢浮宫内庭玻璃金字塔，虽然对其妍媸的争论至今还在延续，但就整个巴黎市区而言，它们在观瞻上所形成的影响是非常有局限的。我们漫步在巴黎街市，或在塞纳河上乘"苍蝇船"（这是巴黎人对露天甲板上坐满站满外国游客的观览游船的戏称）仰观两岸，巴黎屋顶之总体美感，还是会令我们心弦颤动满心欢悦的。

其实巴黎街道上也陆续出现了一些拆掉旧建筑新建起的房屋。著名的香榭丽舍大道，靠近凯旋门的几座建筑就是新造的，而且在外部结构上还很有些新潮意趣，但它们在高度上、色调上，特别是在顶部处理上，还是注意跟左邻右舍的古建筑保持呼应，因此仍是一种变化中富于和谐的景象。

我曾到巴黎老楼顶部的房间去观览过。原来那个位置上多是给仆人居住的"保姆间"，后来又多成为租金较低的外国留学生住房，但近年来兴起一股浪潮，就是一些雅皮人士"专好这一口"——偏要买下一片这样的顶层"保姆间"，将其打通，内部进行一番大改造，用来作为自己的住宅，结果造成顶楼房价飙升。探究其心理，就是因为激赏巴黎屋顶之美,觉得光是站在街上观赏还不过瘾，干脆住进其中，才更心旷神怡。一位住顶楼的法国朋友，还专门从老虎窗指点我去近观周边楼顶，结果发现那些风格相类的屋顶上全有粗陶的圆柱形小烟囱，密集如笔，十分抢眼。他说那也是巴黎屋顶之美的所在。那些多半是赭红色的小烟囱，是各层起居室的壁炉通出来的，现在也还有一些巴黎人冬天会烧起壁炉，越是有钱人，越要摆这个谱，这是他们传统的"壁炉文化"的延续，若要细说，那该是另一个话题了。

巴黎屋顶，承托起法兰西文化精髓，真值得细细品味啊。

千里浪漫餐

2000 年 7 月 14 日恰好在巴黎赶上法国国庆，在协和广场有盛大的阅兵式，受阅的方阵穿过凯旋门，从香榭丽舍大街一队队走来，但那个虚热闹我以为没什么看头。去塞纳河畔吧，那里总没逛够。于是和妻子兴致勃勃地顺塞纳河朝卢浮宫一带漫步。

塞纳河边的石头矮墙上，固定着一些漆成绿色的木头柜子，大体呈横卧状，顶部盖子朝人行道倾斜，盖住时用锁锁定。这些木柜外表都比较粗糙，有的更绿漆剥落，似非雅观。每到日上三竿，柜主便纷纷来到，打开铁锁，支开柜盖，变戏法似的，将那木柜摆弄成一个旧货摊，主要是展卖旧书刊，其次是旧照片旧明信片旧海报老邮票，再就是一些旧的小古董小纪念品。这些旧货摊多年来风格不变，成为巴黎一道别有滋味的风景线。我和妻子一路慢慢地观览过去。只觉得法国正史、野史的若干片断，斑驳杂沓地跳进眼里，昔日王谢堂前燕，真是飞入了寻常百姓家。

"呀，你看！"妻子忽然惊呼。我顺她所指的方向看去，只见前面一座桥上，密密匝匝挤满了人。巴黎市区的塞纳河上有三十多座桥，这座桥大体上居中，铁架子铺木板构成，是唯一的一座不通车的步行桥，南边对着有圆穹顶的法兰西学院，北边对着卢浮宫中庭的拱门，它的名字格外令人难忘，叫艺术桥。我们快步去往艺术桥。上了桥，只见沿着两边桥栏，铺着有红白蓝三色格子图案的垫布，上面坐着一组组正在野餐的人们。野餐的食品看来是自带的，而且多半是在家里加工制作出来的，最多见的是大钵的蔬菜色拉、法式三明治（圆棍面包夹生菜火腿）、各色奶酪、巧克力甜饼，当然更少不了波尔多或伯艮第红葡萄酒。当时天气不好，头上阴云展翅，河上凉风飕飕。在那么个地方野餐，带小椅子小马扎的人不多，绝大多数人是席地而坐，或跪在那里。但老少几辈，却个个食欲很好，兴高采烈。桥的中段，一些人站在那里奏乐歌唱，另一些欢快起舞。可以判断出来，野餐者歌舞者都是法国人。围观的，走来走去面露惊奇的，则都是外国游客。

后来我和妻子下了桥，去卢浮宫中庭。那方形庭院里，刻意与桥上的野餐席相衔接，以"人"字形分开权，排开了长长的餐桌。餐桌两边密密的坐椅上坐满了人，也是老少几辈都有。桌上所铺的桌布，与艺术桥上人们席地所坐的垫布，显然是统一制作出来的，其图案与法国国旗上的三色相呼应，大概是颇为耐用的纸制品。再细看餐桌上，发现了更多的典型法国食品，如鹅肝、三文鱼片、梅子烧鸡腿、榛子炖小羊肉、阿尔萨斯水果派……还有干白葡萄酒、香槟酒等等。人们用盘子传送着远处的食品，互相碰杯，时时爆发出开怀大笑。

回到住处，从电视里看到，从最北部的里尔城，到巴黎南边的一串小城市，一直到地中海边上与西班牙接壤的小村子，在那一天中午，都南北向地露天排开了餐桌，上面铺着一模一样的三色格子布，人们坐在桌子两边野餐，家常酒菜，畅话家常，笑语喧哗，享受生活。原来，浪漫成性的法国人，绝不甘心过程式化的国庆节，必得一年一个花样，别出心裁，标新立异。2000 年的这个国庆，由一些普通的法国人提议，在法国版图的中轴线上，顺着经度，只要有可能，就一字排开露天野餐桌，来次集体午餐。这千里浪漫餐竟果然付诸实现。天公并不作美，那天不少地方的野餐是在小雨里进行的，但人们嬉笑进食，反觉更有趣味。邻里，同乡，平时不怎么往来的人，隔行如隔山的人，原本炉富的，忌贫的，雅的，俗的，路过的，在铺着三色格子桌布的餐桌边，在这一天中午，会忽然从最普通的日常菜肴酒水的滋味里，从最琐碎的交谈里，体验到同为法兰西公民的血肉与精神的亲和之美。

回到北京以后，和妻子忆起那天的见闻，都猜测，若干年后倘再去巴黎，在塞纳河边的摊档上，一定会有 2000 年国庆节浪漫午餐的照片出现，也说不定会有那三色格子餐桌布的零碎残片，供游客们缅怀一种历久弥醇的浪漫。

在巴黎宠物公墓读诗

索菲对我说，你先去远处转转，不要回头看我。我就背对她往巴黎宠物公墓深处走去。公墓位于巴黎北郊的塞纳河畔，不闻市声，只有鸟鸣。徘徊在排列大体整齐的墓位间，观看着墓碑上那些宠物的照片或雕像，还有扫墓者留下的鲜花与祭物，心中不免与此前参观过的埋人的拉雪兹、蒙玛特、蒙巴那斯等墓地景象相比，觉得除了墓体较小外，整个儿的氛围是完全一样的，那就是亲情流溢，生者与死者在这里可以对话，继续心灵间的沟通。

那天是典型的巴黎天气，时而云开光泄，时而细雨霏霏。那时墓园里除了我和索菲，只有一对老夫妇，我依稀看见他们在那边一个墓边弯腰摆放盆花，本想用望远镜头拍张情景照，想到老友索菲为她的狗扫墓都不愿我干扰，怎能去惊动那对陌生的夫妇呢？我把镜头对准了身边的一座猫、狗合葬墓，猫名琵琪逝于1992年活了12年，狗名尼可拉逝于1997享年15岁，可知主人事先就买下了足能葬下它们的穴位，顶部呈波浪形的黑大理石碑体上，两位的玉照都是被女主人拥在怀中拍下的。

流连间，索菲走了过来，眼角的泪痕尚未拭净。她主动为我翻译那些墓碑或座石上的题词。"十二年里／我们共同度过／那些好的和坏的日子／刻在我心上的记忆／岁月也不能剥蚀"，这是为一只名为茜贝的猫；"你／我们的狗／比人更有人情味／有的人会在某个时刻背弃／而你始终如一／甚至在我们倒霉的时候／我们心灵深处／你排名第一"，后面有一家人的签名；"一颗真诚的心／用毛包裹／六公斤是纯粹的爱／你给予我们的欢乐／无法用言辞表达"，六公斤的猫咪爱米丽，逝后获得如此厚重的谥语，天堂有知，该怎样幸福地微笑？

索菲告诉我，这座占地数顷的公墓，是1899年由马尔格利特·杜朗侯爵夫人捐建的。当时她死去一匹爱马，就葬在了公墓一进门的地方。进门那座很高的大狗雕像下，则是墓园里的第二位入葬者，是杜朗夫人家乡阿涅尔市的市政府来公葬的。那里是个滑雪胜地，那一年发生雪崩，这条名巴帕利的义犬一连救出了40个遇难者，却在去救第四十一个时，被那心慌意乱的家伙开枪打死了。我们在参观中发现了几个鸟墓，一个猴墓，其余几乎全是猫、狗的墓葬。

西洋人的墓地重艺术装饰，重氛围的营造。巴黎那些葬人的墓地里，有更多的题词、题诗，但是，人对人，有时就不能免除虚伪，绮丽动人的诗句，也许是违心敷衍的产物，这宠物墓地里的题词、题诗就绝不可能含虚伪的成分。据说这是目前世界上唯一正式经营的宠物墓地。墓位基本上已满，新申请者要等到购买期满的旧墓过了法定等待续款期以后，才能启用那墓位，而且费用不菲。若不是心中真有挚爱，谁会为死去的动物图虚荣写虚伪的词句呢？

索菲说有两个最好的题诗我一定要听她翻译，说着带我到那两个墓前，一首短的："我的欢愉我的悲愁／都能从你眼里看到／这是双重思想的光芒／你逝去了／可你的眼光还在我眸子里"，一首长的："这里安葬着狄克／我生命中唯一的朋友／内疚刺痛我的心／我曾那样粗暴地将他训斥／想起那时他脆弱的样子／惊异于我怎么没及时中止？／现在我多么孤凄／想对他说我再也不会粗暴／期待着梦中相会时的原谅／狄克的主人真心实意地深爱过他／正是因为相信他懂得这爱／我心里才不再一阵阵疼痛"。写下这些句子的都不是诗人，可谁能说这不是诗？

不过墓园里更多的墓上只有一句"我们生活中的挚爱""永生难忘"之类的简短题词。又转到索菲爱犬咪噜的墓前，素净的花岗石墓体上只有名字和生卒年，像这样的处理方式也为数不少。我望了索菲一眼，她眼角又有泪光。我知道，咪噜是在她生活最艰难的时刻来到她家的，却在她生活得到提升时溘然而逝，那共度的岁月里有许多诡谲的遭际、幽深的心曲，她那眼角的泪光，不也就是为咪噜吟出的诗句么？

懂得海鸟的陶醉

游览过著名的枫丹白露宫，戴鹤白说要顺路带我去看望一个同行。车子从公路主道拐出去，顺着塞纳河畔，没一会儿就到了一栋爬满青藤的米色小楼前，原来那是马拉美（Stephane Mallarme）故居。我说："马拉美可是你们法国 19 世纪著名的象征派诗人啊，我最写不来的就是诗，怎敢跟他称同行？"戴鹤白说：

"马拉美曾当过中学教师，这么算你们难道不是同行吗？"

我饶有兴味地参观了马拉美的故居。他这栋住宅比富豪之家简朴，却又比贫寒之家讲究，家具用物都追求雅致品位，用今天中国白领语汇来表达，就是非常地"布波"（布尔乔亚加波希米亚，即又小资又浪漫）。住宅前院小巧玲珑，后院相当宽敞，蔷薇篱门，花畦横斜，树阴下的休闲椅上仿佛还保留着当年主人与朋友的体温。马拉美一生远离政治旋涡与社会主潮，一直过着平稳闲适的生活，他的忧郁痛苦只来自家族方面的缺失。我对戴鹤白说，除了都当过中学教师，我跟这位法国诗人的共同点真是太少了。我读过翻译为中文的《牧神的午后》，这是他最著名的长诗，是以诗剧的形式写成的，也听过在他晚年，德彪西受他诗剧影响写成的同名印象派乐曲，说实在的，不知所云，但心里朦朦胧胧地，有种吮吸了蜂蜜水的柔和快感。我这一代中国人，经历过太多的社会风雨乃至狂飙。中学教师这职业听来相同，但我跟马拉美在各自中学的生命体验，实在是"牛蹄子，两瓣子"。

戴鹤白问我，是不是因为生命体验不同，所以你这样的中国作家比较有社会责任感。写作的驱动力，主要是对社会、人生有看法想表达，形式上的探索，语言上的精雕细刻，即使能注意，也不会成为首位的考虑。我承认如此。不过，作为读者，读了翻译为中文的马拉美诗歌，我很羡慕他，能那么从容地去追求形式上的精美。比如飞白、小跃翻译的《回春》里的句子："我无力地跌入树香，厌倦地／用脸挖一个洞穴，去装我的梦／我望着长出丁香的温暖的大地……"奇突的想象，怪异的感觉，用如此细致入微的意象吟诵出来，即使不理解其深层的意蕴，光字面的组合，诗味也够浓酽了。戴鹤白说，你要能直接读法文，那感觉才真叫曼妙呢。不过，他又说，马拉美的诗文有时候也让他感觉到象征得太玄虚了，特别是1897年也就是马拉美去世前一年发表的《骰子一掷绝不会破坏偶然性》，神秘到极点。他说他之所以最近几年一连把我四个作品译成法文介绍给法国读者，就是因为他个人所喜欢的作家与作品，无论法国的还是中国的，让一般读者能看懂，并且也讲究结构与文字，有普适性审美趣味的。

在马拉美故居外的塞纳河边，立着一个精致的碑牌，上面有马拉美在小船上张帆起航的照片，还有他的诗《海风》。我记得卞之琳译出的那些句子："肉体真可悲，唉，万卷书也读累／逃！只有逃！我懂得海鸟的陶醉／……不行，什么都挽不回，任凭古园／映在眼中也休想唤回这颗心／……我要去！轮船啊，调整好你的桅樯／拉起锚来，开去找异国风光……"我对戴鹤白说，可见唯美的马拉美也有渴望冲出纯形式与朦胧虚无的时候，他懂得海鸟在无际天空追寻宠大目标的快乐，他也有冲出闲适书斋迎向风暴惊险的情怀啊。

中国社会发展到现阶段，文学已然呈现出多元状态，新人辈出，佳作缤纷。不过推动文学的一支强劲力量，是趋赚避赔的图书市场，以短、平、快方式赢利成为风气。在这种情况下，唯美这一品类的文学并不能得到足够的尊重，发展的空间还很局促，像马拉美这样的外国唯美老前辈的作品，我在互联网上看到一点翻译，整本的译介似乎还暂付阙如。原创的唯美之作，则连互联网上也不多见，尽管本人不属于唯美一派，却由衷地期盼唯美的这一文学流派，也能在中国的文学园地里，在一隅开放出奇花异葩来。

巴黎同性恋大游行

2000 年 6 月 24 日，在巴黎赶上了一场热闹——同性恋大游行。大游行在塞纳河左岸著名的拉丁区举行。游行的起点估计在卢森堡公园。我闻讯跑去观看时，他们的彩车队已经从圣·米歇尔大街拐到了圣·日尔曼大街上。那情景，若不明就里，会以为是狂欢节场面。这场游行，基本上没有步行者，都以彩车方式前进。彩车一般都很大，是以重吨位卡车为底座，精心制作的。每辆彩车的基本色调各不相同，形态更各有千秋。彩车上都配置了音响，以播放摇滚乐为主。车上的同性恋者倒并不双双对对地展示自己，而是男女混杂，非常随意地在那上面释放自己的情感、表达自己的诉求。因为音乐声喧，所以他们的叫喊声人们无法听清。他们当中的多数人也就并不喊唱，而是以狂放的肢体语言来争取围观者的关注、声援——那肢体的书写既是舞蹈也是宣言，具有强烈的蛊惑力。街边的围观者大体是三种人，一种是同气相求的人物，多半也是同性恋者，或是双相恋者，他们的到来其实是已非围观，而是一种参与；第二种是虽非同性恋者，却对同性恋这一社会族群的诉求理解并支持，他们会和第一种人那样对彩车上的游行者挥手，报以微笑甚至欢呼；第三种则是包括我在内的游客。像我这样来自异域的游客多半手持照相机、录像机拼命地拍录，法国外省的游客则多半边看边互相议论，大概是在议论"到底是巴黎人气派大"吧。彩车行列里也穿插着一些敞篷小汽车，车上的人除了司机也都站起来手舞足蹈，也许是在大型彩车游行的过程里，临时加入那队伍的吧。我看到有一些警察在现场维持秩序。其实秩序始终很好。对此不感兴趣的人们照常在人行道上走他们自己的路，路边商店也都照常营业，许多进进出出的顾客简直不把街上的游行当回事儿，也是，巴黎街头常有这样那样的游行，谁能——围观、关注？

同性恋在西方，据说不仅古已有之，而且在古希腊时，人们不以为怪为丑，反倒视为常态乃至美事。但近二百年来，社会一般人对同性恋的认知与态度，却经历了相当曲折的历程。大体而言，可梳理出如下的嬗变序列：

同性恋者是非人的异类，必须加以肉体铲除，甚至可以使用法律外的私刑加以消灭。

同性恋行为是刑事犯罪，必须绳之以法。1900 年死去的英国作家王尔德就曾因同性恋而被判刑入狱。

同性恋行为虽不一定构成犯罪，但属于不道德的丑行，必须予以鄙夷、唾弃。

同性恋是一种病态。同性恋者是心性不健康的人，可以将其视为精神病患者中的一类。

同性恋是生理上有缺陷。同性恋者与一般生理上健全的人不同，可将其视为一种残废人。

同性恋是心理发育期出了问题派生出来的。同性恋者是心理上有问题的人。

同性恋行为的生成原因说不清道不明，属于人类行为爱好中的一种怪癖。同性恋者是一些奇怪的家伙。

同性恋属于个人的内疚性隐私。同性恋者把自己的情感与性行为取向隐蔽起来是合宜的。

对同性恋现象宜采取慎重态度。经社会学家进行抽样调查，即使是异性恋者，也会在某些生命时段、某些社会环境、某些特定情境下，与同性发生或深或浅的爱恋关系，甚至发生性关系。

同性恋与异性恋都属于正常的情感与性欲取向，不同的情感与性欲取向之间不应存在道德上的是非分野。

同性恋不仅不应被歧视，而且同性恋者也完全可以坦然地将自己的感情与性欲取向公开。社会应养成尊重同性恋的风气。

同性恋应得到法律的承认与保护。同性恋者在自愿前提下，不仅可以公开同居，而且可以履行世俗的婚姻手续。

同性恋者在社会的总体比例中，少于异性恋者，因此属于社会弱势族群，他们的权利应得到特别的保护，在政治表达权参与权、就业权、居住权、迁徙权、消费权、休息权、娱乐权、医疗权、养老权、丧葬权种种方面，都应享受到与异性恋者完全相同的权益。

1987年我访问美国时，在华盛顿也恰好赶上了同性恋的盛大集会。不过那回我可没什么看热闹的心情，因为他们的集会造成了火车站广场周围的交通堵塞。来接我的朋友不能顺利地接近站台出口，使我下车后久无着落，心头产生出恐怕不得不流落街头的惶恐。后来朋友终于把我接了出去。从汽车车窗朝外张望，黑压压的人群，无数的大小标语牌，使我觉得那次美国同性恋者的盛大集会具有明显的抗议性质，气氛严峻而沉重。当然，十三年过去，总体而言，美国的同性恋者所获得的权益可能是世界上同类人中最多的。在一些州，同性恋者不仅可以公然地到政府职能部门去办理结婚手续，某些教堂也给他们（她们）举行全套宗教仪式的婚礼。他们（她们）享有的权益已经几乎与异性恋者"水流平"，剩下的，只是某些确实非常棘手的问题，比如：同性恋者可不可以入伍当兵？按说社会对同性恋者不仅是极为宽容，而且也极为友好了，连总统选举，也没有哪派候选人敢得罪同性恋者这个说是少数其实加起来也很不少的社会族群，争取他们的选票甚至成为关乎最后成败的一大关键，同性恋者既然得到这么多好处了，怎么就不能息敛参军之想呢？可是，至今这个问题在美国似乎仍未尘埃落定，即使这个问题终于以同性恋者满意的结果解决，他们势必也还要提出另外的什么问题，要求予以尊重满足。王尔德可惜死得太早，倘若他仍在世，不知该是如何地欢欣鼓舞啊！

　　法国与美国不同。美国是移民国家，传统浅短，像如何对待同性恋这样的问题，解决起来阻力比较小。法兰西民族历史比较悠久，文化传统深厚，多数人信奉天主教。虽然法兰西民族天性浪漫，在对待同性恋方面，观念上开放得比较早也比较彻底，但在法律上，究竟如何确定同性恋者的地位，却相当地谨慎。法国目前还没有美国加利福尼亚州那样的，承认同性恋者婚姻关系的法律，但经过法国同性恋者的一再争取，法国在1999年终于通过了一项"公民互助公约"，其要点是包括同性恋在内的所有同居者，都与履行了婚姻手续的夫妻一视同仁，在法律上享有同等的权利，得到一样的保护。我所赶上的这场巴黎同性恋大游行，正是在"公民互助公约"实施不久，所以整个彩车游行洋溢着欢庆胜利的喜剧气氛，不具悲怆抗议的沉重色彩。

　　我仔细地观察彩车上的同性恋者，不禁有些惊异。依我的思维惯性，同性恋伴侣，总是有一方要扮演异性角色，男同性恋里必定有一位是女里女气，说起话来娘娘腔的；而女同性恋里则会有一位比较粗犷，举手投足较富男人气，如陈凯歌执导的《霸王别姬》里所表现的那种同性恋，我觉得能够理解，并以为是典型的同性恋现象。但巴黎这回同性恋大游行里的男人，却找不到一个柔弱的例子，更绝无一位捏拿出女性的做派，竟然个个都肌肉发达、体魄雄健。他们在音乐伴奏下的肢体语言，充溢着阳刚之气；而那些女士呢，一个个三围都很标准，身段可谓婀娜多姿，面容堪称妩媚秀丽。难以想象这些男女会以同性间的爱恋为自身的情欲追求！陪我一起去看热闹的法国朋友后来给我解说，那种一方把另一方想象为异性，而那一方也就拼命地将自己异性化的同性恋，其实只是同性恋族群中的一个小部落罢了。只不过他们在公众眼光下暴露得较早，比较容易引人注意而已，于是一般人便以为同性恋伴侣都是那么配对儿。那种一方男扮女或女扮男的同性恋现在也还有，但已然不时髦了。现在巴黎有若干同性恋俱乐部，如二区阿莱花园一带的男同性恋俱乐部，门窗上以六色彩虹旗为标志，出入的净是壮汉伟男。他建议我无妨去某些同性恋咖啡馆、酒吧细作观察。我后来随他去了。观察的结果是，同性伴侣中，非常男性化与非常女性化的比例果然都非常高，壮汉配弱男与弱女配假小子的情形也有，却真的只属于很不典型的偶然出现。

　　同性恋作为一种人类生存与情欲流泻现象，确实值得更深入地认知，更慎重地对待。

　　巴黎——也不仅是巴黎——整个法国的同性恋者，在追求他们的正当权益方面已经奋斗了很久，在每年6月第三个周的周六，也就是法历立夏日后的那个周六，开展包括游行在内的种种公开活动，近年来已成了他们的行为惯例。每年的这种盛大活动，都有一个主题，那么，2000年的这次大游行，主题是什么呢？就是庆祝对他们有利的"公民互助公约"的实施吗？不，那只是一个次要内容，他们这回行动的主题是：争取同性恋同居者家庭领养孩子的权利！

　　陪我观看6·24大游行的法国朋友对我说，他个人对同性恋没有偏见。"公民互助公约"能保障同性恋同居者的许多权利，他为他们（她们）高兴，但是，他们（她们）要求领养孩子，这未免有点过分了！不少法国人跟他看法接近，认为同性恋同居者如果领养幼童，在儿童心性发育过程里，会派生出一个认同问题：谁是爸爸？谁是妈妈？倘若同性伴侣都是壮汉或都是美女，则这个问题将更加尖锐。让这样家庭里的孩子拥有两个爸爸而没有妈妈，或拥有两个妈妈而没有爸爸，对他们是不公正的。他们将为此难以跟其他家庭里的孩子认同，将因此而难以融入社群，所以，他对这些彩车上以扭动身躯的肢体语言谋求领养孩子的同性恋者，要说一声"不"。他问我持怎样的看法。我耸耸肩膀，对他说，对一个还没有把三角函数演算熟练的人来说，你要他解答一道微分或积分问题，那只好交白卷。

　　彩车大游行约一个来小时才终于结束，他们的终点是塞纳河右岸的圣·路易岛。彩车的制作是非常耗财的，这些彩车的制作费是哪儿来的？开车的司机也都是同性恋者，还是他们雇佣来的？他们那争孩子领养权的奋斗还要继续多久？最终会得到那权利吗？2001年6月24日的大游行，是欢庆领养权到手，还是继续争取？或许又有什么新的诉求？……热闹看完了，我脑子里还转悠着诸多的问题。

2000年11月18日记于北京温榆斋

记住他——勃吕纳梭

我的法国朋友戴鹤白告诉我,有两个人的名字一定要记住,因为他们对人类提升生活品质作出了不可磨灭的贡献,一个是康明基,另一个则是勃吕纳梭。我知道英国的康明基是抽水马桶的发明人,他在1775年获专利,其抽水马桶的原理结构一直被我们沿用到今天。勃吕纳梭呢,我一下子想不起来有什么功业。戴鹤白就问我记不记得雨果那《悲惨世界》最后的情节。啊,我知道了,他是19世纪巴黎地下水道的总设计师,开创了人类城市科学处理污水的先河,确实也很伟大。

《悲惨世界》第五部第二卷,完全用来写巴黎地下水道的开创史,其中第三节干脆就用勃吕纳梭作标题。雨果写到1805年拿破仑皇帝听内政大臣汇报:"陛下,昨天我见到了一个您的帝国中最勇敢的人。""是什么人?"皇帝粗暴地问,"他做了什么事?""他想做一件事,陛下。""什么事?""视察巴黎的阴渠。"这个勇敢的人就是勃吕纳梭(引文据李丹、方于合译,人民文学出版社版本)。接着的第三卷就以改造后的阴渠也就是地下排污水道为背景,展开了主人公冉·阿让在那里面逃亡的情节,急欲抓捕他的警察沙威最后也进入里面,冉·阿让还背负着受伤的青年马吕斯。那生死角逐的过程构成整个故事的大高潮。后来据小说改编的电影与电视连续剧,都把这一情节展现得活灵活现,很多镜头,就是到巴黎地下水道里实拍的。

戴鹤白领我去巴黎地下水道博物馆参观。博物馆的入口是市区塞纳河阿尔玛桥头的一个不起眼的小亭子,购票后沿旋转阶梯走下去,就可以参观了。那里面是1857年最后完成的巴黎地下水道网的小小局部,雨果把那建成的地下水道网叫做"利维坦的肚肠",就是比喻为海中怪兽那盘曲复杂而又消化力特强的肚肠。现在巴黎地下水道全长达2350公里,真比蜘蛛网还要复杂。大体来说,凡地面上有的大小街道,地下都有相应的大小水道,水道主干道两侧都有可容人行的石路。大约2000米的供游客参观的水道里,陈列着种种历史资料,还有若干实物与施工及维修的场景模型。《悲惨世界》里角色所经过的地下水道路径,也配合书中插图,在水道全图里以红色标出。我们在参观中不断在折弯处看到蓝底白字的路牌。戴鹤白指着一个说,那恰是他住的那条街,地下的这个街牌跟地上的一模一样，其方位恐怕精确得就在一根垂直线上。

虽然这个博物馆离戴鹤白家很近，他却还是头一回进来参观。他说他嗅觉敏感，害怕那水道的秽气。尽管博物馆清扫得非常干净，许多污水也被遮蔽，但毕竟是要让参观者领略那浩荡污水的缓缓流淌，气息确实令许多参观者掩鼻。在这水道建成前，巴黎市居民的粪尿污水都倾流到塞纳河里。建成后，则将污水引至市区 20 公里外的田野里作自然渗透，上面栽种一些非食用性植物。到 1930 年后，建造了大型污水处理厂。到目前，自然渗透方式基本上淘汰，经过处理的污水污物大都变废物为有用之物，因此塞纳河越来越清亮，巴黎的土壤污染也减至最轻。

我把博物馆里勃吕纳梭的胸雕像拍摄下来，对他肃然起敬。当然这地下水道的完善非他一人之功。展览品里有直径接近两米的巨球，球体裂缺里有某些名堂。从电脑图像里知道，那是另外的工程师与工人合作创制的疏浚器。看似笨大的蠢物，当水道堵塞时，却巧妙地发挥着无塞不摧的作用。

全世界的城市都应该向巴黎学习。光注重地表上的堂皇，不往地底下投资，不建造起完善的给排水系统，特别是排污系统，到头来还是座肮脏的城市，市民的生活品质难以提升。

博物馆一角有"这里的居民"展示窗，幽默地布置着一些老鼠的模型。在出口处的纪念品售卖部出售着卡通鼠，以及以鼠为标志的钥匙链什么的。居然有游客兴致勃勃地购买，想买一尊勃吕纳梭的小胸像，没有。

但我永远不会忘记这个造福巴黎，并启示着全球各个城市从污水处理着手，去切实改善人居环境的杰出工程师——勃吕纳梭。

天使的酒涡

兰斯是法国西北部的一所名城。城中的圣母大教堂猛一看酷似巴黎圣母院，都属于哥特式建筑。前立面左右各有一座方柱形镂空塔楼，三联体的荷瓣式大门后上部有巨大的玫瑰花窗……但细加观察品味，则会发现若干独有的造型，特别是其内缩的荷瓣大门侧面的天使雕像，不仅栩栩如生，而且，其中有个偏头微笑的天使，那笑容仿佛随时都在吹拂的春风，令观者心神一爽。这天使的微笑，如今已成了兰斯吸引旅游者的一张王牌，以包括中文在内的六种文字的精印旅游资料上，都以醒目的大字写着："请到兰斯大教堂看天使的微笑！"

基督教的天使形象，很早就传入了中国，例如《红楼梦》里写到贵公子贾宝玉的丫头晴雯病了，命人取过一个金镶双扣金星玻璃的一个扁盒来，揭翻扁盒，里面有西洋珐琅的黄发赤身女子，两肋又有肉翅，里面盛些真正的汪恰洋烟，贾宝玉就让晴雯用那洋烟嗅入鼻中通窍。那鼻烟盒内面所绘的有肉翅的黄发女子形象，便是天使的造型。兰斯大教堂门口的天使塑得与真人大小相仿，着薄绸长袍，背后的羽翅颇大，偏头微笑的天使手里还拿着一根树枝，像是随时要递给与她交流的来客。

兰斯大教堂，特别是那著名的微笑天使，当然是该地区无比珍贵的旅游资源。但游客们来到兰斯，乐趣却不仅是观赏教堂，另一绝对不能错过的旅游热点，是参观酒厂。什么样的酒厂？告诉你兰斯所在的马恩省，属于法国东北部一大片叫香槟的地区，你马上也就明白了——啊，那当然是香槟酒厂啦！世界上别的地方，也有把自己生产的仿制品叫香槟酒的，北京地区就能买到中国酿制的"大香槟"和"小香槟"，那都不能算真正的香槟酒。香槟酒跟啤酒不一样，只要是用啤酒花根据一定配方酿制的具有啤酒口味的饮料，可能品质上会有差别，但只要使用自己注册的商标，叫做啤酒应该不算假冒。香槟酒却从名称上就确定了：只有在法国香槟地区，用那里长出的葡萄根据特定配方酿制出的酒，才是真正的香槟酒。这就好比只有在中国湘西由湘泉集团有限公司生产的湘泉酒才是真正的湘泉酒一样——地名与产品名是牢不可分的。我以前以为香槟酒是用一种叫香槟子的水果酿的汽酒，大误。

兰斯地区的几家大的香槟酒厂，不光靠生产香槟酒赚钱，还非常自觉地把酒厂本身当做旅游资源，通过吸引游客来赚钱。我去参观了一家著名的酒厂，它的庭院比一般公园还美丽。该酒厂并不向游客开放生产车间部分，我想那一是为了保密，二是一般游客的兴趣也并不在看生产流程上，像我，最想一窥究竟的，是其窖藏。该厂供游客参观的场所，像迪斯尼乐园那样，铺敷着轨道，游客分坐在可容两人并坐的车椅上，在音乐伴奏下，顺着滑轨缓缓进入地道。先是途经一些展示香槟酒酿造历史的模型，然后，音乐转为神秘情调，灯光也忽暗忽明，转来拐去。突然乐声大作,灯光通明,一排排酒窖在身边显现,蔚为壮观。每个酒窖深不可测,靠墙码满了横放的酒瓶,一望无际,氤氲出迷人的酒香。倏忽灯光又暗了下来,乐音复又低沉迷离,车椅转向别处,一些与香槟酒有关的历史场景与文学艺术中的人物形象接踵显现,使你感受到香槟酒不仅是一种饮料,更造就了一种独特的文化。再转,忽又柳暗花明,原来已置身在最名贵的窖藏品之中……最后,车椅到站——走下站台,转过帷幕,是一间很大的酒吧,每位参观者可以免费享用一杯香槟。再转出去,是很大的零售部,考虑到许多游客是来自远方且要回到远方,则许多品种都有特别耐运输的包装,也有只有两寸高的小瓶酒,供远来游客带回去"意思意思",无论自饮或赠人,确实都很有意思。

把酒厂作为旅游景点开发,我们中国的某些名酒厂家也有类似的做法,但似乎还不够活泼灵动。兰斯香槟酒厂的某些具体点子足资借鉴。参观完酒厂,再到兰斯大教堂流连,才注意到那微笑的天使嘴角有迷人的酒涡。天使当然不喝酒,但漫步在兰斯街头,观察那些在街头酒吧遮阳伞下悠闲地品着香槟的当地居民,有很多都在微笑,并且嘴角显现出酒涡,啊,难忘的兰斯香槟,难忘的天使酒涡!

最后一道篱笆之争

法国在文艺上恐怕是最开放的国家。2000 年夏天我在巴黎,发现光是表现性的新电影,就热映着不少部。那真是题材无禁区,手法更悉听尊便,玩艺术真是玩到了匪夷所思、千奇百怪的地步。一位叫卡塔琳娜·布莱亚的女导演,1998 年拍出了一部《性的浪漫曲》,引出若干批评家的热评。即使是对其内涵不大以为然的论者,也都夸赞她的才华。于是,她翻出自己 1975 年的一部《一个真正的少女》来,卖给发行商大做广告,说是该片被禁映了二十五年,现在终见天日,号召观众买票一睹为快。其实,她那部老片子当年并没有什么机构出面封杀,是发行商们看了样片后,感觉到她拍得太出格而又颇沉闷,作为导演的她与片中的演员都毫无名气,票房上并无保障,主动放弃的。人一出名,积压的旧作立即好卖,何况"食禁果"是文化消费者普遍的嗜好。《一个真正的少女》搭《性的浪漫曲》的便车,在巴黎主要的院线连映数周,报刊上有评析,观众们有讨论,虽效果尚未达到创作者期望的强烈程度,也总算是火了一把。

我是和几个巴黎的朋友,有中国血统的也有纯正法国血统的,一起在蓬皮杜文化中心旁边的电影院里看的《一个真正的少女》。那天放映是在其中一个只有几十个座位的小厅里,座位空着一半多,放映中且有三四位观众退场。平心而论,布莱亚二十五年前的这部旨在以银幕语言揭示少女怀春的强烈性甚至侵略性的片子,确实还算得上是部有艺术追求的作品。特别是影片最后表现女性避孕药的面世,给女性从容享受性快乐消除了隐忧,记录下了那个时代以波伏娃的《第二性》为开路先锋的女权运动的一些浪花涛声,至少是具有研究文化发展史的冰山擦痕价值。但影片刻意把少女春情勃动的情况淋漓尽致地加以铺排,强调其处处合理甚至加以颂赞,并不能获得观众的一致认同。有场戏表现少女和父母同桌吃饭,故意把汤匙掉落地下,然后弯腰拾起汤匙,一只手佯装撕吃面包,另一只手却拿着汤匙伸进阴道里去自慰,结果几个青年女观众看了大笑,是不以为然的声气。影片里还有一个镜头表现春情荡漾的少女一时还没找到可供发泄的男子,于是在和夏日汗津津的父亲作晚安吻别时,竟幻想那一瞬父亲的阳具从文明扣中暴突而出。这种以乱伦意念为美为正当的立意,我和我的朋友们都觉得难以苟同。同我们一起观看的法国女大学生凡尼娜,他们学校的卫生间里有可以随意取用的避孕用品。她已有过性经验,观念和做派不可谓不开放,可是她对这部影片的评价是"太过分了"。她说,中文报纸广告上把这部影片翻译成《一个真正的少女》并不准确,以她学习汉语的心得,应该翻译成《一个真实的少女》,因为说"真正",似乎发情不像影片里那女孩那么厉害,不到产生乱伦意念,就都反而算不得"真正的女孩",岂不是太武断了?但有的个体生命,可能确实会在青春发育期达到那样程度,作为个案,影片里的女孩还是真实的。

布莱亚的"有志者事竟成",大大激励了更年轻的,致力于以女性视角来张扬性题材的女导演,于是又有一位叫柯莉拉的推出了一部"力作"。这部影片的名字干脆就叫《×我吧!》或者为避免那个字眼,可以译成《来上我》。发行商立即把这部影片安排到院线上映。但刚演了几天,"管闲事"的人就出现了。一些批评家,还有一些家长、教师、社会学家、民间团体,不仅是强烈抨击,还把它告到了法兰西行政法院。行政法院很快作出了裁决：这部影片不能算是一部文艺作品，只能算是一种性商店里的供应品，因此不能在一般放映艺术制品的电影院里放映，但它可以作为一种跟性刺激类商品并列的"小电影"，在某些专门的性商店与性表演的场所里，向自愿观看的成年人放映。裁决公布后，如仍有电影院放映，可能会由公共安全部门出面强制停映，且会罚以30万法郎的重金。有多少电影院愿意亏本破产呢？大多数都纷纷自动停映了。反对这部影片的人士拍手称快。看过这部影片的朋友告诉我，此片不仅在色情方面放肆到极点，而且在暴力方面更登峰造极，但有比较复杂的剧情，人物还有性格，贯穿着创作者的某些思想，也确乎与一般仅让人过低级瘾头的"小电影"很不一样。据说法兰西行政法院还是第一回对一部影片作出这样的裁决。柯拉莉本人原是出演"小电影"的肉弹，她伤心且愤怒，和一些支持者到行政法院门前示威抗议，称影片融铸着她的生命体验，是一次极严肃的艺术实践。布莱亚到场声援，还当众焚毁了一条女性内裤，以表示对阻碍女权运动的"卫道者"们的蔑视与还击。有一位拥有四家电影院的发行商表示他将继续放映这部影片，只是会限制18岁以下观众入场。另有若干著名的文化人签名吁请行政法院收回成命。

在法国这样的国家，在万花齐放的花都巴黎，许多人认为是有着无边的创作自由的，文学艺术对性的表现，不但不是禁区，而且是不设篱笆的。但现在却因《来上我》这样的女性性电影，引出了终究还是要设置的"最后一道篱笆"。主张设篱笆者认为，凡事总要有条不允逾越的底线，满街大字广告《× 我吧！》（或《来上我》），在艺术影院的银幕上大肆展示性器官的大特写，而且把强奸杀人的色情暴力搅作一团加以渲染，这都超出了一个自由社会所能忍受的道德与心智底线。少数人的"创作激情"变成了对社会大多数公民正常情感和思维的强迫性伤害，因此必须对他们加以限制——请他们退出公众共享空间，到篱笆以外他们的小天地里去狂欢。不过反对设置任何篱笆的意见也很强烈，认为禁映柯拉莉的影片是开了一个最糟糕的先例。创作者愿意把自己的作品取那样一个名称，你就是觉得刺耳污目也不能加以干涉，至于作品里如何表现，你可以批评却不可以取缔，以多数的名义并动用法律来对付创作，是野蛮而不是文明，创作自由应是绝对的，不受任何限制。目前这场争论还在持续之中。

H

荷 兰

荷兰疯车

以为一入荷兰国境便会看见许多的古式风车,结果所见寥寥,只有在专供旅游者参观的"风车村"里,才有一批典型的风车屹立,而且真正开动风磨工作的更仅一两架罢了。虽然我也以那田园风车为背景拍了些"到此一游"照,留下的印象却很浮泛。倒是首都阿姆斯特丹的某些车,使我难以忘怀。

荷兰首都阿姆斯特丹确实风情别致。说它是"北方威尼斯",那仅是因为它那整个城市也构筑在蛛网般的水道之中,其实水道上的建筑物风格大异,威尼斯多是些罗马式拜占庭式巴洛克式的房屋,而阿姆斯特丹几乎全是立面顶部为高耸收拢式山墙的窄楼,山墙顶部必有伸出的巨大铁钩,以便在居民搬家或购妥物品后用缆绳吊送大件东西,那是尼德兰建筑的独特样式。水道边的这些至多五六层的窄楼紧紧挤靠在一起,有的明显倾斜,但东倒与西歪力量互相制衡,窗台上的花槽里五彩斑斓,白纱窗帘怡然下垂,里面的住户安之若素,大约再住一百年也出不了问题。有几条沿河区是红灯区,持证妓女在落地玻璃橱窗里展示自己,明码实价,嫖客愿者上钩,那一带入夜后霓虹灯格外艳丽,映入河道化为金蛇狂舞,是各个旅游团一定要安排游客浏览一遍的著名景点;虽然有人详细论证以这种形式管理色情消费利大于弊,但那景象究竟还是显得恶

▶图 24　荷兰·阿姆斯特　2000 年

俗畸形，似不必以特色自诩。另外，某些咖啡馆酒吧不仅供应饮品，还挂出"吸烟室"之类的招牌，里面向成年人供应大麻一类的"轻量级"毒品，那也是合法的，开放"轻毒"的理由同开放色情橱窗一样，据说反而可以抑制黑道贩毒，对瘾君子和妓女嫖客一样，有了透明度则方便于更好地控制管理；但这样的道理与做法并不为周边国家认同，比利时、法国就都对来自荷兰的旅客加强检查，查出携带大麻依然要拘捕问罪。

　　阿姆斯特丹有一点颇像中国北京，就是时兴骑自行车。像在法国巴黎等处，自行车主要是用来健身，以其代步上学上班办事的寥寥，阿姆斯特丹人却是把自行车当做一种主要的交通工具。丹麦首都哥本哈根也流行自行车，街头有市政府设置的存车处，人们可自由取用公共自行车，用完不一定放回原处，只要停靠在也是正式的停车处码放整齐就行了，自行车不但没给市容添乱，反而增加了文明气氛。阿姆斯特丹不一样，似乎根本就没有什么指定的存车处,桥栏边，屋栅旁，甚至电线杆、广告牌下，只要能搁车的地方，便密密麻麻地撂着自行车，而且是各行其是，绝无码齐一说；比较之下，北京人虽有乱放自行车的现象，总体而言那是规矩多了。阿姆斯特丹的自行车全是私车，乱搁乱放却又怕别人顺手牵羊，所以几乎都用弹簧锁跟栏栅杆柱锁在一起，但这样也还是不乏偷车的人，有的窃贼打不开人家的车锁，恼羞成怒之下会买把更结实的锁把车锁死，或者把能卸下来的部件尽量卸下，于是街头水边出现了一些锁在那里的自行车残骸，风吹雨打铁锈斑斑，歪着翘着，奇形怪状，只能称之为"疯车"，构成荷兰一大景观。令人纳闷的是，既然能对色情与毒品消费煞费苦心地设计出那么多的对策，何以对城市的自行车就不能立法管理以解决脏乱差的问题？更有一些荷兰人，把阿姆斯特丹锁死在水边路旁的自行车残骸视为现代派的城市雕塑或行为艺术的痕迹，拍照展示，甚至向游客指点，不以为丑，反以为荣，怪哉！

访游一处地方，好处说好，怪处道怪，赞美之余，也提批评意见以供参考，才算诚心之客吧。这里把阿姆斯特丹的某些锁定无用的自行车残骸称为疯车，如不能理解为幽默，也就只当是审美的外行吧——记得一位荷兰人游北京后，因对北海公园琼岛上的白塔不能欣赏，形容为"巨大的胡椒瓶"——大家相对一笑，如何？

L

罗马尼亚

布伦库什三大名雕亲睹记

我虽然自幼就是个美术爱好者，但既没有学会绘画雕塑，也很缺乏美术理论和美术史方面的基本知识。比如对国外出现过的抽象派造型艺术，我就搞不清究竟是怎么一回事儿。这一方面固然是没见到过多少这方面的作品（就是照片或复制品也过目有限），另一方面，也是因为"抽象派"这个词儿，多年来在咱们中国似乎已成为空虚、腐朽与堕落的同义语，谁还敢去研究它呢？但我的好奇心倒始终没有泯灭，总幻想着有那么一个机会，能亲自面对着世界上闻名的抽象派艺术作品，进行一番独立思考。1979年我参加中国作家协会代表团到罗马尼亚访问，在果尔泽县的特尔古——日伊乌城，竟遇上了这样一个机会，很值得记叙一番。

记得我们乘旅行汽车抵达该城的果尔泽旅馆时，已是夕阳西下时分。到房间洗漱一番后，我们便利用晚餐前的间隙，到旅馆外的街市上漫步。拐了几个弯儿，不觉进入一个美丽的广场。广场一侧是新建的文化宫，这所建筑外廓线条简洁而流利，四周的草坪花木中，点缀着从市外河滩上选来的巨大鹅卵石，和谐而富于情趣。走到文化宫正面，我们发现了一座巨大的塑像，塑像的基座很低，距地面也就一米左右，同基座比较而言，上面的半身人像显得十分高大粗壮。塑的似乎是个罗马尼亚老农，简陋的便帽下，一张饱经风霜的脸，呈现出刚毅而睿智的神情；这位老人的一只大手中，握着一个久经磨损的铁锤。我们自然向陪伴我们的罗马尼亚作家迪米库同志请教，这是谁的塑像？为何矗立于此？

迪米库同志告诉我们：这座塑像，是当代罗马尼亚雕塑家扬·伊利麦斯库的新作。塑的是康士坦丁·布伦库什的像。布伦库什是世界闻名的艺术巨擘，他主要搞雕塑，生于1876年，死于1957年，活了八十一岁。他1903年从家乡出发，步行经维也纳，于1904年到达巴黎，从此在巴黎定居，孜孜不倦地从事艺术上的探索。他终生保留着罗马尼亚国籍，过着罗马尼亚农村式的简朴生活。目前世界上研究他的专著累计已有五万多种，去年日本还出版了一本关于布伦库什的书，相当轰动。他可以说是抽象派造型艺术的鼻祖之一。1937年他应祖国这个城市之约，回国辛勤工作了一年，为这个城市留下了三座不朽的石雕。这三大名雕是他一生中最重要也最宏伟的作品，研究他的学者们在这三大名雕上花费的精力与工夫也最多。最后迪米库宣布："明天一早，我就陪你们去看那三大名雕。"

这当然使我们非常兴奋。

第二天天气非常晴朗。吃完早餐我们便步行到该城中心公园里，在一条林荫道的起点处，我们见到布伦库什三大名雕的第一件。乍看上去，我不禁有点失望，呈现在眼前的，不就是一张石琢的圆桌，和它周围的十二只石凳吗？这有什么稀奇，何劳诸国专家们不厌其烦地著文研究呢？

但是，一边听着迪米库同志充满感情的讲解，一边变换角度反复观察体味，我也便渐渐悟出了其中三昧。

原来，这座雕塑名为《默悼之桌》。当中的圆桌直径两米五，四周的圆凳直径各为七十五厘米。圆凳与圆桌的距离，都是一米五。据说圆桌象征着宇宙，圆凳象征着一年十二个月，即流逝的时间。初看圆凳，似用两个半球，使球面相切构成，细加考察，则可看出上下两部分都不是均匀的半球，而是大半个球，上下两部分相接处咬合很深，这就使圆凳的上下都有点像中国古时的沙漏。据说布伦库什自己表露过，他制作此作品时，也确实想到过中国的沙漏。这座雕塑当然不是用来供人们坐下举行野餐的，我们在石凳上坐了一下，伸直胳膊也够不着圆桌，而且桌面显得很低，顺下看，可将灰白圆桌面尽收眼底。布伦库什的立意，是引导人们探索人生的意义。那些圆凳，是供人们坐下默想的。默想什么？默想逝去的时间，逝去的亲人，寄托自己的悼念之情。通过默悼，人们应当能够更严肃更乐观地迎向自己面前的生活，战胜艰辛与非议，去追求真理与幸福。

离开了《默悼之桌》，我们顺梧桐夹道的林荫路前行，去参观第二座石雕《接吻之门》。一路上清风拂面，耳畔树叶沙沙。迪米库同志提醒我们，道路两侧有类似《默悼之桌》的圆凳般的石凳，三个一组，象征着一季；每组之间有较多空隙，形成一种和谐的节奏；四组之后，竟又出现了第五组，该组只有一只半石凳，意味着周而复始。新的春季又降临人间；从视觉感受上说，仿佛看到了文章中的"……"，可以联想到天地不老，大地上的人们随四季而劳动、繁衍、生息……走到林荫路的尽头，于是高大宏伟的《接吻之门》毕露于我们眼前。

初见《接吻之门》，只觉得比例尚属和谐，装饰线条可称简捷匀称，似乎并非什么精心之作。但是从远近、前后、左右、里外考察了一番以后，我们终于多理解到了一些妙处。该石门之上的圆形图案，我原以为象征着眼睛，后来拿出布伦库什早期的石雕作品《吻》的照片对照研究，才明白那其实就是《吻》的更加抽象的概括。我们中国人一提到"吻"总不免有点"黄色"之感，但布伦库什所雕出的《吻》却绝无浅薄的性欲挑逗之嫌，而是体现出一种很严肃、很执著的对人类之爱的强烈追求。据说布伦库什坚信"爱"是人类最基本的一种感情。在他看来，法西斯分子是没有这种感情的，法西斯分子不但不爱善良的人民群众，亦不爱他们的同类，即使是法西斯分子的父子、兄弟、夫妻、同伙之间，也绝不存在着亲子之爱、手足之情，以及纯洁的爱情和友谊，他们之间就是尔虞我诈，你争我夺，连野兽都不如。他们的存在纯系人类的奇耻大辱，并且定将被懂得爱的善良的人类所淘汰。因此，这座《接吻之门》体现着布伦库什对人类终将以爱战胜邪恶的巨大信心。这实际上是座凯旋门。门上除了反复出现"吻"的图案，还有以直线和弧线构成的横向连续图案。据说其弧线是从罗马尼亚民间舞蹈"霍拉舞"中获得灵感的，像是人们在手拉手儿亲密地跳舞，意味着劳动生活和相互之爱是人类生存的基本动力。通过图案的连续回环，象征着这种基本动力是任何邪恶的力量所切不断、止不住的。迪米库同志在介绍时一再启发我们，不要静止地、机械地对这座雕塑作零碎的分析，而要在这座雕塑面前同布伦库什对话，并且进入其描写对象之中，使自己同雕塑浑然成为一体，从雕塑内部来体会艺术家那种对人类未来所充满的乐观主义精神。他还告诉我们，这座雕塑作品，是欧洲"立体主义派"造型艺术的代表作。

我不敢说自己对布伦库什这一名作有了准确、深刻的领会，对迪米库同志的讲解也还有待于消化，但有一点感受却是非常强烈的：对抽象派艺术是不能"一言以蔽之曰：空虚、腐朽与堕落"的。即布伦库什的这两组相连的雕塑，就是不但有着完整的构思、丰富的内容，而且其基本倾向应当说也是健康、向上的。

看完《接吻之门》，迪米库同志便领我们步出公园，来到色彩缤纷的繁华大街上。我们问："那第三座名雕在哪儿呢？"

迪米库同志说："从《默悼之桌》，有一条直线通向《接吻之门》；从《接吻之门》，又有一条直线通向我们将要看到的《永无休止之柱》，不过这条线很长，实际上要穿越全城。"布伦库什的构思是这样的：他希望人们在《默悼之桌》那里检讨完过去的岁月和人类以往的弱点以后，能沿着林荫道静静地走向《接吻之门》，在门下的流连思考之中，获得爱的力量，然后勇敢地迎向生活，穿越整个城市，最后来到城的东面，即日出的方向，在《永无休止之柱》下领会到人类不断进取、不断探索的无穷乐趣。

说着，我们坐上了小轿车，不一会儿便已来到城东，见到了那《永无休止之柱》。该柱竖立于一个开阔广场的中心，柱高三十米，由十六个半类似组成《默悼之桌》那种石凳的"沙漏"构成（比之于那石凳，显得四面有棱，更像中国古时计时的沙漏）。此柱的建造材料不再是石头，而是金属，内里有钢芯，外表是暗黄色，系用稀铜锌合金喷制而成。为完成此柱，有一冶金工程师同布伦库什进行了几个月的合作。

我们徜徉在这《永无休止之柱》下面，心情都很不平静。因为我们有了前两个雕塑作品垫底，不用迪米库同志详加解说，似乎已能进入眼前这个雕塑作品所造成的意境之中。构成《永无休止之柱》的"沙漏"，不就是公园中林荫道上那象征着四季的石凳的连接和竖立吗？人类随着星移斗转不断前进，不断向上，但人类的愿望是永无止境的，人类所能取得的文明成果也是永无终极的，明天将永远胜过今天，人类将永远奋发向上。仰望着这形态雄壮优美的钢柱，我心中忽然涌动着一股不可遏止的激情，总觉得我们每个人都应当通过辛勤的劳动，为人类的文明贡献自己的一份力量，并在人类文明事业的推进之中，使自身获得一种永恒的价值。

迪米库同志告诉我们：这柱地下还有五米的基柱，铸以混凝土巨座，非常牢固。1978 年发生地震时，此柱安然无恙。其工艺水平也是世界一流的。在构想上，这柱还意味着连接于大地之轴，上面刺向青天，欲与宇宙相连。布伦库什这位艺术大师的创作气魄，确是宏伟非凡。

我们一些没有深入考察过抽象派艺术作品的同志，往往存在着一种偏见，以为搞抽象派艺术的人大概都是弄不成写实性的作品，素描、速写的基本功太差，所以才以胡涂乱抹、瞎雕乱刻来欺世盗名的，甚而动辄以"猩猩作画"、"驴尾巴拴笔跑布"之类的特例代替一般，认为那就是抽象派艺术创作的典型方式，从而简单化地把一切抽象派艺术都指斥为"资产阶级垂死挣扎的疯狂心理的表现"。通过亲睹布伦库什的三大抽象派石雕，我们获得了这样的教益：切不可主观、武断，对抽象派艺术也需一分为二，其中未必没有精华可资借鉴。而且，像布伦库什这样的抽象派艺术大师，其创作态度之严肃，艺术造诣之深厚，探索精神之顽强，都是非常令人感动的。后来我们到克拉约瓦的艺术博物馆参观，该馆特辟的布伦库什作品专室，顺着年序展出了他的若干件精品。观览一过之后，我们才了解到布伦库什也有个从写实走向抽象的过程，这过程在他个人来说确确实实是一种飞跃。如《有嫁妆的少女》那样的早期作品，很明显还是较严格的写实手法：一位富有少女拒绝求婚者的骄傲神情，基本上还是通过"形似"传达出"神"来的。到了《小孩头像》那样的作品，即开始打破纯写实手法，用似乎是随意搓揉出的线条，来体现出一个盲童内心的苦恼。这时作者刻意追求的已不是"形似"而是一种线条和立面的节奏感。至《波嘉妮小姐》那样的作品（参考北京《世界文学》杂志 1979 年 4 月号封底），则刻画对象的真实形态几乎已经荡然无存，呈现出来的只是作者对其气质品格的一种抽象的概括，如以几乎占颜面二分之一的极度夸张的变形眼睛（有眶无珠），来体现出波嘉妮坦然面对世界和生活的气度。面对着这样的作品，我们或者可以根据自己的欣赏习惯和美学观点加以批评，表示"我不欣赏"，但怎能粗暴地指斥人家为"非艺术"、"垂死挣扎"、"腐朽没落"呢？

在罗马尼亚，布伦库什的抽象派艺术作品被视为国宝，获得了极崇高的评价。在罗马尼亚造型艺术的百花园中，抽象派的作品与写实派的作品同时并存。在加拉茨这样的大城市里，还设有"现代艺术博物馆"，专门收藏各种非写实主义的造型作品，什么印象派、野兽派、表现派、立体派、未来派……包括抽象派，凡有其特点的作品，均可获一席位置。我们在布加勒斯特街头还看过一次"歌颂罗马尼亚"艺术节的造型艺术展览，里面约有三分之一的展品，是采用抽象派一类非写实的手法来表现爱国主义主题的，其中颇不乏令人难忘之作。这都充分说明，并非容纳了抽象派之类的艺术形式，就必定会导致"空虚、腐朽与堕落"。

1980 年 5 月 26 日

L

卢森堡

深谷与峻峰

西欧有七个小国，最小的梵蒂冈面积才 0.44 平方公里，其次是摩纳哥 1.9 平方公里，圣马力诺 61 平方公里，列支敦士登 160 平方公里，马尔他 316 平方公里，安道尔 465 平方公里，卢森堡则"最大"——2586 平方公里。这些小国的国民经济都以旅游为主体，如何在"方寸之地"营造出独特诱人的景观？这就要格外注意对当地自然生态与人文遗迹的保护，更必须把握好旅游设施和本地居民生活区与它们的合理配置。七个国家在这方面都有出色的成绩，这里专门介绍一下卢森堡与圣马力诺的情况。

卢森堡，顾名思义，是个有古堡的地方。但统观欧洲历史，诸侯建堡割据，习以为常；遗留至今的著名古堡，实在繁多，离卢森堡不远，就有斯特拉斯堡、海德堡、弗赖堡……每个堡那雄奇瑰丽的程度，都与它不相上下，或竟更胜一筹，再往东，一般会安排在同一旅游线上的，如萨尔茨堡，因为是莫扎特诞生地，吸引力更大，所以，如果胶着于展示古堡，那卢森堡就未必有多大的优势。卢森堡有平原，那上面有钢铁厂；有河流，水面上有航船——但这都不可能构成什么旅游资源；还有什么呢？在其腹地，有一大片形态杂乱的深谷，这本来似乎是无足观的，可是，卢森堡人却偏在这深谷上，做足了吸引游客的大文章。

深谷妨碍交通，必须架桥，桥首先要解决好功能性，但只注意功能，那就很可能造出实用却丑陋或乏味的桥来。卢森堡人对深谷桥梁实行了整体设计，功能性一流自不待言，难得的是在审美效果上，也取得了非凡的成就，如女大公夏洛特桥，桥墩较多，细高达85米，呈纤秀的拱状；与其并不平行且不同高的阿道夫桥，则较粗犷，中央只有一个长达84米的弧拱；还有帕塞雷尔等大小桥梁，像天上织女梭子上落下的银线，错落有致地分布在深谷里，给人以一见称奇的视觉冲击力。而那深谷上下，植被蓊郁，既有参天大树，也有高矮不一的灌木，但又并非一味地追求原始风味，而是恰到好处地修筑了阶梯、步道和公路，点缀了些花圃、圆雕、喷水池、坐椅、凉亭——绝不堆砌，野中出雅，雅中生趣。游人们从谷顶的停车场一下了车，往往便立即被那谷中的桥、树、花、路，以及对面山顶树丛中耸出的古典建筑尖顶所综合而成的如画美景所吸引，忍不住就要下谷探胜，而那谷中的寻幽路径又分切为不同高度不同坡度不同弯度，以满足不同体力、兴趣的游客需求。那深谷景区里是不设小卖部的，维持一种恬静安谧的情调，利于保洁，也保证了市中心商业区餐饮业和旅游纪念品的热卖畅销。如今，游深谷几乎已成为游卢森堡的首选项目，许多游客都表示那深谷没有赏够，冲着它以后也还要再去。

圣马力诺的面积只及卢森堡的四十二分之一，并且整个国家就是那么一座山头，它以什么来吸引游客呢？在这个小国的峻峰上，有一连三个古城堡，互相以巨石砌成的墙体相连，稍下面的山坡上则有古教堂、修道院、博物馆及在古代"公众大会堂"遗址上建成的政府大楼——它是一个古老的共和国，由每届两位权力均等的执政官领导政府——游客们的兴趣，说实在的，在这个峻峰上的小国很难集中在一个热点上，而圣马力诺人的办法，我以为很妙——他们就像摇动万花筒一样，采取了不搞单一热点，而以方寸之内的丰富多彩，来满足众多游客的多元需求。但万花纷乱，也就容易迷眼生腻，而且花与花之间如果互相抢眼，也很容易造成不美不雅的恶相俗态，这就要有一个合理布局的谋略。圣马力诺人在这一点上做得很好，你仔细琢磨，才会发现他们是用心良苦的，如果不去细究，则会以为他们什么都漫不经心，似乎那种多元间的和谐，全是自然形成的。比如，有的游客会热衷于观览古迹，那么，在古迹区你从各种角度望去，都不会有斑斓的商业景观，使你可以在古色古香中畅发怀古之幽情；而你如果醉心于他们国家种类繁多的果子酒，或者独特的邮票，则在斜坡上的街区，你可以完全抛开古迹，只沉溺在选中的爱巴物里；倘若你最喜欢的是饱览阳光下的锦绣田园，那么，有不小的平台，供你一无遮拦地伏栏尽情眺望——不过，需要说明的是，你所望到的已不是该国秀色，而是意大利的风光了。

国无论大小，在创造人类文明方面，都会有独特贡献。西欧七小国在开拓旅游文化方面的经验，就很值得大国学习。

M

美　国

美国爆米花

在纽约，到一家堂皇的电影院看首映片，到里面，闻见一股十分熟悉的气味。走近休息厅的售货部，才看清原来这里在出售爆玉米花。

在中国，爆大米花和爆玉米花本是极普通的廉价儿童食品，但近年来，起码在我定居多年的北京市，它们从食品店中销声匿迹了。我曾随口问过售货员，是不是因为利润太低，所以产家不产销了，回答是："现在啥都讲究现代化，谁还吃那玩意儿呀！"

可是在纽约的现代化电影院中，偏大卖爆玉米花。那售货部的玻璃柜台里，大半柜粗陋的爆玉米花与周围各种相当精致的设备、器皿相映成趣。买爆玉米花的，我本以为只是儿童或少男少女，想不到买主全是成年人，甚至有步履蹒跚的老人。装爆玉米花的纸制容器，小的有我们喝啤酒的玻璃杯大；大的，口径怕是有十多厘米，简直可以称作纸桶。

陪我去看电影的朋友，便买了一桶爆玉米花捧着，让我边看电影边往嘴里扔，并且告诉我："这是典型的美国文化！"

美国历史很短，尽管美国的生产力发展极快，科技和生产工艺相当现代化，但美国文化缺乏积累，所以往往显露出一种童稚趣味，如注意从这个角度观察，则处处可指出例证。

纽约的曼哈顿区，是世界上摩天楼最密集的地方。那些摩天楼的造型，自然不乏从欧洲文化遗产中汲取灵感的印迹，但其中有大多数，依我看来都体现着美国人的浪漫劲儿。联合国建筑群的街对面，有一座玻璃幕墙的大楼。这楼从后侧面望去，最高处的十来层似乎缩成了一个玻璃薄片儿，给我的印象，恰似金发碧眼的美国娃娃，在对我戏谑地眨眼。曼哈顿南端那一对同样高、同样粗、同样憨、同样素的世界贸易中心大楼，乍落入我这有着几千年文化背景的中国人眼中，真觉得他们美国人花钱太浪费，既要建这么高的雄伟大厦，何不从外观上多多体现出民族的传统与风格，给民众以教化呢？怎可像儿童搭积木似的，一方方摞上去便拍手了事！后来知道那建筑的设计师山崎实是日本血统。但除了印第安人，哪个美国人又不是"外国血统"呢？大建筑艺术家贝聿铭因为是中国血统，所以常被我们引为光荣，其实他和山崎实都已是地地道道的美国人。在华盛顿，我去参观了贝聿铭设计的东区博物馆分馆。华盛顿的旧建筑大都是模仿乃至抄袭欧洲古文化的产物，偏那贝聿铭设计的博物馆既绝非欧洲或其他什么现成文化的风格，却又与周围的已定型景观相协调，充分体现着美国人的童稚气和想象力。那建筑物有一处墙折呈 17° 锐角，我想不会有什么实用价值，不过是美国人钱多了，故意要显露出那个顽皮劲儿罢了。

坦率地说，美国的社会景观，在我眼中也有其单调的一面。在美国多跑了一些地方，就觉得许多中小城市面貌雷同：市中心不免总有一些高层建筑，其中又总不免带有点 50 年代前的欧洲风味的，六七十年代盛行的玻璃幕墙的，新近的几种风格杂糅在一起的"后现代派"风格的。而这些建筑中又少不了一座或数座尖顶教堂。各处的购货中心看上去都差不多。"麦当劳"快餐店则是故意把每一个销售点都尽量弄得仿佛是从一个模子里倒出来的甜点心。夸张一点说，美国的社会景观大体上是由下列几个部分组成的：高速公路、加油站、快餐店、汽车旅馆。搭车在高速公路上跑，刚开始觉得蛮有趣，入夜，自己这边路上是红色尾灯连成的红线在往前蹿，路那边是黄白色前灯谱成的光柱在往后飘，而全国统一格式的巨大的绿色标志牌上，那些字母图案全闪着柔和的荧光，但次数多了，时间久了，便不免感到乏味。

　　美国人似乎很知道自己历史短文化浅，而发达的工业又带来了产品及生活方式的规格化、单调化，所以他们有种拼命找乐子让自己活得舒畅洒脱的顽童劲儿。去年十一月初，在旧金山赶上了美国万圣节。我原来只知道万圣节有南瓜刻鬼脸壳，有儿童们装成凶相，提着南瓜灯挨门挨户讨糖果吃，如不给则肆意恶作剧的风俗，我没想到美国的许多成年人在这一天会比儿童更儿童。

　　万圣节之夜，一位美国朋友请我去了旧金山的一个公众娱乐中心。票价好贵，汽车存车费在外，单门票一人就要 25 美元，但场子里真可谓人山人海。北京人过春节，也挺快活，有地坛、龙潭湖等处的"花会"，但中国是逛的人以看别人为目的，而品尝各种风味小吃则是逛"花会"万不可缺的一项内容。旧金山的这个万圣节"花会"却使我颇为吃惊。首先，绝不以吃东西为其娱乐内容。偌大一个娱乐中心，那天只有寥寥几处供应饮料的地方，且所提供的只不过是最一般的可口可乐及桔子汁而已，虽也有一个舞台在演出一些歌舞杂技，但节目极其平庸，也几乎没有人专注地去观赏。那么，人们去那里做什么呢？主要是为了表演自己！凡进入那娱乐场所里的人，都随心所欲地把自己化装成另一模样。万圣节俗称"鬼节"，所以化装成鬼的最多。把面部用黑白油彩画成骷髅，身着显示着骨架的衣衫，只能算是缺乏想象力的劣等化装。许多人真是殚尽心力地装神弄鬼，比如从自己肩膀后安装上一个猛看活像被砍掉脑袋溅血的脖颈，而把自己的头装成真像被砍下一般，用双手捧在拔高的胸前，又比如把自己的脸孔倒画，仿佛一只头颅倒栽在了脖颈上。当然也有化装成阿波罗、维纳斯、埃及女王克利奥佩持拉、丹麦王子哈姆雷特等雅像的。还有不少人采取近乎裸体乃至全裸体的化装形式。我看见有位女士的化装方式是把自己装在一只浴盆中（还带有淋浴喷头）走来走去。有位男子身上、脖子上围着一条活生生的蟒蛇，并鼓励周围的人去抚摸蟒蛇的三角头颅。整个娱乐中心的狂欢形式，就是在噪耳的流行音乐声中，人们走来走去、跳来跳去地显示自己的化装。娱乐中心有几处张挂着巨大的幕布，上面是幻灯投影，乍看令我很吃惊，怎么变幻出那么多的抽象派绘画！后来仔细观察才发现，原来也简单，就是在一只搪瓷盘里，盛满带颜色的肥皂水，几个工作人员用大小不一的铁丝圈子，在那肥皂水里荡出大小不一相继破灭的肥皂泡，通过一番折射、放大，便成了那大幕布上神秘莫测变化万端的抽象派绘画了。美国人真会玩啊！那么大的人了，还集体"过家家"，撒开性子叫啊笑啊跳啊蹦啊，直到兴尽！

原来觉得欧美发达国家的文化是一回事儿。去过西欧，去过美国，两相对比，才知道各有各的文化。对比于西欧，美国人的生活方式透着随便，没有沉重的历史遗产包袱，因此也就没有那么多讲究，没有那么多忌讳。迪斯尼乐园中新开放的旋转民歌厅，向观众展示着美国历史上所有重要的歌曲，且包括国歌在内，其表现形式都是由一些鸡公鸭婆，乃至猫狗狐熊在那里摇头摇尾地演唱；而在洛杉矶的海滩，我看见游戏打靶摊的靶子之一，便是真人大小的里根总统照相胶板。我问过美国朋友，他们说那不过是"好玩"而已。

不敢说对美国人的文化心理有什么认识，但想起旧金山的万圣节场面，闻见美国爆米花气味，就觉得比较容易理解一些美国人的言行了，只后悔那天在纽约电影院里没禁住联翩的浮想，竟未能好生地观赏电影，也没多吃进几把爆米花。

1988 年 2 月 21 日

大圆桌

尽管一再有人跟我说"到了唐人街，就像回到国内一样"，我在纽约、旧金山的唐人街上徜徉时，却觉得除了招牌广告上的中文字，那景观其实也还是洋味儿的，就是一些饰有亭子顶、雕龙檐、红漆柱、龙凤图案的建筑物，也很像是西洋人穿着中国丝绸衣物站立在那里，究竟还是让我意识到身在异邦。

但是，走进中国餐馆，感受就不一样了。多数的中国餐馆，都摆列着典型的中国圆桌，其特点便是直径非常可观，一般总在一米至一米五以上。待到同招待我的主人及陪客围着大圆桌坐定，我的确产生了一种回到国内的感觉。记得第一次到西方国家，很惊异于他们十分高级的餐馆中，餐桌一般都很小。能供四人以上用餐的餐桌在一个厅中往往居少数，多数是两三个人或恰好四人合用的餐桌，而且，餐桌的面积相当小，倘是圆的直径竟都在五十厘米左右。头一回同外国朋友在那样的圆桌前坐定时，潜意识里很为饭菜端上来后如何摆得下犯愁。开始用餐了，才懂得他们原来是一道道汤菜循序端上并循序撤走的，食客面前，能放下一只圆盘及一份刀叉，即可从容就餐，两三人如围坐于一只直径五十厘米的圆桌，桌面不仅够容食物，还可设一雅致的花瓶及增添情调的蜡烛盅。如到快餐店，餐桌面积往往更小，在洛杉矶的一家"麦当劳"快餐店中，我曾倚着类似邮局公用书写处那样的一长溜窄桌面，坐在高脚小圆凳上，与十多位顾客一起大嚼炸薯条与汉堡包。还有一回美国朋友驱车带我游览，半途经过"麦当劳"，干脆不下车，而是摇下车窗，朝店外的一个传音器点出要买的品种，然后车子转到另一面，该店打开的窗口中便递出了所要的食品，朋友则将钱递过去。然后朋友将车子开到一个允许停车的僻静处，他便带头将餐巾纸铺在膝上，从"麦当劳"的纸袋中取出热狗，津津有味地吃了起来，而一手则举着也从纸袋取出的封口带吸管的可口可乐，不时嘬上几口。我虽也学着他的样子果腹，但心里总觉得以膝代桌未免过于寒酸。后来知道，有的百万富翁，也就这么享用午餐。

也曾参加过洋人举行的正式宴会。用的都是长条餐桌。倘坐在餐桌一侧靠尽头处，那便与同一侧的另一翼简直两不相干，与对面一侧的另一翼也无从对话，到头来只能与左右及对面的一两个人碰杯或交谈，一餐用完，有时连共餐者的面孔都无印象，真是憭憭然。这时就觉得到底还是中国式的大圆桌好，大家围坐以后，不管以前是生的熟的，半生不熟的，互相都照了面，正对面的人虽然隔得最远，眼光却最易交接，举杯欢饮时，所有酒杯都可碰到，不亦乐乎！

在国外的中国餐馆，围坐于大圆桌时，心中总升出一种亲切感，尤其是当这些围坐者中既有从大陆来的，也有从台湾来的，还有"ABC"（在美国出生的中国血统人），以及从香港或其他地方来的流着同一种血的朋友，倘大家不是围着个大圆桌聚餐，气氛就很难那么热烈而融洽。

然而，大圆桌也常常令我不快。

在国内，有时同一两位朋友到餐馆用餐，很难找到合适的座位，设车厢座及有小餐桌的餐馆不多，大多数都是一律的大圆桌，桌面直径有近两米的。供宴会用的雅间里摆大圆桌，可以理解，零点厅里也摆大餐桌，其用意就令人费解了。我有时就不得不同两三位朋友，勉为其难地与另两三位甚而另两组顾客合用一张大圆桌就餐。大家本非一回事，点的菜又不一样，进餐节奏也不一样，互相碍眼碍事。他们说的，我们往往不想听也灌进了耳里，我们谈的，不消说他们也能听见一些，结果谈也谈不畅快，饭菜往往还算可口，乐趣却简直谈不上。

这时候，就很怀念在巴黎、波恩、纽约一类地方的小餐桌。餐桌笼罩在柔和的罩蔽光中，上间吊着一盆仅有绿叶的植物，形成一个小小的然而舒适的独立的空间，朋友间浅斟慢饮，细嚼慢咽，娓娓谈心，实在是人生一乐。

我曾很诚恳地给一些餐馆提过建议。国营餐馆置若罔闻，是意料中事。对于个体餐馆，我以为我的建议绝对是于他们有利的：撤去那些折叠大圆桌，充分利用店堂的空间，定制一些不同形状的两人桌，三人桌，四人桌，既可增添每一轮的总人数，又可每一组顾客各得其所，岂不妙哉！但接受我建议的，至今竟没有一个。我问一位比较相熟的个体餐馆经理："究竟你为什么非得在这么狭小的空间里也摆大圆桌？"他挠挠头皮说："吃饭嘛，不使这圆桌使什么？"

我多次跟妻子、跟友人，提出要请客吃饭就采用自助餐的形式。做好的菜就放在橱柜乃至茶几上，每人用一只盘子自取食物，座位可以分散开，既方便又有趣，对于居住空间狭窄的我们尤有利于身心两畅，但到头来总还是被"吃饭嘛，哪有不摆大桌子的呢"这一钢浇铁铸的逻辑所支配。尽管一边必得借助于床铺，另一边紧逼大立柜或电冰箱，坐在靠里边的难以走出来，脚下又常碰到半空的啤酒瓶，人还是成了大圆桌的俘获物。既围着大圆桌就餐，就免不了先要分清正座次座，推揉礼让一番；又免不了要频频举杯祝酒，布菜添杯。在大圆桌边仅仅是两人构成一组窃窃私语，会被认为是不雅之举，所以必得面面俱到地应酬，以致没话找话，而嗓音也必得放大。你不能过早吃完，也不能过晚收场……唉，大圆桌哟！

方形八仙桌流行的时代，大体上已经过去了，现在家具市场上数量最大的，还是镀铬折叠腿、紫红木纹塑料贴面的大圆桌。不过已经有不少年轻人开始追求西洋式的配六把高背椅的长餐桌。究竟中国人的餐桌会怎样变化下去，实在值得潜心观察。

1988 年夏

世贸大厦顶楼的弹簧

1993 年 2 月 20 日，美国纽约曼哈顿岛端的世界贸易大厦地下车库被炸，除死伤多人外，还被迫关闭使用一段时间，损失极巨。

世界贸易大厦的主体是两座方塔形的等高摩天楼，在纽约是最高建筑物，但芝加哥的西尔斯大厦比它更高，因而在全美还数不上老大。

五年多以前，我访美时曾到世贸大厦参观，给我印象最深的，是其顶楼观览厅内的大弹簧。

说是顶楼，其实还并非严格意义上的顶层，但作为一般旅游者，所允许到达的，也就是那地方了。建造时就把它设计成供旅游者鸟瞰纽约市容的场所，因而那层楼的外墙体几乎全由落地大玻窗组成，玻窗前面，还有供旅游者朝外坐观的长凳，并有投币即可使用的长筒旋转望远镜。

在那观览厅里，极目四望，景象极为壮观。回望曼哈顿岛，是摩天楼的森林；而穿插其间的马路和立体交叉桥，上面车水马龙不间歇，恰似峻峰下的河流；曼哈顿岛与皇后区、新泽西州相连的大桥伟若黑虹，特别是著名的布鲁克林大桥，造型潇洒飞逸；朝岛外望去，则大海无垠，屹立着自由女神像的小岛，与那些航行在海上的巨轮小艇，互成一种离合的动态……

请我登楼观览的美国友人，邀我同坐到那落地大玻璃窗前的沙发凳上，我却坚辞，因为我从小就怕登高。从高处下望，即使立处非常之安全，心中也仍会怦怦然而双腿发软。经我说明后，美国友人亦不勉强，便陪我以离玻璃窗大体保持五米的半径缓缓旋观了一圈，然后引我到楼层中心的售品部闲逛，没想到在那里我亦产生了一种惶恐感——可能是设计者刻意追求的一种趣味吧，若干水桶般粗的大弹簧，竟裸露在天花板下，那些大弹簧，是用来控制调节摩天楼在高处气流下的摆幅的，那些大弹簧无时无刻不嗡嗡颤动着，对于美国友人和别的许多游客，也许恰是一种难得的怪异感受，于我，却使双腿发软而外，又增加了心紧气促。

本来美国友人还想请我在那些大弹簧下面的咖啡座喝杯咖啡，见我面有难色，便匆匆陪我再乘快速电梯下楼。后来我方知那登楼费颇昂，一般的纽约人和外国游客付款上去，不眺望尽兴是绝舍不得稍停即下的。

出了世贸大厦，美国友人请我到街上一间咖啡厅小憩。跟他聊了一阵，方知我的这种"高楼反应"，是一种中等程度的"恐高症"，他建议我找有关的专科医生去治疗一下。

以往我对自己的"恐高"，在人前总是竭力掩饰，独处时又总是自卑自责，这几年又增加了些有关的知识，总算能够坦然承认并卸除心理上的负担了。

美国好莱坞已故导演、号称"悬念大师"的希区柯克，曾拍过一部就叫做《晕眩》的影片，片子里的主人公不但在高处有一种手足无措的惶恐感，甚而还有一种身不由己要投入一个下旋的漏斗状涡流的欲望，那当然是高程度的病态了。

以往我们对个体生命中的这一类表现，总简单地划归为"思想问题"，我当年的自责，也陷于"我怎么就不能一不怕苦，二不怕死"的模式。其实除了恐高，例如还有人对小球状的东西的弹跳感到恐惧，有人对"钢镚儿"（硬币）的撒落感到心悸，有人对超长的黑色胶皮水管产生恐惧感，有人对某种强烈的大块颜色不寒而栗都是一种不仅不能生硬地归入"思想感情问题"，甚而也不能简单地纳入纯心理学的范畴，而是个体生命的物质结构与精神结构交相作用的极复杂的生命科学中的问题，无论自己还是他人，都必须极慎重地对待。

1993 年 4 月 5 日

圣地亚哥所见

世界上有好几个城市叫圣地亚哥，我所说的圣地亚哥是美国南加州临近墨西哥的那个海滨城市。我有幸游览了那个以中产阶级为主体的富裕城市，并有幸在朋友的陪同和讲解下细细地逛了该城新建的一处购物中心——是美国近几年兴起的后现代主义创作方法在建筑艺术领域中的鲜明体现。

关于后现代主义，原来仅是知道这么个符号而已。在中国大陆，现代主义似乎仍算是很新潮的东西，所以无论是提倡还是排拒，也都还轮不到后现代主义的份儿。到了后现代主义的发源地美国，我自然很想接触一下典型的后现代文化。无奈我不通英文，无缘拜读后现代主义的理论著作及文学作品，因而能置身于宏大奇诡的后现代主义建筑群中，又有朋友作耐心讲解，真是兴奋不已。

后现代主义的理论健将之一——现美国杜克大学教授詹明信 (Fredric Jameson，又译作杰姆逊)，有一篇著名的论文《后现代主义，或是后资本主义的文化资本》，他在这篇论文中总结出了后现代主义的四个特点。朋友一边引我在那购物中心中徜徉，一边指点着告诉我："詹明信所说的第一个特点，是'无深层感'。你看这建筑，那边是一个豪华型的大阶梯，这边却是一个简陋的台阶；那边的尖顶直蠡云雾，这边的平顶却蠢然似睡；那一堵城堞形墙面紫得多么古怪，这一侧的拱形窗却粉嫩得令人惊奇……难道这样的安排中，潜藏着某种深奥的哲理吗？No！没有，一点也没有。现代主义的一大特点，是讲究所谓深层意识，什么现代人的焦虑感啦，什么异化啦，以及什么性压抑啦、孤独啦等等，而后现代主义将这一切扫荡无余，这建筑为什么要这样？除了表面的意义，绝不包含更深层的含义，尖顶就是为了尖得有趣，平顶就是为了平得颠顶，紫使你冷，粉令你暖，如此而已。

"你再注意观察一下，这整个建筑是一个整体，但使用了完全不同历史时期的建筑语言。有 10 世纪的窗户，17 世纪的屋顶，18 世纪的拱门，19 世纪的雕梁，20 世纪的玻璃幕墙——詹明信所总结的第二个特点，就是'历史感的消弭'。后现代主义认为时间不再是组织事物的逻辑，取而代之的空间逻辑将历史安放在同一空间中。

"……我看你在这前所未见的商场中脸上虽有惊奇的表情，口中却并无一句完整成形的评语，这倒恰恰映证了詹明信总结出的第三个特点——'新兴的情绪结构'，即你旧有的种种情绪已被精神分裂式的强度所取代，作为主体的你已丧失驾驭语言的能力，你的注意力全集中在了此时此刻，'现在'是你唯一拥有的空间，你在这种建筑群里既忘记了过去又不念及将来，你只享受到一种新奇的快感……

"詹明信所总结的第四个特点，是后现代主义文化体现着新科技的发展，呈现在你眼前的这一切，从设计到施工到完成内外装修，都离不开电脑，并且几乎使用上了当今世界上所有最新型的建筑机械和建筑材料……"

热心的朋友提醒我："别忘了詹明信是个'新马克思主义'者，他坚持认为后现代主义不过是后资本主义经济体系下的产物，是跨国公司或资本主义的特有文化……"

走出那个建筑群以后，我对朋友说："真是眼界大开。不过依我看来，这种建筑纯粹显示形式的非实用部分未免过多，只有财大气粗、吃饱了闷得慌的人才会追求这种文化。作为整体还相当贫穷的民族中的一员，我当然不会来反对你们民族所搞的这一套，但我想这种艺术至少眼下还不该成为我们那里的文学艺术家崇尚的文化。不过，话说回来，这后现代主义的文化现象，我们中国文学艺术家现在就该了解，就该研究，从中也该能有所借鉴，像詹明信的有关论著，我们国内就该早日翻译出版。"

朋友点头称："也斯。"

1988 年 6 月 18 日

玻璃蜗牛的故乡

在美东访问时，有朋友建议我去康宁看玻璃，我本来对玻璃并无特殊的爱好，所以冷然对之。可是，他笑着问我："是怕有人在那儿塞给你玻璃蜗牛吗？"一句话，逗出了我去那里的特殊兴趣。

像我这个年纪的人，大都还记得，70 年代中期，出现一桩轰动一时的"蜗牛事件"。当时，经周恩来总理批准，我国派出了一个考察团赴美，打算引进一条电视机彩色显像管生产线，在考察过程中，他们接受了美方一个机构赠送的小礼品——玻璃蜗牛形的镇纸。回国后，此事被人告密于江青，江青发难，指斥接受这样的东西是甘心被美国人侮辱，后来更把这件事和另几件事联系起来，大批"洋奴哲学"、"爬行主义"，并将矛头指向了周总理。后来总算弄清，玻璃蜗牛在美国是很流行的社交礼品，蜗牛寓有吉祥、幸福的含义，以此送人绝非讽刺接受者笨拙丑陋、做事缓慢的恶作剧。汇报给毛主席后，他也在有关报告上画了圈，一场闹剧才暂告停演，但从美国引进先进技术的计划，也便由此泡汤。当年赠送玻璃蜗牛的机构，就是康宁玻璃公司。

美国的大企业，钱赚大了，往往要以对文化艺术的尊重与赞助，来显示自己的"高品位"，以博社会各方的好感，其实说穿了，如此树立企业形象，也是为了赚更多的钱，不管怎么说，这样总比把赚来的钱大把地浪花了好吧。在纽约州，我去逛过百事可乐花园，那家饮料公司，免费让人进入它总部周围那占地极广的大花园，花园里的花草树木、湖泊亭台倒也平常，难得的是它在其中安置了不少当代雕塑名家的大型代表作，形成一个极富特色的圆雕博物馆。康宁玻璃公司呢，总部在纽约州西南部，称康宁玻璃中心，那里首先引人瞩目的，是一座相当大的玻璃博物馆，馆中收藏了从全球各处搜罗来的数千件大大小小的玻璃制品，大的，有大至布满整整一面墙的欧州哥特式教堂的嵌花玻璃窗；小的，有蚕豆般的古代护身符；既有林林总总的各类实用玻璃器皿，更有花团锦簇的各色玻璃艺术作品，展品陈列既体现着世界玻璃发明制造的历史，又具有趣味性乃至休闲娱乐性，比如，它里面的许多展品不仅可以看，还可以抚摩，一只两千年前的古香水瓶，令多少参观者在抚摩间浮想联翩；有的展品还允许轻叩听音；一具埃及木乃伊，前面装有 X 光观察仪，参观者可以用它窥视其中的玻璃陪葬品——据说古埃及人认为玻璃能帮助灵魂顺利地渡达另一世界。

除了玻璃博物馆，康宁还有一所展示高科技新成果的科学及工业展览馆，在那里面可以看到任人像地毯一样卷曲而不破裂的玻璃，看到比头发丝还细的光导纤维，也可以看到一块两公尺厚的玻璃，它居然具有同你平时所接触的所有优质薄玻璃一样的透明度。此外，在该地史都宾玻璃工厂，有一个车间是呈舞台状向参观者敞开的，在那里你可以目睹一件玻璃器皿烧制成型的全过程。

在康宁玻璃中心附设的礼品商店里，琳琅满目的玻璃制品令人眼花缭乱，我去寻找玻璃蜗牛，在那过程中，才发现美国人不仅不以为蜗牛的形态具有"侮辱性"，举凡蜥蜴、恐龙、鳄鱼、蜘蛛、蟾蜍、豺狼、狐狸、乌龟、鲨鱼、骷髅、眼镜蛇、老妖婆、外星怪物……都可以作为礼品题材，倘一味地多心，动辄怀疑赠礼品者不怀好意，那会引发出纠纷的真是太多了。当然各民族有自己独特的文化心理，民族间交往时，互相尊重对方的忌讳，是应弃之道。一旦因为实在是不知道，犯了忌讳，也大可实行"不知者不为罪"的恕道。中国人何尝有对蜗牛的忌讳，当年康宁公司以蜗牛为礼品，其实恐怕主要还是想以之显示一下其玻璃制品晶亮澄澈的工艺水平，以拉牢生意。打"小报告"者讨好江青一伙，为"四人帮"搞政治阴谋提供子弹，实在可鄙；"四人帮"借"蜗牛事件"兴风作浪，实在可恨。二十多年过去，在玻璃蜗牛的故乡回想起这段荒唐的往事，鄙恨之余，想笑，却没笑出来，只是长长地吁出了一口气。

大瀑巨虹

乘"雾之女神号"观瀑船，驶至美国一侧的新娘面纱瀑布与加拿大一侧的马蹄瀑布之间时，只觉得船如旋风中的一片秋叶，人若宇宙洪荒中的一粒芥籽，天水劈面而泄，雾霰纷飞如烟，眼里是荡魂的喷沫，耳边是击魄的轰鸣，刹那间忘却此身何来，几疑已飞融造化之中，直到船离其境，驶到稍远的河心，这才心归腔、神归体，面面相觑中，发现彼此的蓝色雨衣全在哗哗往下流水，露出的脸庞仿佛都在激动中嚎啕过，却又都洋溢着极乐的光彩……

到水牛城观瀑，是我这回到美国的一大心愿。前次旅美，已到了绮色佳，离水牛城已经很近，却因日程紧迫，失之交臂。水牛城在伊利湖美国一侧，是观赏尼亚加拉大瀑布的旅游胜地。尼亚加拉大瀑布是北美五大湖中，靠东的两个湖——伊利湖和安大略湖——之间，尼亚加拉河因河床陡成断层，下泻而成的大瀑，在美国一侧的称亚美利加瀑布，其中落差最大（约70米）的一脉即新娘面纱瀑；加拿大一侧的落差虽小一些（约50米），宽度却是亚美利加瀑布的两倍多（达800米），并且泄口持平，瀑形呈马蹄状，故名马蹄瀑。大瀑总流量每秒6000立方，为中国黄河流量的三倍，蔚为奇观。水牛城不仅旅游设施一应俱全、色色精细，而且提供了多种多样的观瀑方式；夜晚在强聚光灯下观，大瀑在白光或变幻的彩光中显现；白日或在瀑头观，或乘电梯升至观瀑塔顶鸟瞰，或降至瀑底隧道中仰视，或竟走出隧道踏入栈道迎受一番超凡的刺激……还有就是乘观瀑船，每人发一件雨衣，从远至近，再由近至远，让你一次观个够！

一位同行朋友也曾到水牛城观瀑，但运气不好，赶上了暴风雪，只能待在旅馆中翻看瀑布画册。我这回真是吉人自有天相，天气奇佳，不仅在晴夜和丽日饱览了大瀑的千般风采，而且，几乎整整一个白天，当我徜徉在亚美利加瀑布周遭时，总有一道完整的巨虹，泰然悠然斐然焕然地悬在空中，仿佛不卷的彩练、透明的浮雕，神奇而吉祥，缥缈而永驻。虹由瀑生，瀑因虹灿，大瀑巨虹落于我眼中，烙于我心中，唤起万丈豪情，涌出无尽诗意，只觉得造化育我必有其用，大快慰我必有其期，往昔的坎坷失落，都应化为自励的推力，平日的满腹牢骚，都应化为澄明的认知。正是：生命如瀑，任其壮丽泻落终不悔；心情如虹，超越风雨阴晦永瑰丽！

1998 年 7 月 15 日绿叶居

安心孵蛋

在美国加州硅谷，到久别的老友家造访，见他家门廊上所挂的花盆中，卧着一只大鸟，本以为花是真的，鸟是造趣的模型，谁知我凑近观赏时，那鸟居然偏过头来，把黑亮如玉的眼睛盯定了我，似乎颇为不快，我忙退两步，问主人："这鸟是你养的宠物么？"主人告曰："这鸟是野生的，前些天自己找上门来，在花盆里先下了蛋，然后便一心一意卧在其中，静静地孵蛋，估计再过几天，雏鸟便会破壳而出了。"见我满脸惊异，老友又说，这并不稀奇，上个月他家后园所吊的一盆天竺葵中，也曾来过一只母鸟，比这回前廊的还大，估计都属于野知更鸟一类，孵出五只小知更鸟后，喂养了没几天，便在一个清晨，带领雏鸟们远走高飞了。美国各州都有州鸟和州花，加州的州鸟是鹌鹑，州花是花菱草，他笑说当地鹌鹑倒还没造访过他后园里的花菱草丛，这些知更鸟应是邻州来的贵客。

在老友家后园的凉伞下一边啜着咖啡一边闲聊，我不由得盛赞美国绝大多数地方自然生态保护的良好状态，植被丰沛，水域清澈，野生动物悠游自在，全不怕人，一路上公共绿地与私人宅院中松鼠坦然觅食嬉戏，甚至主动跑到人脚前来顽皮，其生动的镜头已使我欣喜难忘，现在又见到野鸟自动到住家廊下花盆中孵蛋的情景，对之深为艳羡。

　　我问老友，野鸟进驻他家廊下孵蛋，他们一家人，是否时不时地要过去观望一下，或为那母鸟提供食物与饮水。他说不然，他们都极其尊重那母鸟的隐私，出来进去时绝不特别凑近窥探，也并不特别为母鸟提供"坐月子"的服务，反正他家，以及邻近各家，后园中都有供过往野禽选用的食物与饮水，如母鸟需要，可以自动去享用，不过，依他的印象，母鸟孵蛋时是卧定不离的，只是每隔一些时候转换一下头尾位置，大概是为了使每只蛋都能接受到同样的温度。我想起自己初到他家廊下时，见了那鸟未免大惊小怪，弄得那鸟偏头瞪我，显然失礼多多，构成一种骚扰，不免惭愧。

　　老友问我对硅谷一带印象如何，我说原来印象颇丰，却一时难以概括，现在倒忽然获得灵感，觉得可以用"安心孵蛋"来形容这块高科技温床上的总体氛围。当然，硅谷这块地盘上电子技术的突飞猛进，尤其是计算机日新月异地以其诡奇功能改变着这个世界，种种细节我是不及认知的，但仅仅是走马观花，蜻蜓点水，于浮光掠影中，亦深感高科技，特别是计算机（即电脑）、光纤通讯、生物工程等方面的突进展拓，实在是惊心动魄，比如说，以这三者为主体，兼以其他高科技手段为辅，有的细胞学专家，已以很高的速度，在解析、破译人体细胞中的染色体，即基因，大概不需要很久，他们便能将人体中的基因全部破译出来，那时只需小手指甲那么大的一块硅锌片，便可将一个人的全部基因信息加以储存！当然，全世界高科技研制的密集地不止一处，但美国加州硅谷确实是最具知名度的一块，我初到硅谷，本以为会迎面扑来一种轰轰烈烈大搞科研的外在气氛，没想到我一路上没见到一条号召大干快上的鼓动标语，没接到一张宣言式的印刷品，没遇到一次慷慨陈辞的集会，甚至没见到陡然显示"气派"的高层建筑，满目所见，只是些翠绿的草坪、青葱的树林，以及其貌平常的低矮建筑，一派恬淡安谧的田原牧歌格调。但恰恰就是在这个"于无声处"的地方，隐藏着阵阵震撼人类的科学惊雷，那雷声响彻在外，而硅谷本身却犹如一只闲宅门廊上的垂吊花盆，那陡然间由各国汇聚而来的科研人员，则仿佛是在花盆中静卧孵蛋的鸟儿，别无旁骛，一心一意只要他们的科研项目能如雏鸟般破壳而出，并能翅硬身健，一朝凌空奋飞！

硅谷中的不少小城，商业街道或购物中心都常常见到汉字招牌，但少有纽约或旧金山唐人街的喧嚣，更无脏、乱、差的败兴景象，因为活动于其中的华人，其平均学历极高，真可谓硕士成片、博士成堆，他们有来自中国大陆的，也有来自中国台湾和香港的，有的华裔则来自新加坡、马来西亚或别的国家，加上生于美国长于美国的华裔，使你在硅谷随处可以见到黑头发黑眼睛的触目亲切的人影，可见美国的科研机构，硅谷中的种种美国公司，很会搜罗、吸纳华裔精英，我与上述几种华裔科研人员都有接触，他们都表示这个地方为他们提供了相当理想的发展环境，当然，那不仅指自然生态环境，更包括人文生态环境，不止一位对我说："这里很适宜专心致志地做学问、搞发明。"也即是能安心孵蛋。

把美国加州硅谷的一套照搬于中国，做不到，也不必那样做，但其保证科研人员能"安心孵蛋"的机制，当中定有可借鉴之处。老友当年在大陆是搞工程的，议论起来，他说对科学技术人员，不仅"以阶级斗争为纲"的恶性骚扰会酿成"覆巢之下无完卵"的灾难，就是出于"一片好心"，以过多的"关注"频示期盼，也会形成骚扰，比如当年他负责合成最后的工程设计图，那时的"军宣队长"实在算是一位好人，对他是信任的，持鼓励态度的，却会出于热情，一个晚上五次跑进他开夜车的房间，看他"孵出蛋了没有"，弄得他实在不能悉心于专业性思考与计算，结果他不能不对那位外行热心人说了气话："一个人拉屎你不要总跑进厕所看他拉出来了没有！关着门拉屎会拉得更痛快些！"结果双方都不愉快，任务也没如期完成。所以说，好的人文生态环境，不仅应杜绝对"孵蛋"的恶性骚扰，也应尽可能避免出于"好心"的多余"关注"，只要你提供了足够的"孵蛋"条件，往往是在人们最不经意的时候，安心孵蛋的鸟儿，已经使新的生命破壳而出了！

离开静静的硅谷，清风徐来，草香盈鼻，我在汽车上闭眼小憩，视网膜上却分明有那只花盆中的大鸟，以黑玉般的亮眼，凝视着我。

1998 年 6 月 26 日于绿叶居

锦园苔花

朋友郭君住在美国加州湾区的一座小丘上，他家的花园好大，除了到公司上班，他把精力几乎都放在经营花园上了，而朋友到了他家，引着朋友到花园中参观，将培植的花木一一指点，谈笑共赏，更是他最大的乐趣。

那天我去了他家，他领我在花径中转来转去，穿过蔷薇篱，度过茑萝棚，这厢是铃兰，那边是火鹤，高的是墨西哥仙人掌，低的是内华达匍地荇，忽有艳红的波斯菊仿佛在微风中聒噪，却又有奶黄的睡莲在小池中静默无语……他把一株叶茂而无花的树指给我看，告诉我那是一株中国梅树，令我吃了一惊——我曾看过一份资料，上面说中国梅树只能在长江三角洲一带很小的范围内成活，离开那方水土，至多能在温室里养出盆梅，清代曾有某富人在北京自家花园中勉强栽活一株梅树，一时轰动，称为"燕梅"，冬覆席棚夏遮纱，早春雪霁，才现花蕾，则达官贵人们便车轿盈门，接踵赏观，但终究也只开了两三春，便告枯萎。又说日本人最羡梅树，曾多次将良种移栽东瀛，却无一成活。郭君说他这梅树已花开四度，现仍康健，而且并不需要多么特别的护理，只是所结梅子，小而奇酸，即使用大量的蜜糖渍起，到头来也还是沾齿酸心……

郭君把他的花园命名为锦园，确实是花团锦簇，名实相符。尽管我把他那梅花，还有他培植的两畦中国牡丹，夸个不停，他却"世法平等"，对园中每一样花草树木都充溢着爱意，引以为自豪。转悠得差不多了，郭君引我往回走，都快走拢他宅屋后的大凉棚了，他忽然拍着我肩膀，惊喜地叫："开了！开了！"什么花开了，竟让他如此激动？我转颈寻视，不得要领；却又见他蹲了下去，我便也蹲下，顺他手指处，瞪眼细看，刹那间我只觉得眼中一派殷绿，虽泅润宜人，可何花之有？郭君指得更具体，我眨眨眼，凑近细看，啊，这才终于看清：绿的是苔，在绿苔浓处，有米粒大的苔花，素素净净地，开放着，一朵，又一朵，再一朵……

回到郭君家的全木凉棚露台，我俩一人睡上一只吊床，相对微晃，絮絮谈心。我问他："你这锦园中可谓奇花异卉充盈，花冠大的如牡丹，开足了恐怕亚赛壶盆；花朵香的如月季，风过入鼻沁心润肺；你这些都有了，为什么还要对小小的苔花，生发出那么样浓酽的关爱激赏？"他说："古人有诗曰：'苔花如米大，也学牡丹开。'都是生命之花啊，无论大小，也无论是艳丽还是素净，更遑论是否香气袭人，都应尊重，都应赞叹！"

锦园苔花，铭刻在了我的心上，永不凋落，时时叩动着我的心怀，从此，对自己，我要以苔花自励，甘居边缘，默不争艳，只把健康的生命，随缘绽放；对他人，则不薄牡丹爱苔花，尤其是，牡丹月季，硕花香株，围观者众，赞美者多，我不必花上缀锦、香上喷蜜，更要多多关注边边角角处，默默静开的，如米如粟的生命之花，纵使无力为他们献一泓清泉，总可以为他们吟一曲素歌吧！

景随人置

在纽约唐人街看到好几处"民铁吾共和银行"的招牌，不解"民铁吾"何意，后来请教了当地华侨，才知那三个字用台山语读出恰是 Manhattan（曼哈顿）的译音。美东的早期华裔移民多是广东人，其中台山人尤众，以他们的语音而形成的译名流行到今日的还有许多，比如堡地磨，系指马里兰州的 Baltimore，现通常译为巴尔的摩。不知为什么，在美东逛久了，我就总觉得早期华裔移民对当地事物的译法很传神，比如 CITIBANK，按字面意思明明应译为"城市银行"，他们却把这家银行叫做"花旗银行"，"花旗"自然是指美国的星条旗，其实美国另有 AMERICA BANK，他们不管，这还不算离奇，他们对 CITIBANK 的另一称谓是万国宝通银行，乍听真是从何想来，但细细品味，又觉得颇为贴切，也很生动。

给一处地方一个事物取名，尽量想出一个既动听也悦目的符码，比如把意大利的 Florence 译为翡冷翠（据说系徐志摩首创的译法），把美国康乃尔大学所在地 Ithaca 译为绮色佳（据说系赵元任首创的译法），就都是颇具匠心的设计。取名尚且需要巧思独运，倘是为一处地方一个事物进行景观特色的具体设计，那就更需要睿智与想象力了。

我未到堡地磨即巴尔的摩前，就听说那里的内港是一处极有特色的观光胜地，及至到了那里，发现供游客们观光的港区，其实面积非常有限，和我所去过的国内若干海港的开放区域相比，实在只能算是一处"盆景"，但就在这面积有限的"盆景"中，它却做到了使游客有移步换景的丰富感，半日游览下来，不仅身心大畅，流连忘返，而且还觉得大有尚可进一步探幽寻奇的余地，因而盼着有机会成为回头客。

20 世纪 60 年代的堡地磨内港，充斥着被遗弃的仓房、破烂的码头设施与沉舟朽船，一派令人恶心的废港颓相，到 80 年代初，市政当局才在当地居民的推动下开始设法改造这一地区。当时起用了若干杰出的景观设计师，他们不是刻板地作出诸如盖些什么房屋、修些什么道路、种植些什么花草树木的规划，而是在一个最根本的问题上进行了反复研讨：究竟应以什么作为海港景观设计的出发点？是从所谓的"气派"出发，还是从所谓的"美丽"出发？最后他们得出的结论是，没有空洞的气派与美丽，归根结底，要从人出发，即从堡地磨居民，以及外来游客的普遍人性、人情与人道精神出发，不是要设景来强人观赏，而是要景随人设，从人的健康而丰富的欲求出发，来进行这一港湾的景观设计。堡地磨居民普遍有振兴该地货贸优势的愿望，因此在港湾应有一座雄伟的"世界贸易中心"，在这竖向矗立并以规整的形态抢眼的景观一侧，则应有一大片横向发展的综合性商业中心，这横向发展的至多三层的建筑则应是非规整的，富于奇趣的，其临海的一面应有宽敞且蜿蜒不断的咖啡座，或露天而饰以遮阳伞，或落地大玻璃窗内饰以大盆观叶植物……在形态弯曲、进退错落的海岬各侧，则使之分布着互成借景的水族馆、展览厅、艺术博物馆以及鲜鱼市场和水上餐厅……景观设计师还决定把美国第一艘在美国海军服役的战舰"星座号"请到海湾来，作永久纪念的观赏纪念品，为使其不至显得孤单突兀，后来又配置了仿古多桅娱乐船和退役的潜水艇；景观设计师建议各个建筑物的设计师采用不同的材质来体现其外表质感与色泽的多样性，游人们徜徉在港湾中时，首先所获得的快感便是晴阳下艳丽丰富而又和谐雅致的色波，加以海水中的倒影摇曳，再添上鸥鸟的从中穿梭，不由人举起相机拍个不停。由于港湾周遭的建筑物本身已花团锦簇、流光溢彩，故而景观设计中的绿化方案，强调了绿色乔木与灌木的成丛成线，并在地平面的花坛与架空玻璃筒状的天桥花钵里以栽培素色花卉，即白、蓝、淡黄、藕合色的品种为主，达到互为映衬，且令人感到别开生面的观览效果。

到 80 年代中期，堡地磨内港已成为不仅在美国知名度很高，而且广引外国游客蜂至而来的一处旅游圣地，它虽以迎合青年人和中年人的趣味为主，但也很周详地为老年人、孩童，以及残障人和其他特殊的社会族群设置了惬意的活动区域，在景观配置上，既有热闹区，也有闹中取静处，它绝不让你一览无余，而使用了诸如横云断岭、烟云模糊等巧妙技法，使游客在有限的空间中，得到丰富的享受，并不时有意外的惊喜发生。

现在中国也有了景观设计师，有的大学已创办了相关的科研机构，景观设计已列入了相关学科的课程表，这都是可喜的事。中国人连以方块字为一处地方或一个事物命名，都能一击双鸣、意蕴丰厚，何况以悠久的文化传统与开阔的吸纳胸怀来实地设计景观呢，那真是朗朗晴空任鸟飞、泱泱海阔凭鱼跃，定能佳构连篇。在我国今后的城乡建设中，景观设计师们将大有作为，而摒弃从概念出发的僵化思路，把人的合理、健康欲求作为出发点，景随人置，人享置景，应是他们乐于遵循的原则吧！

1998 年 6 月 30 日于绿叶居

"声命线"

在美国，去看望一位老朋友，他头年被女儿女婿接去团聚。那是一栋会令许许多多一般中国人羡煞的独立住宅，周遭是翠绿的草坪和花坛，住宅里的生活设施不消说可谓是"武装到了牙齿"。平日女儿女婿一大早就各开着小汽车去分头上班挣钱，家里暂时也还没有孙儿孙女，他只好一个人在那宅子里消磨时光。我问他："在这个安乐窝里，开心吧？"他叹口气说："唉，别的都好，就是一点声音都没有啊！"我感到不可思议，他在中国时，最受不了的，就是那即使关紧窗子也挡不住的街市嘈杂啊，好不容易来到这么个清清静静的地方，怎么竟说出这样的话来！他诉苦说，住宅的玻璃窗隔音效果实在太强，待在屋子里外面的鸟叫狗吠一点也听不见，因为整栋宅子设有中央空调，所以一般也不时兴开窗；打开电视机吧，那倒有了声音，不过哇啦哇啦的英语新闻他听不懂，翻江倒海般的摇滚乐又听不惯，就算碰上播放古典交响乐吧，心里舒服了一点，可到头来还是有些隔膜之感；出宅子转转吧，如果不是周末，那里离主要的公路很远，离高速公路更有二十几分钟的车程，眼前的路径上不但看不到行人，连路过的汽车都没有，真可谓阒无声息。他说，近来时常在梦中听到家乡的街市之声，特别是儿时所听到的小贩叫卖之声，醒后竟久久不能释怀！我想了想，便劝他养只猫狗或别的什么宠物，他说女儿女婿也那么说，那或许会让他好过些，不过，他诚挚地恳求我，回国以后设法托人给他带盘录音带来，那录音带里不要别的声音，只要我给他录些我家窗外的市声就行……

人真是个怪东西，耳朵这器官也真难伺候，外界的声响太嘈杂喧嚣了不行，静若死谷也不舒服，而且，似乎每一个个体生命，都与一定的声音构成了一种缘分，有的人喜欢分贝值大的、喧闹的音响，有的人喜欢轻柔的、幽雅的声息；有的人随着年龄的变化听觉的渴求也变化，有的人在不同的场合企盼着不同的听觉刺激；有人听到雨打芭蕉便不由悲从中来，有人"留得残荷听雨声"时却逸兴遄飞；有一位朋友对我说，他从懂事起就不能忍受公鸡的鸣叫，这大概是他的一种天性；而另一位朋友则说，他觉得世界上最美好的声音是瀑布泻落的轰响，他刚到这远离瀑布的城市时耳朵眼总感到"若有所失"，只有在窗外下倾盆大雨时才觉得十分惬意，这又说明人对声响的好恶是环境影响所致。"少小离家老大回"时听到乡音，与身在异乡异国忽然听到乡音，都会使人忍不住心尖发热、眼眶潮湿，这说明声音对于人来说有时实在蕴含着太多太多的意义。

我家住在一栋临街的高楼中，从我家窗户望出去便是立交桥的大转盘，来访的客人几乎总是要问："你不觉得吵闹么？"我说，当然，有时发生了什么特别的情况，比如救火车尖啸而过，或楼下有人吵起架来，也有被惊扰的感觉，可是，总的来说，也许我是从小定居城市的一个老市民吧，我对一般的市声并不反感，甚至于，我还挺喜欢那充满人间烟火气息的含混市声。我觉得，我家窗外的马路，既是一条都市的生命线，也是一条我这个老市民的"声命线"。我也曾到十分恬静的农村山野参观游览，置身在那样的听觉环境里我也会有心旷神怡之感，但是我不会在返回城市时为逐渐强烈起来的市声烦恼焦躁，因为我意识到，我的个体生命，已然融汇在了那市声中，我们相辅相成、共谱歌哭。

如果我们不是聋人，我们的生命总是与声音共存，据说聋人的心中也是有丰富的音响的，我们都有自己的"声命线"。清醒地意识到自己那"声命线"的特点，珍惜它，从中吮吸滋补灵魂的养料，也是一种生存智慧。

我已录下我家窗外的市声，托人给我那定居美国的朋友送去。录音那天，恰巧楼下难得地来了一位敲着"惊闺铁"吆喝着"磨剪子磨刀"的老人，朋友听到那悠扬熟稔的音韵，心灵该得到多么温馨浓酽的慰藉啊！

契约墙

在美国逛的地方多一些便会感到，整体而言，这个国家的景观是相当单调的，无非是些高速公路、加油站、汽车旅馆、快餐店……从高速公路的出口出去，是些个由单栋，或连体的一般地面上只有两层的私宅构成的居住区，乍看到时，你会为其房屋的雅洁，周遭草坪的青翠，以及家家车库内外有小汽车，还有树木花卉的美丽而赞叹，但看多了，看久了，也便会感到雷同——虽然家家户户住房的模样多多少少有些变化，或耸出尖顶阁楼，或几面出廊悬挂花钵，却大都是在某几种固有的范式里做文章。在这种居住区一般是没有商店的，往往要开车行驶十分钟甚或更多的时间，才会有一片基本上也是平面发展的购物中心，其中会有营业面积很大的超级市场，各种专卖店，餐馆咖啡馆酒吧等等。走的地方多了，这类购物中心给你的印象会混淆成斑驳的一片，因为都一样地商品丰富，一样地穿插着花坛喷泉，超市、专卖店、快餐店的字号也大都一样……中等城市，甚至包括相当多的大城市，则无非是市中心地区耸起一群高层建筑，多是些现代派风格的方塔、圆柱，并且多使用玻璃幕墙。只有纽约算是一个异数，特别是曼哈顿的摩天楼森林中，容纳了那么多的种族与对比度那么奇突的不同文化，实在全球罕见，或者干脆说仅此一例，所以有美国人说纽约不能代表美国，不过，也有美国人反过来说，唯有纽约才是美国。

对外国游客来说，纽约是凶险之地。这个地方的犯罪率高。据说近两年因为新市长治市有方，其犯罪率已降低了许多，但与美国其他大部分地区相比，仍不能不说是个需要格外注意安全的地方。纽约的刑事犯罪不仅表现在时有抢银行的事发生，也几乎天天都有普通游客遭到偷窃抢劫。中国游客遭偷遭抢的几率极高，原因很简单，因为中国游客一般都不大使用信用卡、旅行支票，而总是携有现金，小偷窃贼弄到信用卡、支票很难利用，他们是奔现金而来的，加以许多中国游客不谙英语，一旦事发后报案的意识与能力都差，所以有些纽约的惯偷惯抢专门朝中国游客下勺子。纽约又是国际犯罪集团最大的窝点与转运站，贩毒、拐卖人口，一般来说，搞这些个"大生意"的黑社会势力，主要是与国际刑警组织周旋，跟当地居民和外国游客"不一般见识"，但是他们偶尔也会利用一些人的善良无知，来干坏事，比如在飞机场，忽然会有人斯斯文文地请你替他或她看管一下行李，或央求你帮他或她将一件行李从这里运到那里，其间距离只有十多米而已，又或者表示他或她要去处理一桩什么事马上就会转来，让你帮着抱一会儿婴儿，你如答应了，帮了，没出什么事，那很可能是你无意中替犯罪集团解决了一个"小麻烦"；但很可能是答应了，做了那事，却忽然被警察拘捕，因为你所看管、提拿的行李中有毒品，你怀抱的是个被非法贩卖的婴儿，你得费很大的力气，才能为自己洗清嫌疑。有的中国游客，头次到纽约，而且也是头次出国，糊里糊涂地遇上了这种倒霉的事，晦气透了。犯罪集团找中国游客作"筏子"，也是因为一般的中国游客英语差，防范之心弱，法律意识淡薄，而且往往还特别愿意进入别人的私生活帮忙以示热情。我在纽约时经常提醒自己：在这里我需要别人帮助，却无力帮助别人，因此，我把自己照顾好，也便是给别人省了事儿。

话说回来，在美国绝大多数地方，特别是那些从高速公路的出口驶出去，在普通公路上还要再行驶十几分钟乃至个把钟头才能到达的无商店的居住区，即一些单栋小楼，由草坪、花丛、树木间隔开，一家家优雅而居的地方，则往往犯罪率很低，就偷窃抢劫而言，甚至于多年来案例是零，真可以说是路不拾遗、夜不闭户。我在旧金山附近的湾区去拜访一位朋友，开车载我去的另一位朋友同我到达他家时，发现大门上贴着一张纸头，说临时需到机场接人，可能会比约定的时间晚半小时回家,盼我们谅解;而门钥匙则压在门前的脚垫下,欢迎我们自己先开门进去。开车载我的朋友取出钥匙便开门,我却很惊讶。我说,这告示岂不是开门揖盗?倘不是我们而是小偷窃贼来了,还不把他家洗劫一空?朋友说这种事发生的可能性几等于零。首先,他们这种家庭里一般都只放有很少的现金;其次,我们中国人看去很羡慕的家具用器什么的,包括彩电冰箱洗衣机之类的东西,在美国都是最平常的日用品,倘是用过几年的,不但不会有人来偷,甚至于你想更换时,在指定的日子里扔到门外,既很费力,有时收垃圾的还要因为你扔的东西占位过大罚你钱,所以,你巴不得有人拿走,好更爽利地更新物品哩!我说,这些镀金的摆设,银制餐具,还有墙上挂的屋子里摆的艺术品,难道也不怕偷吗?他说这里头确也有些颇为值钱,或者还能从这宅子里找到些珍珠宝石等等,可是,你想想,这地方离高速公路出口已经那么远,没有小汽车是接近不了的,盗贼到此作案,除非是有特殊原因,特别策划过,如随机作案,那成本未免太高,风险性又极大,所以是不会有蠢贼笨盗光顾这里的!一席话说得我发愣。

后来我在上述那种居住区的朋友家里住了一阵,发现从周一到周五,每天白日里简直看不到一个人影儿,因为凡有工作的人一大早都开车到城里或别的什么地方上班去了,直到天黑才陆续开车回来,一般来回总得两个小时左右;周六和周日呢,清晨跑步的多一些,互相打照面时道一声"嗨",白日里人影稍多,大都是在宅前宅后给草坪剪草、喷水,修整树木花坛,间或有几个骑自行车锻炼的大人,以及穿旱冰鞋、踩滑板的少男少女掠过,却很少有人在马路边的人行道上行走;我呢,因为不管周几,大白天的总在那居住区里走来走去,不仅有的居民见了觉得扎眼,就是我自己,在悄无人影的别墅式宅第前散步时,望着自己孤独的影子,也觉得古古怪怪。

我发现,这些美国居民们即使是住宅相邻,也基本上不来往,如眼光相遇,都能蔼然招呼,如主动求援,都能倾力相助,但是在一般情况下,却是绝对地互不过问,当然更各不相扰。把自己家的住宅用墙围起来,特别是用高墙围起来的,我未见到一例;就是用栅栏围起来的,也极罕见。围高栅栏的没有,围低栅栏的,也几乎没有合围得死死的,那些低栅栏或用以防止自家的宠物外逸,或者矮到抬脚即可越过的程度，分明只是一种装饰；绝大多数情况下，是没有任何墙栏篱栅，只以边界分明的草坪，来标识各家领地的范围。我头几天散步时，因为欣赏乃至艳羡他们的那些住宅，又因为或发现某家阶下竟有一丛中国牡丹在灿开，某家草坪上的树木初夏便叶片金红，某家回廊中吊着的花钵里奇草葳蕤……便忍不住探头探脑，甚至于想接近细观，留宿我的朋友便警告我，切不可踏入别人家的草坪，越"雷池"一寸！你觉得自己是出于欣赏，绝无恶意，他却跟你不是同一思维方式，对于美国人来说，最不能容忍的，便是未经允许擅自进入他的私人空间，别看这些住宅没有围墙篱栅，那无形的契约墙比有形的铜墙铁壁还要厉害！怎么说是契约墙？便是人人都已形成了一种祖传的契约意识。私有财产不可侵犯！私人空间不能随意进入！个人隐私不容他人窥探！这种契约意识所构成的无形围墙，坚固而顽强，所以对于一般正常人来说，未经邀请他是绝不会踏进别家草坪的；对于盗贼来说，擅自踏进私人住宅和抢劫银行一样都是铤而走险，那么，与其进入这种民宅偷盗，莫若干脆去抢银行！他提起几年前在美国发生的那件事：一个日本留学生在"万圣节"那天应邀去一位美国朋友家做客，认错了门（这说明富裕的美国人住得都很好，但宅第面貌却又相当雷同、单调），径直走了进去（这说明美国人的私人空间一般并不以墙栅锁头之类为阻挡），主人发现有人"非请自来"，大惊（这与东方人的人际交往心理大为不同，像我们中国人，对不速之客的心理承受力是很强的，甚至于以"不请自来者多多"为荣），立即进入自卫状态，持枪厉喝："止步！"偏那日本留学生没听清主人的话语，还往前走，结果那美国人便开枪将其击毙。事情真相弄清后，开枪的美国人很懊悔，但从法律上讲他却无罪，日本留学生的父母赶到美国，想不通，要打官司，可是没有律师替他们做这件事，因为在美国你就是不能未经准允逾越契约墙，而任何一个美国人在自己家中都有权采取包括开枪这样的手段来对付擅自闯入者！

美国人的契约墙，其实渗透在社会生活的各个方面，比如从海关到银行乃至到商店付款台前的"一米线"，有时并不以地面粗线或栏绳来标出，多数美国人也都能自觉地在那契约墙前止步，等前一位办完事，自己再迈上去。我曾在一家大书店对此质疑：买本书交款何必还要在契约墙后静候前一位走开？朋友说，必要，因为前一位不愿意，你也不应该，去看清楚他买的是本什么书——那也是一桩隐私。

回过头来再说纽约。纽约可是一座常常出现围墙栅栏的城市，进入公寓楼不仅有保安人员监察，往往还要动用对讲器或使用密码，一些居所也装有防盗门，不过，人们心理上的契约墙也很坚实。以在飞机场遇到有人托付行李或婴童请你代管一时的情况为例，朋友跟我分析说，不是一般美国人不愿帮助人，恰恰相反，绝大多数美国人是极乐于助人的，但托付行李婴童这类事严重地染指于陌生人的私人领域，与问路大大地不同，所以一般都会非常慎重，在助人之前首先一定会想到做这事的法律责任，所以绝不会轻率从事，倘并不觉得对方可疑，很可能会耐心地告诉对方哪里有收费存放行李处，哪里有问讯处可商洽婴童临时托管问题，或极有礼貌地婉拒并报以微笑。朋友说，我那种在异国他乡并有语言障碍的情况下，把自己定位为需要别人帮助而不是能以帮助别人的角色，是相宜的，也可以说是有些个契约墙的意识——以此墙将自己不了解也负不起法律责任的事物明智地挡在一边。

美国人在社区生活与人际交往中能以无形的契约墙来规范、制衡各自的行为，说明他们的法律意识与道德情愫都已渗透到了一般老百姓的心理定式、思维习惯之中，这给我留下了很深的印象。当然，中美两国的历史文化背景差异巨大，中国人应有自己的契约，但就使契约能深化为一般民众意识中的无形墙这一点而言，则对之有所期盼，当是可以理解的吧！

1998 年 7 月 8 日于绿叶居

奥斯汀小木屋

真的很小。一栋袖珍住宅。门廊刚好能放下一张小桌两把椅子。进门是很小的玄关。右手是卧室，一张双人床和床上的一对大方枕，溢满参观者的视觉，其他事物似乎都谦卑地贴紧了墙壁。左手是书房，从当中的圆桌可以想见，那也兼餐厅的功能。左右房间都有两道小门，分别通向也以小门沟通的厨房、卫生间和勉强算得是起居室的小小空间。不过，麻雀虽小，五脏俱全，壁纸色彩雅致，点缀各处的挂像、图画、小摆设恰到好处。宅外树木蓊翳，花坛规整，玫瑰盛开。温馨，宁静，散发出知足长乐的小资情调。

这座古旧的小木屋仿佛一部短篇小说，讲述着一个并不复杂，然而饶有趣味的故事，它自成体系，回旋圆通，开篇简洁，结束得干脆利落。

这是美国著名小说家欧·亨利的故居。居如其文，文如其居。欧·亨利是短篇小说大王。他在这栋故居中的经历，是他生命中的一部短篇。

"啊，欧·亨利呀，"Y 笑着跟我说，"算不上伟大的作家吧！"Y 先生是那种眼光很高的人士，他有一个思维定式，就是作家都应该是最高尚最完美的人，伟大的作家必得有伟大的作品，而伟大的作品必得是长篇小说，而且还应该是长篇三部曲或更多部的大系列的史诗，这些作品必得"无愧于所生活的时代"，成为"民族灵魂的教科书"。

Y 先生的观点当然很高明，但是，拿来衡量欧·亨利，就出了偏差。

欧·亨利住在我上面所说的那栋小木屋的时候，实在还只是一个平凡甚至猥琐的小市民。那栋小木屋在德克萨斯州首府奥斯汀市区的边缘。他住在那里面时还没有想出欧·亨利这个笔名，他那时候叫威尔·西德尼·波特，实际上从法律上说他一直是这么一个名字。他那时曾在一家银行当出纳员。他爱好文学，他在平庸的生活流程里，突然冒起了一朵令周围人们惊诧的浪花——他收购了一本《滚石》周刊，在上面发表自己的幽默小说。静水生波，必遭猜忌。恰在那前后，银行发现短缺了一笔现金，于是他被控贪污。他就躲到中美洲的洪都拉斯去了。现在奥斯汀小木屋书房的墙上，还挂着他和妻子女儿紧紧依偎的合影，他在流亡期间挂念她们，应该是梦中多次回到小木屋里，鼻息里全是熟悉的亲人气味。得到妻子病危的消息后，他忍不住返回奥斯汀，照顾妻子直到第二年她病故。也许是出于人道的考虑，在他妻子丧事完毕后，司法部门才将他逮捕。他究竟是否真的贪污了那笔现金？关于他的几种传记资料说法不一。他也没有坚持申辩。在监狱里，因为他曾当过药剂师，算有一技之长，被分派到监狱医院工作，待遇相对比较宽松，他就在那时开始以欧·亨利的笔名往外投寄短篇小说，没想到竟被著名的杂志刊发，立即引起读者和评论家注意，后来他被提前释放，那以后他定居纽约，开始了职业写作。按说他是应该吃第二道官司的，因为欧·亨利并非他杜撰的一个名字，而是他在监狱里常常使用的一部法国药典的作者的署名，他分明是侵犯了那位法国人的著作权，但是无人追究，也就逍遥法外，到今天世上有几个人知道编著药典的法国人欧·亨利？却有无数人知道美国有个短篇小说大王欧·亨利。

欧·亨利的人生不完美。他的人格也不完美。他的创作也不完美。他写过一部长篇小说《白菜与皇帝》，内容不错，写美国财团对某虚拟的中美洲国家的百般控制残酷掠夺，但从艺术上衡量，则乏善可陈。他确实难称伟大。但世界、人类应该摆脱"唯伟大是从"的思维格局。伟大固然是一种不可忽略的存在，但是否一定要对之敬仰追随，则尚需冷静地分析，明智地抉择。而不那么伟大，不完美，但却是坚实有益的事物，尽管有时候夹泥带水，远观近看都平实无奇，倒很可能经过我们的理性梳理、情感涤荡，被时间证明是可以久远亲近的好东西。

我和 Y 君茶话时，常争论批评的标准问题。我主张"多元规矩"。就是首先要承认文学创作可以是多元取向。然后，针对不同的元，取用不同的规矩来衡量其方圆。比如有的作家自觉进入"宏大叙事"的一元，写长篇小说、三部曲或更大的系列，试图构成"时代史诗"或"民族心史"，那么，你就对他拿出一套相应的规矩，来评判他究竟取得了怎样的成绩。并不是凡长篇必优于短篇。短篇小说从体裁上自是一元。一部短篇小说或许确实难敌一部长篇小说，但若是专写短篇小说而积累到一定程度，其栽种的文学树林所构成的审美绿荫，就未必不敌长篇小说的树冠，甚至还会比三部曲什么的更具久远的审美价值。当然，衡量专写短篇小说或以短篇小说见长的作家的创作，就要另拿出一套规矩来量其方圆。

近年来中国大陆文坛长篇小说超常繁荣。小小说也颇兴盛。中篇小说且不论，因为我们常说的中篇小说，那样的篇幅，在国外一般也就都归于长篇小说范畴，我国的台湾、香港地区也往往就算长篇小说。典型的短篇小说，也就是三千字到万把字，特别是五千字上下的短篇小说，尽管各类文学杂志上也总在刊载，不过无论就在读者中的影响，还是评论界的重视两方面来看，就还都输文采、逊风骚。

　　欧·亨利的短篇小说，其构思之精巧，常被世人称道，尤其是那往往令人
拍案叫绝的结尾，意料之外，情理之中，戛然而止，余音绕梁，似完未了，掩
卷味浓。这种结尾之妙，当然值得借鉴，但是我以为其开篇的技巧，也同样值
得学习。我们现在的短篇小说，开篇往往不是过分平实，就是故弄玄虚，让人
或者觉得寡味，或者感到麻烦，因此吸不住读者眼球，牵不住读者思绪。欧·亨
利却能开篇头几句就把读者吸引住。比如《牧场上的博皮普失人》的开头："埃
伦姑妈，"奥克塔维亚把她的黑色小山羊皮手套轻轻地扔向窗台上那只端庄的
波斯猫，快活地说，"我成了叫化子啦。"——劈头便是动作，两个人物包括一
只猫同时出场，并且立刻有了悬念：奥克塔维亚为什么成了叫化子？《嘹亮的
号角》的开头："这篇故事的一半儿可以在警察局的档案里找到，另一半儿则存
在一家报馆的营业室里。"一读这两句，读者的好奇心便被提升起来。《就医记》
开头一句则是："于是，我去找大夫了。"给读者的感觉，仿佛在"于是"前，
有些话被删除了，那是作者为尊重读者而采取了"少废话，快扣题"的明快叙事。
除了"豹头"和"凤尾"，短篇小说中段的叙事技巧，欧·亨利也是非常讲究的，
那"龙身"或云中隐现，或翻转自如，该粗放的地方一带而过，该细致的地方
针脚密缝，写对话简洁生动，夹议论幽默生风。重读他一些小说后再回想在奥
斯汀参观其故居的情景，越发觉得那小木屋构成了一种"小中见大"的象征。

　　欧·亨利成名后一直定居纽约。我在纽约打听有没有他的故居，不得要领。
他四十八岁病逝于纽约。他入狱获释后似乎再没有去过奥斯汀，其实他诞生地
也不是德州奥斯汀而是北卡罗莱纳州的格林斯波罗镇。奥斯汀小木屋是他生命
中一段暗淡期的小巢。他留存下来的短篇小说主要是写中下层美国人在生活中
的挣扎，他探讨的是人性，他寄希望于人与人之间的沟通、体谅、相濡以沫和
利他感恩，就气象而言，确实还很难称是"无愧于一个时代的伟大记录"或"美
国民族的灵歌心史"，但当我伫立在奥斯汀小木屋他那张陈旧的写字台前，想
到他那时心怀文学梦而八字没一撇，却后来毕竟终于蹚出了一条适合于他自己
的文学之路，就觉得他人生应无愧，而我们也没有道理用"伟大""完美"之
类的规矩来衡量这样一个谦卑而温和的人间观察者与杰出的故事讲述者，去贬

低他和他的短篇小说的独特价值。

天降人才，不拘一格。人写小说，不拘一体。Y君那天忽然对我说："对了，大狗可以叫，小狗也可以叫，这是俄罗斯的安东·契诃夫说的吧？"我没接Y君的话茬儿，但是，我感觉到，我们正在形成共识："大狗"和"小狗"都是这世界所需要的，问题是无论怎样的狗，要叫，就应该叫得响亮动听。

2006年5月23日温榆斋

抱养女婴——赴美弘红札记之一

应华美协进社邀请，到纽约去讲《红楼梦》。他们提供的是美国大陆航空公司的往返机票。4月12日登机那天，到登机口一看，几乎全是洋人。坐下来环顾，发现不少洋人全带着孩子。再细看，呀，那些孩子怎么差不多全一边大，而且，竟全是中国娃娃；更仔细地看，那些婴孩应该全是女娃儿。携带她们的洋人，有的看上去是两口子，更多的则是单身的妇女或先生，而单身先生居多，有的膀大腰圆，年纪估计已在五十上下。从他们的肢体语言上，就能看出他们对自己携带的女娃非常疼爱，有的紧搂怀中，有的给坐在折叠小椅上的耐心喂水，有的则弯腰扶着小胳臂让其试步……

原来，跟我同机的，有一个不小的美国领养中国被遗弃女婴的团体，他们已经在中国办理完所有相关手续，正带着自己选中的爱婴，返回美国，去安排他们抱养女婴的前程。

美国人从中国领养女婴，始于1992年。首批被领回去的女娃，现在已经开始上中学了。目前这种从中国福利院领养去的弃婴，据说在美国已经累计达到六万多。被领养的弃婴几乎全是女娃。

飞往纽约的航程里，我一直在琢磨，怎么那么巧？我揭秘《红楼梦》，是从书里的秦可卿入手，而书中第八回末尾，就交代说，秦可卿本是一个小官吏从养生堂里抱养出来的女婴。当年的养生堂，相当于现在的福利院，当然，旧时代的养生堂（又叫育婴堂）黑幕重重，现在的福利院应该是一个健全的民政机构。

但无论当年还是现在，这类机构所收养的弃婴，总不能长期留存在那里面，根据法律允许，办理相关手续，让社会上具备一定经济条件和道德水平的人士从中领养，是中外古今这类机构惯常的行为方式，这是对弃婴的一种消化，也是对社会需要领养童婴人士的一种法内满足。

看过英国 19 世纪作家狄更斯的长篇小说《奥利弗·退斯特》（又译为《贼史》或《雾都孤儿》），我们就可以知道，在旧时代，西方的孤儿院（也就是育婴堂、养生堂）里的弃童过着怎样非人的悲惨生活，而他们被领养出去后，多半又会被当做童工驱使盘剥，只有希冀偶然的运气，才能终于脱离樊笼，回归到正常（实际上也就是中产阶级或上流社会）的生活境遇之中。在曹雪芹撰写《红楼梦》的那个时代，中国的养生堂也是暗无天日的地方，从那里抱养出去的孩子，男的往往是被当做学徒，女的往往成为丫头，命运稍微好些的，也不过是成为小户人家的养子养女，对于他们的来历，父母讳莫如深，他们长大后有所疑惑、察觉，会非常地痛苦，就因为他们"来历不纯"，会在他们的人生道路上，特别是婚姻、就业等方面，遭遇障碍，形成坎坷。

美国 19 世纪小说家霍桑的《红字》，虽然讲的不是养生堂的故事，但是书里的那个女孩珠儿，就因为她"不知其父"、"来历不明"，也就跟她那至死不说出她父亲是谁的母亲一样，每天身上必须挂出屈辱性的红 A 字，被示众，被歧视。这说明，无论东方还是西方，至少在一百多年前，血统问题仍是一个能置人于死命的严重问题。所以，《红楼梦》第八回末尾的那段交代，说秦可卿是宦囊羞涩的小官吏从养生堂抱出的女婴，却仅仅因为跟贾府有些瓜葛，就嫁入到人人一双富贵眼睛的贾氏家族，成为宁国府三世单传的贵族公子贾蓉的正妻，确实是有悖那个时代常理的，不仅有悖那时中国的常理，也有悖霍桑、狄更斯笔下描绘过的，以往西方社会的常理。那确实是一个需要研究的"症结"。

飞机上邻座的一位美籍华人女士，跟我谈起美国领养团，她说中国福利院的女婴，中国本土，包括香港、台湾和澳门去领养的人士不多，而从美国去领养的人士里，也几乎没有华裔。这些白种美国人会为所领养的女孩安排很好的前程，送她们入名校，最后将她们输入美国主流社会。她估计再过十年，这些女孩中长大成人的，会组成"中国姊妹会"，她们会意识到她们在美国社会里是一个特殊的族群，她们会返回中国寻根（实际上现在已经有1992年抱养去的回来寻求"我究竟是谁？"的答案），会在美中各方面交流中起到某种特殊的作用。

飞机开始降落，舷窗外，已呈现出纽瓦克国际机场的鲜明轮廓……

大娃娃心态——赴美弘红札记之二

为什么有那么多的美国白人组成领养团，到中国福利院里抱养被遗弃的女婴？到了纽约以后，我还经常跟那边的人士讨论。总的来说，每一位领养人都会有他们自己特殊的原因，甚至是很私密的原因，但是，大体而言，他们有其共同点，就是出于朴素的人道考虑，觉得自己既然有能力，就应该做这样珍惜生命的事情。这跟一般美国人都信奉基督教新教派，持有宗教情怀也有很大关系。上世纪50年代，曾有很多美国人自愿领养韩国孤儿，六七十年代，积极抱养越南孤儿又形成一种风气，那么现在，尽管美国人都知道中国经济在高速发展，中国生产的衣服和鞋子充斥在美国的各大商场，中国的家用电器也令他们觉得物美价廉，但是，中国农村重男轻女的现象依然严重，而贫富不均的贫穷那一极里，抛弃女婴仍是比较严重的社会问题，某些福利院收容的女婴数量已经相当可观，而中国本土成人抱养这些女婴又并不踊跃，于是，一些知道了此种情况的美国人士，从上世纪90年代开始，就自愿组合成了一批批的领养团，来中国抱养被遗弃的女婴。

我在赴美途中遭遇美国领养团，其中诸多镜头令我久久难忘，比如一位独身男士还为自己和女婴购买了头等舱的座位，进入机舱后立即布置成一个小小的游乐区，全身心地逗那女婴咯咯欢笑，他自己也高兴得像一个大娃娃。

大娃娃的做派、心理和情趣，是我接触许多美国人以后形成的一个总体印象。比如这次赴美弘红——就是弘扬中国的《红楼梦》——本来就是到华美协进社二楼的演讲厅里去讲一番我的《揭秘红楼梦》，后来却通知我，他们要与哥伦比亚大学合办，而且要把演讲的那一天命名为"刘心武日"。乍得知他们这个决定我真吓了一跳。毕竟我是中国人，从传统文化到革命文化在我意识里的积淀都很深，论资排辈也好，论功行赏也好，在哥大举办某某某日，怎么说也不应该轮到我头上，而且，我若接受下来，岂止是不谦虚，简直就是狂妄！但到头来4月15日还是搞成了"刘心武日"，除了上午我讲《秦可卿与贾元春之谜》，下午讲《贾宝玉和情榜之谜》，两讲前分别播放中央电视台录制的《一个人和一座城市——刘心武抚摸北京》上下集，设台面展示出售我的若干著作，散发关于我的创作简历和有关我《揭秘红楼梦》引发大争论的材料，张贴了一些跟我有关的中英文报导及照片……我发现，美国人的想法很单纯，就是我们既然请来了刘心武，手中又有若干资源，而事前报名订票的人士又逾百人，何不大家高兴一番呢？他们并不把"刘心武日"的叫法看得那么郑重，融注进那么多的内涵，就是一群大娃娃，聚在一起度过一个跟刘心武有关的周末，在嘉年华式的活泼气氛里，顺便地了解到一点关于中国古典名著《红楼梦》和关于一个中国当代作家的相关信息。

美国式大娃娃的心态，感染了我。我出发前，一位友人叮嘱我："你可是负有重大使命啊！"到了那边，会见了华美协进社的社长副社长——两位白人女士——以及其分支机构人文学会的双主席，来自大陆的何勇和来自台湾的汪班二位先生，轻松交谈中，我就明白了，在纽约这个大都会，每个周末会有无数的文化活动，且不说大都会博物馆和林肯中心里面，也且不说百老汇长街上的无数剧场和分布在各区的图书馆里，就是许多小型的文化场所，也有极其丰富多彩的安排，某处可能有关于柬埔寨吴哥窟的研讨，另一处可能有某部东欧作品英译本的首发式；华美协进社本身，也开展着多种介绍中国文化的活动，一楼的展厅里就正举办中国青花瓷精品展，来一个刘心武，讲两场《揭秘红楼梦》，而且只是用中文讲，不过是一滴雨水，落进浩瀚的大海里罢了，认真对待是应该的，但又何必把自己和讲座看得那么重要，动辄视为"使命"呢？大家一起玩玩，寓文化传播于周末消闲，"刘心武日"无非是个小小的周末游戏，进入这样的心态后，我那天的演讲，意态轻松，挥洒自如，反而获得了异常热烈的反响。

那天中午，接待方引我去一处学生宿舍好平躺下来休息，路经大学绿地，看见一些从新泽西州开车来听我演讲的人士，在草坪上铺开布巾，席地野餐，以待下午我的第二讲，很是感动，也更有返老还童之感。

夏志清捧场——赴美弘红札记之三

我在哥伦比亚大学弘红次日，几乎美国所有的华文报纸都立即予以报导，《星岛日报》的标题用了初号字《刘心武哥大妙语讲红楼》，提要中说："刘心武在哥大的'红楼揭秘'，可谓千呼万唤始出来。他的风趣幽默，妙语连珠，连中国当代文学泰斗人物夏志清也特来捧场，更一边听一边连连点头，讲堂内座无虚席，听众们都随着刘心武的'红楼梦'在荣国府、宁国府中流连忘返。"

我第一次见夏志清先生，是在 1987 年，那次赴美到十数所著名大学演讲（讲题是中国文学现状及个人创作历程），首站正是哥大，那回夏先生没去听我演讲，也没参加纽约众多文化界人士欢迎我的聚会，但是他通过其研究生，邀我到唐人街一家餐馆单独晤面，体现出他那特立独行的性格。那次我赠他一件民俗工艺品，是江浙一带小镇居民挂在大门旁的避邪镜，用锡制作，雕有很细腻精巧的花纹图样，他一见就说："我最讨厌这些个迷信的东西。"我有点窘，他就又说："你既然拿来了，我也就收下吧。"他的率真给我留下了深刻的印象。

1998 年二次赴美，在纽约也是不少的文化界旧友新雨举办餐会，欢迎我和妻子晓歌，记得那回来的人甚多，以致餐馆包间的玻璃拉门都关不上了。在座的文化泰斗级人物有唐德刚先生，夏先生却仍不来"合群"。那次唐先生身子骨显得十分硬朗，谈笑时声如洪钟。但这回再赴纽约，要把周汝昌先生嘱交的《我与胡适先生》面呈唐先生时，接待方告诉我，唐先生竟已中风，行动语言不便，我只好惆怅地把周先生大著和两册拙著给华美协进社的何勇先生，烦他转递致慰。

夏志清先生只比唐德刚先生小一岁，这回赴美在哥大演讲的前一天，纽约一些文化名流在中央公园绿色酒苑小聚，为我洗尘，夏先生携夫人一起来了，他腰直身健，双眼放光，完全不像是个作八十五岁的耋耄老翁。他不仅在中国文化方面造诣很高，英文写作在英语为母语的人士眼中也属一流，我感觉他已经具有熟练的英语思维，也具有了"美国大娃娃"的特点。席上他称老妻为"妈妈"，两个人各点了一样西餐主菜，菜到后互换一半，孩童般满足，其乐融融。

我演讲那天上午，夏先生来听，坐在头排，正对着讲台。讲完后我趋前感谢他的支持，他说下午还要来听，我劝他不必来了，因为所有来听讲的人士，都可以只选一场来听，一般听众是要购票入场的，一场 20 元，有的就只选上一场，或只选下一场，两场全听，其实还是很累的。但下午夏先生还是来了，还坐头排，一直是全神贯注。

报导说"夏志清捧场"（用二号字在大标题上方作为导语），我以为并非夸张。这是实际情况。他不但专注地听我这样一个没有教授、研究员、专家、学者身份头衔的行外晚辈演讲，还几次大声地发表感想。一次是我讲到"双悬日月照乾坤"所影射的乾隆和弘晳两派政治力量的对峙，以及"乘槎待帝孙"所表达出的著书人的政治倾向时，他发出"啊，是这样！"的感叹。一次是我讲到太虚幻境四仙姑的命名，隐含着贾宝玉一生中对他影响最大的四位女性，特别是"度恨菩提"是暗指妙玉时，针对我的层层推理，他高声赞扬："精彩！"我最后强调，曹雪芹超越了政治情怀，没有把《红楼梦》写成一部政治小说，而是通过贾宝玉形象的塑造和对"情榜"的设计，把《红楼梦》的文本提升到了人文情怀的高度，这时夏老更高声地呼出了两个字："伟大！"我觉得他是认可了我的论点，在赞扬曹雪芹从政治层面升华到人类终极关怀层面的写作高度。

后来不止一位在场的人士跟我说，夏志清先生是从来不乱捧人的，甚至于可以说是一贯吝于赞词，他当众如此高声表态，是罕见的。夏先生并对采访的记者表示，听了我的两讲后，他会读我赠他的两册《揭秘》，并且，我以为那是更加重要的——他说他要"重温旧梦，恶补《红楼梦》"。

到哥大演讲，我本来的目的，只不过是唤起一般美国人对曹雪芹和《红楼梦》的初步兴趣，没想到来听的专家，尤其是夏老这样的硕儒，竟给予我如此坚定的支持，真是喜出望外。

当然，我只是一家之言，夏老的赞扬支持，也仅是他个人的一种反应。国内一般人大体都知道夏老曾用英文写成《中国现代小说史》，被译成中文传到我们这边后，产生出巨大的影响，沈从文和张爱玲这两位被我们这边一度从文学史中剔除的小说家，他们作品的价值，终于得到了普遍的承认；钱钟书一度只被认为是个外文优秀的学者，其写成于上世纪40年代的长篇小说《围城》从50年代到70年代根本不被重印，在文学史中也只字不提，到90年代后则成为了畅销小说。我知道国内现在仍有一些人对夏先生的《中国现代小说史》不以为然，他们可以继续对夏先生，包括沈从文、张爱玲以及《围城》不以为然或采取批判的态度，但有一点那是绝大多数人都承认的，就是谁也不能自以为真理独在自己手中，以霸主心态学阀作风对付别人。

六层楼上的启示——赴美弘红札记之四

忘年交胡晓东先生开车，带我从休斯敦往达拉斯一游。达拉斯这座城市因美国第三十五届总统约翰·肯尼迪1963年在此遇刺而著名。这当然不是什么值得骄傲的事情。但毕竟这是轰动一时，至今仍令人难以忘怀的一个历史事件，所以在肯尼迪被刺的街心，有一个白漆×形符号标出其当时中弹的具体位置，在附近绿地中则有一个白墙体、黑卧碑的纪念性建筑，而那座街道拐角处的旧楼——凶手是从最高一层也就是第六层窗内射击的——也就成为了一所特殊的博物馆。

进入这座以"六层楼"命名的博物馆参观，令我惊讶的是，几乎所有的展品，从照片到实物，从循环播放的旧纪录影片到剪报书籍，虽然琳琅满目，堪称丰富，但大体上而言，都只是"事实的陈述"，而非"一锤定音"的"盖棺论定"。肯尼迪究竟是一个高明的总统，还是一个糊涂的领导人？展品只是罗列他做过什么，比如在他主政期确定了登月计划，1969年美国宇航员果然登上了月球，这当然是好事，似乎应该大加揄扬，但又有几乎相等的篇幅，展示他组织"猪湾登陆"，企图一举荡灭新生的社会主义古巴政权，结果却刚一登陆即被古巴击溃，难道这该作为笑柄长久记录？

最让我不解的是，肯尼迪究竟为什么被刺？刺杀他的凶手为什么被捕不久就被灭口？灭口的又是什么人？为什么竟至今不能破案？泱泱大国，堂堂总统，从维护面子考虑，也该设法给出个"圆满答案"才是，哪能"不知为不知"、"不了了之"呢？

展厅里有很大一块篇幅，罗列出肯尼迪被刺后世界上各种报导、专著对谁为什么杀他，而提出的各种说法，居然林林总总，兼收并蓄，在我看来，布展者全无心肝，因为其中一些猜测，属于对美国抹黑，怎么能连这样的言论，也允许其登大雅之堂？

参观后与胡晓东登上达拉斯最高建筑——观览塔，一边喝咖啡一边闲聊，说起我这次赴美前，国内有批评者担心我到美国"揭秘红楼梦"会"误导美国听众"，会"把错误的观点散布到美国"，晓东不禁哑然失笑。他说，我们刚看过的六层楼博物馆，凸现着美国特色，那就是这里绝对是多元并存，不要说你难以误导别人，你就是正导别人，别人也会莫名惊诧，因为一般美国人根本就拒绝你去引导他，他们只要求你公布你掌握的资讯，陈述出你个人的观点，至于他们自己会是怎样的看法，那么，对不起，无须你引导，他们会经过广泛听取、独立思考，形成个人的看法，即使他们对你的观点认同，也不过是"现在投你一票"，总还是要保留"将来把票投给别人"的权力。

仔细想来，确实如此，美国人恐怕是世界上最难"误导"的了。拍摄《华氏911》的电影导演，把布什糟改得狗血喷头，但支持布什的人士，看完电影依然不改立场；支持布什的人士发表他们的言论，又怎能左右得了"反战妈妈"及其同情者的立场观点？有人把"酸草莓奖"的"最劣男演员奖"颁给了汤姆·克鲁斯，但却无法导引满大街的影迷改变其对汤姆·克鲁斯新片《谍中谍Ⅲ》的期待；而任凭新左派的观点如何一直渗透到 T 恤衫上，使得不少愤青穿着绘有切·格瓦拉头像的 T 恤衫招摇过市，仍有更大量的青年男女满足于俗世生活，他们之间并且能和平共处，谁也没把谁正导或误导过去。

在德克萨斯州首府奥斯江，一批归化美国多年，在当地 IT 业中已成技术骨干的中国人，当年的"老三届"、"老知青"，他们请我到一户已经换了三次住宅，如今大堂里摆放上三角钢琴的人家欢聚。他们能够理解国内尚存在的一些说法，但他们早已脱离了那种一元化的思维方式。他们知道国内有人批判我的《揭秘红楼梦》，扣了"是对社会文化的混乱"、"扰乱了文学艺术研究方向"的大帽子，有的就说"听了真有恍若隔世之感"。那晚我和他们讨论了三个小时，他们从学术角度对我的《揭秘红楼梦》提出了若干商榷，使我感受到，在多元文化格局中生活的人士，他们是根本不可能被谁误导的，他们接收信息的过程也就是一个独立思考、自主抉择的过程。

阿拉莫番石榴花——赴美弘红札记之五

德克萨斯州的圣安东尼奥是座美丽的城市，其中最美的是绵延几公里名"河边信步"的风景线，格局跟中国的周庄、甪角类似，就是河道不甚宽但能通游船，两岸餐饮店如珍珠不断线，无论是河畔信步还是乘舟徐览，也无论是择店就座，或凭窗，或露天，饮啜间沐几滴微雨，闻几阵远歌近笛，真有飘飘欲仙之感。

但圣安东尼奥的首席名胜，却并非这"河边信步"，而是阿拉莫古堡遗址。我在河边流连不已，胡晓东就几次提醒我还没去参观阿拉莫，他是怕去晚了那里会停止售票。

阿拉莫我早听人说起过。19世纪初，德州还是墨西哥的领土，从欧洲移居那里的白人多到一定程度以后，那些白人就寻机思变，闹起独立来了，阿拉莫就是闹独立的一个军事据点，墨西哥皇帝的卧榻之侧，岂容他人酣睡，就先下手为强，派重兵去围剿阿拉莫。那是在1836年，阿拉莫堡寨里当时有189个白人官兵，他们进行了殊死抵抗。尽管最后堡寨被攻破，189个战士全部牺牲，但他们杀死的墨西哥士兵却累计近两千；使墨西哥皇帝大为震动，加上其他一些因素，最后墨西哥只好让德克萨斯独立，但所谓独立只是相对的，德克萨斯很快成为了美国最大的一个州，这个州的名声如今更大，因为现任总统布什就是德州的大牧场主，像我这样的外国游客，到德州游览少不了参观那里广袤葱绿的大牧场，而以老布什命名的图书馆，更提醒着我们这里有着强悍的政治家族，实非等闲之地。

但进入阿拉莫参观，我的思绪却找不到一个落点。在我这样一个外来客看来，白人移民通过军事行为把墨西哥领土割下并入美国，似乎难称正义之举。而所谓古堡，不过是一百多年的建筑，跟我北京住宅周边的地坛、孔庙、雍和宫以及安定门内那些胡同里许多一般的小院相比，实在离"古"字还远。晓东告诉我两年前好莱坞拍摄了历史巨片《阿拉莫》，不少美国人看时泪湿衣襟，中国港、台地区拿去演时叫做《边城烈火》，我就忍不住问："谁的边城？"参观完以后，踱出堡墙，外面广场上正有美国海军陆战队在进行某项交接仪式，许多人围观，忽然军乐队奏响美国国歌，一时间谁是美国人谁是外国客泾渭分明——凡肃立的定是美国人，而仍在拍照或漫步的准是外国游客，我见晓东也闻乐肃然，才想起他已入了美籍。

到一家酒吧喝鸡尾酒小憩，我跟晓东漫谈，说起《红楼梦》里的姽婳将军林四娘，一位王爷宠姬，当那王爷所辖的青州被围困，她率一支女兵出城血战，最后也是全军覆灭，这是明末清初的事情，书里通过贾政口中讲出，贾政并命贾宝玉和贾环各赋诗一首，贾宝玉积极应命，竟赋成长篇歌行，居然缠绵悱恻，颂赞有加。我说这段写在第七十八回里的情节，历来争论颇多，比如把贾宝玉定位于反封建正统的"新人"了，那怎么解释他对林四娘这样的效忠封建政权的女子的歌颂？有的论者就说贾宝玉是糊弄贾政，同回他写的《芙蓉女儿诔》才是他真正的心声；有的论者则分析出，其实林四娘当时迎战的是南下的清兵，只是碍于文字狱的威胁，曹雪芹才不得不使用曲笔遮掩，这一段文字其实正反映出作者反清复明的政治理念。晓东理解我为什么议论及此，就说，对美国的历史他也是慢慢地才有所理解，比如阿拉莫之役，不能机械地从概念出发，去衡量其是非，尤其不能从今天的世界政治格局，反过去评价当年的人与事。当年从欧洲移民到这片蛮荒之地的白人，大都是些穷人甚至犯人，他们作为牛仔与天斗与地斗与人斗，最后悟出最宝贵的是个人自由与群体自治，他们当时是被墨西哥皇权压迫的，电影《阿拉莫》就通过几个人物，特别表达了这样的意蕴：一些宗教信仰和个人志趣以及性格都差异甚大的男子，却在追求自由的同一目标下同生共死，开辟新境。晓东说《红楼梦》里的林四娘，以及贾宝玉对她的歌颂，恐怕也需要放在具体的历史语境里，才能获得合理的诠释。

如今的阿拉莫古堡里树木成林，繁花盛开。有一种高大的灌木，开放着厚瓣白花，晓东告诉我那是番石榴花。回国后我常常想起阿拉莫的番石榴花，我和晓东进行的有趣讨论，正如那怒放的花朵，有希望结出饱满的果实来。

石破天惊少一门——赴美弘红札记之六

我在哥大的讲座结束后，邀请方华美协进社人文学会双主席之一汪班先生作总结发言。汪先生来自台湾，在美国多年，是华美协进社的资深教师，他中、英文都好，能够双语教学，而且对中国的琴棋书画都有研究，在京剧昆曲方面更是通家，能粉墨登场，唱腔做工，可与专业演员媲美。

汪班先生说我的两场四小时演讲，可以用四个字概括：石破天惊。对这样的评价，我是否应该立即谦辞？我自己把这样的赞扬报导出来是否狂妄？冷静下来回想，我觉得就那天演讲赢得的反响而言，确实可以用这四个字来形容。其实用北京土话概括，两个字就够：震了！

这当然会引出反对我赴美揭红的那些人士的更大反感和忧虑，这岂不是明摆着我把美国那边的听众误导了吗？我只好再次告诉大家，那边的听众没有任何人期待我去引导，对《红楼梦》原有自己看法的人，他或许会通过听我的演讲，去调整他的思路，或许仅仅是觉得多了一种参照；对《红楼梦》原来不甚了了的人，他也不会得出"《红楼梦》就是这样"的结论，他会产生去聆听更多种解析的愿望；而最根本的是，人们听后会产生去找《红楼梦》来读的冲动，而绝不会出现"啊，那就用不着去读原著了"的想法。

总体而言，美国那边的学术气氛，是特别欢迎个性化的研究，鼓励出新，宽容颠覆，如果你宣布你的观点"正确"、"稳妥"，是"真理"、"方向"，而且你演讲是要"正导"他们，并且充满对异己"邪说"的批判与"警惕被某人误导"的劝谕，那么，他们去聆听的兴趣一定大减。我去后问邀请方："是谁向你们推荐我的？"回答竟是："那些强烈反对你的人。"他们说，本来也不清楚中国中央电视台有多少频道，10频道是不对国外的，他们看不到，《百家讲坛》节目更无从知晓，但我的《揭秘红楼梦》系列讲座，引出的"围殴"、"口水战"被广泛报导，特别是境外一些传媒不但报导还对这件事予以评论，他们才知道原来我有这么个《揭秘》系列，反对者竟气愤到宣布我"不能到电视台去讲"，"是对社会文化的混乱"、"扰乱了文学艺术研究的方向"，这就勾起了他们的好奇心，于是设法找到光盘和书，看了才知道我的研究果然很个性化，而且富于趣味性，觉得很适合他们的讲座，因为他们举办的讲座不是针对学界的，是一种向普通美国人推介中国传统文化的休闲性周末活动，目的也并不是向美国人宣传"如何正确无误地理解《红楼梦》"，而是意在以通俗生动的演讲内容，让一般美国人知道"中国有个伟大的作家曹雪芹写了部伟大的小说《红楼梦》"。

"石破天惊"只不过是形容我的演讲角度奇特、内容新颖、表达富于刺激性罢了。我只能用中文演讲，因此那天来听的论身份虽然基本上全是美国籍或绿卡持有者，却满场一片黑发黑眼，金发碧眼的美国人只有寥寥几位，而且其中一个小伙子还中途悄然退场。这就说明，我的"石破天惊"尚缺一门，那就是外语门。如果我能不依赖翻译，自己同时用流利的中文和同样流利的英文把要讲的内容生动呈现，那效果才会是满局的"石破天惊"。

华美协进社社长江芷若、副社长贾楠女士都是白人妇女，我写出的是她们为自己取的汉名，她们能说一点中文，但跟我进行深度交谈，就感到困难，也无法阅读我的两本《揭秘》，她们表示，华美协进会亟待开办那样的讲座，就是演讲者在中、英文方面都有相当造诣，能够兼顾母语为中文和母语为英文的两种听众，把中国的传统文化和当代文化介绍出来。

像夏志清先生那样的学贯中西的学者，后继有人。原来是台湾、香港地区赴美的学者在美国各大学的东亚系里占据不少教席，担任系主任，现在，大陆过去的学者渐渐脱颖而出，双语人才越来越多，有的已成为美国名牌大学的终身教授，担当系主任的工作也驾轻就熟。大陆这边能过去以双语推介中国文化的人才，也在逐步涌现。我深知自己仅仅是一个在美国弘扬《红楼梦》的过渡性人物，仿佛一滴雨水，落入大海，微不足道。真正能使中国文化让更多美国人，特别是那边主流族群感到"石破天惊"的演讲者，快准备出发吧！

维基基海滩赏诗——赴美弘红札记之七

和 L 君同往夏威夷一游，老友梅兄送我们到机场，领登机牌前，他把一个纸袋递给我，脸上现出顽皮的微笑，嘱咐我："到了那边再看，在海滩上慢慢看。"

从纽约先飞洛杉矶，再转机飞往檀香山，行程要十个小时，飞行中阅读是最佳消磨方式，我要读那纸袋里的东西，L 君递给我一本书，劝我还是遵梅兄之嘱，到海滩再探究竟，我就捧读他给我的那本法国小说《幽灵》，据说在法国是畅销小说，译文也颇流利，但我读来只觉得是无病呻吟、故弄玄虚，昏昏然，也好，迷迷瞪瞪地，不知不觉，飞机已降落到跑道上。

夏威夷跟我想象的很不一样。我以为那里很热，带了不少恤衫，谁知平均气温多在二十五度上下，时有小阵雨，外套还是少不了的。我以为可以用"天然金沙滩，翻飞银海鸥"来形容那里的海滨风光，却原来那是火山岛，海滩本来全是被岩浆烧焦过的黑石头黑沙子，现在所看到的金色白色沙滩，全是从澳大利亚进口的沙子铺敷的；因为全境长期禁止捕鱼，近海生态特殊，并无海鸥飞翔，所看到的鸟类，大多是鸽子；我以为它已接近南太平洋，热带植被中必然多蛇，我最怕的就是蛇，自备了蛇药，但导游告诉我们："这些火山岛全无蛇，如果说有，那只有两条，一条在动物园里，一条就在你们眼前——我，地头蛇啊！"我原以为夏威夷州花必是一种很特殊的热带花卉，没想到却是北京常见到的木芙蓉，或者叫朱锦牡丹……

但夏威夷确有一种令人心醉神迷的风韵。那里的土著以黑为贵，以胖为美，人们见面互道"阿罗哈"，无论是柔曼的吉他旋律，还是豪放的草裙舞，都传递给你充沛的善意与天真。

我们下榻的宾馆离著名的维基基海滩很近，散步过去，租两把躺椅一把遮阳伞，在免费的冰桶里放两瓶饮料，一身泳装，日光浴、海水浴交替进行，真是神仙般快活。我带去了梅兄给我的纸袋，靠在躺椅上，抽出了里面的东西，原来是一册纽约出版的中文《今周刊》，于是发现，有一整页刊登着与我有关的古体诗。

我赴美前，《北京晚报》已经刊载了周汝昌先生的《诗赠心武兄赴美宣演红学》："前度英伦盛讲红，又从美土畅芹风。太平洋展朱楼晓，纽约城敷绛帐崇。十四经书华夏重，三千世界性灵通。芳园本是秦人舍，真事难瞒警梦中。"《今周刊》将其刊出，重读仍很感动。但让我惊讶和更加感动的，是在周老的诗后面，《今周刊》一连刊登了四首步周韵的和诗。第一首就是梅兄振才的："百载探研似火红，喜看秦学掀旋风。轻摇扇轴千疑释，绽放百花四海崇。冷对群攻犹磊落，难为自说总圆通。问君可有三春梦，幻入金陵情榜中。"

还有刘邦禄先生的：

"锲而不舍探芹红，当代宗师德可风。十杰文坛登榜首，一番秦论踞高崇。揭穿幻像真容貌，点破玄关障路通。三十六篇纾梦惑，薪传精髓出其中。"

陈奕然先生的和诗则是：

"劫后文坛一炮红，长街轻拂鼓楼风。坚冰打破神碑倒，传统回归儒学崇。真事隐身凭揭秘，太虚幻境费穿通。阿瞒梦话能瞒众，还赖高人点醒中。"

罗子觉先生和诗：

"忽闻美协艺花红，纽约重吹讲学风。芹老锦心千载耀，刘郎绣口万侨崇。红楼梦觉云烟散，碧血书成警幻通。嗟我息迟无耳福，不惭敬和佩胸中。"

除了步周老韵的和诗外，还有七首诗也是鼓励我的，其中周荣先生《聆"红楼揭秘"感呈刘心武先生》："别开生面上层楼，秘揭兴衰话石头。百载繁华皆是梦，一朝零落不胜愁。独特扇轴论人物，妙析玄机证堑丘。文海千波红学浪，新帆风满正争流。"赵振新先生《无题》："早有才名动九州，伤痕文学创潮流。红楼今又开生面，攀向层楼最上头。"

我在演讲中说，秦可卿于我来说好比是折扇的扇轴，从她入手，甩开后便可见《红楼梦》全扇。几位鼓励者诗中都引用了此意，实乃知音。

当然，我深知，这些人士，有的是老友，有的是新识，有的尚未谋面，都属于我的"粉丝"，有的更取一特称叫"柳丝"；人做事需要扶持，出成果需要鼓励，一个篱笆三个桩，一个人至少需要三个人帮，国内海外皆有我揭秘《红楼梦》的"柳丝"，是我的福分。但我也知道，恨不得把我"撕成两半"的人士，也大有人在，国内见识过，海外未遇到，却未必没有，对于他们，我要说，难为他们花那么多的时间和精力，投入那么强烈的情感来对付我，凡他们抨击里的含有学术价值的那些成分，我都会认真考虑，但凡那些属于造谣污蔑人身攻击的话语，我就只能是付之一笑，我祝他们健康快乐，不要因为对我生气而伤身废事。

赏完那些诗，朝海上望去，只见翻卷的海涛里，冲浪健儿正在灵活而刚强地上下旋跃，就觉得，要向他们学习，做一个永不退缩的弄潮儿！

M

马来西亚

猫城记猫

我穿着一件圆领 T 恤，摇摇摆摆在我住的那座楼下散步，引来不少注视的目光；那目光不是聚焦在我脸上，而是在我身上；原来我那恤衫上印着一个比人脑袋还大的猫头。这些年来时兴各种图案的"文化衫"，猫的图像并非多么稀奇；稀奇的是把猫头画得这么大。显然，设计这种恤衫和热衷穿它的人，一定都爱猫，并不惜将这种爱意夸张地表达到如此程度。

这圆领衫的大猫头下，印有一行英文，意为：古晋——沙捞越的首府。我正是在那儿买的它。我去东马来西亚的沙捞越之前，不知道其首府古晋这名称便有猫的意思。我北京的家里养着三只大猫。我们全家都爱猫，并且不理解有些人为什么不爱猫甚至厌猫仇猫。所以一旦知道古晋是猫城，真是高兴极了。

据说古晋最早的开发者，乘简陋的木船沿沙捞越河进入到这个地方时，看到岸上跑动着一只猫，当然是野猫；那只猫以活泼的跳跃、灵巧的转动、神出鬼没的应变能力，给人以激励，以信心，以启发；于是，乘船者便在那里停靠，揭开了古晋开埠的序幕。

现在的古晋，街头、公园、江边，到处有大大小小的猫的塑像。因为那是一个多民族聚居、多文化交融的地方，因此，猫的塑像便呈现着全然异趣的风格。当地的土著里，人数较多的是达雅族群，他们最崇拜和喜爱的动物是当地特有的彩羽大犀鸟，因此古晋到处也都可以看到犀鸟的雕塑，犀鸟并定为了沙州的州鸟；但达雅人也爱猫，古晋有的猫塑像体量比较小，大都是削瘦的紧毛猫，造型上又都有点抽象意味，据说那便是达雅猫的风格。马来人是信奉伊斯兰教的，据说他们家中很少养狗而大都乐于养猫，并且一养就不仅一只一对，因此古晋城里马来人聚居区街心花坛里的猫塑像，便都是或八只或九只的群雕，而且一律取其最自然憨戆的情态，有的正翻滚嬉戏，有的在以爪洗面，有的互捉迷藏，有的似在撒娇……有的雕像非常巨大，一只蹲猫也差不多有两米高的样子，煞是夺目。在华族聚居区的街口，中国古典式彩画牌坊前，有全古晋最大的一只白猫雕像，是蹲座后伸出一只猫掌作招呼状，脖子上还扎着红色的领结，不消说，那是一只"招财猫"；因为过分地追求"写实"，这只华族人塑的猫看去比较死板，然而其中所蕴含的文化积淀，倒也一目了然。

除了家养，古晋城里，绿地小巷中，时有猫儿出没，那也不能说是野猫，就好比国外城市广场上飞动栖息的鸽子，虽非一家一户所养，亦非野鸽；古晋的那些无家的猫，其实是该城市民大家的猫，不仅人们见了都主动喂食，也有些地方摆着一些食盆，没见猫时人们也可以往里面搁些食物，以待猫城的猫心安理得地随时享用。古晋还有一所收藏甚丰的猫博物馆，可惜我没能去看。

跟古晋的华族作家混熟了，提出这样的问题："爱猫养猫，给猫塑像，甚至于写猫咏猫……这会不会玩猫丧志呢？"

他着实吃了一惊，皱眉回答我说："丧什么志？你是什么志？别忘了，猫在这个星球上的存在史，是远久于人类的……这地方就是先有猫，再有人，再有这城，再有现在的我们的……养猫爱猫哪里是玩？是尽我们作为星球中一员应尽的责任！甚至于可以说，是在我们心底里，保留一份人类掠夺了大自然、破坏了地球生态的忏悔……"

我穿着那猫头恤衫，在北京护城河边散步，回味着从遥远的沙捞越听来的话。

1996 仲夏于绿叶居中

长屋之谜犀鸟知

　　到了沙捞越，不能不去看达雅人聚居的长屋。沙捞越是东马来西亚的一个州，位于北加里曼丹岛的东北部，首府是古晋。我从西马的吉隆坡飞抵古晋，一下飞机便感受到与西马和新加坡都迥异的独特风情。沙捞越虽然也有不少的马来族与华族居民，但构成其人文风情的主要因素，还是当地土著的生活方式。我到古晋的第二天，朋友便陪我去海滨风景地山都望一游，那里有一个规模很大的民俗文化村，差不多沙捞越二十几个民族都在那里展示了自己的民居民俗，我初逛时觉得煞是有趣。记得其中一隅是最富野味的伊班族树棚，在极简陋的树棚里，一位几乎全裸的伊班青年坐在木墩上专心地削木矛。那原始的木矛能扎死热带雨林中凶猛的科摩多龙么？不禁对伊班族扎根于热带林莽中的奋进史肃然起敬。但试着用英语与那伊班青年打招呼，他应答起来，发现他的英语字正腔圆，且极流利，这才恍悟，他实际上是文化村的雇员，不过是在表演伊班族的旧时生活风貌罢了，下了班，他恐怕便会穿上极时髦的牛仔裤和印着英文的 T 恤，喝可口可乐，跳迪士高的。文化村中也有达雅人的长屋，因为知道一概属于"布景"与"表演"性质，所以我观览的兴味索然起来。朋友便说在古晋另一郊区有真正的长屋，隔天可带我去参观。

　　达雅族又分陆达雅与海达雅，伊班族也属于陆达雅中的一支。陆达雅的居住传统，是建长屋聚居。随着工业文明在东马的推进，传统的生活方式正被瓦解。实际上仍恪守传统的长屋已所存不多。因此观访现存的长屋，便具有特别丰沛的意义。

　　当地名诗人吴岸，知我迫切希望到真正的长屋参观，便建议连那古晋郊区还在使用的长屋也别去，因为那里自辟为旅游景点后，当地的居民也便基本上以接待游客、展示民俗为生，那长屋因之也变了味。他"舍命陪君子"，在百忙中与我结伴，从古晋飞往拉让江畔的诗巫，再在当地文友们的引领下，深入诗巫郊区，寻觅未被划入营业性旅游景点的长屋，结果，穿过密密的树丛蕉林，在芒果与菠萝蜜气息的氤氲中，我们来到了一处古风盎然的长屋。

　　那长屋大概足有一百多米长，是"吊脚屋"，也就是整栋建筑全由木桩撑起，离地面约两米多。这样可防范洪水与猛兽的袭击。每隔十多米便有木梯可登。登上去后，发现屋前是宽约五米以上的大平台，平台比长屋还要长些，因为两边尽头处还要环抱一下。平台全由宽厚的木板铺成。这平台，是晴日里居住者户外活动的场所。紧挨着平台是有玻璃门窗的长廊。进入长廊，发现长廊差不多也有五六米宽，其间只有少数支撑柱，向前后两头眺望都感到很壮观。这长廊便是长屋居民们在雨天，或需避日晒时的社交场所。我们去的那天烈日炎炎，外面平台上没有人影，但长廊中有些聚在一处闲话的老人。他们或坐在靠廊窗一侧的木凳上，或席地坐在草垫上。有一位值勤的年轻人，赤裸着上身，穿着一条手绘犀鸟的土布裤，迎了上来，友人用土话与他攀谈，他表示他们这里并不是收费的旅游点，但近来也有越来越多的游客自发地寻找了来，他们并不喜欢有很多人来，但既来了，他们都欢迎。年轻人接着便陪我们在长廊中漫步。我发现，那些在廊中闲话的老年人，男性大都赤裸上身，身上刺着一些繁复的花纹，女性则耳垂被显然很重的银饰拉得极长，有的耳朵眼简直比硬币还大；他们目光与我们相接时，都一律露出真诚的微笑，令我们心热。

粗望那长廊似乎空旷，细观，则发现长廊的顶棚下、墙壁上，这里，那里，布置着若干特异的装饰物，有花纹古怪的木雕、硕大而色彩绚丽的鸟羽、整张的兽皮等，而最令我感到触目惊心的，是顶棚上挂出的一圈头盖骨。朋友听了那青年人的解说，翻译给我听，说那是他们祖传的吉祥物；他们的祖上，凡男人，都应在成年时，猎取一个外来闯入者的头颅，以标志自己成为了可以护卫长屋及一族的勇士；当然，这习俗现在已然废除，但他们仍为自己祖辈的勇敢与尊严而骄傲！

长廊的靠里的一面，是一扇扇间隔相等的屋门，门与门之间则有大小相等的窗。屋主凡有劳动力的都出去做工了，或在果园里务农，或在林场伐木；而孩子们都或去了幼儿园或去了学校。在人们纷纷劳作或学习归来后，这长廊，还有外面的平台，便成了全族的乐园，人们会放声歌唱、纵情欢舞，一个长屋，便是一个完整的而和谐的桃花源……可惜我们没有赶上那样的盛景。

我朝长廊里那些住户的窗里望去，大吃一惊，因为所有最靠外的一大间都是各家的起居室，我望见了相当现代化的家用电器，以及相当西化的沙发餐桌……给我一种安适而甜蜜的印象，显然，这长屋尽管保留了相当多的传统，也还是不能不由一种我们称之为"现代化"的全球一体化的生活方式来浸润、发酵，那么，长屋中的古老生活方式，这桃花源般的人际和谐，究竟还能保持多久呢？

长屋中的每一扇门里是一个居住单元，据说面积均等，大约有八十多平方米，如今已通了自来水，有充足的供电，并有先进的排水系统，因此都有体面的厨房与卫生间。这长屋的产权据说仍归全族所有，每一个成年男子结婚后，便可分到一个空置的单元；这里不存在诸如处级分三室、局级分四室、部级分五室之类的"区别对待"，而是绝对地待遇均等……

可是直到走出那真是长而又长的特殊建筑时，我还是没有弄懂，他们的族长是如何产生的？他们会不会因近亲繁殖而退化？他们如何与外族通婚？年轻一代如果要离开长屋另取生活方式，年老一代如何看待？……而最最令我感到神秘的，是那流动在他们血脉中的文化传统，究竟该怎样描述、体味？

我们离开长屋一段距离了，回头望去，酽绿树丛掩映下那红色的坡形屋顶，仿佛一道灿然的巨虹，而几只大嘴犀鸟正展翅朝长屋飞去。

我知道犀鸟是达雅人的图腾。他们世代与犀鸟共生。长屋于我是一个未能破解的谜，那谜底，定然存于沙捞越每一只犀鸟心中。

诗巫的诗与巫

去马来西亚，只去西马而不去东马，那是很遗憾的。东马即盾牌形的加里曼丹岛的北部，主要包括沙捞越和沙巴两州。我从西马吉隆坡乘飞机抵达沙捞越首府古晋当天，便读到一份华文的《诗华日报》，"诗华"这两个字搁在一起，我以为有一种特殊的美感，但一时不明白何以"诗"而"华"？很快我就明白了，该报是在沙捞越的拉让江边的诗巫市出版的，"诗"而"巫"，这便更令我意想悬悬，于是在古晋停留两天后，便有飞赴诗巫的一游。

诗巫是座恬静的小城。依偎在拉让江边的诗巫城，其天际轮廓线中既有中国风味十足的观音佛塔，又有哥特式尖顶的天主教堂；在西方现代派造型的酒店后面，又显露着清真寺的圆顶与尖塔，并依稀可见印度教寺庙的梯形屋架……而在城郊，达雅人仍保持着聚族而居的习俗，在一字排开的"长屋"中，各个不同的小家庭自有整套的住房，里面已然摆满了先进的家用电器，然而各家间距均等的屋门外，却是依古制搭建的宽阔长廊，那是整个族群的公众共享空间，尤其是老年人的栖憩地与孩童们的嬉戏处。在这一望难尽览其头尾的长廊中，供奉着达雅人的雕盾形图腾，顶棚上并且吊着一些环状饰物，据说在过去那所悬吊的是一圈圈的头盖骨，是他们所猎获的侵入者的人头风干后形成的；现在他们当然已经不再保留那种"猎头"的习俗，而且对远道而来的访问者极为友好；接待我的达雅族青年虽然仍是赤膊短裤的传统打扮，但他笑对我说自己身上已无刺青，而那本是他们民族以往无论男女，成年后必要加添的美丽标志。我在长廊中与几位达雅族长者互以微笑致意，那老先生们胸前臂上便刺有精致的犀鸟鳄鱼的变形图案，而一位老大妈的耳垂更被金属饰物拉长变形得几与肩连。

诗巫是马来文 Sibu 的华文译音，但世代在此与伊班、比达友、马兰诺、加央、肯雅等达雅族群相亲相携的华族，不用"施钨"或"师邬"等汉字来标识他们脚下的这片沃土，而选用了"诗"与"巫"这两个汉字，我以为其中实在是积淀着他们心中对其自然与人文环境的生命体验，那确实是一个连俯拾即是的细节里也蕴含着浓郁诗意与神秘巫气的地方：拉让江畔热带雨林的酽绿欲滴，江心漏斗状旋涡之惊心动魄，伊班少年口中叶笛的清脆鸣响，加央村姑手中那犀鸟灿羽的晃眼舞动……

不过诗巫同吉隆坡与古晋等处一样，整体而言，现代化程度已经很高，其主要标志是电脑连网相当普遍。诗巫市图书馆的黄国宝先生，一见我面便与我讨论我的"学术小说"《秦可卿之死》，我以为他是在图书馆里看到了我著的这本书，没想到他告诉我，他是在自己家中的电脑里，从国际华文网络的一个分支里，调看到我的这一著作的，据他说输入者是美国某大学里的两位学者，他们在文末是署了名的；我也不懂这种输入是否侵犯了我的著作权，大概不算侵权吧，因为调看这个著作是无须另外收费的，只为了全球的"红学"研究者查阅参考起来方便。黄先生又介绍让我结识了位诗巫的华族朋友，都是文学爱好者，他们的祖上就迁来沙捞越了，有的出生在拉让江畔很小的镇子上，不消说他们都是地道的马来西亚公民，与当地其他族群融洽生活多年，他们所从事的文学活动，当然也就是马来西亚文化中的有机一环，我和他们，是互为外国作家的关系；但他们把最近印行的《心窗风雨》一书赠与我时，我不禁吃了一惊，首先，那装帧风格很像中国的古典线装书，及至翻开，岂止满眼熟悉的汉字，竟分明是一本按中国古典诗词格律创作的诗集！其中有七绝《大红花》："巫城处处大红花，浓艳缤纷赛晚霞。若使生香更妩媚，应教羁客不思家！"大红花即北京人唤作"朱锦牡丹"的长蕊丽花，是马来西亚的国花，这显然是一首大马公民抒发其爱国情怀的诗歌。又有《调寄百尺楼》，首句是"诗市有高楼"；《调寄忆江南》，吟的是："南洋好，天气最良优。日暖风和均属夏，雨淋大地变成秋。欲别尚思留！"还有好几首诗词是吟大马人誉为"果中之王"榴莲连的，飘散出好一股子异国异味……在诗巫的这场两国文人间的文学交流，因古老的中国诗词格律和我们共用的汉字的无穷魅力，而显得格外亲切，也格外异趣。

大马之行，尤其是沙捞越的诗巫之旅，使我憬悟：多元族群与文化的亲和交融是多么可贵！你中有我，我中有你，而我还是我，你还是你，这是人类之诗，是超越巫术的瑰丽永恒！

1996 年 6 月 26 日绿叶居

加帛公所

从诗巫出发，乘水上巴士，逆拉让江而上，约一个小时便到达加帛。这是东马来西亚沙捞越的一个小城。沿途两岸全是蓊郁滴翠的热带雨林，直到接近加帛码头，才树稍稀而房屋露焉。码头伸出的栈桥两侧停靠着大大小小的船只，从流线型玻璃壳的新型水上巴士，到两头尖尖窄长拙朴的独木舟，琳琅满目，显示出此地社会生活的斑斓多彩。沿河岸有些小巧的吊脚房，临河一面全敞开着窗户，里面有皮肤黝黑的马来族商贩举出盛有热带水果的筐箩，笑吟吟地向登陆的来客兜售。

上岸后，我们先沿着江边道路随喜。看到了中国风格的庙堂式建筑，走进院子，悄无人声，门庭整洁，香烟缭绕，正殿里牌位肃立，更有许多的楹联题匾，原来供奉的是郑公，即三保太监郑和。在马来西亚，尤其是加里曼丹岛北部的沙捞越和沙巴两州，华族的第一信仰还不是道教或佛教，而是祖宗崇拜，除了各姓在祠堂里供奉自己的中国祖先，大家约定俗成地把郑和奉为共同的体现血脉来源的神祇。陪游的朋友告诉我，这样的祠堂每天早晚会有轮值的华族人来打扫，平日除了华族人与游客，当地其他族的人绝不会贸然进入，就像华族人不会贸然进入清真寺与印度庙一样，这里各个信仰不同的族群间能和睦相处，互相绝不干预、评议他族的信仰，是个大前提。在加帛城区，我看到了多处清真寺，两座佛寺，一所道观，还有一处建筑立面布满复杂的神祇雕塑，其中许多神像都是人身象头，有着卷举的长鼻，那是印度教的寺庙，还看到了半山坡上有基督教的教堂。朋友告诉我，其实这里还有很多体现小流派信仰的小祭祀与朝拜空间，他带我到小巷中，指认了几处，有的崇拜某种犀鸟，有的崇拜奇石。真是人们到处生活，处处有独特的心音。

我喜欢加帛小城的紧凑繁荣与悠闲恬静。各种族群的建筑交错在一起，各种风味的商店杂陈排列，真有趣。走进一家华族茶寮，八仙桌当中是古老样式的玻璃匣子，里面分几格搁放着土制糖食，我们叫来两客老药吉，那是用一种独特的果脯加冰糖热水沏泡的饮品，有清火去瘴之奇效。喝完老药吉去逛大棚里的菜市，一半是卖水果，我发现有一种拳击手套般的，似榴莲又非榴莲，外皮一半绿一半红的水果，问是什么，商贩说叫红皮榴莲，它闻起来没有榴莲那种怪味，吃起来微酸，别有风味，我赶忙买下一个，请他剥开，就坐在小马扎上与朋友对啖，热带水果，我又增加一例品尝经验。

加帛小城依山傍水，我们穿过布景精致的小公园，登上小山，只见整座小城如一朵莲花，艳丽地开放在拉让江边，这足下的翠绿小山，是否恰似一扇荷叶，轻柔地将她呵护？环顾中我发现城外不远处，有一所很大的建筑，问朋友那可是一座大型的厂房。他笑答我正要带你去呢，我们都累了，正好到那里休憩。

我们到了那座建筑面前，它的屋顶飞檐与整体轮廓线，充溢着当地达雅族房舍与工艺品的韵味，雄奇而又令人亲切。进入里面，发现七穿八达，功能齐全，设施非常先进，装饰不求华美而大方得体。原来那是加帛市民活动中心，简称公所，里面有图书馆、阅览室、会议室、剧院、展览厅、多功能厅、健身房……我们去的那天不是公休日，又正值人们都在上班、经商、上学的下午，因此里面简直没有什么人影，朋友带我进入一间小会议室，让我在沙发上躺下休息，我说怎么没人来管我们，能这么大摇大摆地享受这地方么？朋友未及答言，一位管理人员进来，他默默地打开空调，悄然地走了。我和朋友就在那里面闲聊，朋友告诉我，马来西亚在上世纪 60 年代末，爆发过激烈的种族暴乱，但后来坏事转化为了好事，民众终于认识到，不同族群间的利益冲突，只有通过协调互谅，才能达到双赢共乐，而政府的作用，就是把社会生活组织好，现在加帛的安定繁荣，取税于民而还民以公所等共享利益，便是一个生动的体现。

离开加帛，浪拍船身，从舷窗外望，绿树丛中的公所，正如展翅欲飞的雄鹰。

花踪

"漂洋便过了海，披荆就斩了棘，落地也生了根，静静开花，缓缓结果……"台上女中音在钢琴伴奏下引吭高歌，最后以高拔的音律唱出叠句："海水到处有华人，华人到处有花踪……"在吉隆坡市腹地，离佩特罗纳德双塔摩天楼不远的大马旅游推广中心礼堂里，正举行着《星洲日报》的"花踪文学奖颁奖仪式"，在揭晓各个奖项之间，穿插一些歌舞、诗朗诵及短剧表演，其中最打动人的，当数这首《花踪之歌》。

想想也是，这地球上凡海水拍岸的陆地上，几乎都有华人踪迹，而且其中许多人在海外定居扎根，融入当地社群，其寻求发展的热情与坚韧，在世界各民族中，表现得尤为突出。另一方面，漂洋过海的华人即使已经定居繁衍了好几代，其中绝大多数仍保持着对中华文化的强烈认同，"花踪"是一个比喻，就是哪里有华人，哪里也就有中华文化的精神之花盛开的美丽景象。《星洲日报》两年举办一次的"花踪文学奖"到 2003 年 12 月已是第七届，从第六届起增设全球华文文学奖，其实就是没有这项奖金一万美金的大奖，看看他们固有的各个奖项，已足令人兴奋不已：马华文学奖，包括五个品种：小说、散文、新诗、报告文学、儿童文学；另有推荐奖，是针对在其副刊上连续发表出作品的作者的；另设 20 岁以下作者的新秀奖，其中又分小说、散文、新诗三类。马来西亚华族在全马人口中，只占约四分之一的比例，是少数民族，华族在谋生上，首先需要掌握的是英文与马来文，但是业余热爱用华文搞文学创作的，人数非常之多，配合每届"花踪文学奖"举办的"花踪文学营"活动，报名甚众，参与的热情极高，2003年年底的文学营里，年纪最大的一位已75岁，而年纪最小的才15岁。马来西亚的华族公民为什么如此热爱用中文写作文学作品？不要简单地用"寻根"来解释，他们是把中文当做了排遣内心复杂情愫的最佳载体。比如一位获新诗奖的笔名游以漂的作者，就在《地球仪》里这样抒发他的生命体验："找我，找我在如雨后新笋般的咖啡座里／面对一粒地球仪，我需要一壶浓郁龙井沉淀心思／……不将自己类比植物便没有愁根的问题／该像蒲公英飘散四方，或／我是一粒球，在全世界的球场里／该像椰子根扎一块土地／自由愉悦地游戏着……"他所吟诵的地球仪不是那种传统的实物地球仪，而是电脑荧光屏右上角的那个虚拟的不停旋转的小地球仪，因此他不禁探究："资本资讯普及化也许就是同化／全球化的危害？／海水承载着我的迷思……／网络是驿站，一站又一站，我是过客／……当网络胶着，屏上地球静缄如／一颗寂寞的头颅"以方块字应对新世纪里愈演愈烈的全球一体化浪潮，也成为马华文学的一个新的亮点。

第七届"花踪文学奖"颁奖仪式刚要开始时，突然停电，开始以为不过是现场的电路故障，后来知道是那一片地区整个儿停了电，我出会场到露天透气，只见报社与旅游推广中心的人员正在商议应急措施，他们说的是英语，也夹杂一些马来语，我更铭心刻骨地意识到，华语在非华人聚居的空间里，不具备普适的工具性，然而还有那么多热爱华文写作的人士坐在礼堂里等候着与赚钱谋生毫无关系的颁奖活动进行。后来，颁奖仪式一度在昏暗的光线里，凭借手电筒的照明持续，而掌声依然非常热烈，我非常感动。

当然，我也注意到，如今定居或旅居海外的华人，也有不用华文而用外文写作并取得成功的例子，如在英国的张戎，在美国的哈金，他们直接用英文写作；在法国的戴思杰和山飒，他们直接用法文写作。这几位都获得了所在国的文学大奖，在那边影响很大。我以为不该以狭隘的胸襟面对这一现象，这些也都是"花踪"。

从马来西亚回来，一位熟人来电话说："啊，敢情你参加中马文化交流去了啊！"他这样打趣我固无不可，但我自己知道不可如此概括，因为马来西亚的主流文学应该是占其人口大多数的马来族作家用马来语和英语进行的创作，马来文学有久远的渊源，早在15世纪就有史诗《马来由史》流传，近三十年来新人新作层出不穷；另外他们那里的少数民族文学也不仅有马华文学，用印地语、孟加拉语、泰米尔语写作的作家作品也不该忽略。由此我想到开展更广泛的文学交流，探寻欣赏更多"花踪"的必要性。

笑离绝论

绝论，就是把话说绝的宏论高论。绝论处处有，常常有，年轻的时候，不仅爱听，而且会为之倾倒，也曾以之为圭臬，规范自己的作为，结果吃了亏；后来经的事多了，懂得持平之论才是真能引领自己前行的指南，绝论可以听来过过耳瘾，却万不可真往心里去，尤其不能照办，笑离绝论，已成为我目前的习惯性反应。

在吉隆坡参加《星洲日报》举办的"花踪文艺营"，有一个环节，是作家学者与参加文艺营的文学爱好者自由分组座谈，我也选择了一组，讨论中，一位在美国攻得比较文学博士头衔的先生说，要写好华文小说，必须至少先精通一门西文，只有能比较出中西文字间的微妙差别，才有希望写出杰出的作品。这就是一种绝论。当场就有一位马来西亚华族小伙子生出惶恐，他说像他们这一代马来西亚华族人，从小都会受到三语教育，一是马来文，即使上的是私立华族学校，马来文也是国文必修课；再就是英文，马来西亚是英联邦国家，也属于必修；华文是自己祖辈传下来的中华文化的载体，当然更亲切，学起来更努力，由于从小口语就是华语，所以往往学得也最好；他现在写文学作品，是用华文来写，马来文和英文只达到写一般公文或说明书的水平，他很难对其达到精通的地步，也很少感受到三种文字间的微妙区别，那么，他怎么办呢？继续用中文写小说还有没有希望呢？他一副如聆佛音而竟难照办的虔诚而灰心的表情。比较文学博士耐心答疑，继续发挥他的绝论，他举"被"这个动词为例，对中、英、法、德四种文字在使用上的区别作了分析，结论是只有以这样的学识为前提，才有希望写出好的中文小说。听到这里我不禁扑哧笑出声来。当时又有文

▶ 图 25　马来西亚·吉隆坡·双塔摩天楼
2003 年

学爱好者提出别的问题，那位博士也没注意到我的反应。我对绝论一般不去争论，而且深知发绝论者多半是些自信心超常的偏执人士，与其争论只会是浪费双方与旁听者的时间。但分组讨论结束后，我找到那位听了绝论而惶惑的年轻人，跟他到屋外一株凤凰木下闲聊，我告诉他我的看法，供他参考：会一种或数种华文以外的语言文字，当然会对华文创作起到好的作用，比如中国上世纪的作家里，鲁迅、巴金等就既能翻译又能创作，译、创互补互促，但也有沈从文、赵树理那样不通外文的作家，用中文写出了非常好的小说，因此就写华文小说而言，精通外文不是先决条件，你如果对世道人心有丰富的华文思维，阅读优秀的华文小说时能心有灵犀一点通，那么，一旦灵感爆发，驾驭华文写出好小说是很有希望的！

　　绝论的魅惑力，在于干脆利落，掷地有金石声，富有刺激性乃至爆炸性，人们在常态中待久了，会觉得沉闷，会企盼突破，乍听到如雷贯耳、酣畅淋漓的绝论，会立刻激动，不及细思细想，便将其紧紧拥入怀中。时下的商业广告，就经常采用绝论方式来先声夺人、迷人心臆，如"今年过节不收礼，收礼就收×××"。发绝论者往往并无恶意，多半是具有语不惊人死不休的性格。从马来西亚回到国内，与几位文学爱好者小聚，议论到近年来听到的关于文学的绝论，大家一时举出了许多例子，比如"没发表过长篇小说算什么小说家！"（难道应该把从安东·契诃夫到林斤澜的一大串名字从文学史里删去？）"不懂哲学写什么小说！"（这与"不懂文学搞什么哲学"同样是把话说绝。）"现在中国没有诗！"（愤激并不能催生好诗。）"除了张爱玲，中国现代文学史不值得再收入别的女性写作者！"（张爱玲如仍在世，会对立论者莞尔一笑吗？）……议论时大家不时发出哄笑。

笑离绝论，而不是恨离绝论，这是因为绝论跟谬论还有区别，谬论是地道的非，绝论里往往还包含着合理的成分，只要不被其迷惑住，弃其乖戾，赏其执著，姑妄听之，倒也有趣。

槟城屋脊

上次去马来西亚，游览了马六甲海峡南部的马六甲市，这回再访马来西亚，特意又去了海峡北部的槟榔屿。早听人说过，跟风情混杂的马六甲市相比，槟榔屿上的槟城风情更凸显着华族特色。乘车越过长长的栈桥抵达槟城后四处张望，有些失望，因为入眼的大都是全球一体化带来的显得很先进却又缺乏地方民族特色的高楼华厦。后来漫步街头细游，寻幽探微，才发现此城确实有些古旧的两层房屋极具特色，从其整体结构上看，与中国南方沿海民居相似，但屋脊檐头窗牖及墙面的装饰细部，却又糅合进了南洋土著民间工艺品的纹样色泽，非常抢眼。我觉得槟城的这些两层古屋群跟北京胡同四合院的处境颇为相似。全球一体化带来的生活方式，很难在这样的建筑空间里普及。只有富豪阶层，才玩得起北京的胡同四合院和槟城的这些古旧的两层民居，他们会斥巨资将其翻修如昔，当成文物来享受，但这样的例子似乎不多，因为这只是花钱而赚不到钱;大量的这种建筑群,正被先夷为平地,再筑起欲卖出好价钱的大高楼,新起的高楼巍然地显示出所谓"现代化"的气势,那种气势是如今我们根本不用出国,身边窗外就举目皆有的。一位当地居民指着海边一幢每层都有观景大阳台的楼盘告诉我:楼还没盖完,一个美国大明星已经买下了半数单元,他当然并不是买来自己居住,而是做房地产投资,这当然令开发商兴奋不已,因为这个消息的不胫而走,便构成了"您可与大明星为邻"的诱人广告。

槟城的华族人,和全马各地的华族人一样,在历史的进程中,特别是近三十多年来,已经成功地融入了当地社会,与马来族人、印度族人和谐相处,成为热爱脚下土地的马来西亚公民。但华族的文化根须还是深扎在祖辈远乡的血脉中的。语言、文字、典籍、节俗、饮食习惯……固然是文化的根,传统的建筑模式,也是一脉粗根。槟城里有不少华族的宗祠,其中规模骄人的一处,是邱氏龙山堂,正堂对面,是大戏台,院宇宽阔,厢房齐整,至今香火旺盛,紫气袭人。这宗祠最让我眼热的,是正堂的屋脊,那巍峨双重如鹰展翅的屋脊上,本已有繁复的飞龙翔凤、鱼龟神人等常规饰物,却还并不能令族人内心里得到充分的满足,于是,便又在那屋脊上叠床架屋地设置了八大组高达一两米的集中了几乎所有中华文化符码的琉璃塔式雕饰,仅镶嵌在其中的人物造型,我昂首细数,大体能认出来的就有刘备、关羽、张飞、诸葛亮、唐僧、孙悟空、猪八戒、沙和尚、张果老等八仙、观世音、十八罗汉、戏金蟾的刘海、奔月宫的嫦娥、王母娘娘或妈祖、太上老君、托塔天王、钟馗……为什么要如此堆砌?如此复杂的硕大雕饰岂不是需要大大加强屋脊的承重力,从而大大增加建造的投资与工程的难度?但是望着那许多似乎是一个也舍不得割舍掉的中华文化符码,我也就仿佛听见了槟城华族那血流激荡的心音,他们是要牢牢地把自己文化的根扎深、扎稳,使其永固、永存!

晚上在大排档消夜,马来手抓鸡饭、正宗潮州肉骨茶、印度抛饼的气息氤氲一处,那边贴着一溜开胃鲜榨汁的招幌,青木瓜、番石榴、人参果等固然觉得新奇,有一种"意乱情迷"更令人诧异,原来是橄榄与青桔的鲜榨汁,点来试饮,果然妙不可言。和同游者闲聊,都感叹改革开放后的华人新移民潮,再次证明着华人既有在移民地很快融入归化当地社会的超强能力,又有着执拗地保持并壮实自己文化根须的坚韧劲头。呡着"意乱情迷",忽然想起那年在美国中部一个小镇,借住在一对从中国去的已入美籍的年轻人家中,他们的情绪已从早期的兴奋、自豪,变为顺命、求安,他们发现故国的亲友现在用的家用电器和手机大都比他们先进,到非快餐的饭馆里点一桌丰富的菜肴消费完全不觉得是奢侈,而且闲暇的时间远比他们为多;他们住的单栋洋房虽然很好,却是在所谓的"珊瑚枝子"里,就是离主公路、高速路很远的死头里,周一到周五每人各自开车去上班,来回要三个多小时,回来简单热点东西吃,洗洗就想睡觉,好容易到了双休日,草坪该修剪了,积存的衣服该洗烘了,然后必得开车半小时去一处购物中心采购出至少够一周吃用的东西,在那里面吃个快餐,看场电影就算莫大的享受了……日复一日,年复一年,这就是他们现在和以后的人生。我在他们家里看到满坑满谷的中国工艺品,他们那附近只有一家卖中国工艺品的小店,那小店里新进的每一品种,几乎都会被他们买回,在那样的一些文化符码里,他们的心灵似乎才能获得安慰,不怕堆砌,不吝投资……这么想来,"槟城屋脊"又岂止槟城才有,喝了那鲜榨汁,我没有意乱情迷,而是感叹着全球华人那文化凝聚力的深厚悠远。

老街咖啡

听说我从吉隆坡到槟城当中会路过怡保,北京一位朋友嘱咐我一定给他带些老街咖啡回来,他在品咖啡方面确实很内行,换了别人,谁能知道那地方有这么一种产品呢?

马来西亚地理位置虽然在热带,盛产橡胶、棕榈油等植物产品,却并不出产咖啡。生活在马来西亚的马来族人、华族人、印度族人,日常饮品也都并非咖啡,而是茶。经过加工的果汁喝的人也少,一般是喝鲜榨汁,更方便的是喝椰子汁,也叫椰清,一个椰果剥去外壳,削成碗状,上面削成一个碗盖,插上一只吸管,呡吧,倘若是经过冰冻的,那清香爽喉的感觉,令人飘飘欲仙。但偏偏在马来西亚怡保,一种老街咖啡颇有名气,连欧美游客,也常从那里采购些老街白咖啡带回家去。

结咖啡豆的植物，老家在非洲。据说埃塞俄比亚的咖啡豆是最早被人磨成粉冲成饮料喝的，赤道黑非洲一带至今盛产此物。后来这种植物又在南美被刻意培育，现在巴西、哥伦比亚都是咖啡的大出口国。结咖啡豆的植物有不同的品种，磨出的咖啡粉在气味口感上各具风格，配置为成品咖啡所加添的成分也有许多不同的名堂，将咖啡豆现磨现用蒸汽喷制或净水烹煮成饮品，方式方法也不尽相同，形成了许多不同的流派与品牌。当然现在世界上更多的是速溶式咖啡，让人们能很方便地用滚水一冲即成。喝速溶咖啡，最怕的是溶解得不充分、不均匀、咖啡原香寡淡而添加剂气息喧宾夺主。怡保的老街咖啡是一种速溶白咖啡，它的特点是溶解快而且匀醇可口，喷飘出的全是咖啡原味，入口酽而不腻、爽神舒心。

怡保是华族聚居的城市。老街，是华族最早的移民建起的一条街。大约在19世纪末，一批批的中国移民来到这一带，主要是在锡矿当工人。后来有些移民开始做小生意。老街渐渐从一条居住性的街道变成了一条零售店林立的商业街道。如今老街咖啡的包装袋上，还总印着20世纪初那条街的老照片，街边的房屋店面都只有一两层，结构样式，特别是店门前的那些招幌牌和旗杆，都具有很浓郁的中国风格。马来西亚早期先后被葡萄牙、荷兰占领过，后来很长时间又是英国的属地，西方人到了东方这个地方，仍要过西方式生活，喝咖啡的习惯当然是万不可舍弃的，于是，看准了这个市场，老街的华族商人就开始为他们提供物美价廉的速溶咖啡，原料是从巴西运来的，考虑到马来西亚的生活环境与欧洲大有不同，湿热，有瘴疠气，因此选取的是一种小粒的巴西白咖啡豆，配置的辅料里恰到好处地包含了一些祛暑清热的成分，又特别注意到溶解时能达到快而匀。这种老街咖啡不仅很快地受到在南洋的西方人的欢迎，也逐渐地被当地一部分居民所接受。老街咖啡的故事里，传递着这样的信息：中国移民不管扎根在什么地方，凭借其聪慧、机敏与勤劳、顽强的秉性，总能开辟出崭新的生存空间，成功地融入到当地的社会生活与人际交往之中。

我是在吉隆坡一家土特产专卖店里为北京朋友购买老街咖啡的。那家店里还有很多北京难以看到的商品，比如番石榴和肉豆蔻制成的果脯、烹煮肉骨茶的纱袋配料等等。我问女老板老街咖啡是不是很畅销？她笑笑说，如今特意来买的，本地一般都是上了点年纪的，外国游客一般都是您这种懂行的，年轻人呢——她用下巴指指街对面，我朝那边望去，啊，好熟悉的标志：星巴克咖啡。

回到北京，我和朋友一边喝老街咖啡，一边嚼些咸味豆蔻脯，免不了聊起中国新一代移民在海外的新奋斗篇章，就我们所知，近二十多年来，一些中国人到了海外，已经归化到当地社群中，从严格的意义上讲，他们已经不是华侨，而是那里的华族公民，他们的创造力，应该已在创制老街咖啡的前辈之上，我们愿听到越来越多的，生动而感人的相关故事。

榴莲飘 ×

香港电影导演陈果拍过一部《榴莲飘飘》，片子很不错，只是我总觉得那片名不通，榴莲是一种热带水果，又不是气球或风筝，怎么会"飘飘"？若是形容水果气味，那么一般该说"飘香"才是。但凡是接触过这种水果的人都知道，榴莲的气息实在难闻！

在南洋，我最爱逛果品市场，并会买些来吃。一般这样的市场都设在四面敞开的大棚里。所售卖的果品，像苹果、梨、香蕉、菠萝等，因为很熟悉，所以不会去细看。芒果有许多品种，大的大过脚掌，小的比大拇指略宽，颜色则从全绿、全黄、全红以及绿、黄、红三色或其中二色浸润在一只上的都有，个头大的全红或全黄的，未必是最香美的。我尝过一种绿皮小芒果，跟只有小拇指那么大的霸王蕉一样，眼睛往往低估它们，然而舌苔会高唱赞歌。红毛丹会堆积成一座小丘，不能把那些带红须毛的味道很像荔枝的水果叫做"洋荔枝"，因为另有一种个头像高尔夫球那么大的荔枝才被称为洋荔枝。人心果的果皮呈暗灰色，形态其实也并不大像人的心脏，倒有几分像纺锤，但吃了它那润嫩甘甜的果肉，也就觉得它获得这样一个尊贵的名称并不奇怪了——它似乎确实在提醒我们：人心应满储善意快乐以达到甜蜜自豪。浅绿色的番石榴哪儿像石榴，更像是表皮疙疙瘩瘩没长利落的酥梨，里面的果肉也跟梨肉类似，但确有一股"番味"。形态略似覆置小酒杯的莲雾，大小不等也有绿、粉、红的区别，这种果子皮肉难分,水分足,脆生生别有风味,现在北京大超市里偶有进口的卖,标名是"人参果"。火龙果北京也有进口的卖,但释迦似乎还没看见过,这大概是因为火龙果较易储藏而释迦熟后只能在原产地尽快吃掉,释迦的形态确实很像佛寺中释迦牟尼造像的螺旋形发髻,想来名称也因此而定,浅绿色的果皮很难完全与果肉剥离,轻轻一掰就裂开,赶紧用嘴吮吸那白酱般的果肉,甜得奇异,喉感如有丝绸滑落。还有一种山竹,果子皮壳摸着很硬,绛红或紫黑色,顶部有绿蒂,拿手用劲按,果壳会裂开,里面露出雪白的橘瓣般抱在一起的湿棉花似的果肉,肉中有黑籽,质量好的白肉肥黑籽小,吃起来酸甜宜人……

但所有上面提及的水果,都还不足以称王称霸,一般认为只有两种堪与一争,一种是菠萝蜜,一种便是榴莲。菠萝蜜长得很大,我在东马来西亚看到过长达一米,直径最阔处三十厘米,外部轮廓不规则有如熊崽的,论体积世界水果之王非它莫属;破开它那布满凸斑的绿色外皮,里面那一房一房的果肉可食,果肉中如玉石块的光润大果核,剥开也可吃那仁儿,并且那些组成"房间"的隔阂,也能煮熟了吃;守着棵菠萝蜜树,不种庄稼不打猎,过一辈子也饿不着啊!但菠萝蜜的任何部分,味道都难称美妙,因此,一般个头虽然也很大但毕竟长不成它那么壮硕的榴莲,就来跟它争王位了。榴莲的皮比菠萝蜜厚硬,上面的凸起不是圆苞而是尖刺,未见其肉,先飘其味,那究竟是怎样的一种气味?憎之者咒之为稀屎味,爱之者赞之为"魅力无穷的怪香",但这只是鼻子的分歧,一般只要"捏起鼻子"尝过一次其中也是一房一房的果肉的,却大都会达成"舌苔的共识",更有许多人竟从此着迷,欲罢不能,于是,激昂地拥趸榴莲为"世界水果之王"!

因为气味问题,南洋的各公共场所特别是酒店餐馆,禁止客人携带榴莲入内,但在果品棚及一些夜市大排档的边缘部位,有现买现剖现吃的榴莲摊,不过真要过瘾,还是在家里吃,我就曾在沙捞越古晋诗人吴岸家里,痛啖过一番榴莲,那回所吃到的几个品种里,"猫山王"最令人难忘。

"榴莲飘飘"不通,那么,"榴莲飘×"吧,人们可以根据自己的体会,把选定的字眼填进"×"里,不填"香"也不填"臭",可以填的其实不少,比如填"谜",填"魅",还可以填《易经》的"易",臭与香,表与里,惧与惯,厌与喜……之间的互易关系,不正启示着我们应该更辩证地看待人与事吗?

N

挪 威

挪威森林猫

小时候搭积木，我不喜欢往高处搭而喜欢往宽处摆，一边摆一边想象着童话中的王国，结果往往是一直摆到正在对谈的大人们脚下……这显现出我偏爱温柔不追求雄奇的天性。去冬到了挪威首都奥斯陆，我惊讶地发现，幼时所向往的那样一种境界，竟活生生地展现于眼前。奥斯陆是一个没有什么高层建筑的平面展开的城市，在洁净的仿佛彩色积木搭置成的一栋栋各具特色的矮楼之间，有着大片的绿地，而街道一直伸进静谧的港湾，城背后有轮廓舒缓的山脉，山上积雪中造型独特的跳台引人注目；徜徉在奥斯陆城的街巷，真觉得到了童话中的王国。

但说是童话中的王国，究竟还并不那么准确。后来我又去了丹麦的哥本哈根，面对着尖拱顶和圆碉楼构成的天际轮廓线，特别是湖中的白天鹅和海滨的美人鱼铜像，我得说哥本哈根更富于童话的意味。挪威奥斯陆的氛围，严格地说，更接近于民间故事的情调。

挪威的民间故事，传统悠长积累丰富，那些民间故事里经常出现猫的形象，在书店和杂货铺售卖明信片的旋转架上，常可以看到画的猫或真猫的照片，有时那画面更体现为民间故事中的一景。我因为爱猫，所以凡有猫的明信片或贺年卡都注意浏览，结果我发现那上面的猫往往都是一种短毛的花斑猫，其中又以并非全然花斑，而是鼻梁、嘴颊、脖颈、腹肚、四蹄为白色，其余部分相当对称地呈麻灰深色斑纹。我在北京的家中正养着一只，常被某些客人认为不值钱的"草猫"乃至"菜猫"，没想到却在遥远的挪威成了大明星。

有一个著名的挪威民间故事，叫做"一只非常贪吃的斑猫"，这只猫不停歇地吃掉了男主人、老妇人、母牛、砍树人、黄鼠狼、松鼠、狐狸、野兔、灰腿子、小熊、母熊、熊先生、一整队婚礼行列、一整队送葬的人，乃至于天上的月亮和太阳……虽然这个故事的末尾讲到公山羊把斑猫的肚子顶炸了，它所吃掉的一切都安然无恙地恢复原状，却并没有多少谴责这只斑猫的意思，那讲述的语气间，更多地体现为有趣乃至欣赏。一位挪威朋友告诉我，那种斑猫的学名叫做挪威森林猫，至今仍是该国人们所豢养的宠物猫中最主要也是最被钟爱的品种，华贵的波斯猫在他们那里倒并不怎么时兴。

在北欧几国人中，挪威原是比较穷也比较闭塞的，但近二十多年由于北海中石油的开采，挪威经济有了一个不小的飞跃，其富裕的程度已与瑞典、丹麦不相上下，有些方面甚或还略胜一筹。但我在奥斯陆访问的观感，却觉得挪威人并没有显现出一种暴发户的炫耀意识，相反还处处让你感到有一种淳厚的古风。

在瑞典和丹麦，起码在穿着打扮上，我觉得太受法国和美国的影响，本民族的特色已存下不多。但在挪威就不一样，比如有一种毛线衣，领口处有色泽鲜艳的花边，半敞或全敞的衣襟上有锡制的造型优美的钩扣，那是挪威民间世代相传下来的一种民族样式，穿上它你就觉得同挪威那些源远流长的民间故事很贴近，很适宜于怀中抱一只"贪吃的斑猫"，并且到那如今仍保持得非常好的森林和溪谷中去，在湍急的瀑布下面唱"保尔的母鸡"那样古老的民谣……那样的毛衣在奥斯陆仍很流行，不分男女都可以穿，我也买了一件穿在身上，挪威人见了就都给我一个憨厚的微笑。

现代化的生活意味着什么？这个问题并不那么容易回答。我在奥斯陆一些知识分子的家里竟没有找到电视机，在一些有孩童的家里也竟没有找到电子琴或电子游戏机。但是我却亲眼看到、听到一个知识分子的家里父母子女在用钢琴、小提琴、中提琴和大提琴演奏莫扎特的室内乐,他们又都并非专业的音乐家,并且也在孩童独占的居室中看到一双稚嫩的手正在用彩纸拼贴民间故事里讲到的"金鸟"。在奥斯陆皇家剧院侧墙观看该剧院近期公演剧目的剧照时,我也不免有点吃惊,因为仍然在上演易卜生的《娜拉》,并且那布景和服装十分地古典,似乎并不刻意于"戏剧语言的颠覆"……

当然,奥斯陆也还是有一栋鹤立鸡群的玻璃幕墙的大厦(那是一家豪华饭店),有摇滚乐,有"麦当劳"快餐店,有正在上映的好莱坞新片《魔鬼终结者》第二集,有人工反复选种和定向培育出的银猫和沙皮狗,但给人印象最深的,却还是保持着纯朴原生态的挪威森林猫。

原来挪威森林猫早就辗转传入了中国。当我回到北京抱着自家的"草猫",摩挲着它那一身紧毛时,心中不禁回味着奥斯陆那独有的情调,我仿佛在格里格的乐声中嗅到了挪威森林的气息……

1993 年 1 月 17 日

维格兰公园

有一位日本白领,他每年休假只去一个地方,那就是挪威的奥斯陆;他是个滑雪迷吗?一般人的想法,是挪威有极好的高山雪场,而奥斯陆的高架跳台更蜚声全球,在该市的任何一角,几乎都可以看到那呈抛物线翘起的山顶跳台。日本人富裕之后,欲从冒险运动中获取大快活的游客不少,这位白领想是其中一员?不,他不是一位爱好滑雪运动的冒险家,何况他夏天也去奥斯陆,那时也无雪;他如痴如醉地去那里,是因为他爱上了那里的维格兰公园。

奥斯陆的维格兰公园,就自然景观而言,也很一般,如拿来同南京的玄武湖公园相比,那真是小菜一碟;该公园著称于世,是因为其中有挪威大雕塑家维格兰。维格兰的庞大的雕塑群,那些雕塑是他专为那块公园旷地而精心设计的,由众多的圆雕、浮雕和若干与其和谐配置的装饰性构件组合而成,气魄恢宏,浑然一体,除非是毫无艺术鉴赏力的蠢人,凡有正常眼光和心态的人,置身在那雕塑群中，无不被感染，不由得产生许多联想，获得一种难忘的审美愉悦。

那雕塑群的中心部分，是高出于类似北京天坛圜丘那样的圆台上的一个高耸指天的巨型石柱，柱体全由各种姿态的人体密密匝匝地组合而成——人称其为"生命之柱"，细看，则可大体上看出展现人生各个阶段的歌哭历程，有男有女，有老有少，全以赤裸裸的本来面目在天宇下互相勾连吸拒，虽一目了然其创意大旨，但又丝毫不给人图解之感，不同的观赏者，完全可以从中体味出在世为人的独特滋味。那位日本白领并非一位艺术家，但他心倾维格兰雕塑，特别是崇拜那"生命之柱"达于每年必朝拜一回的地步，我是完全理解他的。

维格兰生于 1869 年，年轻时到瑞典斯德哥尔摩和法国巴黎学艺，不消说，勃兴于 19 世纪末和 20 世纪初的西欧艺术浪潮和流派，如印象派、后期印象派、表现主义、抽象艺术、达达主义……都是他必然吮吸的营养，在他的作品里，都可以找到或浓或淡的影迹，但到他接近四十岁，倾全力完成奥斯陆公园中的大型作品时，他的艺术修养已成熟并纯化为独特的艺术品格，我在鉴赏他那不朽的巨雕时，就起码感受到一种北欧特有的粗犷和宁静。我也曾在巴黎参观过罗丹博物馆的雕塑，在纽约大都会博物馆参观过众多的现代派雕塑。罗丹的人体美是一种浪漫而紧张的享受，现代派雕塑是一组组变形到必须猜谜般解读的立体符码，都不曾给我一种维格兰似的冷静与单纯的感受。

我曾在参观斯德哥尔摩的米勒斯花园时，羡慕过雕塑家米勒斯能在不受战乱影响的安逸生活中，潜心为他的民族也为全人类创作出了那么多的凝固美的命运；在参观维格兰公园时，我又不得不惊叹挪威奥斯陆的纳税人和市政府，能给艺术家提供那么大的资金，尤其是干脆把整整一个公园拿出来让艺术家一顿"足折腾"，那是何等的尊重，何等的信任，何等的宽容，何等的厚爱！其结果是维格兰成就为一位世界级的雕塑大家，那公园也干脆以他命名，构成奥斯陆乃至挪威的一大骄傲与象征。那位普通的日本白领的倾心激赏，更说明维格兰的艺术已成为我们这个星球上的可世代欣赏不已的人类奇观！

1994 年夏

长夜出戏

在奥斯陆国家剧场门口，易卜生的铜像高高屹立，那仅是一种历史的痕迹么？我走到剧场侧墙的展览窗前，细一看，所陈列的剧照中依然有《娜拉》，布景相当守旧，演员造型也很古典，那标明的演出时期却仅在数月之前。

都说丹麦总体而言比挪威新潮，在哥本哈根的皇家剧院门前，却屹立象征王权的石柱，上面是巨大的软垫托着金色的大王冠，那软垫看上去真像内塞鸭绒外罩锦缎，在霏霏细雨中湿漉漉的，但我想应是用彩石雕成——那里面演些什么？据一位丹麦朋友告诉我，他曾在那里面观看了新排演的喜剧《耶比离开山地》，其作者霍尔堡系 18 世纪的人，比易卜生要早一百年左右。

当然古典剧目只占北欧各剧场剧目的小部分，大部分还是新的剧作。不过古典剧目也往往被处理成崭新的面貌，并予以全新的注释。在瑞典斯德哥尔摩歌剧院，我应邀观看了国家芭蕾舞团新排的芭蕾舞剧《培尔·金特》，那舞蹈语汇是全新的，特别是最后一景，主人公培尔·金特由一个幻化为几十个，以电视上慢镜头的节奏走着各自的生命之路，使观众深切地感受到个体生命在社会生活中被肢解后的痛苦，以及那生命的各个层面力求达到平衡和和谐的挣扎，音乐光影舞姿氛围融为一种柔韧的冲击波，使观众在美的淋浴中又不禁心颤神撼。

应邀到瑞典皇家剧院参观，这是瑞典最大与水平最高的演出话剧的地方。接待者引我参观了剧院的各个部门，包括制作发套和剧服的车间，并且一度绕到正在换景的旋转舞台上。当时正在演出根据儿童文学作家林德格伦的《皮皮姑娘》改编的儿童剧，剧场里满是欢笑的孩子以及陪他们前来的家长，扮演皮皮的演员翘着两根俏辫子，在后台咧着嘴向我直说"欢迎"，我发现她是一位已经年纪不轻的老演员。我们也转到了只有晚场才有戏的小剧场，那种四面设坡状座位只容纳一百多至三百来个观众的小剧场，该剧院里一共有三处，常同时启用。前些时获 1992 年诺贝尔文学奖的加勒比海圣安德列斯岛上出生的诗人沃尔科特，便在我们参观的那个小剧场导演了他自己写的一出诗剧，因为该剧还要重演，所以演出场地上仍铺着专为此剧绘制的神话风味的地毯，据说那也就是全部的装置，演出时全靠演员在那地毯上发挥他们的演技。

　　瑞典皇家剧院的人士告诉我，斯德哥尔摩全城一共约有四十座剧场，演出季几乎每晚每座剧场都有戏剧在演出，而上座率一般都很高，因此按该市人口总数（约七十万）和每晚进戏院的观众总数（约一万）算，那里每七十个人就必有一人晚上进剧院看戏（话剧、歌剧、芭蕾舞剧、实验性戏剧和一家几十年来一直叫"中国剧院"的小剧场所演出的通俗喜剧，尚不包括各种音乐会、杂技或马戏的演出），这情况当然令我吃惊。我原来只以为像巴黎、纽约那样的城市才是"戏剧之都"，瑞典朋友自豪地告诉我，斯德哥尔摩的戏剧演出之盛不仅堪与巴黎、纽约等大都会交称"戏剧之都"，而且，前者的观众中旅游者的数目占相当不小的比例，而斯市的观众绝大多数都是本地人。

　　一位挪威朋友对我说："注意到了吗？我们这里是一个烛光社会，因为我们冬天很长，又因为纬度高，冬季天黑得特别早，人们在漫长的黑夜里如何消磨？烛光下的聊天便成为生活中的一大节目，渐渐地，这种聊天便发展成为话剧，所以一旦形成了近代剧场，不靠音乐和舞蹈，仅靠少数几个角色在单调的布景中活动就赢得众多观众的话剧，倒成熟在我们北欧；看我们有多少开拓性的剧作家：易卜生、比昂孙、斯特林堡……"

　　在几位北欧朋友的家里，我惊讶地发现，他们居室宽敞舒适装潢布置高雅悦目，然而他们竟不置备电视机！他们有满架的图书，喜欢斜倚在沙发上，电灯光和烛光并用，读雅书；他们更有进剧场的雅兴，去看他们称为"绝不会像看电视那样越看越蠢"的戏剧演出……

　　电视机在每一个家庭里趾高气扬地荧荧闪烁，然而这个世界依然需要剧场、舞台和戏剧演出，北欧也许真是因为有长夜，所以出戏并且民众还保持着进剧场的雅兴。我们呢？我们的祖先并没有因为夜比北欧短就放弃了舞台上的创造，甚至到了民族生存和社会矛盾都危机重重的晚清，我们还创造出了一种崭新的舞台艺术——京剧，并达到美轮美奂的璀璨境界；从北欧飞回北京好多天了，我还在想，乐不乐于进剧场，对于个人来说不过是个无足轻重的兴趣取向问题，然而对一个群体一个民族来说，也许就并非细枝末节而是关系到文化素养的问题了吧？

1993 年 1 月 3 日

麦秸羊

去年到北欧访问时，正逢圣诞节期间，各处一派节日景象，无论挪威的奥斯陆、丹麦的哥本哈根，还是瑞典的斯德哥尔摩，商店里堆满了琳琅满目、溢彩流光的圣诞商品，在诸多商品之中，最多见的是一种用麦秸编扎的翘角羊，小的只有巴掌那么大，大的可与真羊均等，最多的则是一尺来长、半尺来高的品种，都扎上一些红缎带作装饰，看那价钱，最小最便宜的也要二十个克郎以上，但销路极好。我在北欧三国的一些当地人家里做客时，就总看见他们购回的麦秸羊，都已安放在客厅中的一个恰当位置，与其他圣诞饰物相映成趣。

但我在北欧访问的头一站奥斯陆停留时，乍看见商店里的麦秸羊，脑子里却浮出个"稻草马"的概念，这概念一直保持到瑞典的斯德哥尔摩。有一天一位华侨陪我逛街，我随口赞道："这些稻草马真可爱！"他才指正我说："北欧只有麦子没有稻子，扎的是羊不是马，你看头上都有角。"我才恍然。

我想我把麦秸羊误为稻草马，一是因为我本人出生于中国四川省，我家乡只有稻子没有麦子，当年只吃米不吃馒头，小时常有长辈用稻秆编扎些小玩意哄我玩，偶尔也有小贩卖些稻秆编扎的玩物，所以稻草的概念深入我心；再则，北欧那些麦秸羊的扎法不求形似，线条比较抽象，猛看上去确实羊马难辨，更主要的是我非基督教文化中的人，基督牧羊的概念头脑中几近于无，满脑子里倒有不少"万马奔腾，前程万里"之类的吉利话，所以望去不能产生羊的联想。

这种对异域社会的"误读"，实在很难避免。我出关入关已达十次，对外面世界的"误读"频频发生，例如头一回在香港九龙的弥顿道逛街，那满布的霓虹灯营造出一派万丈红尘的气氛，我不由得感叹说："真有点纽约百老汇的味道哩！"却立即被陪我逛街的香港好友纠正说："那味道可大不相同。你知道香港各种制式都依英国而不依美国，在美国霓虹灯可以用扫描的方式或明灭相回的方式闪动，香港法律却规定不可以，所以，你看，这些霓虹灯虽然万紫千红，却都绝非自由闪动型的……"后来我去了美国纽约，有一阵就住在百老汇街上，一观察，果然。同为西方商业文化，英国和美国之间便有很多的差异。

这当然只是个极小的例子。有时那"误读"远比这情形严重。比如在瑞典，看见人家住房那么宽敞而且设施那么先进，我便感叹说："在中国，目前城市居民住房还主要靠分配，哪像你们这儿啊！"瑞典人却告诉我："我们住房也是采取分配的方式呀……"当然他们那分配的具体方法与我们并不相同，但听他们一介绍，则其国家的社会主义"大锅饭"味道，倒挺足的。在北欧，我没有发现像美国电视剧《浮华世家》里那样的阔人，更没有发现穷人，他们似乎确实达到了社会的共同富裕，现在我虽然已回到中国，但"解读"北欧的兴趣，却正盎然！

1993 年 2 月 17 日

R

日 本

带指南针的孩子

绿树丛中，高耸起方形厚檐的古塔；粉白红紫的杜鹃花，倒映在微波荡漾的池塘中；山路上、竹林边，安置着出售可口可乐和橘子汁的自动售货机；寺庙前，停放着大大小小、五颜六色的轿车……离开日本奈良北郊风景区快一个月了，那里的种种景象，还时时浮现在我的脑海里。

奈良是日本的古都。一千二百多年前，当时日本的天皇非常羡慕中国唐朝的发达强盛，就处处模仿唐朝，奈良城便是依照唐朝京城长安城建造的。当然，日本民族毕竟有他们自身的特点，他们把盛唐的文明学习过去，加上自己的特点，创造了自己的文化。这些文化遗迹保存下来，让我们中国人看了，往往会产生一种又亲切又新鲜的感觉。比如我们参观奈良的东大寺，一走进去，那威严雄壮的金堂，便让我们眼睛一亮。那种庑殿式的屋顶、木结构的斗拱，特别是屋脊上的金甍使我们恍若回到了中国的古庙，感到非常亲切；但是再一细看，就会觉得它毕竟又有若干不同于中国古庙建筑的地方：如第二层层檐正中，另挑起了一个马鞍形的拱檐，拱檐下有两扇巨大的木窗，木窗倘若打开，恰好能露出金殿中卢舍那佛铜像一丈六尺长的大头，这不是很新奇吗？还有屋顶的厚度，殿高与檐长的比例等等地方，也都与中国一般古建筑不尽相同，使人觉得别有风味。

奈良值得观赏的地方实在太多，除了大大小小的佛教寺庙，还有大大小小的日本神社，而最惹人留恋的，则是奈良公园和万叶植物园一带的鹿群。那些温驯美丽的公鹿、母鹿、小鹿，三三两两地在草坪树丛中悠游休憩。它们不但不惧怕、躲避游人，往往还主动走近游客讨取食物。而附近的食品店和卖物摊，则专门出售一种喂鹿的饼干。游客们都乐于买下几扎这样的饼干，走来走去地喂这些可爱的小鹿。奈良也有现代化的游乐园。那里面人工布置了"过去之国"、"冒险之国"、"幻想之国"、"未来之国"等等环境，使游人们仿佛置身于童话世界……不过，给我印象最深刻的，还不是这些名胜风光，而是我在奈良所遇到的许许多多的日本中小学生。

我们中国作家代表团去日本访问的时候，正赶上日本的中小学放假。他们的中小学实行一年三学期的学制。五月初正是他们放头一次假的时候，各个学校纷纷组织学生们外出游览。特别是小学六年级和中学五年级，作为毕业班，照例要组织一次毕业旅行。奈良是日本风光秀丽、名胜集中的地方之一，全国各地来这儿游览的学生非常之多。难怪我现在闭眼一想奈良风景，无论是塔下殿旁，还是树荫花丛，总不免要点缀上三三两两的日本少男少女，也仿佛听到他们活泼的喧笑声。

日本的中小学生，外出旅行时都穿着制服。各个学校的制服不尽相同，各个班级之间，也有一定的区别。我见到一群小学生，他们的制服大体上一样，但头上戴的旅行帽颜色不同，参观完毕集合时，戴相同颜色帽子的孩子往一块排队，老师很方便地就能清点出数目。对于失散没有归队的孩子，只要登到高处一望，也很容易从人丛中找出他来，召唤他归队。看他们集合，犹如看散乱的花朵按颜色聚集成花坛，十分有趣。日本的中小学生比较守纪律，有礼貌。一队一队地跟着举三角旗的导游小姐前进。有的佛殿进去要脱鞋，他们便很爽利地脱下鞋子。进去以后安静地盘腿坐下，听导游小姐讲解，有的还用小本子作些记录。

我们在奈良市区和近郊参观完以后，便坐车到北郊的岩船寺和净琉璃寺参观。我们的小轿车，不时超过坐满中小学生的旅行大轿车，因为日本的公路交通非常发达，而且有许多高速公路供大城市间快速来往，所以许多附近城市的中小学，大都包租旅行大轿车来奈良旅行。离得远的城市，则组织学生乘坐新干线高速电气火车来奈良。那火车每小时行驶达二百多公里，所以也很方便。

游览完岩船寺，我们沿着竹林蓊郁的山路，步行到净琉璃寺去。山路两侧，有许多山农设置的无人售货摊，摊上挂着、摆着一份份的用塑料袋装着的鲜山货：竹笋、蘑菇、木笔、青蕨、野芹……游人要买，往摊上木盘中投入一百日元（约合人民币七角），自取一份就是。我注意到，经过这些小摊的中小学生，他们只是好奇地张望着摊上的山货，没有人买，更没有人伸手乱拿山货和钱币。山间小路渐渐开阔起来，出现了一条很简陋的小街。小街上有几家小小的店铺，店铺旁的林丛边安置着一排自动售货机。和刚才见到的小摊不同，那是伸手便能取下货物的，这自动售货机却是一身钢壳，你不按规定投入硬币，它里面的东西是绝对拿不到手的。我见到不少中小学生，到售货机前投入硬币，购取可口可乐、橘汁、矿泉水、冷咖啡、西红柿汁一类的冷饮，喝完以后，便自觉地将空罐头盒、空纸杯扔进售货机旁的废物桶中。

在一家卖零食的小商店前，我同五个穿戴得挺特殊的日本小朋友迎面相遇了。我同他们通过翻译交谈了起来，并合影留念。这是我游览奈良全过程中最有意思的一件事。

这五个小学生不是同一年级的，他们也不是随学校、老师外出旅行的，因而他们穿的，也不是学校的制服，而是穿着一种特别的远足服。上衣口袋很大，以便装更多的有用的东西，下身穿短裤和长袜，脚上都穿着轻便的球鞋，为的是登攀方便。他们颈上系的，不是中国式的领巾，而是一种蔚蓝色的领结，下垂部分，一律拧成螺丝转状，既是一种装饰品，也可以临时应急，当做绳子用。他们身后，都背着鼓鼓囊囊的旅行袋，还斜挎着很大的扁圆水壶。我注意到他们的皮带上，仿佛挂着钥匙链。没等我问，他们当中明显是个领头的孩子，便取下那东西递给我看。啊，原来是一个精致的指南针。

我问他们："你们从哪里来，到哪里去呀？"

领头的那个长得最结实的孩子，很有礼貌地回答我说："我们从京都走着来的，在这里游览完了，还要走着到神户去，参观那里的填海人工港，然后再从神户走回京都。"说着，用手指头画出一个三角形，表示他们这次旅行的全程。

我很佩服他们这种自己结组旅行的精神。我又注意到，他们身上穿的虽然相同，头上戴的帽子却并不一样，便问这是怎么回事。

他们都笑了，抢着告诉我，除了最小的一位小朋友戴的是与这身浅棕色远足服配套的深棕色远足帽外，他们戴的，都是各自最喜爱的棒球队的队帽。我回想起每天晚上在饭店房间里看电视，八个频道的节目中起码有两个频道经常转播棒球赛实况，可见日本不论男女老少，差不多都是棒球迷，这几个小朋友也不例外。

他们手里还拿着拍纸簿，记录沿途看到的风光。他们很热情地请我在各自的拍纸簿上签了名。然后，为首的两个最大的小朋友，还在自己的拍纸簿上端端正正地写下了自己的名字，撕下来递给我，这就是照片上我搂住肩膀的两位：一个叫郡一正，一个叫松田善树，真是两个可爱的"孩子头"！

分手的时候，他们都深深地向我们鞠躬，并且大声地说"沙约拿拉（再见）！"然后大大方方、亲亲热热地并排继续他们的旅行去了。

这几个带指南针的孩子，可以说把日本少年儿童求知欲强、纪律性好、懂礼貌讲文明、爱清洁好运动……这些美好的品质，集中展现在了我的眼前，使我永远难忘。从奈良经过高速公路返回京都我们下榻的饭店途中，我注意到公路边的农舍旁，有着用大竹竿高挑起的鲤鱼帜，在风中飘荡着。那是刚过去不久的5月5日男孩节的一种标志：每年这一天，凡有儿子的家庭，都在门前挂起用绸子或塑料制成的鲤鱼形状的袋状旗帜，长达一两米甚至三四米。这些高高挂起的"鲤鱼"，经风一吹，气流穿过口袋，"鲤鱼"身子鼓了起来，彩绘的身躯在空中一摆一摆，非常有趣。这使我感到，日本的社会和家长，也确实给孩子们提供了许多成长条件。

但是，回到饭店吃过晚餐，到了房间里打开电视机，却使我白天获得的美好印象，罩上了一层浓郁的阴影。一个频道正播出本地新闻节目，播音员忧心忡忡地评述着最近出现的学校内暴力事件和家庭内暴力事件。原来在日本社会繁荣平静的表面现象下，有着许许多多令人伤脑筋的难以平息的社会问题。因为升学困难，有些家长生怕自己的孩子将来找不到待遇优厚的职业，便硬逼自己的孩子在上学以外，另外学习各种各样的谋生本领，如学习两种至三种外文，学弹钢琴、拉小提琴，学舞蹈、武术。有的孩子智力和体力上都无法承受这样的负担，加上目睹大人们为谋取一个钱多的职业所进行的种种倾轧，使他们受刺激而神经错乱。

现在我回到了自己的祖国，但还时时回想起在净琉璃寺前的小路上所遇见的那五个日本小朋友。他们身上带着指南针，能够帮助他们在这次童年时代的旅行中不会迷路，而顺利地返回家园。可是，他们逐渐长大以后，在那个充满着色情、暴力诱惑，充满着陷阱和危机的社会中，不可避免地得卷入冷酷的生存竞争，他们未来的命运，会是怎样的呢？那时候，在人生的道路上，他们能找到另一种可靠的指南针，来指引自己沿着正确的方向前进吗？

我将永远怀念着他们。

1981 年 6 月 3 日

枫琴亭的怀念

我把一盘录音带放进录音机，按下放音键，响起了"和歌"那特有的旋律，这乐声把我的思绪引入了缤纷动情的回忆之中……

真巧，我们中国作家代表团到京都西郊岚山拜谒周总理诗碑那天，空中飘着雨丝，周总理《雨中岚山》诗所描绘的"……突见一山高，流出泉水绿如许，绕石照人"种种画境，都次第映入我们的眼帘，只是樱花已经开过，"两岸苍松夹着几株樱"变成了"两岸苍松夹着几枝杜鹃"。我们一行三人将各自的大束鲜花供在鞍马石碑座前，肃立良久，心潮翻卷。拜谒毕，正待归去，送我们来的出租汽车司机问我们：附近新发现一处周总理当年下榻过的旅舍，要不要去看看？我们当然愿去，便乘车穿枫过竹，来至保津川边的一座日本式小旅舍。

这所小旅舍名枫琴亭，地基颇高，拾级而上，门前罗列着许多花草，其中最显眼的是一盆盛开的君子兰；门柱上悬着写有"枫琴亭"字样的灯笼，斜对着门有一长条石凳，上置绣墩，可随意小坐。旅舍主人听说有中国客人来访，遂自豪地把我们引到最深处的一间客房，指点着说：这就是周恩来当年下榻过的地方。经我们询问，得知有一年过八旬的日本老画家里米见庵。他1919年时曾到岚山一带画速写和素描，住在这枫琴亭旅舍附近的另一旅舍中，他注意到有一面目清秀、身材颀长而神韵间流露出忧思深索的中国青年，几度出入于这枫琴亭旅舍。周总理逝世后，日本报刊杂志登出了周总理青年时的照片，里米见庵一见，认准就是当年那出现于枫琴亭的中国青年。因为里米见庵对人的身姿面容有着画家特有的敏感性和分辨力，所以他的回忆得到了人们的重视，一些热心的日本朋友因而进行了调查，了解到当年旅舍的老板名叫中野善兵卫，他经常出租给中国留学生的，就是这最里面的一间。

我仔细地观察了这间客房，约五叠席大；"床"（日本式房屋中最尊贵的一处位置）中，供着"清净观"的草书长轴及一只古旧的漆盒和一瓶插花；窗户外，小溪汨汨，绿枝低垂；面对屋门处立一镜框，中有翻拍出来的周总理年轻时的照片。据主人说，除加上了空调设备、摆上了电视机之外，这间客房基本上保持着六十多年前的格局。我觉得周总理当年忧国忧民，选择这样一个幽僻、清静的地方暂住，可能性是极大的。日本朋友们重视这一遗迹，旅舍主人引以为荣，出租车司机热心导游，都体现着周总理伟大人格的感召力，以及中日人民间的浓厚情谊。

离开枫琴亭旅舍很久了，周总理当年住过的那间小屋，还清晰地印在我们的脑际……

感君为我歌一曲

1981年5月里的一个夜晚，各种霓虹灯和电光广告把东京新宿地区的街巷点缀得花团锦簇。我和林绍纲同志作为日本文艺春秋社的客人，随同该社的几位负责人和编辑，到这一地区漫步。

东京的几个商业繁华区，各有各的特色。银座地区以豪华著称，老店林立，以出售高档商品为主，进进出出的多是珠光宝气、一掷万金的买主；浅草地区以平民化著称，小摊小铺，以出售各类小商品为主，来来往往的多是为省钱而反复比较、挑选的顾客；而新宿则介乎二者之间，一说是青年人的街区，一说是中等收入者的街区，其商店规模可与银座媲美，但商品档类及售价一般又略比银座适中，文艺春秋社的编辑们常到新宿购物、娱乐，他们引我们到此一游，正是为了我们能具体了解他们的日常生活。

我们沿着人行道漫步，一路有说有笑。偶尔，我们停下来看看橱窗里陈列的商品。日本的商业性街道，颇有点世界主义的味道，就是说日本民族的特点很少保留，大体上是全盘欧美化的倾向。商店的建筑，追求一种现代派的风格，线条简捷，透光面大。一般的商店都采用日文、英文两种招牌，有的甚至更以英文为主。服装店橱窗里的模特儿，竟大都是亚麻色头发、高鼻梁、蓝眼圈的欧美式女郎。路过一家卖皮大衣的商店，我们朝橱窗里望去，只见一件紫貂皮的女式大衣，套在衣架上，别着一只精美的标价卡，猛一望去，只觉得标价卡上净是圆圈儿。文艺春秋社的第二出版局局长半藤一利先生，弯下他高高的身子，用右手食指推推鼻梁上的眼镜，凑拢橱窗玻璃，表情夸张地从个位数数起，一连数了五下才数完标价卡上的圆圈，不禁直起腰来，啧啧感叹。大家见他的模样，都会意地笑了。原来那件女式皮大衣的标价，竟达1500000日元之巨，1000日元约折合人民币70元，就是说，那件女式皮大衣竟昂贵到价值10500元人民币的地步！半藤一利先生在日本已算所谓"窗际族"的一员了，"窗际族"即在企业中坐办公室的中层以上负责人，他们的月收入一般可达五六十万日元，比一培工人要高出一两倍，然而就是他们，也得用三个月的净工资才能买下这样的一件皮大衣！我忍不住摇头说："真是太贵了！买得起这种大衣的人，同一般日本民众的生活水平也相差太悬殊了！"文艺春秋社的朋友们忙抢着告诉我："这还不算最贵的大衣呢！""在银座的这类商店里，差不多的大衣就可能要再贵上几十万日元哩！"我深刻地感受到，在日本社会中，有着一些"华丽家族"的成员，吮吸着千百万普通日本民众的脂膏，过着穷奢极欲的生活。

新宿地区同东京其他地区一样，入夜以后，各类娱乐场所纷纷开业，有极优雅的、以古典钢琴曲伴奏的、装置和谐的咖啡厅，也有极鄙俗的、以近乎裸体的女招待招徕生意的酒吧间，但居大多数的，则是介乎雅俗之间的娱乐消闲场所。文艺春秋社的朋友们告诉我们，他们作为日本一家有影响的严肃的出版机构的工作人员，从身份、趣味上来说，都是不屑到那种包含色情或变态意味的娱乐场所去的，但是太稚的所在，收费又极昂贵，因而他们常去的，是收费适中而雅俗共赏的一类场所。

说着，我们已来至一座六层楼下。日本朋友建议我们跟他们到楼上的一处演唱厅去玩玩，据说那地方就是他们常去的娱乐场所之一。我们抱着看看再说的态度，随他们乘电梯抵达了六楼。

我们进入了一间大厅。大厅三面几乎都是落地玻璃窗，每一扇窗前都有一注喷泉，不时喷溅着伞状的水线，被窗上的彩色灯光一照，闪烁着银中带出七彩的瑰丽光芒。大厅正前方是一座小小的舞台。舞台上布置成一处别墅的庭院，有回廊、花圃、树木之类。台前立着一组扩音器。舞台两侧，各悬挂着一面中等大小的屏幕。大厅中，并不规则地摆放着一些重心很低的沙发坐椅，坐椅大体上都朝着舞台。各组坐椅前面，有或圆或方的茶几。日本朋友们陪我们到离舞台最近的一组沙发坐椅上坐下，并叫来了加冰块的威士忌酒和各色小酒小菜。我和绍纲同志回顾一望，大厅里上了约七成座，一些中年日本顾客，也在那里喝酒闲话。

"这台上由谁给我们演出呢？"我不禁问半藤一利先生。

"没有别的人，就是我们大家。"他微笑着回答我。

我一时没有明白他的意思。正在这时，一位削瘦的男子已经走上了舞台，他向舞台一侧的管理人员——一位略事化装的小姐说了个曲名，那小姐按了一下电脑控制的伴奏箱，于是，立时传出了那位男子要唱的歌曲的伴奏音乐，等过门一完，该男子便引吭高歌起来，那嗓音虽不似经过专业训练的优美，然而他唱得情深意重，听来倒也动人。随着他唱，只见舞台两侧的屏幕上，显现出了一组活动画面：蔚蓝的湖水，天鹅从湖中起飞，湖上荡漾着波环，天鹅在天空中越飞越远……原来，同伴奏音乐一样，舞台一侧的小姐可以根据演唱者演唱的曲目，按下放映画面的按钮，电脑装置便及时地将画面映到屏幕之上。屏幕的作用还不仅如此，唱着唱着，屏幕上出现了演唱者的特写，有时是圈出天鹅翻飞的画面，有时则充满整个屏幕，而最有趣的，是屏幕上还出现了坐在大厅里的、演唱者的亲友聆听他演唱的画面……我细一探究，才发现原来舞台前上方和大厅两侧的上方，都装有可旋转的电视摄像机，可以随时按照那位小姐的控制，用闭路电视将需要的画面播出。

这真是一种有趣的娱乐！[1]

那位男子唱完了，另一对夫妇又上台去唱了他们喜爱的歌。半藤一利先生告诉我们说："这个演唱厅备有两厚册曲目，可以供几百首歌曲的伴奏音乐和几十首歌曲的配用画面。如果你演唱一首他们曲目外的歌曲，他们无法提供现成的旋律伴奏，也可根据曲调的节奏，提供电子琴的打拍子伴奏。这个地方，每天吸引了不少人来。来这里的大多是中等收入的职工，自己上台唱唱歌，抒抒情，松弛一下神经，陶冶一下性灵；虽然收费比看电影略贵一点，但得到的快乐，要充分多了。"

说完，半藤一利先生就登上舞台，宣布要为中国朋友唱一首他幼年时就会唱并始终喜爱的歌曲《沓桂时次郎》。大厅里的其他顾客听了他的宣布，都随我们鼓起掌来。

半藤一利先生开始演唱了，他嗓音嘶哑，高调似乎也控制不准，然而他真诚而动情地唱着。翻译林美由子女士简略地告诉我："这首歌唱的是江户时代的一位武士，他很讲仁义，很重友情。"我虽然听不懂半藤一利先生唱出的每一句歌词，然而我被那真挚的歌声和略含忧郁的曲调深深地感动了……

在歌声中，我脑海里掠过了一幅又一幅的画面：1979 年的夏日，蝉声如织，在北京友谊宾馆的一间客厅里，冯牧同志和我作为中国作家协会的代表，头一回同日本文艺春秋社的半藤一利先生接触。我们双方过去没有交往，存在着隔膜乃至于误会，然而半藤一利先生那恳挚的目光，以及"我们愿意为日中文化交流开辟新的渠道"的热情话语，使我们一下子就接近了许多……差不多两年的时间过去，中国作家代表团终于应文艺春秋社之邀访日来了，出了成田机场，头一张熟面孔，就是半藤一利先生，他双眼中依旧喷溢着坦诚和热情。把我们送到东京新大谷饭店，文艺春秋社别的成员都暂时告退了，他略带天真地问我

---

[1] 此种娱乐方式现已传入中国并大行其道，便是：卡拉 OK。

们："今天晚上你们能让我跟你们一起吃饭吗？我想请你们去一家小饭馆，那是专卖我们家乡新泻县风味菜的……不一定好吃，可这是我的一片心意……你们能去吗？"我们怎么能不去呢？在那家名叫"越后料理"的小饭铺中，他请我们吃了新泻风味的生鱼片，喝了越寒梅酒……就是他，这位半藤一利先生，陪着我们从东京到京都、奈良，再到大阪到神户，到箱根，又回到东京，创造各种条件使我们从各个方面了解日本社会，而直到回到东京两天以后，我们才知道他的岳母病重多日，他是公私两面都忙碌得可以的，然而他的双眼里依旧喷溢着诚挚的目光……"我爱日本也爱中国，我愿中日两国永远友好，两国的文化人永远互相理解、谅解和友好！"在他的歌声里，我不是又听到这样的心声了吗？而他的心声，不也是许许多多日本文化界朋友的共同愿望吗？

我听着听着，竟至于双眼被一层水雾所遮蔽，结果那舞台两侧的屏幕上映出了我听歌的形象时，我自己倒看不清自己的面容了……

感君为我歌一曲，此景此情永在心！

在东京看歌舞伎

日本在工业商业等方面给了我一种世界主义的印象，但日本在维护民族遗产方面，却又给了我一种保守主义的印象。日本各地都完好地保存着大量的佛寺、神社以及各种古迹，除了这些"死"的文物而外，日本还有许多"活"的文物，如能乐、大相扑和歌舞伎等，几乎都还保持着几百年前的格局和风味，别有异趣。

有一天，文艺春秋社的朋友们陪我们去看歌舞伎。那歌舞伎剧场，恰坐落在东京银座地段。在大片的欧美化的商业性建筑之中，歌舞伎剧场就仿佛是一只古色古香的漆盒陷落在现代化的铝制品和玻璃器皿的包围之中。剧场的正面完全是古典式的结构，厚重的斗拱式屋檐下，挂满了长达一米多的古式大灯笼，上头似乎用草书写着一些歌舞伎的剧名。剧场里面，除采用了现代化的冷暖气设备和空调设备外，也几乎是一派古式装置。舞台狭长，一条花道从观众席后通向舞台。剧场两侧的座位是特别席，席前有矮杌式的装置，可以边看戏边喝茶边吃零食。特别席票价极昂贵，紧靠着花道的，一张票要一万日元。而池座则较便宜，最后面的，票价仅一千日元。

我们先到后台去拜见了日本歌舞伎的著名老演员尾上梅幸先生，他的地位，就相当于昔日梅兰芳先生在中国京剧界的地位。日本政府为保护文化遗产，对重要的保护项目，分别宣布为国宝、一级国家财、二级国家财等，这不但适用于"死"物，如寺庙神社、石雕碑碣之类，也适用于活的文物，如尾上梅幸先生，就属于国宝之列。政府每月发给他一笔巨款，不管他演出不演出，一直供给他到寿终，以示尊重和爱护。尾上先生的化装室并不宽敞，但非常雅洁。他当时尚未上装，穿一身和服便装同我们相见，戴一副金丝边眼镜，颇具教授风度。如果不是事先介绍了他的职业，我真猜不出他是专事扮演旦角和小生的歌舞伎演员。

后来我们到剧场中观看了尾上梅幸先生精彩的演出。歌舞伎不搞什么现代戏，演出的全部是传统剧目，而且演法上据说也不搞什么革新。我们看的那出戏是一出以地名为剧名的生角戏，尾上先生扮演一位临危不惧、机智勇敢的美貌武士。他的表演确实达到了一种炉火纯青的地步。我以为他的表情不求丰富而求准确，身段不求优美而求利索，道白不求宏亮而求清晰，处处显示出一种静穆端庄的美来。戏中也有武打，远不如中国京剧激烈火炽。演出过程中，同中国京剧旧式演法一样，有检场人员到台上来为演员换装、喂水或辅助表演——如为表现某角色被勇士砍去了腿脚，他便在一定时刻陡然亮出一只被砍下的腿脚的模型。不过，歌舞伎中的检场人除全身穿黑衫黑裤黑鞋外，脸上也蒙着黑帘，似比中国京剧旧舞台上的检场人更具特点。

这种类似活的文物的演出，在日本还有多少观众呢？日本娱乐活动种类和花样可谓多矣，歌舞伎这类演出相比而言当然是数量少而观众微的。然而毕竟还是有人去看，我们看的那一天，剧场就基本上客满，我仔细观察了一下，以四五十岁以上的观众居多，而且，又以从外地来东京的观众居多（可以从穿着打扮上看出来哪些人大概不是东京本地的人）。日本的年轻人对歌舞伎的兴趣如何呢？倘若日本的下一代不再能欣赏毕竟单调古板的歌舞伎，歌舞伎是否还能活着存在下去呢？我提出这样的问题以后，日本朋友们回答我说：日本的年轻人当然更喜欢看电影、歌舞、话剧等演出，喜欢看歌舞伎的可以说一代比一代减少，歌舞伎在这种形势下并不打算采取激烈革新的办法以吸引年轻观众，仍固执地保持其古色古香的原始形态，好在有国家和社会上许多经济、文化团体的资助，即使赚不了钱，歌舞伎这种活的文物也不会衰亡灭绝。不过，近年来歌舞伎从演员构成上来说，出现了一批中、青年名角，如坂东玉三郎、尾上菊五郎、片冈孝悲等，他们装扮出来以后，姿色艳美，仪态万方，不但使歌舞伎的老观众感到后继有人，也吸引了不少的年轻观众，每当有他们出场演出，靠近花道和台前的座位就被抢购一空，他们刚一亮相，便能博得满堂喝彩声。这样看起来歌舞伎继续存在下去，应当是不成问题的了。

九层楼上的"大相扑"

"顾客是皇帝。顾客总是对的。一切为了顾客。"

据说以上三句话，是日本每一家商店老板都要向店员反复训诫的警句。如不遵守这样的准则，老板便会将店员随时辞退。所以日本商业机构的服务态度极好。

到了日本，对服务态度好这一点，的确印象极深。在日本半个来月，我们无论是在下榻的饭店就餐，还是到街上吃饭，一进餐厅，每一个目光同我们接触的服务员，一定向我们弯腰鞠躬，嘴里还叨念着："您来啊？您多照应啦！"吃好饭，站起来往外走时，也是这样，就是站在饭厅另一边的服务员，只要目光同我们相接，也一定谦恭地弯腰致意说："您走啦！您下次再来照应吧！"

有一天中午，我们因为连日来吃得太好，不免都有点胃弱，因此不想吃什么正餐大菜。我提议说："找个地方吃点素面条吧！"大家都很赞成。当时我们正在东京新大谷饭店里。新大谷饭店旧楼十七层，新楼四十层，新旧楼里设着十多家不同的饭馆：有位于旧楼顶上的卖中国料理（料理就是菜的意思）的自助式餐厅，那餐厅每一小时旋转一周，凭窗可以俯瞰东京全景；有位于新楼顶上的卖法国料理的西餐馆;有卖中国四川料理的"大观园";有卖日本和食的日本餐馆;在楼外的日本式庭院中,还有掩映在树丛中的卖烧烤野味的特殊餐厅⋯⋯这些地方当然都不会卖素面条。于是,我们来到地下二层的一处地方,那里分布着许多卖日本工艺品的商店和一些卖日本小吃的小餐厅。我们进到一家设备古拙的餐厅,老板娘喜盈盈地迎了过来,我们便向她提出要吃素面条。这家餐厅并不卖素面条,按说,老板娘满可以把我们拒之门外,或表示爱莫能助,但她却热情地招呼我们坐下,忙着给我们斟不收钱的茶,并且喋喋不休地介绍着她们这里经营的若干美味。如有一种煎鱼,就很提胃口,她一边说着,也就一边端了两盘出来,大有"请君一试,分文不取"的气度。在这种情况下,我想验证一下他们那"顾客总是对的"这一商业格言,便故意"无理取闹"地说:"哎呀,这鱼真不想吃,我们就是想吃素面条啊!"我观察老板娘的表情,只见她满脸堆笑,连连点头赞许说:"先生说得真好!这种天气,吃一点素面条真是舒服哩!我们真对不起各位,没有准备素面条。不过,各位屈尊到敝店来找素面条,是对敝店的厚爱和信任。看来只好委屈各位了:稍许等候一下,我立刻派人到附近去给各位把素面条买来,然后立即加工,给各位送上!"不待林美由子翻译完,我们几个中国客人已忍不住笑出声来,这位老板娘的服务态度,真是也好得出了奇了!

后来常到街上去转悠,我们才理解到这种服务态度的原动力是什么。原来日本经过近年来的经济起飞,物资供应确实丰富,虽然一般市民的购买力大大增加了,然而要什么都买,特别是在吃上舍得花钱,毕竟不是每个人都能做到的,因而各种商店特别是饮食行业,如不以周到细致、热情和蔼的服务态度争夺顾客,则很可能因销售额过分衰减而不能赚钱乃至赔本,为了在生存竞争中有较强的生命力,不把顾客当成皇帝不成啊!而"顾客皇帝"在被哄得心旷神怡的同时,也就从腰包里掏出了钱来,充实了老板的钱柜。说到底,他们的所谓"一切为了顾客",实质还是"一切为了赚钱"。就拿那位服务态度好得出奇的老板娘来说吧,我们离开她的饭馆时,不仅多付了她一些面钱,而且也付了并没有动几筷子的煎鱼钱,对于她来说,显然算是做了一笔好生意。

因为要竞争,就不仅要比赛服务态度,而且要大做广告,日本无论是城市还是乡镇,到处是触目惊心、花样百出的商业广告,不但有"死"广告,还有"活"广告。

有一天,我们赶着去看大相扑,因为出发晚了,路上又遇见交通堵塞,小汽车前进得简直比手推车还慢,还没赶到大相扑的比赛场,比赛已近终结了,于是,我们便干脆放弃了看大相扑的打算,走出小轿车,索性在附近街道上散起步来。走了一阵,大家都觉得身上有点燥热,于是便相约去喝啤酒。日本朋友带着我们进入了一座综合性商业大楼,这座楼一共九层,九层顶上是露天喝啤酒的地方。我们乘电梯来到九楼,刚下电梯,迎面便看见四个男青年,每两人一组,站在一处,一组把头发烫成小卷卷,穿着鲜艳的衣衫,拼命打着手势,招呼我们往左边去;另一组一胖一瘦,怪模怪样,也拼命打着手势,声嘶力竭地招呼我们往右边去;这情景一刹时把我们给弄愣了。日本朋友告诉我们,这楼顶被两家啤酒公司所租赁,一家在左侧开了露天酒座,一家在右侧开了露天酒座,分别出售他们出的啤酒,这两组青年,便是他们分别雇用的活广告,两组青年为了各自的公司,实质上也就是为了各自所得到的报酬,正在进行"大相扑"……面对这四位神经仿佛已不正常、脸上肌肉似乎都变了形、不断狂喊的日本青年,我心里一时非常难过,简直不知该往哪边迈步,而领着我们往里走的半藤一利先生,已经选择了右边,我们只好随他朝右边走去。这时,我观察到位于右边的一胖一瘦的那对青年欣喜若狂,先齐声呼出了一个数字(肯定代表他们当晚那时已招徕到的顾客数目,而这数目一定决定着他们当晚的收入),接着便连连朝我们深鞠躬,并且几乎是狂喊起来:"谢谢您们啦! 谢谢啦! "而左边的那一对把头发烫成小卷卷的青年呢,却以毫不掩饰的仇恨的目光瞪视着获胜的对手……几秒钟后,随着新的顾客走出电梯,他们又立刻分头狂呼起来,那挥舞的胳膊,几乎就要去牵动顾客的衣襟……

那露天啤酒座非常舒适,啤酒闪着琥珀色的光,泛着珍珠般的泡沫,并且有电子乐队在演奏欢快的乐曲,然而,我却怎么也喝不下那啤酒去……

神户人工港一瞥

日本有一位中国籍作家，名叫陈舜臣，在日本社会上影响很大。他早年主要撰写推理小说，情节诡奇，文笔生动，很受读者欢迎。近年来他转而写历史小说，常以中国历史上的真实人物和传说人物为主人公，配合以中国名胜古迹的风光背景，穿插入不少文物和民俗知识，具有传奇性、趣味性和知识性，并洋溢着一种特有的幽默感和浪漫气息，因而更受推崇，名声大噪。他祖籍福建，多年来侨寓日本，却始终保持着中国国籍，可见是一位有强烈爱国心的作家。近些年他几次回祖国观光访问，每当有中国文学界人士访问日本，他总要在自己居住的神户市的一家山东料理馆"第一楼"设宴招待来自祖国的亲人。

我们到了日本以后，陈舜臣先生也在神户"第一楼"宴请了我们。陈先生一副典型的福建人相貌，只是因为久居日本，家乡话已经生疏，好在他的夫人和弟弟陈谦臣都能听、说福建官话，可以为他翻译，所以我们仍能欢快地交谈。陈舜臣先生极为关心祖国的"四化"建设，席间频频问起祖国各方面的进展情况。我们尽可能把祖国在新形势下的新气象讲给他听，也提及"四化"建设中遇到的一些困难和复杂的情况。陈舜臣先生对我们说："你们在神户停留的时间太短，恐怕来不及参观整个城市了，可是你们不妨去看一下这里的人工港，或者能从中得到一点现代化海港的印象，找到一点可以从日本借鉴的东西。"

这样，宴会结束后，我们便与陈舜臣先生及其夫人、弟弟一起，同往神户人工港参观。

日本国土狭窄，近年来工商业的发展，使地皮更显珍贵。在大、中城市里，或向高空发展，出现了高架铁路、高层建筑；或朝地下发展，出现了多层的地下街道，像现在已同神户连成一片的大阪市，它的地下街道网规模就非常庞大，装备也非常华丽先进，可是这仍然不能满足日本工商外贸的发展需要，于是便出现了填海造地的情况。神户人工港，便是把近海填平所形成的一个现代化港口。据说这项工程的资金，很大一部分是从西德借的贷款，而填海所需的石料，则很大一部分是从我国买进。

我们的小轿车从神户市区通过一架崭新的现代化铁桥，便开到了人工港岛上，只见马路宽阔，新楼林立，街道两旁分布着树木花草和喷泉雕像，使人觉得身下的土地与神户市无异。小轿车停在了岛中的港务大楼门前，进楼以后，我们乘电梯直达顶层，并更进一步登上楼顶，以便鸟瞰整个人工港全貌。

我们在楼顶上朝四面放眼眺望，对这人工港留下了深刻的印象。因为整个岛是根据周密的设计和精心施工从海浪中升起建成的，所以它没有东京、大阪及神户市里的那种新旧建筑杂陈、街道歪斜起伏的弊病，岛上所有建筑及港口设备，都安排得井然有序，处处显示出现代化的气派。岛上的几栋高楼是大型饭店，约一半的地盘是世界博览会的建筑群，许多国家都采取自己的民族特点来设计展览厅堂，有的企业为宣传自己的产品，总把建筑物盖成相应的模样，比如一家展卖咖啡的公司，就把它的展览厅建成一只巨大的咖啡杯形状，在有五六层楼高的雪白"大杯"上，用鲜红的字母标出它的商标缩写。我们中国在博览会中也有自己的展览馆，除展出各种工农业产品和手工业、工艺美术产品外，还展出了一对可爱的大熊猫，因而更增加了参观者的兴趣。该岛因是人工造成，故而边缘整齐，码头一带，防波堤伸入大阪湾中，一些巨轮停泊在附近，从我们所站的高处望去，就仿佛是一些精致的船舶模型，被蓝缎子般的海平面一映衬，显得十分美丽。

我们在楼顶拍了一些照片留念以后，便又乘电梯下楼。匆匆穿过附近一家饭店的底层大厅，去租小轿车返回住址。我发现日本人十分重视生活环境中的生态气氛，即使在这样一座人工岛上，他们也尽可能想方设法制造出一种大自然的和谐情调，在这家大饭店的底层大厅内外，他们都搞了人工瀑布，以珠泻玉倾的水流，来调剂铝合金与玻璃占主导地位的建筑群那种生硬单调的节奏。因为在人工港岛上植树毕竟难有立竿见影之效，他们就在一些建筑物的侧面，巧妙地画出一排排挺拔葱郁的绿树，陡然望去，有乱真之妙，使人心中得到些许绿荫的清凉。

以我国领土之大，填海造地恐怕是没有必要的。然而日本神户人工港所使用的某些先进技术，看来我们大可借鉴。小轿车飞驰在高速公路上，我们坐在车内，不由得讨论了起来。

"打头机"旁话危机

从东京到京都，以及从京都到名古屋转往小田原，我们都乘坐了日本国民引以自豪的"新干线"上的高速电气火车。"新干线"的电气火车的确名不虚传，它的外形，特别是车头，是地道的流线型，有点像火箭的形状。车内宽敞舒适，高背坐椅同波音飞机里的坐椅一样柔软，而且为了方便前后乘客交谈，还能作三百六十度的旋转。有空调设备是不用说了，站内、车内供应的饮食饮料，也很精致可口。而它最大的长处，是速度快，最高能达到每小时五百公里，一般也有每小时三百公里左右。乘坐"新干线"高速列车，能与日本的民众有较广泛的接触，无论是在车站内外还是在车厢里面，乃至从车窗望出去，都能获得丰富的感受。总的来说，日本的社会秩序给我们一种平静、安定的印象，人与人之间，都很讲礼貌，绝少遇上吵嘴或围观的情况。

然而，在几个火车站的出口处，我都看到了一种日本警视厅印制的通缉布告，布告上印着三五个逃犯的相片，下面写着案情和该逃犯的相貌特征，经翻译，得知其中不少案情，都属恶性犯罪。罪犯以极其残暴的手段，杀害了无辜的平民。可见在日本社会谦恭礼让与和平共处的表面现象背后，也潜伏着深刻的社会危机。

在京都游览时，我们在参观了一系列名胜古迹后，顺便去逛了一下"东映"电影村。"东映"是日本一家擅长拍摄古装片的电影公司，近年来因为种种原因，它的生意很不好，为广开财源计，它便将它的摄制场地，开辟为卖票开放的电影村，供人参观游玩。在这个电影村里，有各种供拍摄古装片用的布景装置，如古代的商店、旅舍、饭馆、酒店、驿站、妓院、磨房、官府、住宅、桥梁……乃至于监狱，不拍摄影片时，便开放给游客闲逛，并雇用一些化装成古代武士、仕女、和尚、老板……的末流演员，充当活的点缀，或真的在旅馆中卖古代吃食，或真的在商店中卖古式纪念品，或设射箭场招徕游客射箭为戏，或当场编制手工艺品给游客助兴，更有一家照相馆，完全保持明治时代最原始的照相馆格局，出租各种明治时代的服装，用古老的相机为游客拍照留念。此外，还有各种挖空心思想出来的玩艺儿。

　　据说欧美及大洋洲等地，若干电影厂都早已采用了此法来增加布景装置的使用率，以便开辟发售电影拷贝以外的第二财源，其中以美国好莱坞电影村的规模最大，花样最多，我们去的这个"东映"电影村与其相比，不过是小巫见大巫。我们逛了一阵，总的感觉是庸俗难耐，充满了小市民的低级趣味，所介绍的历史民俗知识既未必准确，所提供的娱乐方式也大多无益于增长游客的才智情趣。它所吸引的，主要还是充满好奇心的青少年。我们访日期间，适逢日本的中小学生放假（他们的中小学一年三个学期，五月间正放头一回假），来逛这"东映"电影村的青少年很不少。我在"东映"电影村里，很注意他们的表现。总的印象，是营养都很充足，发育得很壮健，既活泼热情，也很有礼貌。我在射箭场门前，还同一群中学毕业生交谈了许久，他们得知我们来自中国，都流露出很友好的感情。我们还一起合影留念，相处得十分融洽。

　　然而还没有走出"东映"电影村，我们就听到了有关日本近年来频繁出现"学校暴力"和"家庭内暴力"的一些情况。原来在日本青少年发育良好，懂礼貌讲文明的表面现象下，也潜伏着越来越尖锐的社会危机。

　　随着日本各个行业的现代化进展，各行各业资本集团对雇员文化知识水平的要求越来越高，因此现在的日本社会已成了"学历社会"，就是说一个青年人如果没有一张好的毕业文凭，就很难找到一个赚钱多的稳定职业。日本的中小学已实行了普及教育，但中学毕业要想考入名牌大学，机会也是相当难得的。为此，学校教师就拼命追求升学率，以提高自己的威望，并随之促进自己提薪受奖。他们对学生，特别是毕业班的学生，往往除了使用加大作业量，频繁测验、搞分数排队而外，有的还忍不住对学习上比较迟钝、成绩比较差劲的学生施加精神压力，或冷嘲热讽，或以今后不能在社会上生存相恐吓，这就导致了师生矛盾的激化，结果就出现了被压抑的学生突然精神错乱，打教师乃至于杀教师的学校暴力事件。有的家长对子女也求之过苛，生怕他们将来无一技之长不能在社会上谋取一席稳固的地位，便以"技不压身"为理由，强驱自己的子女除了应付学校的功课外，还要再加班加点学弹钢琴，学跳芭蕾，学速记，学外语……结果使子女丧失了一切生活乐趣，而导致突然的反抗，打家长乃至于杀家长，酿成家庭内暴力事件。近年来随着资本主义竞争的激化，日本社会中的"学校暴力"和"家庭内暴力"也有增长之势，因而一些报刊和电视，都对此组织了专门的讨论和研究。那些在"东映"电影村中游逛嬉戏的青少年们，在他们前方的生活道路上，笼罩着多么沉重的阴云啊！我每当看到在"东映"射箭厅前的那张合影，端详着照片上那些天真热情的日本少年的面影时，心里总涌动着一股子难以形容的滋味。我当然竭诚地祝愿他们今后能生活得幸福，然而……

日本的青年人走上社会以后，绝大多数只能是沉淀在底层。在东京等大城市的许多地方，都设有一种"打头机"，这是一种电子娱乐机器。机器的盘座上，有许多的窟窿，玩机器的人，把规定数目的硬币投入收币孔中，机器便起动了，一会儿这个窟窿里伸出一个人头来，一会儿那个窟窿里伸出一个人头来，玩的人手里拿着一个大木槌，见人头伸出，便可举槌敲打，如果动作慢了，那人头不待你打已缩回窟窿之中，你便算失败，如果你当人头外伸时将它打回了窟窿，计数表上便会亮出数字，累计的数字越多，则延长玩的时间越多，因为机器里有一种电子设备，它能使人头的伸缩，并无刻板时间规律可循，所以玩的人，必须精神高度集中，方能将出其不意伸出的人头击中。这类机器的人头上，竟时常分别标出"董事长"、"局长"、"科长"、"秘书长"……一类职务，去玩这种机器的人，大多是下层的职员或工人，他们在所属的工作场所里受了这些长官的气，为保持饭碗计，一般都只好当面忍气吞声，但吞进肚里的气积蓄多了，终归还是会酿成一种反抗的力量，故而资本家集团想出此种妙法，在他们下班后归家的路上，设置若干这种"打头机"，让他们花少许的钱，便可高举木槌，挑拣当天让他们受了气的上司，去打头发泄，打来打去，一般的人也便将胸中的恶气通通泄出，回到家中，渐趋平静，第二天再去上班，就不至于发生"班内暴力事件"了。反正他们用木槌打的是些铁木制作的傀儡，何况打时董事长、局长、科长等也并不在场，而且在打来打去之中，资本家还能从他们的腰包里掏回来一部分钱，何不让他们尽兴地打去！

类似这种缓冲社会矛盾的方法，资本家们还想出了很多花样。

在箱根温泉，我和林绍纲同志也玩了一次"打头机"，不过那机器上往外冒的不是人头，而一律制成了鼠头。我两打了一阵，不禁想起了那些在下班路上用"打头机"发泄心中愤懑的日本普通雇员，他们在艰辛的人生道路上跋涉，是多么需要温暖和慰藉啊！而日本社会潜伏的种种危机，真的用这类游戏的方法便能消除么？

日本的国花是菊花

我们常说中日两国是"一衣带水"，中日两国人民的友谊源远流长。这当然是正确的。然而，如果以为中日两国的文化交流已经开展得很充分了，那却不然。这回应文艺春秋社之邀到日本访问，深感双方间的了解还很不够。比如我国文化界有一种通行的观念，认为日本的国花是樱花，因而一同日本文化人士接触，总是翻来复去地唱"樱花呀，樱花呀……"，编一出中日友好的戏剧，剧中的日本女子不是叫樱枝，就是叫樱子，用美术作品表现日本，也总是要在画面上突出樱花，文艺春秋社的一些朋友就颇不以为然。他们告诉我们，日本的樱花的确有名，每年春天樱花盛开时，日本民众也确有赏樱的风俗习惯。然而，严格地说，日本的国花是菊花。日本目前还是君主立宪制，天皇的族徽，就是菊花，日本政府议会建筑上的徽号，也是菊花，就连日本国民的出国护照，封面上烫印的也是菊花。不过这种菊花不是中国当做园林作品欣赏的那种变态的菊花，而是最本色的原菊花。由此可见，我们对日本的了解，还是比较浮泛和肤浅的。我们过去、现在虽然也介绍了一些日本当代作家和作品，但有些在日本非常有代表性的作家，我们却至今未作介绍，而所介绍的有代表性的作家，我们所翻译的作品，又往往是他们十几年前的旧作，还有一些作家和作品在日本社会上并无多少影响，我们却又大张旗鼓地加以介绍，这有无必要？

在日本同日本文化界的人士接触，我感到他们对我们的了解，也有相当片面和肤浅的一面。

写到这里，我不禁想起了唐朝钱起的《送僧归日本》诗：

上国随缘住，来途若梦行。

浮天沧海远，去世法舟轻。

> 水月通禅寂，鱼龙听梵音。
>
> 惟怜一灯影，万里眼中明。

　　遥想千年前，中日两国的僧人文士就建立了亲密的联系，为中日友好写下了动人的篇章，我们今天互相来往，真是方便了上千倍，我们应当沟通更多的渠道，交换更多的作家互访，加速消除残存的隔膜与误会，为中日两国人民的友好关系，增添更璀璨的新篇章！

1981 年 7 月 15 日

写于甘肃兰州

访日本文艺春秋社

　　从我们中国作家代表团下榻的新大谷饭店的窗户望出去，可以看到不远处有座黑色磨光墙面的九层楼房，楼顶上有着一个白色的变体篆书"文"字标记，那便是我们这次访日的东道主文艺春秋社的所在地。

　　文艺春秋社创办于 1923 年，再过两年就满六十周岁了。它的创始人即第一届社长，是名作家菊池宽。菊池宽是个思想和创作都充满矛盾的资产阶级作家。他不愿为适应出版商和编辑的需要而写作，声称"我要写我自己的话"，于是聚集了二十来个同人，创办了《文艺春秋》月刊，算是成立起了一个由作家自己主持编务、掌握出版发行的文化团体。刊物办到 1944 年，因为日本军国主义濒临覆灭，对一切不能俯首帖耳的报刊均采取了疯狂的镇压手段，于是连一直标榜搞纯文学的《文艺春秋》也被勒令停刊。战后《文艺春秋》的同人们纷纷找到菊池宽，商议复刊，因为菊池宽在战争期间一度表态支持军国主义政府，驻日美军不同意菊池宽公开出面活动，遂由专写短篇小说的佐佐木茂荣出面任第二届社长，恢复了《文艺春秋》的出刊。在战后的发展过程中，《文艺春秋》月刊渐渐以发表报道及时、材料丰富、分析独到的政治经济文化评论著名，遂变化为一本不再刊载文学创作的刊物，另办了《文学界》来专门刊载小说。后

来由于经营有方,除陆续创办了《诸君!》(政治评论刊物)、《全读物》(类似
《读者文摘》一类的刊物)、《乡土》(风光刊物)、《别册文艺春秋》、《周刊文春》、
《Number》(体育刊物)、《美艺公》(画刊)等刊物外,还发展成为出版各种书
籍的大出版社,与岩波书店、讲谈社、小学馆、中央公论社、新潮社、主妇之
友社并列为日本七大出版机构之一。文艺春秋社的社址,当然也由一两间简陋
的木房而终于变为处于东京闹市区的这栋九层的现代化大楼。

第二天,我们一早就到文艺春秋社去拜访。该社的这栋大楼,除四层以下
和顶层自用外,其余几层租给了若干团体使用,其中有一个团体是日本文艺家
协会,由此看来,该社出租房间不仅是为了赚钱,也是为了联络作者队伍。我
们在第四层的大会客室中见到了该社第五任社长千叶源藏和另外几位负责人。
该社的原四任社长,都由文化人自己担任,千叶源藏是头一位自己并不写作的
社长,他之所以被推为社长,除德高望重外,主要是精于经营管理,由此也可
以看出文艺春秋社在竞争极为剧烈的日本社会中,毕竟不能不把赔赚问题放到
重要的地位上。

热情的主人们先简要地给我们介绍了一下目前该社的情况,已发展到
二百九十三人,除编辑出版各种刊物外,下设两个出版局。第一出版局下设四
个部,分别出版纯文学作品、通俗文学作品、文库和作家全集;第二出版局也
下设四个部,分别负责出版报告文学(包括游记、传记、回忆录等)、翻译作品、
美术画册和特殊的纪念性书刊。现在它们的收入,是出杂志和出书约各占一半。

接着我们参观了编辑部。给我的印象,是他们非常珍惜每一处空间。编辑
部里的桌椅、书架等排列得非常紧凑,例如现在每月发行达八十万册的,堪称
该社脊梁骨的《文艺春秋》月刊,三十六开本,每期四百七十八页(广告页除
外),足有中国市尺一寸多厚,包括编辑长在内,仅由十一个人负责,他们为
了便于互相商议和流水作业,桌椅紧并在一处工作,整个编辑部占用面积才不
过十四五平方米;而他们的工作效率,却非常高,半个月可编完一期,期期都
能保证提前出刊,如7月1期,6月初即可在东京书报摊上买到。

他们有个专供编辑写稿、改稿、发稿的工作间,里面设有专门的书桌,备
有各种现代化的用具,稿子弄好后,可在室内用电传机立时传给印刷厂排印。

有趣的是，这间屋里贴着几张向编辑长提抗议的中字报，有的写着"朝令暮改"，有的写着"针小棒大"，更有一张愤愤地写着"羊头狗肉"。可见编辑部里，有着一定的民主空气。

在各个编辑部的办公室里转来转去，我总的印象是他们的编辑部并不比中国的许多编辑部宽敞，充满着紧张而严肃的工作气氛。我心想这恐怕是社里的负责人在空间使用上太小气了，既然楼有九层之高，何不多占用几层来安排编辑部呢?

及至下到底层，进入该社的文艺沙龙，我的印象才扭转过来。这文艺沙龙极为宽敞、舒适、优雅。在漫射的灯光下，分布着若干组造型新颖的沙发坐椅和相搭配的茶几。我们进去时，大落地玻璃窗前，《周刊文春》的七八个编辑正坐在那里商议事情。据说与该社有联系的著名作家常来这里活动，或与编辑会面，或互相之间娓娓而谈，文学界的年轻人如能被邀至这一沙龙，则被视作无上的光荣。沙龙一侧通向厨房，服务员随时可送上放有冰块的威士忌酒，或热咖啡、冰激凌一类的热、冷饮。沙龙旁还有一个小酒吧间，可以进去专门饮酒休憩。沙龙还有一门通向该社的礼堂，可容四百多人，坐椅均为高靠背软椅，设备非常优良。陪同我们参观的半藤先生解释说："编辑部是干工作的地方，所以没必要搞得宽敞雅致，而这楼下是松弛神经的地方，所以必须搞成这个样子，使大家一进来就有一种放松的感觉，这样疲劳很快就能消除了。"

接着我们又参观了他们的食堂，每顿供应两三种份饭，质量堪称物美价廉。食堂入口处有几架自动售货机，按指示投入硬币，就能自动蹦出香烟、可口可乐、桔汁及滋补品等物。在地下层中，还有供编辑临时睡觉和淋浴的地方，并且设有日本式、西洋式两种娱乐室，可以在里面打牌和进行各种游戏。

文艺春秋社的工资福利待遇，在社会上算是高档的，所以吸引了不少有才干的知识分子，长期在这里工作。他们的编辑虽不是作家，但百分之八十几都能写出有独到见解的流利文字，与作家们的关系，相处得也比较好。文艺春秋社因为在营业上站稳了阵脚，所以付给作家的稿酬，一般都非常优厚，有的作家与他们之间，已无所谓稿酬标准，只要时常送来文章，作家可以随时支钱，想到什么地方去参观访问，包括出国旅行考察的费用，社里全可负担，有时社里还派出编辑随行，协助作家工作。这样文艺春秋社得到的稿子，一般也都是作家的力作。读者中的自发投稿，他们虽然一律不退，但如《文艺春秋》月刊，每期平均也能选出两篇左右发表，当然往往编辑要同作者联系，提出意见，请他修改，乃至与作者一起研究着修改；有的作者，经文艺春秋社的扶植，渐渐成名。如现在蜚声文坛的武木宽之、松本清张都是从给文艺春秋社投稿，开始他们的文学生涯的。这样的作家出了名，当然不会忘记文艺春秋社的恩德，他们以后的力作，大多也交给文艺春秋社出版。文艺春秋社有了一批著名的作家作为办刊出书的后盾，也就越发力求文章作品的高质量，因而在社会上的声誉，也就越高。这样就形成了一个良性循环，促使它的事业，在日本文化出版业中颇有蒸蒸日上之势。

最使文艺春秋社引以自豪的，当然还是每年它所颁发的两种文学奖，在日本文学界乃至全社会中所具有的权威性。一种是专发给纯文学作品的芥川龙之介奖，另一种是专发给通俗文学作品（推理小说）的直木五十三奖。两种奖都已经有四十多年的历史，现在日本最有影响的纯文学作家和推理小说作家，绝大多数都是通过获得这两种奖而一举成名的，所以在日本对这两种奖有"登龙门奖"一说。两种奖都是一年颁发两次，分春季奖和秋季奖，每季只发一至两篇获奖作品，如无特别优秀之作，则轮空。评奖办法是先由文艺春秋社组织三十个编辑广泛阅读全国出版物，从中先选出六至七篇候选作品（两种奖皆如此），最后提交由十名大作家组成的评奖委员会讨论决定。两种奖的奖金都很有限（约三十五万日元，合人民币二千五百元左右），作者们重视它，不是因为奖金额而是视为一次被文学界所正式承认的机会奖金专发给"新人"（并不一定是年轻人），得过一次即不能再得第二次。两种奖特别是芥川奖自颁发以来，确实提携了不少优秀的新人佳作，但也经常引起争议，出现"败笔"。如1976年第七十五届芥川奖发给了村上龙的《近于无限透明的蔚蓝色》，这是一篇无情节、无逻辑的肆意渲染视觉、听觉、触觉、嗅觉上的色情颓废感受的作品。它出现后，日本社会上就把一班丧失明确的生活目的，整日沉湎于声色之欲的颓废青年称为"透明族"。在讨论中，评选委员永井龙蓝因为坚决反对这篇作品入选未果，愤而退出了评选委员会。入选后，社会上也有不少人表示了异议，几年过去，村上龙并无后继之作，更使人觉得这届的评选并未为日本推出有价值的佳作与有潜力的新人。

文艺春秋社过去同中国作家之间没有来往，随着日中友好的社会潮流推动，作为一家在日本社会中有影响的大文化出版机构，他们从1979年起就开始主动同中国作家协会联系，表示愿意作为一座新的桥梁，促成日中之间作家的更多来往，并准备在他们的刊物上以更直接的头一手材料来报道、评论中国的政治经济文化情况，以促进日中人民间的了解，这当然是一种善良而友好的表示。中国作家协会也愿在原有的日中文化交流渠道外，开辟新渠道，不薄老友交新友，以扩大和加速中日两国文化界的交流，所以今年五月应文艺春秋社邀请，派出了由杜宣同志、林绍纲同志和笔者组成的中国作家代表团，访问了日本。

我们与日本文艺春秋社的交往，有了一个良好的开端。愿这种友好关系，能健康地向前发展。

1981年5月28日写于北京垂杨柳

松本清张访问记

车子离闹市区越来越远，面前的街道仿佛在不断收缩：路面渐渐狭窄，房屋渐渐低矮，终于拐进了幽僻的小巷，两边的矮墙内溢出稠密的枝条、浓绿的叶片，再拐两下，车子停住，原来已到日本名作家松本清张的宅前。

我们应日本文艺春秋社邀请到日本访问，已是第十一天了。早就定下了访问松本清张这个项目，所以头十天里，我常同陪我们活动的半藤一利先生和翻译林美由子女士谈起松本先生。近几年来，我国开始较多介绍松本清张的作品，他的《点与线》等推理小说，以及根据他的原作改编拍摄的影片《砂器》，在我国读者、观众当中产生了一定的影响。我谈起这方面的情况，半藤先生和林女士一方面为松本先生高兴，一方面又感叹说："《点与线》和《砂器》都是他的旧作了。看来，他的新作你们还不熟悉。日中两国当代作家的作品，互相介绍得还不多，而且大都是介绍十多年前乃至几十年前的旧作，今后最好能多介绍点新近的作品。"我很同意他们的见解。他们介绍说，松本先生生于 1909 年，原是《朝日新闻》九州分社的一个低级职员，他的写作才华直到四十岁出头才显露出来。他现在是日本社会推理小说的代表人物，但他与一般搞通俗文学的作家不同，在纯文学的修养上，功夫也是很深的，1952 年秋，他与五味康祐同获文艺春秋社颁发的第二十八届芥川龙之介奖，这是日本最有威望的一种纯文学奖。松本先生获奖的小说叫《〈小仓日记〉传闻》。文艺春秋社另颁发一种直木五十三奖，是专发给推理小说一类通俗文学的，松本清张初露头角时写的《西乡钞票》一篇，曾列为直木奖候补作品，不过他正式获奖，还是以文学作品获得芥川奖。松本先生的作品往往既能有一定的社会意义，又能做到情节引人入胜、人物形象鲜明生动，而且文字上也比较讲究，使推理性质的小说具有较高的文学气息。近二十多年来他的声望与日俱增，到 1974 年文艺春秋社给他出版《松本清张全集》，所著长短篇小说已达 38 卷之丰；到 1979 年底，他的书已销售至六千多万册，即平均每两个日本人当中就有一个人读他的小说。在这种情况下，他的稿费和版税收入当然极为可观。据传 1980 年日本国民缴纳个人所得税名列第一的，就是他这位自由职业者。

进得松本先生的宅门，只见绿荫之中，露出一座漂亮的小楼，透过树隙，依稀可见楼侧有相当宽阔的花园。在门厅里脱了鞋，被引进一个日、西合璧的客堂，当中是一圈全包的皮沙发，中间摆着茶几，茶几上最引人注目的，是一个注着水、水上漂着两朵不时散出芳馥气息鲜花的大玉石烟缸。客堂四壁陈设着许多美术品和古董，其中最庞大的，是安置在一套大玻璃橱中的日本古代武士的盔甲。

松本先生步入客堂同我们相见，我的头一个印象，是如此鼎鼎大名的作家，何以竟这般其貌不扬？他个子低矮，面皮黑糙，头上的灰发披及耳际，下唇似比上唇长出半寸，身穿一件略显陈旧的黑色和服，背还有点微驼，但是待落座交谈起来，我就渐渐感觉出松本先生自有一种大作家的风度：坦率、爽朗、毫不做作，学识丰富而求知欲未衰，生活优裕而平民气未除，特别使我感到钦佩的，则是那种永不满足的进取精神。他谈及正在写一套历史题材的推理小说，以中亚细亚的古文化通过中国而传入日本为故事线索，计划十分庞大，除要查阅大量的历史、地理、文物、民俗资料外，他还想到实地进行考察，以使作品更具真实性。他说很想今秋能到中国南方访问，从宝鸡入川的一段路，他还希望能不坐火车，而坐汽车，乃至于步行几天，以便能目睹、考察一下唐时的古栈道旧迹。我想到他已是七十二岁的高龄，不禁脱口发问："先生的身体吃得消吗？"他笑着说："我们日本的老作家带着年轻的作家、编辑出国访问，每回总是年轻的先垮下来……"一旁的文艺春秋社中年负责人半藤一利和川又良一两位先生都证实说："确实如此，像井上靖等老先生也同松本先生一样，即便到了沙漠荒郊，也兴致勃勃，不知疲劳，仿佛返老还童了一般。"松本先生遂解释说："这是因为一则我们旅行惯了，有过锻炼，二则总觉得时间不多了，所以拼命抓紧。"边谈边喝了一阵咖啡以后，松本先生便引领我们参观他的住宅。一楼中有很大一部分采取纯日本式的格局，有风雨廊、拉门与"塌塌米"，配备着现代化的空调器，隔成起坐间、饭厅、客厅等几个部分，并连着厨房。据说因为松本先生同他的原配夫人情意甚笃，这位夫人总提醒松本先生不要忘记昔日当小职员时的清苦生活，并表示眷念于日本式的生活方式而无法欣赏西洋式的生活方式，所以盖此住宅时将这一部分特意设计成这种格局，并保持着一种雅洁素净的气氛。松本夫人刚才已经到客厅中向我们致过一次意，这时又在室中频频向我们鞠躬，态度十分谦和，她的穿着也很朴素，一望而知是位贤妻良母。上楼以后，发现楼上完全是西洋式的格局。松本先生首先带我们进入了他的古玩室。室虽不大，也就是八平方米的样子，但几面都立着大玻璃橱，里面陈列着中东、波斯、印度、南洋和中国的石雕、铜雕以及古瓷、古钱等物，琳琅满目，一时也看不明白，只约摸记得有种仿佛是犍陀罗雕刻，体现着古希腊末期雕刻手法对中亚细亚宗教雕刻的鲜明影响。松本先生很自豪地指点着他搜集的这些文物，末后把我们的目光引向屋角，原来那里有一只保存得极完好的松绿色的中国铜鼓，鼓身所铸造出的花纹极为精美飘逸。松本先生还兴冲冲地为我们击了几下这只铜鼓。刹那间我忘记了他的年龄，只觉得他犹如一个心地稚善的儿童，愿将自己所拥有的一切宝贝呈献给亲密的友伴。随后他把我们引进了他的藏书室，转来转去，下楼又上楼，印象之中，大小藏书室约有六间之多，粗略望去，最多的是历史书、地理书、文库、报刊合订本缩印本以及语言工具书，文学书相对来说倒不那么显眼。走过一处书架时，松本先生特意指点着让我们看，原来那上面放着一套我国中华书局新印的《二十四史》。我注意到，书架上的书并不是一律整整齐齐、崭崭新新，随处有翻开伏放、摊开待查，以及查阅后尚未摆齐的景象，充分说明这里的书并不是藏而不用的样子书，而松本先生的大量时间，也一定多在这里面消磨。最后来至他的写作间，一张大写字台前，立着一把磨旧了椅背的转椅，写字台上稿纸书本颇为凌乱，书架上、小桌上及至地毯上全是没有垛齐的文稿、清样一类物品。然而整幢小楼的心脏，应当说正在这里，松本先生已经和将要在这里写出多少长篇巨著啊！

松本先生走进写作间，仿佛儿童进入了模拟登月飞船的游戏舱，他坐到转椅上，憨直地对我说："给我拍张相吧！"我笑着举起手中的相机，给他连拍了两张，然后我们中国作家代表团一行三人又同他一起合了影，他很高兴，却又并不说什么客套话，只是请我们下楼；回至客厅，女仆端来日本茶和日本点心，我们每人的茶具各异，我那一只粗拙有趣，口径不圆，上釉不匀，我懂得那是要故意追求的一种造型效果。我在东京银座的大丸百货商店见过一只同我手里差不多模样的茶具，记得标价极昂。我喝了几口味若苦药的深绿色酽茶，把那珍贵的粗碗轻放到茶几上。

喝茶之间，女仆已搬来了一摞精装书，是松本先生打算送给我们的。在女仆和半藤先生帮助下，他用墨笔一一为我们在扉页上题词署名，还盖上自己的图章。我发现这回来日本见到的几位老作家，墨笔字都写得很好，而且把在扉页上题字署名赠书于人，视为一大快事。松本先生赠我们的书中，有一册他的短篇小说全集，厚约十厘米，他笑着说："给你们拿去当枕头用吧！"我们也全都笑了。

这时窗外的雨云低垂，阵风把细细的雨丝甩到落地窗上，可是松本先生还是坚持要完成下一个预定的项目：到花园中去拍几张全体的合影。他平时并不爱拍照，为了我们的来访，中午才特意打电话买来一架照相机。于是我们大家谈笑着走出楼房，步至一侧的花园，花园约一百平方米左右大，这在一寸土地十寸金的东京，算很不小的一块绿地了。花园中间是草坪，四周是树木，还分布着水池、花圃、观赏石等点缀。虽有微雨，但照相机里装的是四百度的胶片，所以大家放心微笑，静候愉快的合影摄入镜头。

后来我们与换上西装的松本先生，乘车同往东京市中心的留园，他在那里请我们吃晚饭。留园是东京最大的一家中国菜馆，松本先生为了宴请我们，定下了整整一层楼，其实加上文艺春秋社的陪客和翻译，主宾一共才八个人，一张大圆桌还坐不满。松本先生这样做，不应看成仅是慷慨大方，而应更多地看到他对中国作家的一片深情。席间大家免去空诵友谊、频频碰杯之类的俗套，畅谈文学，松本先生谈及中国古典文学对他的影响，并问到我国如何解决当代青年阅读古文古诗词的困难，以及我国文字改革是否影响到古籍排印等等问题，他谈话直来直去，得到详尽的回答后，常露出憨爽的笑容。我们问到他的创作情况，他也总是不假思索地痛快作答。

我们走出留园时，东京早已是万家灯火，各色霓虹灯在夜空中闪烁变幻，上汽车前，出现了一幕小小的插曲：一位恰好站在留园门口的中年妇女，认出了松本清张，惊呼着上去鞠躬致意，慌乱中竟把手中的东西掉到了地上。这说明松本清张在日本的确拥有着最广泛的读者群，崇拜者很多。同松本清张告别后，在回新大谷饭店的途中，同车的林美由子女士对我说："你知道吗？在日本的大作家中，松本清张是最不善于社交应酬的一个，他原来是日本推理作家协会的会长，可是四年前无论别人如何挽留，他也坚决地辞去了这个职务，人家问他为什么不愿意当会长，他说他以为自己应当把全副精力放到写作品上，当会长要善应酬会交际，他最不精于此道，所以非辞去不可。"这时我恰巧整理着笔记簿中的名片，只见同松本先生换来的那张名片上，正面没有任何头衔职称，唯有松本清张四个清清爽爽的字。我想起了他说过的一句名言："文学的真实性比文字的漂亮更重要。"而一位作家的为人坦诚与辛勤写作，不是也比任何显赫漂亮的头衔更有价值吗？

1981 年 6 月

夜东京

从日本访问归来，有几位青年朋友问起我：资本主义国家的所谓"夜生活"，究竟是怎么一回事？我便把自己在东京观察到的一些情况，讲给大家听听。

记得有一天晚上，我和同伴乘电梯升到我们下榻的新大谷饭店十七楼，那一层是个巨大的圆厅，经营比较经济实惠的中国饭菜的自助餐。我们自取了一些饭食后，便坐在靠窗的餐桌上，慢慢地吃起来。我们坐下不久，便发现这个圆厅的底盘在缓缓移动，因此透过那连续不断的大玻璃所见的夜景，也便缓缓地移动着。原来这圆厅每一小时转一周，顾客边吃边聊，可在一小时中获得整个东京四面八方的印象。为帮助顾客从每一角度辨认景物，每隔几扇窗户，就有一个小牌钉在窗台下边，说明从这里望过去是东京的什么著名场所。当晚我们所看到的东京，几乎到处闪烁着明亮的灯火和光怪陆离的霓虹灯广告，被街灯照得雪亮的马路上，密集如蚁的小轿车穿梭不息，使人仿佛触摸到了夜东京跳动得比白天更加强烈的脉搏。

根据日方人士的谈论，我才知道他们所谓的夜生活，一般并不是指看夜场电影、夜场体育比赛、夜戏，以及吃夜宵、逛夜晚开业的商店一类的活动，那类活动，一般九点半左右也就结束，而他们所谓的夜生活，是从九点半左右才开始，一般要延续到深夜一两点钟才结束的。一些专门在那段时间才营业或达到营业高潮的娱乐场所，向人们提供着各式各样的娱乐方式，从而把人们口袋里的钞票一把一把地吸去。

东京的夜生活方式，据日本方面人士说，正如东京的餐馆一样，是集东西南北中各方之大成的。可谓"应有尽有"。邀请我们去访问的东道主，是日本文艺春秋社，这是一家自视为严肃持重的文化出版机构，所以社里的职员，都表示对低级黄色的文化鄙弃，从而对东京夜生活里的那些格调庸俗低下的娱乐场所，也都表示不齿，我相信他们的这种态度是真诚的。在告别东京的前夜，文艺春秋社的一些中青年编辑和职员，邀请我们同他们共度一个"东京之夜"，考虑到他们的基本素质，我们同意了，因而我们有机会接触到东京夜生活的一角。

他们先带我们去了一种最简陋的小酒店。这种小酒店的营业面积只有八平方米左右,一般是长筒形,一个 L 形的柜台。柜台里一般都只有一个中年女老板。柜台里靠墙立着酒柜,一般摆的是威士忌酒,许多酒瓶上都挂着小牌牌,写着"木村"、"山本"、"小坂"等等姓氏。每晚九点半后来此喝酒的大都是已婚的男子,而且多是常客,他们常包下一瓶酒,每天到此兑一至两杯喝。他们一般是坐在 L 形柜台前的高脚圆凳(没有靠背)上,胳膊肘撑着柜台,互相聊着当晚刚看过的球赛(往往是棒球和高尔夫球赛,这两种球似乎比足、蓝、排球更使他们迷恋,日本电视中几乎天天要转播这类球赛),有时同老板娘打趣几句(一般称这样的老板娘为"妈妈"),也有低头喝闷酒的。老板娘负责给他们用冰水兑酒,再加上冰块。他们一般都不用下酒菜,老板娘所准备的下酒菜,也仅是一些极简单的李子酱、瓜子仁等。这类小酒店在东京不计其数,许多收入中等的男职员,常在此消磨工余时光,他们还笑着说:"日本男子也有'气管炎'(妻管严)的问题,一般的职员都是'千元丈夫',即妻子每天只给一千元(折合我国人民币七元)的零花钱,这笔钱刚好够买两包半中上等香烟,或两杯半中档的威士忌酒。

他们又带我们去了一个新开业的名"八钦柯"的电子游戏场。电子游戏装置有司机游戏机、电子棋、电子测力机、电乒乓等等。玩法是用零钱换成小钢球,然后把小钢球投进入口,再按动一个手柄,使小钢球一个个地弹跳到带钢坡罩的竖式板架上,板架上有许多沟回和阻挡物,如果小钢球碰到了某几处装置,则有红灯闪亮,从一个小孔中便会泄出好几个钢球来,倘若碰不上,那么你买的小钢球便会一个接一个地被那机器吃光。这实际上是一种小赌博,弄巧了,一个钢球可以引出几个乃至几百个钢球来,那么你便可以用这些钢球去换回比原来多得多的钱(也可以换百货),但一般人弄来弄去,总是连最后一个钢球也被吞光。据日本朋友们说,来这类地方的人往往并非为了赢钱,而是借此排遣内心的烦忧和寂寞。我们所去的这一处游戏场虽然布置得桃红柳绿,色调富于小市民趣味,也还谈不到令人厌恶。

从"八钦柯"游戏场出来,我们沿着新宿的街道朝前漫步,街上的电光声色极富刺激性,说实在的,这种闪烁变幻的强烈电光和鳞次栉比的娱乐场所中泄出的杂乱喧嚣,实在令我们难以适应,我向日本朋友们表示:宁愿拐进那些较为僻静的小街中去，享受一点清静。我们都笑了。我正奇怪他们何以发笑。忽然，人行道上走来两个青年，一边向我们鞠躬，一边往我们每人手里塞了一张纸头，然后又迎向我们身后的路人，继续散发同样的纸头。我就着灯光一看，虽然不懂那上面的日文，但所印的照片的图画已使我知道那是一种下流咖啡厅的小广告，我当即把那广告扔进了附近的废物箱中，日本朋友们这才笑着对我们说："这类咖啡啡厅、酒吧、舞场，恰恰分布在貌似宁静安谧的小街中，而且一般都利用地下室开业，里面的女招待，有的仅仅穿着三角裤戴着乳罩，甚至也有这种打扮的男招待，一副变态的模样……那种地方，像我们这样的人都是不去的。"同伴问他们："那是不是类似妓院的地方呢？"日本朋友解释说："日本战后的法律，是禁止妓院存在的，如果有人雇佣妇女卖淫赢利，那是会被逮捕的。同时法律规定，不能直接显示性器官，包括电影、电视、照片和图画，都是这样，直接显示了便算违法。标准既然如此低，也就不断有人钻空子。最近东京有一家咖啡厅的老板娘就被控告了，人家指控她让女招待只穿超短裙工作，而地板上又用镜子镶拼当做装饰，这样勾引一些色鬼去她那里喝咖啡，但她却找来律师为她辩护，说她的女招待没有直接显示，镜面的反射应当算作间接显示……"听了日本朋友这一番议论，我们顿感自己正被一种人欲横流、纸醉金迷、颓废变态的气氛所包围，东京这夜那花团锦簇的外表下面，原来掩盖着那么多的污浊与荒淫啊！日本朋友们大约从我们的表情上看出了我们的心情，又补充说，东京的夜生活，实际上从极雅的场所到最俗的场所都有，迎合着不同人的需求。最雅的，比如有一种咖啡厅，装饰得非常雅洁，招待员一律穿燕尾服和长裙子。连电子琴一类的东西都不许存在，只有一两位文质彬彬的钢琴师演奏钢琴，曲子也是只弹古典的……但那座位费很贵，我们一般也去不起；我们常去的，则是这一类——说着，他们已把我们引到了一座大楼下面，这座十来层高的大楼每一层几乎都有一种娱乐场所，最低层的大厅布置得虽谈不上高雅，却也不算庸俗。三边的窗下都有一注喷泉，前边则是一个小巧的舞台，厅中灵活地安置着一组组沙发，沙发前有放酒食的茶几，坐到沙发上后，人们大体上都面朝着那舞台。这是一个"自己唱"（即"卡拉OK"）的场所。在这个厅里，日本朋友们一个个登台为我们演唱他们家乡的民谣，其中半藤一利先生和中本洋先生演唱的歌曲最打动我们的心，因为他们的歌声质朴真挚，所配的录像画面，或显现雨中村舍，或表现天鹅翩飞……格调健康，情致纯正。后来一些我们不认识的顾客上去演唱，听来也都顺耳。这样的娱乐场所确实有益于身心。

这晚回到新大谷饭店，已近十一点半，正是所谓夜生活进入高潮之时，洗完澡，躺到床上，随便揿了揿枕边的遥控开关，彩色电视机的屏幕上正展现某夜总会中的场面：一位男不男女不女的歌星正在仰着脖子嘶叫，而舞场上的男男女女（看得出几乎都是年轻人）则随着他的嘶叫疯狂地扭动着；赶紧换一个频道，啊，更令人目瞪口呆：原来也是一种实况转播，在豪华的大厅中间，有一个人造泥塘，两位妙龄少女当众脱得只剩乳罩和裤衩，在裁判的哨音中跳进泥塘扭打……我只好立刻关上电视，在那"自己唱"的场所获得的较为舒服的感觉，顿时又被电视中的两个场面破坏掉了。唉，如此夜生活！

1981 年冬

石庭快忆

整理书橱，从《芥川龙之介小说选》中，发现一张照片，望着这照片，三年前的一件快事，蓦地回到心头。

1981 年春，我应日本文艺春秋社之邀，到日本作短期访问。访问中，我有幸参观了京都龙安寺的著名景致——石庭，那张照片，便是我在石庭前所摄。

到日本访问，我们随处能够发现中、日两国文化的亲缘关系。在奈良和京都，体现出唐代中国文化对日本文化影响的例证最多。然而，日本民族在吸收中国古代文化精华的过程中，往往把外来的东西同自己本民族固有的东西，巧妙地加以融合，创造出一种独特的美来。

我以为，京都龙安寺方丈前庭的景观，便体现着一种日本园林的独特风韵。

那是日本镰仓时代（13 世纪）的佛教方丈庭发展到室町时代（14—15 世纪）的"枯山水"高峰期的杰作。

所谓"方丈庭"，按我的理解，是一种仅供人们从屋室中向外凝望的园景。京都龙安寺方丈庭即如此。游人来至厅堂檐下，可静坐欣赏庭中景象。庭一面是屋室，另外三面都是矮墙，庭中的景物一旦布置好了以后，便只许观望而不许涉足其中。

所谓"枯山水"，按我的理解，是一种大写意的园林布置法。就是说庭中并不栽种一草一木，也不开凿一渠一池。龙安寺的石庭，便是典型的一例。庭中满布白沙，耙纹成波，使人意会到河池水动。其中巧妙地分布着十五块编组的原石，每组或二，或三，或五，不等。原石的选择显然体现着中国宋朝米芾《相石法》中所提倡的美学趣味，要求"秀"、"皱"、"瘦"、"透"；或者再加上明朝徐渭所增添的"活"与陈眉公所增添的"痴"这样两个审美原则。诸石虽各有性格，但未加雕刻琢磨的浑朴感却是一致的。石上可见自然生长的青苔，那大约便是"枯山水"中唯一的活物吧。

初到龙安寺石庭，甚至会有一种空旷单调的感觉——难道这也是园林之美么？然而趺坐在屋檐下凝神欣赏、潜心揣摩，一种不可言传的美感，便渐次生发，涌动于心中。

艺术的美，各种各样。具体而丰富是一种美，抽象而凝炼也是一种美。石庭所提供的当然属于后一种美。庭中虽无一草一木，但那错落有致、各具风韵的编组原石，能使你想象出云雾笼罩中的千山万壑；庭中虽无一渠一池，但那密布满庭、耙出波纹的白沙，能幻化出青波绿漪和倒影摇曳。

从一处凝神细赏，有所领悟之后，再变换几个位置，你就会发现，这龙安寺石庭的十五块石头，无论从任何角度望去，都只能数出十四块而已。显然这是布置者的巧妙安排。在有限中展示无限，在平实中包含神妙，真是深得"大智若愚、大巧若拙"的壶奥！

石庭前矮墙外，有高大的松、枫等乔木，颇为茂密，适成为一种对比，使庭中的"枯山水"更显得别具一格、意味无穷。

据说石庭的景观，春、夏、秋、冬有别，阴、晴、雨、雪各异，其中以秋天墙外松青枫红、墙内沙白石黛为最佳境界，而春雨潇潇、夏雨初霁、冬雪暂停之时，也别具风姿。可惜我不能有那么多机会来细品这石庭之美。

听日本朋友介绍，龙安寺石庭是日本大园林家相阿弥的手笔。在此之前，他所布置的京都大德寺大仙院石庭已使他获得很高声誉。以后如有机会再访京都，应争取到大德寺一游。

各个民族都创造着美。以园林而论，中国园林之美，是举世闻名的。去年9月我又去了一趟苏州，我特别醉心于网师园中的"殿春簃"，那当然是一种同日本龙安寺石庭不同的美。就是审美的方式，也有不同，对龙安寺石庭是只能观望而不能涉足其中，而"殿春簃"则非徘徊其中不能得其神髓。1979年我出访过罗马尼亚，那里的园林又是另一番风姿。如特尔古——日伊乌城的园林。主要靠雕塑大师布伦库什的三件巨雕——默悼之桌、接吻之门和永无休止之柱，形成一种特异的哲理气氛。去年11月和12月我到法国巴黎，又见到了西欧园林之美，给我最深的印象，是人体圆雕的大量点缀和喷泉的大量运用，那都是与中国、日本等东方园林迥异的一种审美趣味。尽管各国园林的差异是那么大，但我都从中得到了一种美的享受。很显然，整个世界的美，正是由各个民族所创造的具有本民族特点的美汇聚而成的，而各民族之间的美，在历史的进程中也互相不断地渗透。中国和日本的园林的相互渗透关系是不消说的了，就是西欧的园林中，那种人工修剪树篱的做法，不也明显地渗透着中国明朝园林处置法和日本17世纪小崛远洲所创造的"大刈"的影响吗？而中国圆明园的"大水法"、日本东京皇宫花园的任花木自然生长而不加修饰，不也渗透着西欧从17世纪到当代的园林风格的影响吗？

一张三年前在日本京都龙安寺的照片，引出了许多愉快的回忆。我把照片摆放案头，铺纸提笔记下了如许随感，是为《石庭快忆》。

1984 年 2 月 11 日

松本清张一去不返

一个作家怎么可以长得这样丑？

一个著名作家怎么会是这样的相貌？

实话实说，这是十一年前我在日本东京见到推理小说泰斗松本清张的第一印象。

日本人都矮，这不足奇，中国人早把"倭"字"赠"给了他们。那一年松本先生已年过七旬，背有一点驼也不为怪。令人惊异的是他的面容。稀疏然而粗直的灰白头发一律向后背去，又在齐耳处剪成一条直线；略呈扁四方形的面庞，皮肤鳖黑而粗糙，还分布着一些更黑更糙的死斑；嘴唇很厚，而下唇朝前突出，毫不夸张地说，大约足足突出去一市寸；两只眼睛仿佛藏在很深的洞里，放着幽幽的冷光。

呀！

上个月不知道为什么电视台在很晚的时间里重新播出了日本根据松本先生同名小说拍摄的影片《砂器》。

记得是 70 年代末，我曾带着儿子去看过这部影片。当时儿子不足十岁，看不懂，大约片子还没放映完，便坐在椅子上呼呼大睡。这回已经二十岁的儿子坐在电视机前屏住气息从头看到了尾。看完他说他受到了很强烈的刺激。

他说《砂器》这个故事实在古怪。乍看觉得太有悖于情理。那个功成名就的大音乐家，就算他羞于让社会知道他的父亲是个隔离在荒岛上的麻风病人，那他也犯不上，更何忍心杀死那个当年对他们父子有救命之恩的退休警察呢？那慈蔼的退休者无非是找到已隐姓埋名的他，告诉他他父亲仍然活着，并且非常想念他，希望他去见一面罢了，而他竟下了毒手！但他的杀人行径又终于被警方侦破。影片最后以很大篇幅表现他在豪华的演出厅中亲自演奏自己谱写的钢琴协奏曲，而那动人心魄的大曲，却又寄托着他对父亲那无法割舍的血脉之爱与对命运的无奈之叹，影片结束在拘捕他的警员已逼近台口的瞬间，在最后的一组闪回镜头中，干脆用字幕点出了"宿命"的主题——再成大器，终究砂制，人之命挣不脱血脉的遗传。

儿子久久地同我交谈着观看《砂器》的感想。末了他说："我想，写这个作品的人，他内心一定非常非常的孤独！"

非常非常的孤独！

犹如一记重锤击在了我记忆的鼓面上。

是的，我感到松本先生非常非常的孤独。

1981 年我在东京拜见松本先生时，他已红到顶峰。据说 1980 年全日本个人上缴所得税数额，松本先生名列第一。他已出版了《全集》，在东京购买地皮按自己的想法让建筑师设计、施工队修造出了豪华的住宅。我们一行三人是由日本文艺春秋社引领着到松本宅邸去拜见他老先生的。在寸土寸金的东京，松本先生的宅邸不仅有造型别致的小楼、回廊、凉棚、天井，还有面积相当可观的花园，除了大片的草坪，还有多种树木花卉，以及中国式的太湖石、竹丛与卵石镶的弯曲小径，周遭呈不规则状态的金鱼池，当然也有日本式的亭形石灯柱。

据说松本清张很少在自己的宅邸接待来访者。我们之得以被他接待，当然并不是我们特别是我有什么引起他兴趣的地方，我想他一定从未听说过我的名字，更不消说绝未读过我的任何一行文字。他之所以给我们礼遇，一是看在文艺春秋社的面子上，二是他当时有自己的一个打算。

先说文艺春秋社的面子。到过日本的人就知道日本有一种发行量极大、历史相当悠久、颇具权威性的社会综合性杂志《文艺春秋》，每月厚厚一册，相当于中国一本大 32 开的四五十万字的长篇小说的篇幅，但里面其实并没有多少纯粹的文艺作品，以类似我们报刊上的新闻报道、新闻述评及文化评论等等的文章居多，还有大量的新闻性社会性照片的插页和广告，大凡日本知识界人士和一般的白领阶层，都是它的读者。文艺春秋社到 80 年代初时早已建起了堂皇的大楼，并且已不止出版发行一种杂志，实际上已是一个颇具规模的文化性财团。文艺春秋社虽然早已不拘泥于文艺而几乎染指于日本社会的各个方面，但它对日本文艺界却长期有着左右潮流的作用，这就是它几乎有半个多世纪（二战时期一度中断）在每年春、秋两季颁发两种以前辈大作家命名的文学奖，一种是芥川龙之介奖，属纯文学性质，一种是直木五十三奖，属通俗文学（推理小说）性质，日本作家凡得了这两种奖之一，便形同跃入"龙门"，虽说奖金保持着最初的数目，到今天已几乎只有纯象征意义，但"跃入龙门"的作家身价倍增后，稿约不断，版税飞升，那收获是难以计算的。松本清张原是朝日新闻社驻外省的一个默默无闻的小记者，就因为向文艺春秋社投了稿，得了奖，才脱颖而出，为人所知。但值得注意的是他当时得的并不是直木五十三奖，而是芥川龙之介奖。这也就决定着他嗣后以《点与线》等推理小说走红以后，其作品总有着一种一般仅只写侦破过程的推理小说所不具备的纯文学气息，即注意到写人，写人的命运，写人性的挣扎，写当代人的困境，特别是精神困境，《砂器》可以说是最能体现他这一创作个性的代表作，后来步他后尘也极走红的推理小说家如森村诚一，森村那部也拍成电影、也在中国上映过的代表作《人证》，以我个人的眼光看来，虽也出色却并未突破松本拓出的阔地。文艺春秋社既然是松本的发掘者，松本先生与该社的关系自然非同一般。后来他的许多力作都交该社出版，到我见到松本先生时该社已推出了他的全集，精装套匣版本，总有二十几卷之多，放在书架上确实非常之堂皇。我们既是文艺春秋社邀请访日的客人，文艺春秋社为显示自己有能力说动松本先生出面接待，法力非其他文艺团体可比；松本先生为表示他对文艺春秋社当年的提携贵不忘本，这两方面一凑拍，几乎从不在家里见别的作家尤其是外国作家的松本先生，便破了戒。

另一因素则是松本先生当时已从《日本的黑雾》那类的"黑幕小说"和《砂器》那类的"人性探秘"小说的路数中超越了出来，他决心写一部多卷的历史小说，具体地说，便是要写祆教从波斯经中国传入日本的复杂过程，把许多不同种族、不同民族、不同性别、不同身份的人物的命运，纠葛在一起，展现壮阔瑰丽而又神秘诡谲的历史画卷与人生诗篇；为写好这部巨著，他除了搜集各种文献、文物资料，作案头准备外，还打算到中国一些尚有祆教遗迹的地方和史书上提及的山川驿路去补充素材和感受氛围。因而他也愿破例同中国作家接触，以探询其可能性。

会见的场面是近乎冷寂的。

松本先生很客气地接待我们。他的话很少，而且也几乎不笑。

不知道他为什么临到我们快到达时，忽然想起来或许要拍照，便让他的一位助手赶紧到照相器材商店去买回一架昂贵的照相机来，既然昂贵，当然并非"傻瓜机"，结果他完全不知道如何使用，他的助手看了说明书竟也一时掌握不好，那时候我们已经到达，他因为不会用那照相机，便命令他的助手再去商店换一个好的"傻瓜机"来，助手赶忙去了。

这件事当时便令我吃惊，至今回想起来，还不禁发愣。

他腰缠万贯，也并不吝啬，却在我们去做客之前，并不置备一架照相机！难道他是自知相貌丑陋，回避照相吗？似乎那原因又并非如此简单。孤独，深深的孤独！只有最孤独的人，才会有这样的举措。

其实也无须他购买照相机。文艺春秋社的人士带着最高档的照相机，里面装的是400度的胶片，因此即使当时已然夕阳半敛，我们在庭院中合影时也全然无须使用闪光灯。

助手换回了"傻瓜机"，尽管文艺春秋社已拍过照，并说好洗印出来以后既给他，也给我们，他还是要助手用那相机在原处再拍几张。

他领着我们大略参观了一下他那座结构复杂的小楼。记得后半部忽然演变为完全的"和式"即日本风格，在天井翠竹掩映的木格纸拉门后，显露出完全的传统布置，并有一位瘦小的老太婆穿着雅致的和服双手贴膝向我们行九十度的鞠躬礼，那是他的夫人，元配夫人。文艺春秋社的人说，松本自己著文讲过他之所以有那样的成就，端赖他夫人的背后支撑。那支撑我猜想或许并非什么语言的激励以及充当所谓"第一读者"的切磋，而是默默地同他共同度过那些平庸乃至猥琐的日子而绝无怨言——松本出名时已经四十多岁。据说那宅邸的后半部建成日式的结构并保持传统的情调，完全是松本为夫人着想，就他个人而言，看得出他是比较喜欢西式的房屋结构和东西合璧的风格的。

他重点引领我们参观了他的藏书库和文物库，那真令人艳羡不已。都不记得上了几次楼梯又下了几次楼梯，迈过了几道门，走过了几道廊，印象中他的藏书足可媲美于一所名牌中学的图书馆，这还只是就数量而言，实际上他还搜罗到若干珍本乃至孤本，可惜绝大部分是日文或西文，虽有文艺春秋社的翻译略加解释，我还是不懂或当时懂了而不能记牢。记得有一处书架上是些纸张相对比较粗黑的平装中文书，细一看是北京中华书局出版的二十四史分册简装本，松本先生却特意让翻译告诉我们，他十分珍爱那套书，因为经过比较，他认为大陆的这一套校雠水准远远高于香港和台湾所出的，这当然是内行话。

他所存的古币、古镜、古瓷及古工艺品也不少，最令人叹为观止的是他还收藏了一只巨大的中国铜鼓，上面雕铸着许多细琐的花纹，我也无从鉴别那是真的古物还是一种制作得很认真的赝品，就算是赝品吧，我想不出哪一位中国当代作家的居室中可以从容地陈列出那样一件收藏品来。

在他的藏书和文物面前，我才看到他脸上现出了一个微笑。

这是一个孤独的微笑。

一个寂寞的微笑。

对他人而言的孤独。

对人世而言的寂寞。

他为自己构筑了一个心灵的慰藉所。享受孤独。消解寂寞。

最后走进了他的书房。相对而言，不大。似乎当时他也还没使用电脑。他一见书桌前的那把椅子便不由自主地坐了上去。在待客的时候那似乎很不得体，但他情不自禁。

坐在书桌前，有一瞬间他似乎忘记了我们的存在。

我理解。

唯有深深的孤独，才能透过笔尖向纸上倾泻出对人世、人生、人性那样近乎冷酷的揭示与剖析。

我对儿子说：《砂器》里的那个音乐家，当他泪流满面地演奏那个大曲时，他内心该受着怎样的煎熬！

而松本清张在创作《砂器》时，他不得不写到那个音乐家的儿子为隐瞒自己的卑贱血统而杀害恩人时，他内心又该受着怎样的煎熬！

儿子说：这个松本清张好冷酷，这个《砂器》拍得好瘆人，看完我做了一夜的噩梦，他就不想想读者、观众内心该受着怎样的煎熬！

没办法。

孤独者把我们从热闹场中拉回到清凉界，使我们骇然于自我的孤独。

不知道松本清张所有的作品是否都贯串着这样一种凄厉的调子。

那天他送了我一本他写的书，书名是两个中国字《眩人》，用墨笔签了名，还郑重其事地盖了印鉴，有位日本朋友后来在我家书架上见到了这本书，他说倘若我将这签名本拿去拍卖，那至少能得到书价 100 倍的收入。但是我不想拍卖它。然而我也看不懂。面对着这本书，我只是回想起见到过一个红得发紫而又孤独得要命的老人。

后来松本清张先生请我们去东京一家最大的中国餐馆吃饭。是事先订好座的。

那座餐馆至少有三层楼的堂座，还有许多单间的雅座。

但走进去以后我们不免大吃一惊，整个餐馆的厅堂桌面布置是营业状态，然而三层楼里除我们以外竟再无一名顾客！

原来，据说松本清张出名后几乎从不到餐馆用餐，又是为了我们才破戒，然而，为了不让别的顾客影响我们——不，其实是不让别的顾客影响他，他便预先向老板打过电话，那一晚他把整个餐馆全包了。

我们登到三楼，三楼厅堂里专为我们布置了一桌。坐下来以后，我们一共不足十人，大大的圆桌，空空的厅堂，至少我是感到一种莫名的惊诧与尴尬。

记不得都吃过些什么菜肴。只是强烈地感觉到松本清张的怪诞、荒唐。后来细细回味，才意识到那仍然是源于他内心深深的孤独。

红得发紫，却羞于见人。

确确实实是羞涩，而并非狂傲。

谁信呢？

都不信，所以内心像深井般的黑暗，没有理解的光芒射进。最深沉最浓酽的孤独啊！

都走出那家餐馆，分别要进入小轿车了，忽然停车场上有一位妇女认出了松本清张，她禁不住惊叫一声，竟至于将手中的车钥匙哐当落到地上，匆忙拾起车钥匙后，便简直是朝着松本先生疾跑而去……

仿佛突然见到一位天神。

仿佛突然见到一位圣贤。

她崇拜他。

她热爱他。

她掏出一个什么本册，请松本先生签名，松本先生站在汽车门前，给她签了。

她发出一种幸福的、快乐的声音。

她的出现和表现，是否说明松本先生并不孤独？

我至今不解，以松本先生那样的相貌，那妇女偶然撞见发出的不是惊悚的呼叫而是狂喜的欢呼，究竟是为什么？

难道他那些小说，竟有那样奇伟的魅力？

还是主要因为他那如日中天的名气？巨大的名气可以使丑人变得千人爱万人喜，这样的社会现象全世界都有，过去，现在，将来都有。

试着这样去解释，却不能圆通。

松本先生对那妇女的狂热崇拜并不呼应。他淡淡地签了个名，便钻进了车里。

他似乎只甘心让他写出印好的文字与社会见面，他自己则要固执地缩在一个壳子里。

也许他是对的。

他是永远的孤独者。他要保持这个本色。

后来松本先生来了中国。他去了他想去的地方。有些地方我这样比他年轻的人听了都发怵：没有汽车道，只能骑马、骑驴或步行，没有像样的客栈，没有卫生间，吃饭时有许多苍蝇来做伴。然而他以七十多岁的高龄——都踏勘寻访到了。想必他把那些感受都写进了他那以袄教东传为内容的长篇巨著之中。他的巨著想必已经完成出版多年，我未看到中文译本，或许是我孤陋寡闻。

松本先生来中国，基本上是静静而来，悄悄而去。但日本驻华使馆为他举办了一次宴会，我有幸与宴，去给他老先生进酒，提起在东京拜望过他，他记得，但只是淡淡地点头，没话。

前两天在报上看到了"日推理小说家松本清张病逝"的消息。老实说，并没有什么悲哀，而且，似乎也轮不到我来悼念他。只是想起了电影《砂器》中的一些镜头，感到有一个孤独的人，从此背向我们，一去不返了。

1992 年 8 月 12 日于北京绿叶

美其名曰

到日本访问前，我向邀请机构日本国际交流基金会提出，想在东京拜访几家出版社，其中一家是福武书店，因为该书店 1987 年翻译出版了我的一本儿童文学著作《我是你的朋友》，1989 年和 1991 年又连续再版，销得还不错。可是临到出发前接到的日程表里，却不见有福武书店字样。这倒也没有出乎我的意料。因为我曾向该书店讨版税，老板很客气地给我回了信，回绝了；那理由让我无话可说：中国虽参加了《伯尔尼保护文学和艺术作品公约》和《世界版权公约》，但分别从 1992 年 10 月 15 日和 10 月 30 日方生效，他们翻译和三版我的著作，均在此生效期前。

可是在电传给我的访问日程里，却有一项是"访问 BENESSE 公司"。这是怎样的一家公司呢？我并未提出要跟它接触，它却主动要接待我，却是为何？我问日本国际交流基金会北京办事处的工作人员，他们一时也提供不了解答。我查了好几种英汉辞典，里头都没有 BENESSE 这么个辞条，这就更增加了其神秘感。

到了东京，基金会的访问项目负责人川口女士向我详细解释日程安排，这才知道，原来福武书店这几年有了很大的发展，已从一家单纯的出版机构，壮大为一家以出版为主而多种经营的有限公司，并且因为原来东京的地盘已远不够用，故而搬到了东京迤西的多摩市，并且易名为了 BENESSE 公司，该公司听说我到日本访问，很高兴，欢迎我到多摩他们公司参观、恳谈。啊，看来我是误会福武书店了。我表示感谢他们的邀请，乐于到多摩一趟。我问川口女士，这家公司的名号，是什么意思？这 BENESSE，是否日文里某种意思的英语的音译？她显然没料到我会提出这样的问题，忙道歉说，没来得及问那公司，这几个音节连缀一处，日语里也无解……我说没关系，到了那里，自然便会知晓的吧。

在预定的那一天，我去了多摩。乘地铁再换乘地上电车，中途倒了三次车，差不多用了一个半小时，才到达那里。BENESSE 公司就在多摩车站附近。我觉得眼前的景象很像美国。BENESSE 公司占地颇广，耸立着两座新楼，一座瘦高，一座胖矮，此外还有若干配套建筑，新崭崭的，主要用的是新型合金材料，因此在晴阳下泛着晶莹的光芒。迎接我的公司人士带我各处参观，这才知道原福武书店发了大财，又联合其他资本，现在组建的这个公司相当牛气，这多摩的部分只是该公司的东京分社。那座矮些的楼房是书籍的编辑部，进去一看，设备极其先进，到处摆放着贵重的胡姬花（热带大瓣兰花），花盆上还都包着红纸或金纸，挂着祝贺的名签，原来我真是赶巧了，那正是该楼启用的第二天。后来又去那座高楼，楼体上有两个巨大的抽象人形标识，好像也就是这公司的图徽。楼外庭院里布置着若干充满童趣的彩塑，半写实半写意。进楼的大堂穹顶约在五楼的高度，当中矗立着一个巨大的抽象派雕塑。楼里有很多层是公司所属的各个杂志的编辑部，随便一望，到处是电脑荧屏在闪动着彩色图像。楼上最高层有天象馆，天象馆周遭是镶嵌着落地大玻窗的展望厅。天象馆向社会，主要是向中小学生开放。后来又到楼下的一个造型奇特的展览馆参观，正举办着一个插件玩具的展览。在这一组建筑的后面，有一个小型的迪斯尼乐园。这就更让我觉得是置身在美国了。在恳谈时，我说我很理解贵公司所选择的立足点，就是面向日本的中小学生，还有学龄前儿童，瞄准了他们这一块市场，为他们出版各种读物，还为他们开设各种娱乐设施，这当然是既有益于社会，又能财源滚滚的一桩事业；可是，为什么要取 BENESSE 这么个名字呢？这让人猛一听，还以为是一家美国公司呢！公司的一位人士回答我说：BENESSE 没什么意思，是他们生造出来的一个"外来语"，这听来挺有美国味儿吗？嘿，他们要的就是这个效果！BENESSE，念起来不是美滋滋的吗？我听了一愣。

在日本多待了几天，我才明白，敢情在日本，取一个英文名字，尤其是带美国味儿的名字，"美其名曰"，是一种愈演愈烈的时髦风气。我实在不该大惊小怪，像松下公司，不就为它的家用电器，胡诌了一个 Panasonic 的"美名"，在我们中国的电视广告里，不也已经天天响彻了这个"美名"，并令不少的中国消费者耳熟能详了吗？在日本的书报摊上，更有许多出版者生造的英文刊名；就连大饭店，如我所入住的京都和广岛的，美其名曰 RIHGAROYALHOTEL，后面两个词是"皇家饭店"的意思，但何谓 RIHGA 呢？

在日本几所大学里与教授们座谈，他们都慨叹日语里的这种"美语"，尤其是生造的"无解美语",是外来语里最糟糕的。有的已一再向公众发言,并呼吁立法,来阻止这一不良趋势。我想,任何民族的语言,在其自身发展中,都是不可能完全不吸收、融入某些外来语的,但是像日本社会上所出现的这种用拉丁字母生造辞书里查不到的"外来语"的风气,我们从旁观察,实在是不敢恭维,我祈盼这种"美其名曰"的风气,不要蔓延到我们汉语里来!

站着吃面

站着吃东西是不雅观的。站着吃个鸡蛋煎饼,或吞个肉馅大包子,多数中国人还能凑合,要是吃面,汤汤水水的,不坐下,怎么吃得顺溜?

就吃东西而言,中国人似乎是比西方人讲究得多的。几年前我曾到瑞典访问,有幸到斯德哥尔摩的皇家剧院观剧,那剧院是瑞典国民心目中的艺术圣殿,进入那里面观剧,男男女女都自觉地盛装华服,俨然生活中的一桩大事;我和瑞典朋友提前一小时便到了那个地方,我说有点饿,瑞典朋友便带我去吃东西,那餐厅在皇家剧院一侧,进去后,我吃了一惊,那餐厅虽整洁雅致,所出售的食品却很简单,所有买到食物的顾客,都是自己端着放食物的托盘,到齐胸的连体桌前站着吃。那一回我铭心刻骨地意识到,对于他们来说,固然也有华丽的餐馆,舒适的座席,精美的肴馔,可以细细地品尝,然而,在多数情况下,他们并不以吃饭为第一大事,比如说与观看戏剧相比,吃饭就变得很不重要。

去年到日本访问,曾在东京站着吃大碗的热汤面。我去吃面的那家"赤坂拉面"小馆,门口立着一个自动售票机,进了面馆,把票递给柜台里的伙计,等他招呼你拿面;面来了,你端起来,在齐胸的连体回形桌前,站着呼噜呼噜地吃你的面;吃完了,你自动把空碗放到柜台上指定的位置。那种场面,在中国实不多见。那么,该小面馆,可是位于相对穷酸的地区?光顾的人,可都是手头拮据的蓝领?非也!东京的赤坂区,紧靠皇宫,是国会所在地,集中着若干政府大机关,银行林立,还有若干商厦的摩天楼,过来过去的人,白丁少,要员多,大亨和高级白领麇集,到这小面馆站着吃面的,当然主要是这些角色。

怎么这样的一些人物也来站着吃面？推其心理，便是他们多半已经不以吃饭为人生中的一桩大事、快事、要事、荣誉的事与标志自我价值的事。

站着吃面，想来并非日本国粹。日本的西化，有的方面，我很看不惯，如时兴用拉丁字母生造一些"外来语"，用来命名商品、杂志甚至于机构；但是他们学欧美人，把吃饭一事不看得那么了不起，能站着吃热汤面，吃完精神抖擞地去做自己认为是更重要的事，这一点，我以为还是值得肯定的。

大鸟居

日本神社外面往往矗立起一种门坊，形状类似中文里的"开"字，并且往往涂以橘红色的颜料，它的名称，叫大鸟居。

在濑户内海的宫岛，有沿海修造的严岛神社。它创建于 6 世纪下半叶，到 12 世纪时营造成现在仍存的模样。整个建筑群基本上从近岸的水中打桩托起，以桥堤与陆地相连。正殿，辅殿，还有演出"能"（一种古典戏剧）与"文乐"（一种大型木偶戏）的舞台，都以典雅的回廊相勾连。回廊总长近三百米，七穿八达，移步换景，凝聚着日本古代建筑师与技工的才艺心血，是日本的国宝之一。在距离整个神社建筑群约二百米的大海中，正对着神社当心的拜殿，在湛蓝的波涛映衬下，兀然耸起了全日本最宏大雄奇的一个大鸟居。它高达十六米，整体用珍贵的楠木制成，漆成夺目的橘红色，稳稳地深扎在海底。它不仅是名胜地宫岛的标志，也常常在照片和影视画面中成为日本文化的一种象征。

应日本国际交流基金会的邀请，在金秋季节到日本访问，有机会游览了宫岛。在驶往宫岛的渡船上，老远就看见了那大鸟居。坦率地说，对于大鸟居这一日本图腾，从审美心理上来说，我是难生愉悦感的。无论它的形态，还是它的象征意义，作为一种异质文化，都令我产生出疏离乃至排拒的心态。我觉得它太怪，氤氲着一种令人气闷的氛围。陪同游览的山根小姐看出了我对大鸟居的微妙反应，遂问我，是否望见大鸟居时，产生出了一些不快的联想。她告诉我，曾陪同一些来自中国东北的老先生到这里游览，那些老先生就对大鸟居很反感。

因为当年日本军国主义势力发动侵华战争，每占一地，往往便竖起橘红色的大鸟居，令他们在记忆里，划下了痛心而屈辱的伤痕。她说，她很理解那些中国东北老人的心情，不过，大鸟居在日本是古已有之的，是日本民族普遍信奉的神道教的一种宗教建筑。日本的神道教认为万物有灵，每一种动物、植物以及山川河流风云雷电，都有自己的守护神；这大鸟居为什么叫大鸟居？表层的意思，是它可供最大的飞禽栖憩，深层的意思，则是这门坊后的神社中，有万物之灵居内……我很感谢她告诉我这一切。我说，自己懂事时，"二战"已然结束，并且在幼童时期，也并未在沦陷区生活过，因此在我的记忆储存里，倒还引发不出关于大鸟居的那种具体联想；不过，因为日本军国主义势力发动侵华战争，给中国和中国老百姓造成的痛苦，实在是太强也太深了，比如日军在南京的大屠杀。我出生于1942年，那时我虽不能懂事，但我父亲出于抗击日本侵略的爱国热情，给我取名"心武"，就是要我长大后，心里一定要不忘以武力驱逐侵略者。当然我未及长大成人，世界反法西斯战争便胜利结束了。不过，这样的熏陶，当然使我的心灵深处，也积淀下了对日本的一种戒备感，所以看到大鸟居这种百分之一百是日本特有的事物时，会感到气闷。

登上了宫岛，细览严岛神社，再从那里遥望海中的大鸟居，我对山根小姐说，从建筑艺术的角度评价，这神社的宫廊，与远在海波中的大鸟居，构成了一种绝妙的空间关系，其中值得玩味的神韵，甚为丰沛。

后来我们又参观了岛上的大愿寺和五重塔。也许是因为佛教本是从中国东传到日本的，所以尽管日本佛寺在建筑形式、殿堂配置、佛像风格等等方面都与中国的大有不同，但终究还是能产生出一种亲和感来。一般日本人似乎并不以同时信奉佛教和神道教为忤；比如在明治时期，宫岛的大愿寺便一直负责修理严岛神社；而同一个日本人，他会在进入佛寺时拜佛，而随即进入神社祈福。山根小姐对我说，神社现在已与皇室无关，并且也与政治无关，它只是日本民间的一种宗教场所，是许多日本人办喜事和丧事的地方。我说，但是还有一个"靖国神社"，里头供着日本军国主义者、战犯的骨灰和牌位，有的日本政治家，还时不时冒天下之大不韪，跑进去参拜。这是我们遭受过日本军国主义势力侵略的民族不能不坚决反对，并时刻警惕的事！山根小姐说，她本人，还有绝大多数的日本人，包括一些明智的日本政治家，对此也是反对和抵制的。后来我们放下这沉重的话题，一起到码头附近的商品街游逛，边喝碧绿的日本煎茶，边品尝驰名的宫岛枫叶馒头，聊起了共同观赏过的中国和日本电影。欢谈中我们都感受到作为爱好和平的人类一分子，相互所赐予的理解与善意。

在离开宫岛时，从渡船上再眺望大鸟居，在夕阳映照下，我觉得它顺眼多了。

"在场"的魅力

我原来欣赏建筑物，只会从视觉上品味，在我眼中，建筑物只是用若干不同建筑材料组合为不同的建筑构件，然后由若干建筑构件整合为了一座或一组建筑，观察它，主要就是从形态、气派、色彩、质感、装饰趣味等方面入手；当然，如果能以进入，那也会考察一下它的功能性，如果是一座博物馆，那我会评说一下它的展示功能是否充分，观览路线的设计是否合理，休息厅及其他配套设施是否完备，等等。这样对待建筑物，特别是很有创意的建筑艺术作品，实在是有点像猪八戒吃人参果，不足为训。我也曾阅读一些有关建筑艺术的书籍，虽不能彻底弄懂，究竟也还是受到一些启发，例如知道西方一位建筑理论家叫朱哈尼·帕拉斯马的，提出对建筑应有七种感受，除视觉感受外，还应有：声响、寂静、气味、触摸的形状、肌肉感觉、骨骼感觉。另外，好的建筑物，应当体现于空间的营造，也就是说，那些用建筑材料垒起的实体美不美，倒在其次，更关键的是建筑材料所切割出的空间，是否能令进入其中的人，产生出一种审美愉悦。说实在的，我虽总想"学以致用"，也曾到一些大体量的新建筑中寻找空间美感，却一直未能得到心理满足，当然也就谈不到有所憬悟。

1997 年秋天，得到日本国际交流基金会的邀请，能以很从容地到日本几个大城市观赏其古典与现代建筑，去之前，国内著名的建筑评论家王明贤嘱咐我，一定要好好地鉴赏东京新都厅。我曾和他议及香港的建筑作品，提到香港汇丰银行大楼，我说很有气派，望上去挺像火箭发射塔，他便郑重指出，这样欣赏该建筑，是只见皮毛，而忽略了神髓，它的主要美学成就，还并不在其能引发出"火箭就要升空"的联想，而在于营造出了丰盈的空间情趣！一席话说得我后悔不迭：多次赴港，多次穿行于该银行的空间之中，却恰恰只拣了芝麻，而错过了西瓜！所以这回到东京，观赏东京新都厅时，我便刻意地体味其空间营造的气韵。

东京新都厅，也就是东京市政府大楼，1990年建成于东京新宿区西北部，次年正式启用，系日本著名的建筑大师丹下健三的代表作之一。该建筑由两座摩天楼、一座呈圆弧曲线形的议事堂，以及勾连它们的庭院广场和多层通道等组合而成。其中"第一本厅"大楼高243米，地上四十八层，楼体从约三分之二处在左右各耸出一个塔楼，两个等高而对称的塔楼顶部都有恢宏的无柱敞厅，作为对民众和游客免费开放的展望室，在那里，晴朗的白日可以望见富士山，夜晚则可环眺万家灯火。"第二本厅"高163米，地上三十四层，楼体似三个次第矮下的柱形物咬合在一起。建筑物的外墙用瑞典茶色花岗岩与西班牙白色花岗言镶砌，雅洁庄重。整个建筑地下还有三层，而且地下部分并不完全藏起，有很大一部分豁然见天。"第一本厅"、"第二本厅"与议事堂之间，既有地下通道勾连，也有首层无柱的玻璃长廊相通，其最宏阔处达19.2米×108.8米；此外还有架设在二楼高度的凌空人行桥，其中"虹桥"一直达于都厅北面的新宿中央公园，消失在万绿丛中；另有"绿桥"与"水桥"，此二桥则与"下沉"的底部"都民广场"相接，其间点缀花坛喷泉圆雕，精雅瑰丽，但总体是一种呈放射性的朗阔气势。

这新都厅从拟建时起，便遭到一些东京市民的抗议，他们认为工程既庞大而奢侈，是市政府浪花纳税人的税款。这抗议的声音不能不影响到设计者的设计心态。我以为，丹下健三在设计这个项目时，一定着重考虑了这样一个问题：作为既不到这座楼里办公，也不到议事堂里开会辩论投票的普通东京市民，他们在这个建筑群中有没有位置？那是一定该有的。该有哪些位置？除了免费登上展望室，以及进入大堂，在有关部门得到接待外，还有哪些空间可供他们共享？因此，必须在经费限度内，以金钱购来的材料，切割出尽可能丰沛的，"不要钱的"空间，以缓解市民对这座建筑的疏离情绪，使最激昂的逆反心理，也能在这些多样而畅阔的空间中得到宣泄与吸纳。"都民广场"应是这一空间营造意图的最集中的表现。在这里，市民们可以参观官方或半官方组织的露天展览会，观赏民间团体的种种演出——这并不是最重要的功能，更吸引人的是，这里还可以举行抗议性的或非抗议性的自发集会，也可以成为各个小群体甚或纯个人的游嬉场所。由于这广场有某种"釜底"感，又有几道天桥升腾其上，并且透过落地玻璃又与楼内的封闭空间相瞩望，因此置身其中，实在也是置身在一个实实在在的建筑物里，空间本身构成了建筑作品中最华彩的乐段。更有趣的是，通过三层空间的切割，新宿的"中央大道"——封闭的高速公路，又"若无其事"地从"都民广场"的北上方和"虹桥"、"绿桥"等人行桥的下方笔直穿过。多层面多功能的空间营造因此也获得了多含意的隐喻，其美学意向与蕴味丰厚耐品。

感谢明贤兄的事前提醒，使我在参观东京新都厅时得以把空间营造当做建筑作品的精髓加以重点领悟。不过，真正使我在空间美感前震撼的，倒还不是东京新都厅，而是江户东京博物馆。我去这座博物馆，本来纯粹是为了了解东京的建城史，对其建筑本身事前毫无资讯。这座建筑体量不小，其外形采取了日本传统的高床式粮仓的模式，从地下算起一共八层，最令人叫绝的，是该建筑的第三层，它"忽然"一下子"破除"了四面的高墙，但其"楼面"却延伸了出去，尤其是"粮仓"坡檐两边的方向，延伸极远，有一边竟一直延伸到了那边的国技馆（表演大相扑的地方），形成了一个一万八千平方米的超大空间，在这空间中，除了支撑上面四层的四个方柱外，其中只有一架用透明的弧形玻璃罩住的滚梯，用以沟通第四层；参观者置身其中，确实会不禁产生"念天地之悠悠"而"怆然涕下"的情愫。西方建筑学家诺伯格·舒尔茨有言："空间的体积形式和四周包围面的特性等同。"在那个地方，我比在东京新都厅的"都民广场"更铭心刻骨地体验到，建筑大师们所营造的不存在任何实物的那个空间，意义应与那些用实实在在的建筑材料搭建的墙体等等包围面等同，甚或，有时更具美学价值，也更具实用功能。这类似于中国水墨画中的"留白"，"计白当黑"的效果往往超过了工笔细描。可是观画时我们毕竟是在画外，而当我们置身在建筑大师所营造的空间中时，"在场"感令我们心弦颤动，审美快感油然而生。

江户东京博物馆由菊竹清训建筑设计事务所担纲，于1992年落成启用。它那空间营造的苦心，体现在各个方面。从三楼楼面通往四楼的透明滚梯，在移动中令参观者得以眺望东京隅田川及"日本桥"两岸的风光，那正是江户时期东京城兴起时的发祥处，可以引发出关于这座城市急速发展中的种种悲欢际遇的联想慨叹。博物馆中的种种设施都极为先进。我参观时租借了中国语的"自动控制随身听"，这东西完全不用你按键操纵，只需将耳塞嵌入耳孔，你走到哪里，耳机中便自动感应地放送出你所面对的那部分展品的说明，这一招的高科技水平固然人赞叹，而更重要的是，它与整个建筑物的风格是完全一致的：给你一种时时、处处"在场"的快感。

重视空间的营造，弥散"在场"的魅力，日本当代建筑的成功范例，实在值得我们中国建筑界借鉴。

1997 年 10 月 26 日绿叶居

京都的新门脸儿

我要从北海道首府札幌乘飞机前往京都，人家告诉我京都不设飞机场，飞京都需先落靠填海建造的关西机场，然后再换 JR 公司的电气列车，经由大阪，方可抵达该市。京都不设机场的头条理由，是保持古都的自然与人文生态。京都号称日本的"千年古都"，"二战"中盟军有意未对其轰炸，现存佛寺神社一千八百余处，真是街街有文物，巷巷藏名胜，难怪京都人多以此自豪，其环保意识，特别是人文景观的维护意识，不仅强烈，甚或可称强悍。60 年代，电视勃兴，各个城市纷纷建起电视塔，京都难以例外，也拟修建，嗬，在别的城市不成问题的事儿，却在京都掀起了轩然大波，因为众多京都人认为，京都固有的天际轮廓线，大体而言是横向舒缓地衍进，这一轮廓线是断难容忍突兀锥立的电视塔来"戳破"的！怎么办呢？后来几经纷议争论，多次改动设计方案，才终于在 1964 年建成了现仍使用的电视塔，它不仅被限高，而且刻意造成了佛寺香案上烛盅中一支燃蜡的形态，总算使京都人在看电视节目时不至于为城市的传统人文景观遭到破坏而气闷心堵。70 年代以降，美国快餐文化大举浸蚀日本，麦当劳连锁店自然不能放过旅游胜地京都，跨国资本财大气粗，它要全球的连锁机构都使用完全统一的符码，麦当劳的符码是鲜红的底子上凸现奶黄的 M，这在日本别的城市都畅行无阻，却在京都被群起抵制，因为众多的京都人讨厌麦当劳符码那刺目的红色，他们认为这种颜色与京都传统的典雅色调相悖，于是酿成一场纠纷，京都市民请愿示威，京都传媒同仇敌忾，对麦当劳发出通牒：要么改变符码颜色，要么滚蛋！麦当劳舍不得滚蛋，于是乖乖地将其符码上的鲜红色改为了暗棕色，成为其全球连锁店中的一处孤例。进入 90 年代，旅游业的发展带动了全球性的大饭店营建热，京都市中心出现了一座京都饭店，谁知甫建成接客，京都各寺院便联合行动，在山门外设置永久性告示："本处拒绝入住京都饭店者入内参观！"其实这座于 1994 年开业的饭店仅高 45 米，比起我们北京的众多大饭店来真是十足地"倭"，而且造型上循规蹈矩，绝不像比如说北京中国大饭店那么样"飞扬跋扈"，可是，许多京都人还是为它的高度遮蔽了城北比睿山的秀丽剪影而恨恨不平。

我到京都之前，已听到上述种种事例，预定旅店时自然率先排除了京都饭店，而选择了一家离京都车站最近，据说是古风盎然的皇家饭店。我如期从札幌飞到关西机场，及时赶上了一趟"遥 32"的电气列车，奔赴令人肃然起敬的京都古城。

在列车上打了个盹，倏忽已然到站。下得车来，拖着小拉箱寻找出口，我不禁目瞪口呆！这里真是京都么？京都应当是清静的，悠然的，古色古香的，典雅含蓄的……可，眼前耳畔，这可是怎么一回事儿啊？

我置身在京都刚建成启用不久的新车站里，这建筑的功能性相当好，它应当好，这一点不足为奇，奇的是，它的整体风格，竟与京都的传统文化毫不搭界，甚或是，不仅绝不去与京都的传统人文景观求得协调，竟还很有点处处唱反调的意味！

京都在日本绝非人口最繁的城市，而且京都的人文传统，是人群的合理分流，因此才有近两千个佛寺神社及风俗小庙，以消融芸芸众生于清寂悠然之中；可是，那天我在新京都车站，竟被那里繁密的人流吓了一大跳！怎么竟比我在东京银座遇上的还多！

京都新车站的设计，竟然把公众共享空间的配置，搞成了这么个模样：它不仅把上下车和中转的旅客引进其中，而且，这车站里所设的旅店、餐馆和大型的百货公司，其人流也被有意地输注其中，尽管高大的穹顶，开阔无柱的内庭，各在其位的通道与滚梯，还有缓冲人流的边际休憩所，使得每一位进入其中的个体都能适得其便，然而，那人为驱造出的万头攒动所构成的人文新景，不是刻意地在与京都传统的分流旧观，进行挑战么？

我还没有走出京都车站，关于京都人团结一致地强悍地维护其文化传统的神话便破灭了。京都显然有另一面，有另一种力量，并且愈见活跃，那便是力图超越传统，挑战传统，营造崭新的京都文化，那样的一种值得我们重视的存在，并且是发展中的存在！

一个城市的人文语言，主要是建筑语言。像京都这样的古城，其传统的建筑语言已然发展到了极至，美则美矣，然而，生活在新时代的新一代，总是臣服于这规范化的美，到头来会产生出心理障碍，这障碍便是：前人已把美做绝，那么，我们还能做什么？为超越这障碍，便有了反叛心理，一旦外部条件允许，便又将心意化为了行动，行动便是按照自己独创的文法来营造建筑。一些这样的建筑师近二十几年很在京都捣了些"乱"。1974年山下正和搞了个"人脸住宅"，1983年高松森搞了个活像巨大的机器零件的 ARK 牙科医院，1991年若林广幸竟在京都传统文化的"制高点"祇园区建造了"怪诞大楼"……这些反传统的行为自然引出了激烈的批评，90年代初京都传媒几乎全都卷进了有关的论争，离开传统语法的建筑师们竭力为自己辩护，比如若林广幸这样回应人们指责他"搞乱了京都风景"："只有在自然发生的混乱风景中，才能唤醒都市富有生命力的存在。"他预言今时的"混乱"会在下一代结晶出新的京都文化。这些建筑师都强调他们要"讲述自己的故事"，有的一再解释，他们并不是一定要反叛传统，而是要与传统"对话"，对话如不能实现，则可"互视"，大有"面面相觑"而在所不惜的气概。

两种，甚或更多种的城市美学观，在京都相激相荡。各个寺庙对京都饭店住客的严拒告示，标志着传统审美意识的尊严，当然同时也体现着无奈：因为在实际操作中，寺院的售票处是无从判定哪位游客是来自京都饭店的，除非该游客蠢头蠢脑地"自报家门"；对传统审美法规的维护更多地趋向于吁请或勒令市民与游客"自律",求助于不太好抓挠的"良知"。然而具有超越乃至叛离色彩的美学观念却在一步步地得到落实与发展。京都新车站的建成投用是这一潮流的辉煌成果。至少是有相当一部分京都市民对这一京都的新门脸儿采取了"处变不惊"的实用主义态度,而一些年轻人更视这多功能的车站为自己秘约与欢聚的乐园。这状态是否令人痛心嫉首?应否呐喊"抵抗投降"?

90年代初,京都新车站招标,七位世界知名的建筑师参加,各自拿出了自己精心炮制的方案,有的力图将电气时代的气派与日本古典罗生门的韵味相结合;有的拟在车站广场中遍植樱花,以氤氲出日本文化的芬芳;有的耸起七座独立的高塔,以使人联想起历史上丰臣秀吉京都改造计划中的七座城门……然而,这些力图与京都传统审美意识相谐或至少是妥协的方案竟统统落选,中标的,是原广司的设计,这个设计,从建成的效果而言,在我这个游客的感受中,只觉得它的建筑语汇不但乖离了京都的人文传统,而且,与欧美流行过的现代派或后现代派的经典作,也几无共同之处,它选用的"字词"偏僻生冷,造出的"句子"佶屈聱牙,然而它的"章法"气势恢宏,它的刺激性与震撼力强烈而持久,当我步出车站,穿过马路,并且走出一段,回望它的外观时,它那"胡乱"地凸现于门廊之上,又与上部的玻璃幕墙结构勾连为一体的大型装饰性部件令我吃惊,同时又引出我的深思:是什么样的原创性冲动,勃动于原广司胸臆,使他不如此不快?又是怎样的一种加减乘除所构成的合力,使他的方案竟变成了京都新门脸儿,生猛无比地屹立在了京都旧城与新城的分界线上?天罚京都乎?天奖京都乎?

是夜,我在皇家饭店的客房中久不能寐。我想到了北京。关于北京城市发展,特别是新建筑的设计追求,我们已经有了很不老少要求其与古都风貌相配相谐的吁求,然而我们还很少听到建立在认真的美学取向上的创新之声。我们的古都风貌维护者尚缺乏日本京都僧侣那样的顽强斗志,我们的前卫建筑师尚缺少容忍其一展美学野心的空间。我们多的似乎只是长官意志,还有一般市民的麻木不仁。京都的状况并不足为训。然而京都新门脸儿这块他山石,却足以强化我们的攻玉之思。

1997年10月6日绿叶居

肥胖的流浪汉

去年在日本东京，参观完新都厅建筑群后，从地下街散步到新宿地铁站，在接近站台的通道及圆厅中，看到许多巨大的纸箱，好像是装过冰箱或别的什么物品后，被废弃的，正疑惑这些废弃物怎么会没人及时运走，忽然看见有个人从一只纸箱里爬了出来，衣冠不整，显然多日不曾盥沐，双臂上举，伸了个长长的懒腰，啊，原来是个流浪汉！

这样的流浪汉，在那一带颇多。细观察他们，发现一般都很肥胖。我更疑惑，求教于日本朋友：他们以纸箱为家，住得如此狼狈，想必也没钱买吃的，怎么却会肚存脂肪，光从身胚上看，倒像个将军财阀什么的！日本朋友叹道，我们这边的将军财阀，一般倒不至于这样肥胖，越是有社会地位、有钱的人，吃东西越注意控制热量，而且用种种方法来健身减肥，从练习柔道、打高尔夫球等积极方式，到素食、辟谷等消极方式，乃至早晨喝自己的排尿等千奇百怪的方式，都有；你所看到的流浪汉，他们之所以胖，那是因为他们已然丧失了保持体型的意愿，他们虽然穷得没房子住，可是他们在吃东西上完全不用发愁，你知道这边的快餐店很多，它们打烊后会把当天没卖完的汉堡包什么的扔掉，这些流浪汉们每天那时候便会在后门等着，他们每天大嚼这些快餐店处理的垃圾食品，这些食品差不多全是高热量的，他们吃完了往往倒头便睡，哪儿能不发胖呢！所以，这些流浪汉差不多都有糖尿病！我听了不禁咋舌，在中国，一般人都认为糖尿病是一种"富贵病"，没想到这些日本流浪汉竟也多得此病！

今年在美国旧金山，到一条著名的缆车道起点等车，发现不远的人行道上，一位流浪汉占据着一条带靠背的长椅，他把肮脏的行囊搁在长椅上，屁股坐在靠背上，双脚在长椅坐板上不住摩擦，双臂不时舞动，似在与什么人大声争论，可是来来往往的行人，几乎都对他置若罔闻，陪我游览的美国朋友告诉我，他迁到旧金山四年了，每次到这个地方，总看见这位流浪汉，而且总是差不多的姿势，也总是嚷着差不多的话语，我问："他究竟在嚷些什么？"朋友说听不明白，但肯定是英语。这个流浪汉是个地道的白人，虽没有我在日本新宿看到的流浪汉那么胖，但也相当地富态。我问："怎么没人管他？他是不是疯了？这个地点外国游客路过几率很高啊，怎么你们也不怕他丢了你们美国人的脸？"朋友没有正面回答我的问题，只是说："他这样的人，恐怕是个社会竞争中的失败者，在美国，失败者有流浪的自由……"

美国、日本都属于经济高度发达的国家，是许多不发达或发达得还不够的国家俗众所艳羡的地方，总的来说，它们的国民总体富裕程度与生活品质就是比我们高，尤其美国，多待几天，你就会感到那是一个食物过剩的地方，有的食品超市，大得跟一个足球场似的，万国食品充盈其中，满坑满谷，琳琅满目，以他们的平均收入来衡量，绝大多数的标价实在低得惊人，如果你是一个拿失业救济金（约每月 800 美元）的人，你到这种地方花几十美元至多一百美元，便足可买够一个月的食物饮品；说到住房，要想住得好固然不容易，但找到一处每月二三百美元租金的住处，厨房厕所一应俱全的，无非是地点偏一点，装修、家具次一点，并不怎么困难；在美国一般人是行必有车的，若买二手车，又不要名牌，几百美元足矣，就是拿救济金的人，几个月内亦可开上一辆小车奔来驰去。许多从不发达国家去的人，每月有相当于他们失业救济金的那么点钱，甚或还要少些，也能把生活安排得不错，以那为起点奋斗、逐步提升、积累，多半几年后便会站稳脚跟，写些信寄些照片回祖国，令亲人们为之骄傲，邻里故旧们为之羡慕。可是，在美国、日本这些国家，偏有流浪汉出现，而且多是正根正苗的本国人，有一种解释，说人家那边是一种多元社会，人们有充分地选择生活方式的自由，这些流浪汉，有的就是自愿选择了那样的生存方式，只要他们是在法律未禁止的范畴内自行其是，你就不能予以干涉，像在美国，有的地区，如旧金山湾区西边的伯克莱，其地方法律法规还特别对流浪汉（包括流浪娘）宽容，因此那块地面上流浪汉们千奇百怪的打扮与花样迭出的行为，甚至于成为了游客们必欲一睹的热门景观。

发达国家有肥胖的流浪汉，不发达国家与地区有不想流浪的饿殍。整个世界，还没有哪块地方敢说达到了理想境界；整个人类，还没有哪个族群敢说实现了人人幸福。在这跨世纪的关口，我祈祝下个世纪无论是肥胖的流浪汉还是不愿流浪的饿殍，都能大大减少，乃至绝迹。

象脚袜

在濑户内海的宫岛游览时，遇到一群又一群来自日本各地的中小学生，他们都是由老师领出来秋游的。学生们都穿着统一的校服，男生大体都是白衬衫蓝长裤，女生们大体都是白衬衫蓝套裙，乍看无甚出奇之处，但这些叽叽喳喳雀跃不定的孩子们在眼前晃悠久了，不免觉得有些个扎眼之处，后来仔细观望，才发现，是几乎所有的女生，都穿着挺奇怪的袜子，那长统袜是白的，棉线织就，厚厚重重，似乎不仅都过肥，而且绝对地过长，袜子上端固定在小腿上，那过肥过长的袜身便皱折连绵地垂落到鞋面，甚至鞋帮上，令我觉得扎眼的，便是这个物事，据说这种袜子叫象脚袜，确实，大象的脚柱是肥厚沉重，并且多半皱痕鲜明的。男生们因穿长裤，没有这个问题，女生们因为穿短裙，所以要穿长筒袜，为什么不穿合腿的袜子，而追求象脚的效果？难道是学校的规定？我请教了学校老师，告知非也，这是女学生们自己兴出的花样，从一校传到另一校，一地传到另一地，今秋似乎已风靡了整个日本，竟是个"无女不象腿"的局面！

妙龄少女，豆蔻年华，本当展示青春本色，腿脚以玉立灵动为美，无妨仿效麋鹿的轻盈，怎可反以蠢笨累赘为美，去追求象脚的粗夯？

在宫岛千叠阁前的茶座喝日本煎茶时，听到老板娘的一种解释，她说这是因为如今的孩子几乎个个营养过剩，体胖居多，因为自己身躯已不苗条，所以必须加粗小腿的线条，以象脚的胖大，来反衬身躯，使其显得娇俏。她的这一解释，或许道破了始作俑者的苦心，但我所看到的这些游宫岛的女学生，绝大多数并未发胖，体态堪称适中，甚或相当苗条，可她们也都穿着象脚袜，可见她们热衷此道的缘由，需另作分析研究。

晚上在入住的广岛皇家饭店，从电视上看到，恰好有一个节目，是讨论这个问题的。女学生争穿象脚袜，这一现象看来已引起了日本文化教育界的重视，传媒积极介入，不仅搞心理学、社会学、教育学、符号学等方面的专家学者发表着见解，学校教师，学生家长，一般市民，包括众多的女学生，也都在记者的随机采访中自由表达着意见。这个电视节目中揭示，若干商家借此机会发了横财，他们推出的袜子越来越长，越来越肥，也越来越厚，卖价自然也越来越高。

如此长而肥、厚而重的袜子怎么穿得稳呢？原来，是要用双面胶纸将袜口内壁粘到腿肚子上，这样的穿法，又促使了胶纸的畅销。可是日复一日地如此穿袜，使不少女孩的腿部皮肤受损。该电视节目的倾向性是明确的：此风不可长！并且在节目最后，向女学生们推荐了一种正常的紧箍黑袜，还出现了若干"改邪归正"的女孩子穿正常袜子微笑着行走的画面，不过，这显然又是在为另外的商家招财了。

在嗣后几天的访问中，与日本朋友讨论文学之余，不知不觉地，又扯到了象脚袜上。一位大学里的女讲师对我说，她以为女孩子们穿象脚袜，其中一个原因，是她们从小看到了母姨辈与姊姊一茬在生活中的艰辛，日本虽然经济上高度发达，法制上也实行男女平等，但是男尊女卑的文化传统，仍渗透在当今社会的血脉中，比如说我到他们大学座谈，在座的日方男士均端坐不动，起来给大家送煎茶咖啡的任务，"自然而然"地只落在她这个女性的身上，身为高等学府的女教师，尚且不得不如此伺奉男人，社会上其他领域的女性，除了极少数例外者，当然更是处于不能与男性平起平坐的境遇了，这种压抑，反射、积淀到心灵深处，化为黏稠的潜意识，再外化出来，宣泄于符码，便是女学生的象脚袜，她们以这样一种形态，补偿心中对生为女儿身的自卑，似乎加强了立脚点的厚重，便可壮大自身今后在社会上安身立命的信心；当然，这是一种"集体无意识"，卷进这股时髦浪潮的少女，绝大多数还是出于好玩罢了。女讲师的一席分析，我听来颇有道理。

在东京街头，又看到放学时涌出校门的女学生们，个个还都穿着象脚袜，陪同我一起观光的留学生Z发议论说，这种现象里，蕴含着日本民族心理结构中的一种特性，即趋同性；Z曾在美国留过学，他说美国的学生多半是拼命地标新立异，你穿这个，我便非穿那个，有的穿着打扮也可能风靡一阵，但都为时暂短，因为一旦人们发现那玩意儿已然普及，便马上弃之如敝屣，厌旧而觅新，哪里会出现日本女学生的这种现象，把象脚袜一穿穿上半年，并且还未见衰落之势！Z说，这种趋同的民族心理，引导好了，可以合力富国，诱入邪门，用以对外，则实堪忧虑！我觉得Z的思路虽别具一格，却不无牵强之处。其实趋同性在整个人类的心理结构中都是存在的，各民族都有追逐时髦的潮流在涌动起落，象脚袜现象也许更需要从普遍人性的角度加以探究，方能解谜。

一次去横滨讨论文学，一位日本朋友说，日本当代文学中，也存在着"象脚袜现象"，他问我，中国文学现状中，可有类似的"风景"？我一时竟不能作答。回国好多天了，我还在琢磨这个问题。

1997 年 10 月 8 日绿叶居

枫叶馒头

一踏上濑户内海宫岛的码头，便看到很大的广告牌，推销馒头。日文里"馒头"这两个字与汉文一模一样，但经验告诉我，不能望文生义，比如日文里的"手纸"，就万不能误解为卫生间里的厕纸，而是书信的意思；再说即使同为中国人，上海人嘴中笔下的"生煎馒头"，就并非"山东馒首"那样的纯面粉蒸食，而是有馅的小包子。

果然，到宫岛上一逛，发现到处有馒头卖，而那馒头也是有馅的，并且多为枫叶形状；有的店家，还特意把其制作过程，在大玻璃隔间里展现出来。原来号称"日本三景"之一的宫岛，除了景色秀丽、古迹密集，还有两大特产著名，一种是勺子，最大的用整株树剜成，陈列在街巷中，夸示着该地勺子的威名，这当然是不卖的，然而出售的，最大的也足有戳地式电风扇那么高，然后有逐步缩小的勺子，其中大多数属于祈福避邪的吉祥物，上头有日本神社的橘红色图案，并用黑墨书写着"开运"、"必胜"、"家内安全"、"商卖繁盛"等字样，人们买去后供奉家中。当然也有很不少无字的实用勺，大的可用来盛饭，小的一直微至耳挖勺，都是用岛上的竹子与杉木制成的。馒头则是岛上的另一特产。秋季既盛行枫叶形状，想必春季该是樱花的造型。我在一家馒头铺的大玻窗外仔细观察，看到是用自动化机械在批量生产，管机器的师傅只需从一头输入原料，便能从另一头取出热烘烘的成排馒头，显然已非传统的制作方式；而馒头的馅儿，传统的豆沙馅以外，又时兴起巧克力馅儿，这让我想起了中国的中秋月饼，不是也有了什么可可馅、芒果馅么？传统传统，其实是传而难统，随着时代的衍进，任何民族的传统总是要发生变异的。

人们在名胜地，总要买些传统工艺品留作纪念，也总要品尝一下当地的传统食品，我不能也不想免俗，在宫岛买了把写有"家内安全"字样的勺子，也买了枫叶馒头就着碧绿的日本煎茶细细咀嚼。我买的枫叶馒头是豆沙馅的，柔软淡甜，不过实非美味，小巧而已；品尝名胜地的特产，其快感全在储存一份记忆，并不一定体现在味蕾之上。除了自己吃，买下一些回去馈赠亲友，也是一大乐事。我因在日本还要访问若干地方，枫叶馒头难以长久保存，所以现买现吃后没有再提走一些。但是日本本国的游客们，几乎人人离开宫岛时，都提着鼓鼓的一包，甚或两包枫叶馒头，兴冲冲地归去。

暮色将至，畅游后赶到码头，等候下一班渡船，好回广岛市的旅店。这时正有一大群日本中学生，在几位老师的带领下，也等渡船。我一路都遇到秋游的日本师生。这一大群秋游待归的中学生，个个丰衣足食的模样，有的甚至显得营养过剩，胖得憨憨的。他们的手里无一例外，都提着装枫叶馒头的纸兜，显然他们的家长，都嘱咐过他们，既到宫岛一游，一定要给家里人带回有名的枫叶馒头，他们当然也乐得提回满兜的名特产，给家人带去一屋的欢声笑语。

我坐在长椅上等船，那些中学生在老师指挥下整队，这样，他们手里提着的馒头兜，便在我眼前晃来晃去。他们几乎都买的是岛上最有名的那家"鸟之屋"的枫叶馒头，该商家的纸兜质地厚实，外面印制着淡雅而温馨的图案徽识，那种跟书包一样大的纸兜，起码能装进五扁盒枫叶馒头，而枫叶馒头售价不菲，"鸟之屋"的馒头作为名店名品，价格更其昂贵，但这些中学生的购买力竟都很高，个个似乎都是"只求快乐，遑论价格"的气派。

可是，忽然有一个与众不同的装馒头袋子，映入了我的眼中。原来学生们排好队后，恰有一个男孩子，侧立在我身前，那袋子便是他手中所提。那不是"鸟之屋"的大纸兜，是个小塑料袋，袋子里只有一盒枫叶馒头。我注意观察，提这小塑料袋的男孩前后的同学，有的似在跟他开玩笑，有的更用自身那堂皇的大纸兜，去碰撞他那寒酸的小塑料袋，确实，他是买得太少了，而且，还很可能是限于购买力，买的只是非名店的产品。

眼前的这个细节，使我意识到日本社会仍存在着贫富差异，这个男孩的家境，想必还相当地艰难，他的家长只能给他这样一份钱，来买回这一小盒枫叶馒头。我再仔细端详，这男孩个头不算太矮，却相当地瘦，当然并不是羸弱，他挺直腰板，显得倒还精壮；对于同窗们的揶揄，他似乎毫无回应，然而他的下巴微撅着，嘴唇抿成一条缝，而离我眼睛最近的那提塑料袋的手，筋脉凸起，仿佛所负重的并不是一盒馒头，而是一份尊严，一种暗誓……

我心中忽然奔涌出一种感动。这情愫超出了宫岛和它的馒头，也超出了日本和它的风情，我品到了普世人生中的一些复杂况味，悟出了普遍人性中的一些底蕴，也增添了为人在世的一份自尊自爱，以及自强自立的原动力……

宫岛之旅，枫叶馒头的忆念，最后竟胶着在了一个只买了一盒馒头提回家的男孩剪影上，这真是意外的缘分。

枫叶馒头的味道会慢慢忘却的吧，而从那男孩勾连出的思绪，却可能历久弥深。

1997 年 10 月 8 日绿叶居

宫岛勺子

面对着用整株栎木制成的巨勺，我不禁惊叹：它能舀起多少白云啊！

这是在濑户内海的宫岛上。宫岛是著名的"日本三景"之一。另两景为仙台的松岛与宫津的天桥立。宫岛上名胜古迹很多，而天然状态的森林仍翁郁泅润，其间麇鹿成群，有些麇鹿流窜到寺庙内外，甚至于跑到渡船码头的休息厅里，大摇大摆地向游人讨食。不过宫岛最令游客们眼开的还是用竹木制成的勺子。宫岛处处摆放着古旧的或簇新的勺子，有的，如我在商品街一隅看到的巨勺，是非卖品，意在凸现其特产之意趣，更多的大大小小、琳琅满目的勺子，则是向游客兜售的旅游纪念品。

宫岛的这种勺子，在我们中国人眼中，严格而论，似称为竹木铲子更为恰当。其中分两大类，一类是有实用价值的，勺柄扁阔，勺体呈铲形而其内略有凹槽，这种勺子看来无法舀汤水，然而是舀饭的利器，此种竹木饭勺（或称饭铲、饭撮）现在中国也很流行，宫岛的此类产品或许做工更加讲究，多半还装在精美的透明匣子里，配之以用同样竹木制成，并绘有"和式图案"的短小而下端尖锐的日本筷子，吸引游客们买回自用或馈赠亲朋。另一类勺子则不是拿来用，而是拿来供的，供的方式是或以勺柄着力竖立于厅堂桌案，或将勺柄吊起，贴壁也行，如风铃般悬挂也行。实用性的勺子通体素净，也没有太大的，这种充当吉祥物供起的勺子，上面却一定会有图案与文字，并且大可大至竖能及梁，小可小至挂在钥匙链上。

宫岛吉祥勺上，一般都以橘红色笔触勾勒出神社门坊的形象，这种形态类似中文"开"字的神社门坊，日本人叫做"大鸟居"，宫岛上的严岛神社的大鸟居建在海中，高达十六米，用的是珍贵的楠木，这"大鸟居"的图案，在作为吉祥物的勺子上成为一种专有的徽号，并且多半还用同样的橘红色写出"宫岛、祈愿"的小字。但这些橘红色的图案与文字只是衬底。每一个吉祥勺上的祈愿词，则都是浓黑的墨笔字。有各种不同的祈愿词，其中相当一部分是不用日文里的平假名、片假名的，显示着汉字，令我们中国人望去很是亲切，比如"家内安全"、"商卖繁盛"、"学业成就"、"必胜"等等。但是也有的看了似懂非懂，不敢率揣其意，如"根气"，这是在祈求什么？请教日本朋友，才知道是类似我们所说的"元气"、"底气"、"精、气、神"或"加油"的意思，日本虽然经济高度发达，就日常过日子而言，大多数人都能达于小康，然而要想过得再稍微好一点，那"再上层楼"的生存竞争可是要掏尽你全副精力的，因此买上一柄写有"根气"的宫岛勺子供奉家中，庶几可鼓励自己在人生的战场上不至成为被强食的弱肉。还有一种吉祥勺上写着"合格"两字，居然极其畅销，我很纳闷，"合格"算得多高的祈愿？为何不买写着"优秀"的勺子？似乎也并无写着"优秀"字样的勺子在发售，这是怎么回事儿？日本朋友告诉我，这种勺子，应考的学生最喜欢买，日本虽然实行百分之百的九年制义务教育，百分之九十七的初中毕业生可升入高中，但学校考试制度严格，尤其是中学毕业后考大学，只有百分之二十二左右能考取，而要考取有奖学金的公立大学或名牌的私立大学，那就更不是光凭努力就能如愿的了，总之，他们认为运气也很要紧，所以要争买写有"合格"字样的勺子，求神灵保佑。我问：现在不是考试季节，怎么日本游客们也还在踊跃购买？他说，如今日本经济萧条，失业者不少，保已有饭碗不易，而且就是在经济突进时期，求职也是一桩难以如愿的事，因此即使是成年人，也有个心愿，便是企盼自己在机构的考核中，或在求职时，能够"合格"，他笑说，"优秀"没多大的意义，因为在这个社会中，往往是很优秀的人才，反不能在求职中获取"合格"！

离开宫岛时，我还满脑子是勺子。勺子在流逝的时光中舀走了我们的喜怒哀乐，我们用勺子尝尽了人间滋味！

1997 年 10 月 9 日绿叶居

藤本敬一先生

藤本敬一先生是个农场主。他的农场位于日本北海道千岁市郊。去他农场访问前，在我想象中，会在那里看到很多房子，还有不会太少的农工。到达后才大吃一惊。没有村子，没有邻居，在四望广袤无垠的田原中，公路所通达的地方，就是他自己一家。他的住宅是一栋欧式的两层小楼。住宅周围有他停放农机的大棚、粮仓，以及红顶白墙的奶牛养殖场，养殖场建筑中最引人瞩目的是有五六层楼那么高的饲料塔，顶部半球形，可以推开一半透气，很像天文台的观象厅。除了这些属于他家的建筑，再没别的房屋了。

原来当地的农牧场，绝大多数都是这种一家一户单摆浮搁在绿野中的模式。

藤本先生个子较矮，身材瘦削，岁月在他脸上刻满细碎的纹路，然而他精神矍铄，待人接物挺有气派，说起话来简洁明了而自尊自信。他家的客厅是西式的，推开客厅当中的拉门，则露出平时他常待在其中的书房，那书房要高出客厅半尺，是和式的，穿袜子上去后需席地而坐。客厅中彩电音响放像机等一应俱全，书房里有电脑，还有包括无绳电话电传机的成套通讯设备。他带我们在其住宅楼内参观，既全盘实现了现代化，又保持了许多日本传统文化的特色。给我印象很深的是他家专有一间佛堂，墙上挂着先人的画像与照片，佛龛里供着观音。就居住条件而言，他比我们在东京所接触的教授和经理的水平要高多了。宅子的一部分是玻璃暖棚，里面盆栽着热带植物，宅外是秋花盛开的花园。

后来进入他家的奶牛场参观，完全是科学养殖，喂养挤奶基本上都实现了机械化。又到他家的农田旁辽望，一部分刚收完甜菜，另外很大的一片是休耕地，其中野花盛开。

藤本先生说，他们比城里人辛苦，城里人一周休息两天，还有若干公共假期，他们为了不违农时，哪能那样消停？经营这农场，平时就靠自己一家人，只有收获时雇些个钟点工。这些年农户数量锐减，许多农户因为后继无人，或因农产品价格过低赔本，把地卖掉，搬进城里另谋生路去了。留下来坚守这一行的，往往是出于帮忙，买下弃农入城者的土地，这样就形成了农户萎缩而平均户耕地或户养牲畜数量激增的反常局面。总之，他们那里农业的主要危机，是许多农户的后代，不愿接祖辈的这个班，于是老一辈的农民干不动了，只好悲叹着"收盘"。

不过藤本先生非常自豪。因为他的儿子接了他的班。这在周遭农户中传为了佳话。我们见到了他那健壮黝黑的儿子和儿媳，正在养牛场和机器棚内外忙着干活。藤本先生的夫人和许多日本老年妇女一样，穿着颇为讲究，然而脊背佝偻，也许不仅是因为工作与家务的艰辛，还有不知向男人鞠了多少次九十度的大躬。藤本先生和夫人提起儿子都满脸放光。儿子的慨然接班使他们获得了解放。现在藤本先生得以从事社会活动，他担任了日中交流千岁市民会议的会长，头年曾率团到中国东北三省进行了半个月的友好访问，他拿出厚厚的照片册让我观览，都是他们在中国的留影；还拿出一大盒教日本人说中国话的声像资料给我看，表示他要学会说些中国话，以利更好地促进日中人民的友好交流。

藤本先生已接待过中国地方政府派来的农业研习生。那中国小伙子在他家住了一年，学到了机械化耕作与科学种田、养牧的先进经验，回中国后在当地发挥了很大作用，头年已成为了一个小城的市长。中国市长来信说，很怀念在他农场所体验到的那一份清静中的繁忙。藤本先生却说，他觉得还是中国农村许多家聚居一处好，这家鸡鸣，其他家的鸡都跟着叫起来，让人心里头热腾腾的！

绿海孤舟

一位摄影师从飞机上拍摄了日本北海道农田的照片,照片上显示出一派葱绿,仿佛碧翠的海洋上漾着微微的波纹;然而绿海中嵌有一小块褐色,形状令人联想起泛海的孤舟,这"舟船"上似乎还点缀着些奶白赤红的斑点——那是农田中的农户。后来这位摄影师居然在地面上找到了这家农户,农户见了照片非常喜欢,因为他们此前不曾这样地鸟瞰过自己的家园,因此欣然买下了这张照片,将其悬挂在家里起居室中。

人是地行仙,有缘千里可相会。在中日邦交恢复正常化二十五年之际,我和爱人得到日本国际交流基金会的盛情邀请,到日本作为时半月的短期访问。我们提出日程中能否安排访问北海道的农村,到农民家里做客,基金会满足了我们的要求,抵达东京后第四天,我们便在伊藤经子小姐的陪同下,飞往了北海道的札幌。当汽车载着我们驶往札幌附近的千岁,银灰色的公路将我们引入开阔的田原时,我们才明白,严格来说,此处是有农无村,也就是说,几乎没有两家农户聚居一处,整个格局,是每隔相当远的距离,在田原中才会出现一户农家,这农家周围的农田,大体上便是其所经营的农场或牧场。我们没有从飞机上鸟瞰,只是在公路上从车窗眺望,也感觉每个农家都很像是绿海中的孤舟。

我们的车子停靠在了一处"孤舟"中,首先映入眼帘的,是一所白墙红顶,造型相当欧化的别墅式住宅,主体两层,外带尖顶阁楼和平台,这便是我们要造访的农户——早川信雄的家。主人把我们迎进了宅子,起居室里既有"和式"的部分,也有西化的部分,我们起初在"和式"部分席地而坐,后来主人看出我们无论盘腿还是跪坐都很别扭,便让我们挪坐到西化部分的沙发上。起居室朝外的一面,整堵墙面都作成落地玻璃拉门,门外是他家的花园,精心营造的花园中秋花烂漫,尤其是大丛粉嫩的波斯菊与娇黄的西番莲,格外爽人眼目;花园不设篱墙,与后面的田原自然衔接,休耕的田原上野草闲花随风微摆,再后,则是一片冷杉林,郁郁葱葱,恍若天然屏风。

早川先生把挂在壁上的那张从摄影师手里买来的大照片指给我看,我说倘若是我，从飞机上望下来时，万不会想到，您的这艘"孤舟"竟是如此美丽。其实岂止是美丽，主人带我们参观了连接着起居室的厨房与餐厅，极其现代化，可谓"武装到了牙齿"；又看了卫生间，当然不止一处，给客人用的一处也很讲究；还有书房、储藏室等等；这样的住宅，不要说中国一般的城镇居民难得住上，就是日本大城市的一般中产阶级，恐怕也望尘莫及。早川先生也承认，他们比札幌、千岁的一般市民住得更宽敞舒适，用电方便，屋顶上安了"锅"（卫星天线），彩电、录像机、音响、电脑等一应俱全，热线电话、手提电话、传真机也都早就使用上了，自来水更不消说，敞开用，做饭主要用液化气，有时也使用微波炉，冬日取暖，则依靠房外的一个烧油的制暖器，至于空调机，因为当地基本上没有太炎热的时候，所以用不着。我们还注意到起居室一侧的钢琴。这样的农家，标志着日本已无所谓城乡差别了吧？

然而围坐一起，边吃着主妇端上来的自产甜瓜边聊天，才知道"无差别"一说未必准确。就住房面积，及拥有自享花园而言，城里一般居民与他们有差距；而在工作的艰辛度上，他们不仅比城里的白领们沉重，与蓝领们也有相当差距，比如说，城里人每周必有两天休息，此外还有一些法定假期，可是他们经营农场或牧场的人，一年四季几乎是天天连轴转，田里的庄稼，畜棚里的奶牛，它们可容不得你每周五日工作、每天"到点下班"；虽说现在他们农户都使用着先进的农业机械，养牛挤奶配种育犊也都按科学办事，可是大田作业、大棚养畜，还有暖房种菜、养花，毕竟还是比一般城里人的劳作烦琐粗夯……当早川先生叙述着这些时，我望着他饱经日晒风摧的颜面，那特有的黝黑，明显的粗糙，都仿佛是区别于城里人的徽号，尽管他身上穿的恤衫也是名牌，还是一望而知：此公不是城里人。

我们随早川先生出屋，漫步在他的"孤舟"中，这片嵌在田原中的"早川农园"，住宅仅是其一小部分，离住宅不远有很大的停放农业机械的大棚，也有些拖拉机和卡车就停放在露天；还有高如城堡的粮仓，早川先生打开阔大的卷帘门，让我们进去看，里面堆放着小山般高的巨型帆布袋，内中满盛着刚收获不久的土豆，他告诉我们这土豆不是用来吃的，而是贩往本州等地农场的土豆种；我和爱人看了以后不禁小声议论说：就算是用机械收获与收藏，对付这么老鼻子多的土豆种，恐怕到头来还是要耗费大量体力的，当他这么个农场主，也真不易啊！

早川先生说，他现在经营着约二十公顷土地，平日，就靠他自己，还有妻子，两个人来操持，收获季节大忙的时候，才请临时工帮忙。这让我听来很是吃惊。平时就两人操持？早川先生叹口气说，不仅他家，附近的农户，大体如此，主要的问题是，如今很少有人愿意务农。他为何务农？因为祖上务农，他接了班。附近的农户都是"接班户"，没有任何一户是从城里搬来的。但是，从他往下的一代，就连班也不怎么想接了，比如他家，一个大闺女嫁到城里去了，另一个闺女现在在城里读书，今后也要嫁人，他的儿子，原是指望着来接他的班的，高中毕业后没考上大学，却还是进城去了，谋了个差事，娶了媳妇，在那边过起了小日子，虽然经常回来看望父母，不能说不孝顺，可是你跟他提起接手这农场的事，却只是哼哼哈哈，实际上，恐怕是不会回来务农的了！这样的例子，附近很多。反倒是如果哪家的儿子留在了农场，接了班，这一带的农户便家家称道，有口皆碑，像他们这样的夫妇听了，尤其羡慕不已。北海道1974年有农户二十五万，到现在已减至八万余户，并且还在继续减少。农业人口不断地老龄化，而人均耕种面积与养牧头数却又在不断增多。整个日本都呈这种趋势。他说倘若自己干不动了，儿子又硬是不来接班，也只好把土地农机房屋统统卖掉，搬进城里去住，用那份"卖祖业"的钱度其残年。说到此处，面色语音不禁凄然。

年轻一代为何厌农迷城？其实在我和爱人眼中，类似早川农园这样的居住环境不啻桃源仙境，既有汽车，又靠近公路，用不了一小时，便可驶进千岁市区，一个半小时，札幌也到了，从那里的超级市场上一次可买齐一个月的日用品，回到这繁花拥簇的小楼里，远离尘嚣，吮吸清露，而又一开电视便可立刻知晓天下新闻，岂不是人间快事，天伦乐园？我说冬日坐在他们这起居室中，沏一杯浓绿如浆的抹茶，手捧一册川端康成的《雪国》，不时抬眼凝视落地玻璃门墙外的雪原，还有那纷飞如蝶的雪花，该是怎样的福境！早川先生苦笑着说，您光想到这温暖的屋子和美丽的雪景，您哪想得到，落雪时我们要忙于修检农机，自己解决不了问题还要花钱请人，或是开车拖往修理站，真是难得坐在这儿赏雪品茶呢！充当翻译的伊藤经子小姐则坦言，她虽然觉得偶来这田原农舍，十分地提神有趣，但是如选定居处，那还是要在城里，城里虽然住得挤，人比树多，纠纷多烦恼也多，可是毕竟让人感觉到有一种对生命力的刺激，令人销魂难舍。

散步到早川先生在自家"孤舟"设置的"早川农园"匾牌前，大家合影留念毕，早川先生从情感化状态转为了理性化状态，他对我们说，其实日本农业的主要危机，是进口的农产品太多，而且价格相当便宜，因为许多工业还不太发达的国家，进口了日本的工业品，只能是向日本出口农产品，以求得贸易平衡，欧美发达国家，也拼命用他们的农产品来挤占日本市场，这对日本的一般消费者来说未尝不是好事，可是对他们务农的，可就大大地不利了，他们的生产成本高，产出的东西不能卖得太贱，可你比进口的卖得贵，谁乐意买呢？而且因为技术精良，机械化程度高，连年丰收，以至比如说现在稻米的仓储量已然显得过大，留那么多的陈稻谷干什么呢？政府现在开始限制种植，而对农户的补偿，他们以为很不够，所以他们农户的组织——这样的组织在北海道大约有六个——为了捍卫农户自身的利益，也经常联合发起请愿示威活动。

回到早川先生的居舍，他妻子拿出私人照相簿给我们看，在为时不多的农闲时光，她们一些个农户的主妇，共同凑钱请来城里的老师，学跳传统的日本舞蹈，然后在过年时到农业协同组合的礼堂里登台表演，有一张照片既照下了台上穿华丽和服舞动的她，也照下了台下观看的早川先生，他满脸的皱折都在抖出喜悦，仿佛一年的艰辛，都在那一瞬间化为了烟云。这张照片，和那张摄影师拍下的鸟瞰照片，在我离开早川农园后，久久地叠印在我脑海里；阔地微人，哀乐平生……我心中弥散出丝丝缕缕莫可名状的意绪。

1997 年 10 月 9 日绿叶居

R

瑞　典

牵出金牌的心链

斯德哥尔摩的冬日并不像意料的那般冷。这个由海边若干小岛用长长短短桥梁衔接起来的城市，临近圣诞节了，岸边桥下一块块水域中不仅仍柔波粼粼，还有若干野鸭和野天鹅在悠闲地游动。我原以为冬季到了瑞典便可尝试一下滑雪的滋味，一打听，斯德哥尔摩往南根本没有雪场，往北也要走很远才有雪原：岂止不能滑雪，就是溜冰，在斯德哥尔摩也并无天然冰场。在皇家广场看到一个小小的冰场，有些孩子在上面嬉戏，那显然是个人造的冰场，景观远不如北京的北海或什刹海冰场气派。

便问陪我逛街的马尔斯先生，像这样的暖冬，他怎样锻炼身体。他立即答曰：玩球。我知道瑞典现在从大球（足球）到中球（网球）到小球（乒乓球）都相当强大，男乒更引人注目地超过了亚洲特别是中国，高居乒坛霸主地位。便问马尔斯先生爱玩哪一种球。他说自己的爱好绕了一圈：十几岁的时候爱打乒乓球，二十多岁的时候爱踢足球，三四十岁的时候酷爱网球。现在过了五十，却又喜欢起乒乓球来。

边走边聊，路过一家电影院，马尔斯先生感慨万端，他指指那影院大门说："前些年，我们社会民主党的首相帕尔梅，晚上同他太太在这里面看电影，看完以后一起去前面地铁站坐地铁回家，没想到刚走拢地铁站口，就有个男子迎面而来，并且朝他们开枪，帕尔梅当场中弹身亡，他太太也受了伤……这事你们中国人一定也知道，并且也会知道事到如今仍没能破案，没抓到凶手。老实说，我不喜欢社会民主党，对帕尔梅的被刺原因，我倾向于有的报纸的那种分析——就是其中定有黑幕隐情，深藏着肮脏的、令人厌恶的东西……不过今天我不想议论他的被刺，我只想告诉你，帕尔梅无论有多少让人怀疑让人不喜欢的地方，但是他对瑞典乒乓球运动的发展，确实起了很好的推动作用……记得我那时候还不到 20 岁，那时候瑞典人离世界乒乓球锦标赛的金牌银杯相当遥远，还有人断言北欧人尤其瑞典人这些海盗的后代，是不可能打好这种需要东方式细腻技巧的小球的……但是有一回大概是你们中国当时最棒的乒乓球运动员，也许就是世界男子单打冠军庄则栋，他送了帕尔梅一幅你们中国的杭州织锦，我记得当时瑞典报纸登出了帕尔梅高兴地展示那幅织锦的照片，织锦上绣的是你们中国的领袖毛泽东在打乒乓球，帕尔梅当时不仅说了些对中国友好的话，也赞扬了乒乓球运动，并且鼓励瑞典人从事这项有趣的运动……"

我和马尔斯先生渐渐走到斯德哥尔摩最具情调的古城一带，那里的楼房至多只有五六层高，但楼顶样式各异，其间更有尖顶高耸的古教堂。冬日的斯德哥尔摩下午 4 点钟天便黑了，古城的街灯仍保持着 100 年前的样式，有些餐馆的门口故意摆放着燃烧的大烛盅，构成一种特异的情调。

我和马尔斯先生在一家闪烁着古铜色光氛的咖啡馆中品着咖啡继续聊天。

他娓娓地对我说："自从我喜欢上乒乓球以后，自然也就喜欢上了乒乓球运动员，并且极其关心我国乒坛骁将在每一次国际性比赛中的战绩……但我是一次又一次地从满怀希望到无比沮丧。一年又一年，岁月匆匆，我和我的同辈人都等得不耐烦了，瑞典的乒乓球还是绝不能与亚洲抗衡，在欧洲也还谈不上称霸，因为像匈牙利、法国就都很厉害……我们便气得骂运动员，骂教练，后来便认定是人种的问题：我们这些海盗的后代确实玩不了这种魔鬼般的小球！……"

"但是你们终于成功了！"我对他说，"现在你们拥有多少厉害的男乒健将呀！"

▶**图 26** 瑞典·斯德哥尔摩　1992 年

　　马尔斯先生呷了一口咖啡，在桌上那银烛台的烛焰照耀中，幽幽地说："后来我虽然又迷上了足球、网球，可关注我国乒乓球的心意一直没有衰减，我相信许许多多的瑞典乒乓球迷都同我一样……我们心上也许有条挣不断的金链子，终于牵出了属于瑞典男子的乒乓球金牌！……"

　　听了他这话，我的心仿佛被捶击了一下。

　　在地铁站与马尔斯先生分手以后，我没有立即登上我该坐的那路地铁列车，我坐在站台的候车长椅上，耳边萦绕着在站台拉奏小提琴的琴师奉献出的略带忧伤的乐曲，沉浸在一种醇厚的思味中；我想到了自己国家的足球运动，想到了自己也置身其中的浩荡球迷队伍，我们心上的链子，是什么打造的？它就要断裂了么？如果马尔斯他们那样的瑞典乒乓迷在一次又一次的失望打击下，终于仍能韧性地支撑着一种关注，到头来牵出了属于瑞典男子的金牌，我们中国的足球迷们呢？我们心上的链子更应是白金般贵重钛钢般坚韧，我们也应有足够的耐心，终有一天牵出那属于我们中国男子汉的足球金牌！

1993 年 1 月 29 日于北京绿叶居中

斯德哥尔摩的诱惑

1992 年冬，当我应邀在瑞典文学院里参观的时候，不禁感慨万千。

诺贝尔文学奖颁发已经快满一个世纪，可是直到目前，仍没有颁发给任何一个中国作家。

中国人对诺贝尔文学奖的兴趣，当然因人而异；但大体而言，凡知道有这个奖的中国人，多数都抱着看重的态度，希望有中国作家得到这个奖，他们常常问：瑞典人为什么发了差不多九十多个诺贝尔文学奖——1914、1918 和 1940 至 1943 这六年空缺，但有好多次是一年两人平分——却一个中国作家也不给？

直到最近有的报纸还登出文章，说 30 年代的时候，鲁迅曾拒绝过诺贝尔文学奖；此说不可信，因为我询问了瑞典文学院的人士，他们说，拒奖只能发生在已公布了得奖者之后，这类事确发生过，如 1958 年苏联的帕斯特尔纳克和 1964 年法国萨特就拒绝此奖，前者是想得而迫于政治压力只好表态放弃，后者是鉴于个人的哲学与处世信念而坚拒——但瑞典文学院不因拒绝而取消其决定：根据诺贝尔文学奖的评定规则，是绝不会去征求某国某作家，问他要不要得这个奖的；估计是当时有人去告诉鲁迅：有人打算向瑞典文学院提他的名……鲁迅对提名一事作出了不以为然的反应吧。

又有不少报刊登出文章，介绍林语堂几次被提名的情况，说美国的赛珍珠积极向瑞典文学院提他的名，这是可信的，不仅因为他们二人一度关系密切（后来有变），更重要的是赛珍珠本人于 1938 年获奖——她有提名权。

每年被提名为诺贝尔文学奖的作家会是一个不小的数目，但瑞典文学院从不公布他们收到的提名名单；当然提名者无须为提名保密，因此，有时报刊上会刊登出某某作家被提名的消息，称之为"诺贝尔文学奖候选人"——其实瑞典文学院评定诺贝尔文学奖的全过程均保密，对传媒的报道、猜测他们从不证实也不辟谣，因此，在严格的意义上，并不存在"诺贝尔文学奖候选人"这样一种身份。

根据规定，只有以下四种人的提名才被认可：(1) 已获得过诺贝尔文学奖的作家，这是非常重要的一个方面——如 1992 年德里克·沃尔科特能获奖，很大程度上得力于 1987 年的得主布罗斯基的提名；(2) 各国相当于瑞典文学院的最高级的学术机构的院士；(3) 各国最高学府的语言和文学方面的正教授；(4) 各国最有权威性的作家组织的正主席与一位常务副主席——他们须以个人名义，瑞典文学院不接受任何团体、机构的提名，当然更不会接受任何来自官方、财阀的推荐。

根据规定，提名者必须递交正式的材料，说明理由，并附被提名者的相关材料，其中最重要的是该作家的作品的瑞典文译本——后来因第三世界的作家的作品难得有瑞典文译本，所以"放宽"为：如无瑞典文译本，则应有"主要西方语言的译本"；何为"主要西方语言"？第一位似为英语，其次大概是法语和德语，西班牙语的使用者远比法、德为多，但显然不算——据我所知，1982年得主哥伦比亚的马尔科斯的那本《百年孤独》，就还是译成了英文后才被瑞典文学院的院士们审读的——可能也有瑞典文的译本。

每年 3 月 31 日午夜以前，瑞典文学院停止接收当年的提名材料；提名材料经审核符合有关规定，则为有效提名，所有这些提名都要交付该机构的院士（目前共十八名），由他们反复阅读讨论；讨论中不断作减法，减到所剩的争执不下时，最后举行无记名投票，以简单多数定下该年得主，结果于该年 10 月 8日向全世界公布，但发奖则在 12 月，12 月 7 号在文学院由得主发表受奖演说，12 月 10 日同诺贝尔物理学奖、化学奖、生物学与医学奖以及经济学奖得主一起，先于下午在斯德哥尔摩音乐厅的隆重仪式上接受国王和王后的颁奖，晚上则在斯德哥尔摩市政厅举行盛大宴会（另有诺贝尔和平奖由挪威议会评定在挪威发奖）。

许多对诺贝尔文学奖感兴趣的中国人，可能还并不清楚该奖的具体情况，直到最近我还在报刊上看到这样的说法——诺贝尔文学奖是瑞典皇家科学院评定的，此说有误！瑞典固然是君主立宪的国家，有皇家科学院，但皇家科学院只负责评定诺贝尔物理学、化学奖（生物学与医学奖亦不由他们评定而由皇家卡洛琳学院评定），诺贝尔文学奖与瑞典皇家科学院无关，是由瑞典文学院评定的——而且不但无"皇家"字样，连"文"字也是为了意译才加上去的——该机构的名称瑞典原文为：Svenska Akademien；译为英文为：Swedish

Academy；严格的中文译名应该只有四个字——瑞典学院；但因该机构确实只以文学（广义的）为研究对象，故可意译为瑞典文学院，瑞典学院前面不冠"皇家"字样，是模仿法国的法兰西学院所致，其历史渊源兹不赘述，但我们中国人应当不要再把诺贝尔文学奖的评定机构说错了。

瑞典文学院的院士是终身制。一旦入选，至死为院士，死掉一位补选一位，所以有的院士老得不行，已无思维判断能力，但未死，评诺贝尔文学奖名义上也还有一票；目前的十八位中就有三位如是，近年只好都算弃权，因此，目前操评定权的实为十五位，世界上的每一位作家，从逻辑上说，只要获有效提名，最后又能得到八位院士的票，便可成为得主。

瑞典人自己，也对瑞典文学院院士的老化时有訾议，认为"诺贝尔文学奖操纵在一拨老家伙手里"，其判断力十分可疑；西方其他一些国家的传媒和人士更时常对瑞典学院的评定发出嘘声，如赛珍珠就常被作为一个"不够格而竟得了"的例子举出；反过来，人们更可举出一大串应该得而居然被排除在外的例子，最"触目惊心"的例子有：列夫·托尔斯泰、安东·契诃夫、左拉、哈代、乔埃斯、普鲁斯特、卡夫卡……最不可解的是他们瑞典自己的大作家斯特林堡（1912年方谢世）、挪威大剧作家易卜生（1906年谢世）也未得奖。

80年代，瑞典最著名、在世界汉学界也最有威望的汉学家马悦然加入了瑞典文学院的院士行列，这对走向开放的中国的作家获得诺贝尔文学奖当然是个有利因素，因为他毕竟可以直接阅读并亲自翻译中国作家的作品。

据我所知，下列三位中国作家是肯定在近十年内获得过有效提名的：巴金、沈从文、北岛；他们都一度"险些"成为得主，大约是到最后未能获得足够的票数——我并且相信马悦然院士每次总是为中国作家力争的，据说沈从文去世的那一年，在投票前若干院士都与马悦然的激赏认同了，如果他坚持活到该年10月8号，那么他很可能就得上了，谁知他却偏偏在那之前去世——瑞典文学院是不能把已去世的作家列入诺贝尔文学奖的表决名单的；如果表决后成为了得主再去世呢？那就算数，可由其亲属代领该奖。

中国作家至今未得诺贝尔文学奖的原因，据马悦然院士说，是因为许多中国作家的作品写得不错却无译本，或虽有译本却不成功乃至失败——他特别看不上中国官方的外文出版社组织的译本，为此还引出过争议；但这一争论意义不大，因为反正那个奖是人家设，由人家评，你不可能另找一拨认为你组织的译本好的人取代那些个院士。

马悦然院士自己翻译了不少中国当代作家的作品，沈从文的小说和北岛的诗相对而言是翻得最多，近几年他翻得多的是高行健的剧本和小说，我去瑞典时一厚本高行健的长篇小说《灵山》的瑞典文版刚刚出版——但马悦然院士告诉我他不打算再翻译中国当代作家的作品了，因他年事渐高，精力有限，今后要潜心翻译中国古代经典，目前他正译《西游记》。

我觉得我们希望中国作家得诺贝尔奖的人们，往往也还没有弄清诺贝尔文学奖的评定规则，没有去进入那个特定的程序；我不知道今年我国符合提名资格的人士是否有所动作，提名材料是否已于 3 月 31 日午夜前（要按当地时间）送达了斯德哥尔摩，我也不知道沃尔科特及在他之前的仍健在的得主们是否今年有提名中国作家的（可能性大约接近于零）；我倒是感觉到，也许高行健今年有希望——他的作品有多而好的瑞典文译本，并且可能有西方高等学府的汉学方面的正教授为他提名，但他能在最后获得七张以上的院士票吗？那可太难说了！

据我所知，有若干对诺贝尔文学奖感兴趣的中国大陆作家，他们采取主动进入程序的做法，写出一个新作品，先寄给马悦然院士，以及西方有提名权的人物，特别是能翻译中文作品的汉学家；往往那边已经在阅读或翻译的时候，该作品还根本没在国内发表出来。

但对诺贝尔文学奖不以为然、心存疑忌、反感批判、嗤之以鼻的中国人也不少，作家里面似乎不以为然的尤多。

不管怎么说，诺贝尔文学奖的评定颁发基本上坚持了一个世纪，构成了 20 世纪人类文明中的一个重要的文化现象，现在每年 10 月 8 日从斯德哥尔摩传出的得主名字，必将迅速印在几乎全世界所有国家的报纸上，他或她不仅可以得到一笔不小的奖金（目前约 30 万美元），而且他或她的书必可因此而加速再版、扩大翻译面，新稿必更抢手；在大多数情况下，他或她还可赢得更多的崇拜者，甚至于成为一个民族一个国家引以自豪的文化明星，他或她的载入史册，当成必然，各国文化界对当年诺贝尔文学奖得主的报道、宣传，对其作品的翻译介绍，乃至对各国文坛的影响，包括一些青年作家的忍不住的模仿，都促进了世界文学的交流，客观地来看，诺贝尔文学奖在世界上是有相当威望的，影响很大的，为大多数人认同的，良性效果显著的，尽管全世界都有嘘它贬它的，但对于许许多多的作家来说，来自斯德哥尔摩的这一诱惑仍是难以摆脱的，目前处于积极对外特别是积极对西方开放的热潮中的中国人，即使并非作家，并非文化人，也有不少知道诺贝尔文学奖的，他们有时候也要问：为什么还不给一个中国作家？马悦然院士在引我参观瑞典文学院时，对我这样说：诺贝尔文学奖绝不是文学的奥林匹克运动奖，文学是不能搞奥林匹克运动的，他们瑞典文学院每年都尽量选一个（票数相等——如七比七，一票弃权——则可能二人并列）优秀的作家，但如何能保证是"最好的作家"呢？尤其在这失去了文化巨人的时代，价值标准极度紊乱，就是你声称某人是"最优秀"的作家，又能有几多人来认账呢？我想，事情也不过是：有那么一个偏处世界北隅瑞典国，那国有个发明了烈性火药的叫阿弗烈·诺贝尔，1896 年去世前留下了个遗嘱——这遗嘱带有他本人强烈的个性色彩——把他的大部分遗产设立基金，把利息当做奖金，"颁给去年对人类最有贡献的人，每年颁发一次"，但因他本人与数学家不谐，故有意不设数学奖；诺贝尔在遗嘱中称："文学奖必须颁给那些在文学领域中创造出最杰出之理想主义作品者。"但何谓理想主义？不仅世人见仁见智，就是历届院士，又何尝有过完全一致的看法？也不过是每年认认真真地按"游戏规则"评定一遍罢了——赶上谁是谁，反正别太离谱就是：纵观已评出的九十来位，虽然参差不齐，但太差的也还没有，而大多数确实都是相当优秀的作家。

对于作家来说，如果完全为诺贝尔奖去写作，那就连瑞典文学院的院士们也认为不必，甚至觉得好笑，对于热爱自己民族的文学的读者来说，希望自己尊崇的作家获得诺贝尔文学奖，甚至把这同提升民族自尊心联系在一起，倒也不难理解。

斯德哥尔摩是一个用许多桥把海边若干大小岛屿和半岛衔接在一起的城市，当我漫步在那些长桥上时，我不免这样想：诺贝尔文学奖就如这些桥一样，起到了沟通各国各民族文学的作用，虽然每座桥长短不一、质量有别、优美度更难评说，但我们还是要感谢这些桥。

2000 年以后，回顾 20 世纪，我们会在诺贝尔文学奖的得主名单的尾巴上，看到中国作家的名字吗？诺贝尔文学奖的影响，是会更大呢，还是会被新世纪的新名堂所淹没呢？

不去想它吧——在这世纪末，眼前的纷纭世事已足以耗尽我的脑汁。

1993 年 4 月 15 日于北京绿叶居

进入程序

从丹麦的奥尔胡斯乘短程客机飞哥本哈根，只需半个小时，飞抵哥本哈根以后，算起来离我要转搭的飞往瑞典斯德哥尔摩的班机起飞，还有一个半小时，所以我下机后就从从容容地在机场的商品部里逛荡起来；我感到商品花样不多，价钱似乎也偏高……心想免税店何以如此；出得商品部，便有一搭没一搭地去看电子显示屏，上面没有我要转搭的航班信息，不免有点疑惑……再仔细一看，所显示的那些地名怎么都那么生疏？又往商品部观望，发现并无免税店标志，这才恍然大悟：此处是丹麦国内航班候机楼！忙跑到问讯处，一问，果然！看表，我那趟班机二十分钟后起飞，天哪，还来得及吗？我冲出那候机楼，外面倒随时有免费大巴等在那里，我跳了上去，司机把只有我一个乘客的大巴开到了国际航班候机楼；那是好大一个航空港啊！我看显示屏，我那航班的登机口在 60 号！我从十几号一路寻找过去，终于气喘吁吁地跑到，刚落座，飞机就开始滑动了；我一身热汗变成冰凉，好难受，但也暗自庆幸，总算可以如期抵达斯德哥尔摩，让接我的瑞典朋友不至于失望和担忧了！

在斯德哥尔摩，我应邀参加了 1992 年诺贝尔文学奖的一些活动；在国内，时常有人议论：诺贝尔文学奖颁发了差不多一个世纪了，为什么总不给中国作家？我既到了评定该奖的瑞典学院，当然把这问题当面向他们提了出来，据一位有投票权的院士解释，近些年来，他们确实很愿意考虑中国作家，之所以未能入选，当然因素比较复杂，但是有一个因素却在中国自身；许多中国人有这样的愿望，可是很少有人为争取这个奖来按部就班地进入有关程序。不错，中国的有关部门乃至中国的名流与官员都曾在这样那样的场合，利用这样那样的接触机会，向他们提出过甚至是很具体的人选建议，他们也不是不愿倾听，但他们西洋人办事时死讲究一个法定程序，比如说，他们的程序上规定，不接受团体特别是官方的推荐，中国方面却觉得我们什么什么机构、什么什么级别的负责人已经跟你们讲了，你们如不考虑那可就不大友好了……他们实在是极愿同中国友好，但你不认真进入程序，那就一点门儿也没有！他们都接受什么人的推荐呢？按规定有四种人可以行使推荐权，他们是：(1) 各国相当于瑞典学院那样的最高学术机构的院士；(2) 各国最有声誉的作家协会的主席和一位常务副主席（许多国家有不止一个作家协会，多的达到十几个，但他们到头来只认两个人）；(3) 各国最有声誉的高等学府的语言与文学方面的正教授；(4) 历届诺贝尔文学奖的得主。所有推荐者都必须以个人的名义写出正式的推荐书，并有瑞典文或英文的文本（这是合理的，比如你用中文写，现瑞典学院的院士中只有一位懂中文，让他或别人去翻译是不行的，因为那不能保证百分之百准确，你可以自己事先请人翻译好送去，当然最好自己翻译，文责自负）；推荐书内容要十分具体．一般还要附被推荐人的主要作品，如作品不是瑞典文或英文、德文、法文的，则一定要有瑞典文或英文的译本，译文如非准确精彩，那原作甚佳亦无希望；个人推荐书需于每年 3 月 31 日斯德哥尔摩时间午夜零点以前送达瑞典学院，方于该年有效（逾期者归入下年推荐名单）……底下的程序还复杂着哩，到最后是院士们无记名投票，得票多者即为当年得主，于 10 月 8 日向全世界公布，12 月初举行有关仪式。目前定居中国大陆的作家，实事求是地说，得到外国院士、教授与现存历届该奖得主推荐的可能性极微，所以，如国人希望其中有人得奖，那么，首先就得有进入其程序的行动，如果根本没有去进入程序，那么，也就不必抱怨"为什么不给我们"了。

据说第二次世界大战后，日本随着经济起飞，文化上也开始想方设法"走向世界"，他们为获取诺贝尔文学奖，采取的是一步一个脚印地进入有关程序的办法；首先，由有见识的财团提供基金，用于高价聘请外国精通日文的人将日本优秀作家的代表作译成瑞典文，又怕仅仅读作品不能理解其妙处，便一批批邀请瑞典学院的院士访问日本，以增进他们对日本民族和文化的理解，再后便认认真真地组织个人推荐……这样，终于导致川端康成于 1968 年获得该奖。尽管事后有人说日本人闲话，讥笑他们是"走后门"，但你仔细推敲，他们所作所为，都符合有关程序，法律上无懈可击；当然，川端康成几年后自杀了，1968 年前后也很有希望得该奖的三岛由纪夫更采取了军国主义的方式，在他的老师川端康成得奖后剖腹自杀——这或许说明就个人而言，得诺贝尔奖不仅未必是幸福与快乐，还很可能触发深不见底的心理危机，乃至酿成悲剧；但一个大国总没作家得诺贝尔文学奖，许许多多的国民心里总觉得是一档子事儿，总不免发问：为什么？！现在该明白了，其中一大原因，是没进入程序。

近些年来，我国许多特别是"第五代"电影导演拍的影片频频在国际电影节上获奖，夺取了包括柏林电影节的金熊、威尼斯电影节的金狮在内的闪闪发光一系列"战利品"，那原因，除了他们的影片确实好以外，也与他们特别是制片人对那些电影节的有关程序"门儿清"分不开——他们往往从选本子开始，便自觉地进入了那程序。

我们中国长期以来是一个人情社会，好多事情虽也有表面上的程序，但问题的解决，往往更取决于人情的因素。其实西方人办事何尝没有人情或面子的因素，但不管怎么说，你不进入那法定的程序，无论多重的人情多大的面子，也不可能把事办成。而许多的中国人却觉得有了人情或面子，不进入程序也无妨——在中国人自己之间，如今"无程序行为"确实也还部分地玩得转。不过，随着中国对外开放的深入和发展，相信不仅跟外国人打交道时一定要进入程序，按公认"游戏规则"中规中矩地行事，就是中国人自己互打交道，也要讲究个法定程序——如还没有那程序，就该郑重制定一套。

就我们个人而言，"程序意识"应是我们处世的基本心理构架之一，比如那天我从奥尔胡斯乘短程飞机抵达哥本哈根时，就应先搞清楚所进入的大楼是不是国际航班候机楼（北京机场国内国外航班合用一楼的方式在国外已罕见）；在逛那商品部之前，也该看清有无免税的标志（如非免税店我那样的游客实无必要去里面逛）；总之尽管我当中有一个半小时的转机时间，不事先想好一个万无一失的程序，只任感觉行事，那到头来急出一身臭汗是必然的，没有误机已算万幸。

有的年轻人爱写东西爱投稿，总也没发表出来，除了可能写得不够好以外，他不去进入正常程序也是一个重要原因。比如他非把稿子寄给主编，其实我们这个体制下的主编十个有八个以上是不但不看来稿、只看大样（编辑和主任们已经编得并已排好只等开印的底子），而且很可能连大样也不看，甚至连印好的刊物也不全看乃至完全不看。有的纯粹是挂名儿，你那样投稿，不石沉大海才怪！更有一些投稿者不去注意刊物的变化，如我已离开某刊物主编职务三年了，他们还是一次次地把稿子寄给我并称我主编要我扶持……连我自己投稿，也一直注意进入程序哩，我现在虽然都是应约而投，却也不能想当然地行事，例如报纸副刊约我写杂文。我就不能任自己性子挥笔来个五千七千的——人家不能那样安排版面。

当然如今醉心写作的人在减少之中，那嗜好未免太"古典"，如今的时髦是"下海"，"下海"更不是闹着玩的，尤其是要正儿八经地进入程序，否则那损失可比一部文稿沉石大海要肉痛得多！

耳边不断传来"现代化"、"现代人"、"现代意识"一类的说词，我想，无妨这样看问题："现代化"其实就是"程序化"；"现代人"其实就是具有"程序意识"并善于通过进入程序运作去获取成果的人。

随着微电子技术的迅猛发展，电脑也开始进入了中国人的家庭，遵守程序逐渐会成为越来越多的中国人的生活习惯；这样会不会使随其自然的无忧状态渐渐远离我们，使温馨的人情日益淡薄？这确是值得思考的更深一层的问题，但就目前而言，匆匆拥挤到"发财"路上并急赤白脸地要"走向世界"的中国人，恐怕大多数还无心思去讨论这个问题，我这篇文章，便就此打住。

1993 年 2 月 18 日于北京绿叶居

北欧书影

SAS 航空公司的宽体飞机平稳地掠过西伯利亚上空，我有一搭没一搭地看着机舱里正在放映的电影《给戴茜小姐开车》，转换斜倚座椅的方位时，无意中瞥见邻座一位暗黄络腮胡子的先生正在读书，可读的是消闲畅销书？……后来惊讶地发现，他读的是法国古典作家左拉的《娜娜》。

左拉 1902 年才去世，但 1900 年开始颁发的诺贝尔文学奖没有考虑给他。该项文学奖也没有考虑俄国的列夫·托尔斯泰，但在瑞典斯德哥尔摩的书店里，《安娜·卡列尼娜》的瑞典文译本又印了新的一版，陈列在最突出的地方。

瑞典的书很贵，我想买一本关于瑞典的大画册，几经犹豫才选定了一种最薄的，但仍然要差不多十美元。政府为什么对出版业也要征那么高的税？瑞典作家协会主席与我聚谈时对此大加批评。但在瑞典仍然到处遇到书店，许多书店有一半的货位摆的是英文书，买书的人挺多，不像许多专卖玻璃工艺品的店堂，我每回走进去都惊异地发现只有我一个顾客，几位营业员都笑容可掬地迎上前来，使只不过是想白看看西洋镜的我十分尴尬。

书店的书当然都是开架出售，反过来说他们根本听不懂我那"有没有不开架的书店"的问题，他们那里连图书馆也是开架的，在书店里顾客可以从容地挑选，也可以随意立读；在挪威奥斯陆，我恰好赶上一位儿童读物的女作家正在书店里朗读她的新作，书店里不仅准备了坐椅，甚至还有一块地方摆了一张长餐桌，上面有免费的糖果、小点心和饮料，有的父母就带着孩子坐在那儿边吃边喝边听，最后他们一定都买那本书吗？

北欧是一个烛光社会。尽管电力充足，因为有漫长的冬季和短昼后的长夜，至今仍时兴晚上处处点蜡烛。从芬兰到瑞典工作的盖玛雅女士与她的丈夫在郊区带花园的住宅中招待我吃一种芬兰的红菜汤和方形豆馅饼。她的丈夫是个建筑师，因此那居室的布局与装潢处处都体现出最新潮的高品位，但是他们的起居室里只有音响而无彩电，他们说从不看电视，只看书，在灯光烛焰下，他们起居室半壁的图书给予了他们至高的快乐。同样，挪威作家协会的主席告诉我，他们有位老作家前几年出版了一本严肃的长篇小说《继承者》，头版就印了九万册，而整个挪威才四百万人。在丹麦哥本哈根，我钻进一家地下室的旧书店，书香扑鼻，在那里我发现了厚达一千多页附着大量珍贵照片的关于中国园林的书，买不起，我便逐页细翻，灰眼珠的老板给我往屁股下面塞了一张木椅……

1993 年 2 月 10 日

斯德哥尔摩长笛

宁静，首先意味着耳根的一种解脱感。

这真奇怪，进入圣诞节期，斯德哥尔摩商业中心，NK 百货公司一带，人流似过江之鲫，还有人在步行街那松枝和红心连缀成的装饰链下吹奏乐曲，然而却仿佛置身在调小了音量的彩电荧屏中，毫无嘈杂之感。每一个瑞典人的欢声笑语都本能地控制在身旁的伴侣刚可听闻的程度，才能营造出这样的境界。他们是怎样练就的？

宁静，也体现为眼睛所感受到的一种画境。记得曾在纽约时代广场散步；有意用沃克曼听轻淡舒缓的乐曲，但那些闪烁不已的灯光广告冲击着眼膜，心里依旧闹腾。由海湾中许多大大小小岛屿用长桥短堤连缀而成的斯德哥尔摩，大体上全由五六层高的古典建筑构成，天际轮廓线柔曼而轻盈，这里、那里，耸起些哥特式的教堂尖顶，秀美空灵，全然没有摩天大楼、玻璃幕墙建筑所传递出的那种咄咄逼人的气势；海湾中泊着些古典式的多桅帆船，虽是初冬，却并不严寒，天鹅仍三三五五地在海湾中游弋，鸥鸟和鸽子有时就站到岸边国王铜雕的头顶上敛翅休憩。下午三点半，天就黑了，虽然电力充沛，但人们仍乐于点燃蜡烛，在摇曳的烛焰中享受一种世代相传的安谧与温馨。在古城岛那些狭窄的至今仍保持鹅卵石镶地的小街中，路灯仍旧是几个世纪以前的那种尖顶玻璃盒的形状。朋友带我走进一家饭馆，随着开门，门上的小铃发出悦耳的柔响，服务员迎上前来领座，地下室里的餐厅保持着粗犷的砖砌拱墙的原始面貌，但墙上却又挂着古典油画，饰以红铜器皿，并点缀着鹅掌形绿叶带红浆果的圣诞圆环，原木的餐桌上是枝形烛台和插着郁金香的陶瓶……瑞典的"吃文化"确实不能与我们相比，价格昂贵的煮鱼淡而无味，但那一份如幽香缕缕沁人肌肤的宁静，却惹人留恋。

我去瑞典前不久，报上正登一条消息：瑞典辞却了一桩卖给台湾战斗机的大生意。到了斯德哥尔摩，一位华侨陪我逛街时指点着说：你看这些橱窗堂皇雅致的商店，里面常常连一个顾客也没有，时下整个西方世界经济都陷于萧条，瑞典亦不例外，如果做成卖台战斗机的生意，不仅赚得一笔大款，还可保证 2000 年前全瑞典的充分就业，但瑞典大多数国民习惯在世界上保持中立的状态，认为中国海峡两边的对峙他们不应卷入，所以生意再大也可放弃，政府尊重民意，所以成此结果。这位华侨朋友是否过分美化了此事的底蕴？我没有可能进行调查。但应邀去了一个又一个瑞典人的家庭做客，我确实感觉到他们大体上都有一种共同的心境，就是他们是偏居地球一隅的小国的人，他们没有"中心感"，不认为自己对全世界有着多么大的发言权，更不认为自己对全人类负有多么伟大的使命，既不焦心于"解救全世界几分之几仍在水深火热中的人"，也不企求成为一座什么什么主义的"灯塔"或"明灯"，他们当然也关心整个世界和全人类，但心平气和，恬淡自然，跟他们相处，你会无形中受到一种感染，同时领悟出：宁静，其实更是一种心理素质，一种民族性格，一种精神境界。

周末，华灯如珠，在 H.M. 百货连锁店里，顾客相当不少，耳膜却绝对舒适。忽听有人大声招呼，有人大声应对，抬眼望去，显然是我的同胞兄弟，大概是头一回来瑞典出差，满脸兴奋，满眼喜悦。店里不少人都不禁闻声侧目，我亦很觉刺耳，但一细想这些同胞所发出的音响，在任何一个中国城镇都属正常中的最正常者，他们在这里是外宾，入乡随俗谈何容易，无足怪亦无可责。很快瑞典人也就不再看他们，我亦安之若素。我何尝不是一个喧嚣中的来客，并且很快也就要回到沸沸扬扬的火热的往日生活中去。

又一次徜徉于斯德哥尔摩的商业步行街，一个衣履整洁眉宇温敦的瘦长男子，站在一家商店的雕檐下吹奏着长笛，长笛声缭绕的街区倒比没有乐音的地方更显出一种形容不透的宁静感。

我爱宁静，但我不敢轻言爱斯德哥尔摩。我想到 1992 年 12 月 7 日在瑞典学院的大水晶吊灯下聆听诺贝尔文学奖得主沃尔柯特受奖演说的情景，当时他说："游人不可轻率地说爱，因为爱意味着留下。"是的，绝大多数游人或者并不真正愿意永远留下，或者是不可能被允许留下的，轻率地说爱，到头来会显得虚伪，或陷于失恋的痛苦。

所以我要说：我爱宁静，宁静感既然注入了我的心，便将随我而在，所以我不说爱斯德哥尔摩而说我喜欢斯德哥尔摩。斯德哥尔摩街头的长笛声，<u>丝丝缕缕萦回在我的心际，使我永沐宁静的细雨</u>。

1992 年 12 月 20 日

瓦萨号的后福

1628 年，一艘巨大的木制多桅帆船瓦萨号从瑞典首都斯德哥尔摩港开始首航，出港没行多远，就突然倾斜沉没，这当然是一桩令人扼腕的事。

1960 年，瑞典将瓦萨号从海底打捞了上来，并专门为它建造了一个古船博物馆。古船博物馆的外形，既有古船的意味，又体现着现代主义建筑的装饰情趣，远远望去，既雄伟又俏皮。

我去参观古船博物馆那天，售票处见我是中国来的远客，便给予免票的优待。进到博物馆，我不禁莞尔，实在那售票处售不售票恐怕与这博物馆的经费都无大关系——因为在里面参观的，那天连同我不足十人。

博物馆的主体自然是那艘巨大的古船，复原后的瓦萨号堪称是一件庞大而精细的工艺品，它周围有四层环绕的观览台，参观者可以从各种高度、角度细细地鉴赏它的雄伟与诡奇。各层观览台上又分布着许多不规则的展览区，有的地方陈列出有关的历史资料，有的地方仿制出船体内部的结构与布置，有的地方模拟出当年码头的人看到刚刚辉煌出航的大船突然倾覆时的惊惶与沮丧。而最令我感兴趣的，则是一个球形的房间，随着旋转门走进去，发现是个循环不断放映全景电影的地方，影片由历史资料、图画、照片、旧电影、动画以及种种特技手段制作出的镜头构成，虽听不懂那外语解说，但恢宏的画面与回环立体声的音响配合在一起，很好解读——除了向观众说明瓦萨号产生的时代背景及建造与倾覆的历史，也表现了人类争夺海上霸权的血腥与残暴，在一系列船炮齐轰和火光冲天中尸骸累累的镜头之后，随着凄怆的无伴奏女声无词歌，则是大及整个球面的圣母头像缓缓从侧面旋向正面，那双眼中竟淌出两颗巨大的泪滴……编制者的立意，洞若观火。在那样一个颇大的球形放映厅中立观的仅我一人，心中不禁生出一种怪异的感觉。我从另一扇自动旋转门旋回到面对巨船的观览台，良久，心还怦怦然不能平静。

瓦萨号的倾覆，据说是设计者的失误，建造者虽殚精竭虑，将其建造成一艘华美灿烂的巨船，但并非遭遇风暴更非被敌舰狙击，而是由于自我平衡失调，所以一出港便闹出了沉没的悲剧。

按说瓦萨号倾覆是瑞典的一项"国耻",没什么好炫耀的,但如今瓦萨号竟后福不浅,为它建造了设计独特造价甚昂的博物馆,瑞典人不仅自己心平气和地跑去参观,还欢迎外国游客也去"有目共睹"。我想这充分地体现了当代瑞典人对自我历史的坦然态度,这里面既有对先人争夺海上霸权的反省,更有对先人的宽赦,既有对他民族的亲和,又有对世界和平的向往。实在是一种高度文明的体现。

1993 年 1 月 25 日

在帕尔梅被刺处看电影

才下午三点半,夜幕却已降临。冬日的斯德哥尔摩全靠灯烛点染出生活的情趣。商业街道上的霓虹灯和居民住宅窗内闪烁的圣诞烛光虽给人以温暖,却终究馨宁有余而热闹不足,于是我同叶道宁决定看电影。

叶道宁是褐发灰睛的瑞典小伙子,在斯德哥尔摩大学学中文,所以取了这么个中国味儿十足的汉名。他对斯市的电影院如数家珍,对近期上映的新片亦了如指掌。他说那原籍波兰的名导演波兰斯基的新作《苦味月亮》不可不看,于是兴冲冲领我去一家位于颇为僻雅的街道上的电影院观看此片。此前我已在闹市区 NK 百货公司旁边的"电影城"观看过美国片《粉黛联盟》,那里一共有十五个放映厅,同时映十五部影片,而叶道宁领我去的这家影院却只有一厅只映一片。波兰斯基的新作是探讨女性性心理的,全片故事发生在一艘大游船上,回忆镜头则均以巴黎为背景,表现了两男两女的性生活,却令人不断惊奇地进入到两位女性特别是由美国一艳星扮演的女主角的内心世界中,影片表现性却并无低级的色情展示,我猜想他是以月喻女,"苦月"则表达出男性对女性深层心理的惊悚与惘然。影片是英语对白片印瑞典文字幕。我自以为看懂了却很可能全是"误读"。

出得影院,不过六点多钟,却仿佛北京的深夜,街道上竟阒无声息。这时叶道宁方告知我,几年前瑞典社会民主党的首相帕尔梅,便是同妻子在这个电影院看完电影出来，并肩走到前面地铁站入口处，忽然被迎上来的一位男子开枪近击，当场毙命，妻子也受了伤，那男子开枪后便跑向一涵洞式过道扬长而去。事发颇久后警方才赶到现场，后虽经冗长的调查，中间还拘捕过数名嫌疑犯，但很快又都以证据不足为由放出，至今仍未找到凶手，成为举世闻名的一桩疑案。关于此案说法纷纭，从解释为醉汉精神失常的意外事故，到猜测为有重大政治黑幕围裹，报界和民间私议都很沸扬了一阵，但到我们看《苦味月亮》时早已成为一则嚼烂的旧闻。叶道宁指着树影朦胧处说，那里便是帕尔梅的墓葬，有人路过仍诅咒几声，也有人路过献上一束鲜花。我望过去只觉混沌一片，诧异地想，堂堂一国首相，怎么会夫妻双双来此不起眼的电影院自己买票看电影，既无警卫，亦无秘书，连小轿车也不坐，还搭地铁？

　　我同叶道宁并肩在行人稀少的街道上朝地铁站走去，叶道宁告诉我，瑞典不像美国有的州那样，可以不费劲地买到枪支弹药并自藏自用，整个社会的恶性犯罪率在西方算是比较低的，所以国外游客即使深夜在街上散步也能有充足的安全感……也许只是为了有趣，他领我穿过那条当年凶手逃遁时狂奔过的长长涵洞式通道，说无妨从那边的地铁入口处下去，却谁知我们刚走了不到四分之一的距离，便发现通道中有两个肤色暗黑的人在耸肩拱背地共同对付一张锡箔纸，我同叶道宁当下都悟到那是一对吸毒者，顿时紧张起来，不敢交谈更不敢停留，不敢回头亦不敢过分跑动，两个人只觉得洞中的脚步声格外惊心，难道是他们尾随了过来要对我们施暴？那通道余下的路真显得漫长而恐怖，好不容易终于走出通道来到行人稍多的街头，我俩才同时嘘出一口长气，叶道宁脸都白了，我懂，他是觉得对不起我，我安慰他说："我明白，在你们这儿并不经常会遇上这种镜头……"

　　确实，后来我在斯德哥尔摩又访问了两周，有时晚上十点十一点一个人乘地铁还要步行一段路回下榻的戴莫斯旅馆，那是位于小坡上的一座古色古香、小而雅洁的旅馆，周遭就是白天也很显得僻静，但再无一次遇到上述碍眼的镜头，产生出那般紧张无措的心理。

1993 年 1 月 12 日

好一座"呼啸山庄"

在斯德哥尔摩住过两处地方,一处是市内的戴莫斯旅馆,一处是郊区斯德哥尔摩大学附近的公寓楼,那些造型比较平庸的公寓楼大都租给大学的教员与学生,看外表都差不多,里面却大相径庭,教授租的可能是有大起居厅连带好几个房间以及宽敞的厨房和卫生间的大单元,普通学生租的可能是一间十几个平方米的独居,有冷热水齐全洗浴方便的卫生间,却没有自己的厨房,烧饭要去公用厨房,我有一周就租了那么个独居当做晚上睡觉的场所,倒觉得极为实惠。

那片叫做达桑巴肯的公寓楼区位于一个小山坡上,山坡前是巨大到足有十个足球场那么大的草地,据说春夏开满了大片的白花与蓝花,我去时已是冬日,倒伏的长长草茎却仍连成一片湖绿色,不给我丝毫的萧索之感;山坡后则有大片真正意义上的森林,阔叶树虽然大多落尽了树叶,众多的针叶树却或呈墨绿或闪烁着蓝光,更有一种大叶片的山毛榉,叶片虽已枯黄却大多不落,挂满全树,与针叶树相配格外富有诗情画意;再有一种树落尽叶片而枝丫上缀满了红色的浆果,还有满枝坠着白色毛茸茸的也不知是花是实的灌木,红白高低交错构成冬日特有的韵律;而森林密布的后山坡下面,便是从阔海处伸入进来的一条岬湾,直到12月中旬我离开瑞典时,湾中的海水仍无一点冰冻景象,每日在光照下闪着粼粼的波纹。不用走到那海边,就是从楼窗中朝远处眺望,稍晴朗时也可以望见岬湾对岸掩映在松林中的古堡尖顶,时有海鸥飞翔在尖顶左近,真如置身于童话书的插图之中。

瑞典是一个高福利的国家,每个国民一到学龄,国家便免费提供受教育的机会。大学随便上,不用交学费,国家还给一些钱,所以住在达桑巴肯山庄的大学生们的日子过得相当惬意,不过关在自己租用的单元里读读书、听听唱片、弹弹吉他,或聚到公用厨房的餐室里喝喝咖啡聊聊天,虽然优哉游哉却也毕竟太闲适太单调,因而大学生们便不免找些个办法来排遣那过分平静所带来的有时难以承受的沉闷。

尤其是冬日,瑞典处于高纬度区。北部不必说长夜漫漫,偏南的斯德哥尔摩地区也是早上九点多天才发亮，到下午三点半天光便急速收敛，于是普遍有一种内心中的压抑感。达桑巴肯山庄除了一座营业十二小时的大超级市场和一座昼夜二十四小时开门的小杂货店以外，并无别的商店可逛，更无电影院、迪斯科舞厅之类的娱乐场所可供消遣。这种富足悠闲而派生出的沉闷感便愈显得难以消化。

　　记得是一个星期三的晚上，十点钟时，正与我在单元中聊天的朋友突然命令我："快开窗快开窗！"我莫名其妙地打开了那本来隔音甚佳的大玻璃窗，于是，陡然间，一种奇妙的呼啸声传入了我的耳朵，那呼啸声来自山庄所有楼上打开的窗户，汇合为一种壮观的音响，重击着耳膜，传导人心，引出一种意外的惊喜，仿佛寒冷中陡然跳进了一池热而不烫的浴场……朋友告诉我："好几年了，不知谁发起的，周三晚上十点钟，达桑巴肯的住户们都可以打开窗户，尽兴发出尖啸，可以持续十分钟，到十点十分则必须中止……"我在那呼啸的轰响中忽然感到有一种难以抑制的冲动，便也朝静夜狂啸起来，朋友更比我喉粗声洪，一时间好不痛快！到十点十分，怪，山庄的呼啸声竟准时戛然而止，仿佛有一把无形的巨剪将所有人的声带一齐剪断！如今我已回到北京，回想起那夜的呼啸声，恍若一梦！

1993 年 4 月 15 日

米勒斯花园

　　卡尔·米勒斯是一位瑞典雕塑家，坦率地说，在我去瑞典访问以前，我完全不知道他，这一方面当然是由于我的孤陋寡闻，另一方面，也是因为就全世界范围而言，米勒斯的名气还没有达到在外行中也相当响亮的程度——如毕加索那样。

　　我是听到一位瑞典朋友介绍，才知道他的。那朋友特别向我指出，他的故居，也就是现在纪念他的博物馆，被称作米勒斯花园，本身便是一处幽雅美丽的地方，所以我兴致勃勃地抽空去了。

　　怪不得许多在瑞典留学的中国留学生，在斯德哥尔摩居住了好几年，还一直没有去过米勒斯花园——那地方离市中心很远，离大学区更远，坐地铁到一处终点站后，还要再转搭一路电车，下了电车则要步行登上一座山坡，走完迤逦的山路，才到达一个小小的院门，如果不是门旁钉有博物馆的铜牌，真看不出与该市的一般民宅有什么不同。

　　进得博物馆，在小小的门厅里买了票，不觉得是来参观，倒好像是被邀请到私人家里做客。但转入第一个展厅以后，便不由得双眼一亮。原来这宅子门脸虽小，里面却极大，它的主体是一座带大落地玻璃门窗回廊的古典式楼房，有的部分只有一层，上面是带花式栏杆的平台，其他部分从两层到四层不等，还有高耸起来的尖顶阁楼；在各个展厅浏览了一通以后，对米勒斯算是有了大致的认识，这位 1875 年出生瑞典奥朴萨拉古城的雕塑家，很早就形成了独到的风格。他虽到慕尼黑、巴黎等当时引领造型艺术潮流的大都会去学过艺，从前辈大师们那里汲取了许多营养，却一直忠实于自己的艺术追求。我感到他孜孜不倦地用一种有分寸的变形方式来传达他对北欧那独特的人性和人情的挚爱，他雕出的人像大都身躯修长四肢有力，姿势极富戏剧性，而面部表情却安详乃至冷漠，让期待强烈寓意的观者不禁迷惘。

　　从大玻璃回廊向外望，这才知道米勒斯这宅邸选址极佳——它的两面都毫无遮拦，坡下的海湾一览无余，海湾对面的斯德哥尔摩市区剪影极为秀美，恍若童话世界，及至走出那座楼房，更不禁心旷神怡，果然名不虚传——外面是有好几个层次的大花园，最下面的一层最大最开阔，有巨大的喷水池和许多大型的圆雕，自然都是米勒斯的原作，其中给我印象最深是喷水池中心的海神雕像，那完全是一位粗壮的瑞典北方男子的形象，同样的一座雕像安放在哥德堡市，已成为该市的标识。另外还有一组安放在错落有致的石柱上的天使乐队的雕像，徘徊其下，再了望大海，看海鸥飞进花园，听海涛和鸥鸟合鸣，真仿佛步入了天国……

　　米勒斯因第一次世界大战时瑞典的中立而得以超然于外，他 1929 年去了美国，在那里从事美术教育并继续自己具有北欧特色的雕塑创作。1948 年才回到家乡，第二次世界大战也没有给他的艺术发展带来干扰，他回到斯德哥尔摩以后，便一直居住在这座花园中。在花园的一隅，又修造了一所朴素而典雅的居所，现居所保持他在世时的原状，可入内参观。我去参观米勒斯花园那天，参观者寥寥，所以气氛格外安谧恬静。绕到花园最隐秘的角落，看到了米勒斯的坟墓，坟墓由他自己设计，极富艺术性，也有浓厚的宗教色彩。米勒斯逝于1955年，终年八十岁。

我在米勒斯坟前的长椅上坐了许久，我一直受到这样的教诲：作家艺术家应该多受人生苦难的磨炼，安稳安宁安谧安逸都是对作家艺术家不利的……但我想到老舍、傅雷所受的苦难，导致了他们艺术生涯的结束。不错，胡风历经苦难几十年直到平反也没有死，还有沈从文被冷落几十年也还活了很久，类似的例子很不少……作为作家艺术家，那于他们是好事吗？……我不想把复杂的问题简单化，然而我羡慕一生安定，得以潜心艺术创作最后安息在自己花园中的米勒斯。

1994 年夏

同露西亚一起吟唱

我从瑞典的隆德市乘大巴士经马尔默港，又得轮渡之便，越过厄勒海峡，终于抵达丹麦首都哥本哈根。到巴士总站来接我的，是汉名朱梅的丹麦女士，我一见她便不由得说："好一个海的女儿！"

的确，丹麦对于我，首先意味着安徒生，而安徒生对于我，首先意味着那令人心醉又心酸的小人鱼——"海的女儿"。朱梅身材纤巧，高鼻梁灰眼睛，一头不发亮因此不能用"金"字来形容的黄发，脸上总显现着一个善意的微笑，的确像是那童话中的女子走下了插图，穿上现代人服装，冉冉地迎向风尘仆仆的我。

朱梅当晚便请我去她住处，她和她的德国男朋友请我吃他们合烧出的丹麦奶煎鱼。餐桌上的枝形烛台上的白烛光焰闪闪，而沙发前的茶几上又有一组用带红浆果的绿叶子围裹的粗蜡烛，一共是四支，我注意到当晚只点燃了一支，原来那是北欧圣诞节期的一种风俗——圣诞正日前的四周，每周日要点燃一支——烛光下我们边吃边聊，尽管室中还开着一盏落地灯，但我觉得烛光摇曳的情调是再多的电灯光也无法取代的。

整个北欧都处在高纬度之中，春夏短，秋冬长，冬日早晨九十点钟天光才大亮，而下午三四点钟夜幕便匆匆而降，故而整个社会有很长一段时间是在烛光中存在。点蜡烛并非只为了追求一种情调，而确实有用之照明之意——电灯存在很久了，而烛光下的生活存在的时间更久，北欧人对自己久远的传统比现代文明怀有更深挚的感情。

在朱梅家吃鱼时，我已去过挪威和瑞典，并且也去了芬兰的阿兰岛，综合一路的印象，我得说北欧确实多美女，而且大多数女性既不像法国女人那般浪漫、德国女人那般雍容，也不像美国女人那般热情，而体现为一种北国的娴静。

我们都知道美国好莱坞从 30 年代起就拥有若干北欧去的女明星，光耀照人，如一代影后葛丽泰·嘉宝就是瑞典人，她在《瑞典女王》中的表演，把一种冷峻的美体现得淋漓尽致。就是演《茶花女》，剧中的"茶花女"玛格丽特明明是一个法国交际花，她演起来却别辟蹊径，尤其最后绝命一场，把那深情女子的一个"深"字，层次清晰地表达出来，因而具有了某种北欧女子的以冷制热的特殊魅力。40 年代引世上无数男子竞折腰的好莱坞大明星英格丽·褒曼，光一部《卡萨布兰卡》就令人百看不厌，越看越迷，她的外形美固然总体为一种北欧妇女（她也是瑞典人）的端庄宁静，她那内在的美更体现为一种烛光下的安详和宽厚。

这样一些想法自然就引出了一种讨论：地域对妇女的素质是否有着显著的影响？

朱梅对我的感慨，不直接置评，只是笑着说：我们可都是海盗的后代……

的确，北欧人大多是当年维京人的后代，维京人的确可称是"海盗一族"。在瑞典斯德哥尔摩的北欧博物馆和历史博物馆，我们可以看到当年海盗船的模型，以及他们曾远航到地中海意大利，在那里的大石兽雕像上刻上他们象形文字的展示，海盗们的女儿，会是娴雅而宁静的么？

陪我去参观斯德哥尔摩现代艺术博物馆时，瑞典姑娘安妮对此却有另外的看法，她说："你注意到了吗？我们北欧的蜡烛一般是不流泪的，因为海盗只有汗水，没有眼泪，所以我们即使是妇女和孩子，都不怎么爱哭，也不怎么爱叽叽喳喳地说话，我们像蜡烛一样，外面是冷的、没味道的，可心里是热的，有燃烧不完的感情……"

我想确实如此。在挪威奥斯陆最大的一家商场里，我想购买一件富有挪威民俗色彩的带锡制领扣的毛线衣，那对于我来说是一种奢侈，因为几乎要用去我在奥斯陆大学演讲的全部报酬。因此我挑选得同妇女一般仔细，而那女店主则并不体现为热情，只是极为耐心地配合我的挑选，因为语言的阻隔，我对她的超常耐心不仅佩服，而且惊讶，当我终于选定以后，她也并没有松下一口气的样子，或感情奔放地谢谢我的购买，她只是为我格外细心地包装而已。这样的女店主是我以往在东京、巴黎、旧金山、波恩或香港都不曾遭际过的。我觉得有一种烛光般的优雅和熨帖感。

12 月 13 日，是瑞典的"露西亚节"，我很早就会唱《桑塔露西亚》这首歌，原来只知道是一首意大利歌曲，万没想到北欧的瑞典人，却从南欧的这首歌子里派生出一个特殊的节日，这一天全国要通过电视荧屏选定一个全国的"露西亚姑娘"，各地区包括各学校也都要从自己的女孩子中选出一个"露西亚姑娘"，当然都是端庄而美丽的妙龄女郎，选中的和陪伴她的全穿一袭白色长裙，头上戴着插有蜡烛的金冠，烛焰闪闪，与少女的明眸交相辉映。那仪式中还要合唱出若干曼妙的歌曲。尽管关于这个节日来源的说法不一，但"露西亚姑娘"象征着北国烛光下女性的圣洁与宁静、娴静与善良，则无疑义。

我同一位"露西亚姑娘"站在一起，我的心同她在一起吟唱。我相信，一方山水养育出一方的钟灵毓秀，北欧的女子，确有其不凡的魅力。

1993 年 4 月

听沃尔科特受奖演说

瑞典斯德哥尔摩的古城岛不仅是王宫所在地，也是瑞典文学院的坐落处。1992 年冬我应该学院邀请到北欧瑞典、丹麦、挪威三国进行文学访问，时逢

1992 年诺贝尔文学奖得主德里克·沃尔科特于 12 月 7 日在瑞典文学院发表受奖演说，有幸应邀到场聆听，留下深刻印象。

回国后见某些报纸发表的文章，称诺贝尔文学奖由瑞典皇家科学院评定，非。瑞典皇家科学院只管诺贝尔物理学奖、化学奖的评定，医学和生物学奖则由皇家卡洛琳学院评定。

我在 11 月甫抵瑞典后，即应邀访问了瑞典文学院，因为该机构每年要在 10 月 8 日公布一位（偶尔两位并列）诺贝尔文学奖得主，所以引得世界上不少作家（当然不是全部）心向往之，亦使得全世界文学爱好者（差不多是全部）津津乐道，更有些人为之引颈以盼，神魂颠倒乃至喋喋不休地议论诸如"为什么诺贝尔文学奖不颁给中国作家"一类的问题。

瑞典文学院外观拙朴，初进其门，那廊梯也难称堂皇，但一推门进入内室，则双眼顿感爽耀。首先看到的是纵深莫测的大书库，两旁高及穹顶的书架上排满了望之生敬的大开本精装烫金书脊的图书，当然一路走过去细看倒也能看到若干小开本的平装书……听解说方知，该书库实为评定诺贝尔文学奖的重要信息源。为什么诺贝尔文学奖没有颁给中国作家？很可能是许多中国作家虽然写得不错却没有译成西方文字特别是瑞典文和英文的个人专著，或虽有一本两本但难称丰富，或虽翻译稍多却译笔欠佳，或虽有优质译本却没有主动往该处递送……从书库转入文学院秘书办公室，堂皇且富丽，四壁不仅有鎏金浮雕装饰，悬有大幅油画，还有若干大理石雕出的胸像，都是本世纪以来担任过文学院院长且兼任过秘书的杰出人物的造像，但经询问颇令我这中国人吃惊，偌大的瑞典文学院，平日每天到院履职的仅两个半人，一位便是统揽一切的秘书，一位则是在图书馆已见过的管理员，另一位会计只半日来此工作，另半日则在另外机构任职，当然也许尚有勤杂工一二人，否则厅堂过道楼梯洗手间何以那般洁净？懵懵懂懂中，我觉得我们中国一个县级的文联机关总也得十来个人的规模倒属正常，他们这在全世界声誉大得不得了的瑞典文学院编制竟如此"不健全"，殊难理解。

也没人给我细解释为何瑞典文学院无办公厅人事司保卫处，便把我引入了会议厅，这便是文学院院士们讨论评诺贝尔文学奖颁给谁的场所。现文学院院士共十八位，系终生制，有三位因年老体衰已几年不参加一切活动，故现操诺贝尔文学奖评定权的实为十五位，其中仅一位马悦然院士通中文（不是一般的通而是精通），但其余十四位能否认出中国"福"字，都还是一个问题，他们只能通过阅读瑞典文或英文法文德文的译本来了解中国当代作家的创作。或许有人问，那他们为什么不读比如说某中国作家的作品译本？这就需要懂得，评定诺贝尔文学奖的第一环节是得有人推荐，只有下列几种人有资格推荐诺贝尔文学奖的候选人：一、历届诺贝尔文学奖得主，比如1992年获奖的沃尔科特，就得力于1987年得主布罗斯基的推荐，而布罗斯基则得力于1980年得主米诺什推荐；二、各国科学院的院士或相当于院士资格的人；三、各国高等学府中的语言和文学的正教授；四、各国作家协会的主席和副主席（理事和会员则没有资格）。推荐都需提出正式的推荐书并附原作或译本，由个人签署，不接受团体的推荐，推荐书需在每年的3月31日午夜前送达瑞典文学院，逾时则算作下一年度的推荐。全世界所推荐的作家至少有百十来个，最多时达一百五十多个，名单保密，然后便由十五位院士在轮值的主席主持下定期召开讨论会，最频繁时可达一周一次，依次递减候选名单，到夏日休假期间，所剩已无多，这时各院士方细读那无多的作品，入秋后再讨论，一般候选人已减至5人，到10月初则无记名投票，以票多者为当年诺贝尔奖得主（据说几无以全票通过者），于10月8日通过新闻媒介向全世界公布。为何中国作家总不能得？尤其是为何某某某大陆中国作家总不能得？那原因很可能是舆论虽吵得厉害，但却并无人认真从事有效的推荐，或虽有推荐但不够得当不够有力，或早在入夏前即已在讨论中被淘汰，或在最后无记名投票中不能获多数选票。连瑞典一般民众也早有"诺贝尔文学奖的评定总操纵在一帮老家伙手中"的非议，所以近来文学院增选院士时（必得死掉一位方能补一位），一位不到四十岁的女诗人终于入选，她这位"新鲜血液"的输入对中国作家获奖有无裨益，则难预料。

在式样古雅的院士会议长桌前端，会议主席坐处前，有一醒目的木槌，大约在每年的无记名投票计数终了时，随着主席挥动那木槌的一声闷响，则引得全世界各处文坛沸沸扬扬议论纷纷的诺贝尔文学奖得主的名字，便被呼叫了出来。1993年的轮值主席便是马悦然院士，彼时他会呼出一个中国人的名字吗？

瑞典文学最重要的场所当然还得是二楼的那个大会议厅,从穹顶上吊下一连数盏缀满水晶饰件的大灯,各具三层,每一层都环簇着烛形灯泡,沃尔科特演讲那天大放光明,把彩绘的穹隆和古希腊风格的壁柱映照得金碧辉煌,那天与会的文化界、新闻界人士以及其他方面的社会名流个个衣着是男的庄重女的华贵。不过比起三天后在斯德哥尔摩音乐厅、国王王后亲临的五奖并颁仪式和该晚在市政厅中的盛大宴会,与会者的衣着却仍应以"随便"二字形容,因为在那后面的两个场合男士一律要穿正宗燕尾服执装银白色领结,女士则一律要穿古典式长裙,丝毫不得走样。毕竟文学界本身具有浪漫气息,所以那天沃尔科特演讲时,也只穿一套绝不华贵而只觉雅洁的西服,扎一条深色的斜纹领带。

沃氏演讲前,我已在入口处自取了一份英文的演讲稿(另有瑞典文的),见演讲的题目,大意为《安德列斯:关于史诗记忆的碎说》。沃氏长相奇特,从背后看,骨架与欧美白人无异,从正面看,肤色微黑而眉骨突出,鼻子大而扁,具有加勒比海安德列斯群岛上土著的特征,从演讲的姿态、风度与音韵上,则又令你深感他是一位浸泡在西方主流文化中的精英,他用英语演讲不仅流利自如,与使用自己民族语言无异,且英语讲稿文笔优美,具有诗的意蕴与韵律。据马悦然院士告诉我,现今英语文学文笔一流中的首席,当推沃氏。沃氏生长于各类文化汇聚的加勒比群岛,自己身上又流动着多种族的血液,故而他在受奖演说中主要阐释他那不求纯美但求弥合的美学信念。他说,一只完整无缺的花瓶纵使再美,也缺乏足够的魅力,但倘若将若干从历史的掩埋中挖掘的花瓶碎片加以细心的拼合,则那弥合的花瓶便具有欣赏不尽的艺术魅力;他又说一尊精心雕制的塑像固然美,但清晨凝聚于那雕像额上的清醇的露珠,当更具摇人心旌的瑰彩……我想他是力主将各民族的艺术血液,亲和为一种独具生命力的火焰,以穿越爱情交织的历史,达于一种人类的至善至美的境界。沃氏虽以顶尖水平的英文写诗,但其诗作如具史诗规模的《奥梅罗斯》,却都取材于生养自己的加勒比海群岛上延续至今的独具古风的生活,他在演讲开篇即讲到他已成为美国哈佛大学的教授后回到安德列斯岛上观看土著民连续九天举行传统仪式的场景,他说他原以为那是一种表演,但后来发现参与者的身心均处于一种竹箭飞梭般的自然状态,那仪式背景,便由许多射手不断以弓射出以优美弧线飞梭的竹箭构成,他说他悟到那便是他的先人和今日同胞的一种自在的生存方式,而绝非表演和挽悼……沃氏的演讲历时约七十分钟,即使是最具英语听力的听众,散席后也说虽犹如聆听美曲,但回家后必得细读讲稿,方能消化其所阐释的美学追求。我趁坐席靠前之便,一散会便迎到沃氏面前,请他在我领取的讲稿上签名,并作简单的交谈,他说很高兴有中国作家在现场听他演讲,并说他读过中国的古诗,也认识一两位中国当代的诗人。

沃氏在演讲中说,一个游客不必言爱,因为爱意味着停留,而旅游的乐趣全在流动之中;当我又漫步在古城的圣诞市场中时,我感觉这北欧的童话般生活场景确实令我欣喜却还不足以令我留恋;但我又想到沃氏在演讲中说,建立在快乐之上的文化毕竟是肤浅的,没有悲伤也没有光环,但那纯的生活的宽广性在于耐心,不是总在问生活错在哪儿;诗应是世界的早晨,历史只是一个被遗忘的失眠之夜,诗的命运是爱这个现时世界,不必顾及历史的存在……想到这儿我忽然有一种莫可名状的惆怅。在北欧早降的夜幕下,在烛光灯影中,我朝将古城和闹市区连接在一起的长桥上走去。踽踽独行中,我觉得那桥很长很长,走到桥当中,我更觉得桥两头都离得我很远……"人在桥上",是那天听沃尔科特受奖演说的主要感受。

1993 年元旦

不评奖的电影节

张艺谋以《秋菊打官司》荣获威尼斯电影节大奖金狮奖,是继台湾侯孝贤以《悲情城市》获该奖的第二位中国导演;而巩俐因饰秋菊获最佳女演员奖,则不仅是中国亦是东方演员获该电影节最佳演员奖的头一例;中国电影现在不仅已"走向世界",而且已居世界电影艺术的最高水平之中,可喜可贺。在世界各大电影节中,中国电影已几乎"十二栏杆拍遍",只剩下戛纳(港台又称"康城"或"坎城")电影节的金棕榈枝大奖,还待摘取。看来那也是指日可待的事,不仅"第五代导演"仍虎虎有生气,"第六代导演"也已咄咄上逼。世界上的电影节究竟有多少？我非内行，不能缕述，但我知道各国的不同电影节，常有不同的宗旨，有时那创意还非常有趣。比如法国布列塔尼岛上的南特市，就有个"南特电影节"，每年深秋举行，该电影节不仅不步戛纳电影节的后尘，还有意与其"对着干"，因为觉得戛纳电影节多年来大体上总由欧美的几个大国特别是白人电影权贵所垄断，有意无意体现出一种对第三世界国家及有色人种艺术家的偏见与歧视，因而，南特电影节便"反其道而行之"，重点邀请第三世界国家及有色人种中的电影艺术家携手参加他们的电影节，并进行评奖。1983 年我曾应邀参加过这个电影节，那次电影节上获头奖的是一部菲律宾影片，并集中放映了若干部在美国本土并不受重视的美国黑人导演拍摄的表现美国黑人生活的影片；电影节又举办了一个中国谢晋的作品回顾展和一个墨西哥电影回顾展，使该电影节的特色十分突出。根据我的小说改编拍摄的影片《如意》在开幕式上放映，亦是主办人的精心安排。南特电影节与戛纳电影节看起来一大一小，一新一"古"，一在法国西北，一在法国东南，一重"弱"者一宠"强"者，一在初春一在深秋举行，似乎矛盾深重，其实却互补互促，实际上使法国更具有"世界艺术中心"的地位，是法国人富于想象力的显例。

最近在北京见到了一位瑞典哥德堡电影节的主持人。瑞典是电影强国，前些时谢世的瑞典大导演伯格曼是本世纪现代主义电影流派的大师,他拍摄的《野草莓》、《芬妮和亚历山大》等影片已被公认为世界电影艺术中的经典作品，而哥德堡则是瑞典的文化名城，因而哥德堡电影节绝不能小觑。但据这位电影节主持人说，他们这个电影节年年举行，总有几十个国家送去上百部影片放映，却是不评奖的。问他为什么不评奖，他说因为评奖的电影节太多了，他们想搞得不一样，所以不评奖；又说不评奖有不评奖的好处，就是既没有那么多为争夺奖位的"幕后活动"，也省去许多为评奖而花费的时间和精力，各国应邀前往的艺术家们就是去潜心观摩，互相探讨，岂不又轻松有趣，又所获甚多？此外这电影节也为欧洲发行商选片提供了优越条件，又能使瑞典观众一饱眼福，所以虽不评奖，亦名声颇著。

现在我们开放的气氛甚浓，但常常容易滑入"人家有的我们也要有"的思路中，而未能意识到，既然面对着如此宽阔的世界，我们要想有大出息，更应有"想方设法同别人已有的做法区别开来"的新思路。瑞典人办不设奖的哥德堡电影节，对我们是一个好的启示。

1992 年 12 月 24 日

R

瑞　士

花钟莫停摆

　　终于来到日内瓦，来到莱蒙湖畔英国花园那著名的大花钟前面，朋友给我拍"到此一游"照，他大声问我："你为什么不笑？你怎么忧郁起来啦？"我努力微笑，可是，怎么也抹不去心上的那片阴影。

　　那片阴影是一个私密，也是一桩公案。我的一位总角之交，三十多年前，和我一样是中学教师，他在一个女子中学任教，浩劫到，他被女"红卫兵"用铜头皮带好一顿臭揍，揍他的原因，是有人贴大字报揭发他"想去日内瓦游览"。噩梦醒来是清晨，二十年前我们重聚，那时我已能出国访问，羡慕之余，他问："你怎么去的不是瑞士？"我笑："能走出国门开眼界就该高兴！如今还不是到哪儿去能由着自己挑的时候！"他痴痴地说："如果中国人能自费旅游了，我首选瑞士日内瓦！"我跟他抬杠："天下美景很多，你为什么专向往日内瓦？"他说："1954 年，周总理去过日内瓦，那时咱们正上小学，报上登过照片……"我知道当"红卫兵"揍他的时候，他用这条理由辩护过，被斥为"休想掩盖投奔资本主义的狼子野心"，遭到更严厉的武斗。我想除了他举出的这条堂皇理由，内心里一定还有着不愿示人的某些纯隐私性的冲动，那是不便也不该去深究的。七八年前，新、马、泰开始对华开放旅游市场，人们也可申请私人护照，他为之兴奋不已，他开始认认真真地攒钱，阅读报纸上的旅游广告……但是，他在瑞士没有亲友，而北美、西欧久久未对中国开放旅游，一时还是难以从愿。他搜集了大量关于瑞士特别是日内瓦的资料，并曾——向我展示。一年半前，他查出胃癌，手术后我去医院探他，他不谈病情，只是拿起日内瓦莱蒙湖畔的花钟照片，不止一张，指点着，如数家珍般地跟我说："钟表技术与园艺技术的完美结合啊！按季节变化，你看，有时钟盘是草钟点是花，有时反过来；有时色彩斑驳陆离，有时清爽。我看他颜面如花，正想祝他康复在即，他却一把抓住我的手说："我是不能去的了，心武，你一旦到了那儿，心里要想着，你也是在替我还愿呢！……"

我终于到了日内瓦的花钟前，我心里默默地为亡故的"发小"还愿，可是却不能欢快起来。在中国，因为向往日内瓦一类地方而遭批判鞭挞的事不再有了，但是，有不少人，却不是像我这位"发小"那样，出于审美与丰富生命体验的目的，去向往外部世界，他们甚至不惜筹措巨款，投靠蛇头，成为往西方国家偷渡的人蛇……也正是为此，西方国家对中国公民的签证申请卡得极严，也不敢向中国开放旅游市场。我漫步在莱蒙湖畔，迎面是一对日本游客，我们曾在同一个海关闸口中排队过关，那海关工作人员一见是日本护照，翻也不翻便请他们过去，但见了我的中国护照，却仔细检验。其实来自北京航班上的中国人，还没走出活动通道的出口便被堵住，已在"例行公事"的借口下被检查了一通，除了护照，还要你出示确定了返程航班日期的机票……身边又走过一群韩国游客，看样子，参加那旅游团的也不过是些普通的工薪人士，接待他们的西方旅行社显然并不担心他们里面有蓄意滞留不归者，更不会为出现"集体跳机"那样的可能而惊怕警戒……

沿着莱蒙湖，从英国花园走到激流花园，再到玫瑰花园、珍珠花园，最后绕到植物园的草坪绿荫，隔着宽阔如镜的湖面，眺望日内瓦城的建筑轮廓线，以及城市背后青黛的汝拉山，我对陪游的瑞士朋友，竟说出了令他不解的话："这里号称'旅游者圣地'，其实，山也平常，水也平常，城市建筑通体不错但缺乏跳眼力作……要说美，那是美在环境整洁，美在氛围恬静，美在每个细节都氤氲着对和平而富足的优雅生活的永恒追求……当然，你们很聪明，因为知道这山这湖这城基础平庸，所以在湖里刻意营造出那直射到 150 米高的喷泉，又点缀出花钟等有创意的名堂，以夺人眼目……"我心里想到而没有说出的，更多。我在世界上跑过的地方不算很少了，实在不是我有狭隘的民族主义情绪——对比之下，自己祖国土地上的奇山怪水，或鬼斧神工，或恍若仙境，真是太多太多，无与伦比！我们的问题是，综合国力，按人口计的普遍富裕程度，对社会生活的组织，环境的保护，公民文明意识的平均水准，这些方面，还非常地不尽人意！中国人应该抱成团，立足于铲除腐败堕落，整治脏乱差，把处处的社区都营造成类似日内瓦那样的地方，乐于定居在自己的家园，暇时出国旅游，以开阔眼界，舒张心怀……

绕了半天，不知不觉竟又回到了花钟前。我默默凝视着那巨大的花钟，心胸渐渐开朗起来。我们中国人要把自己的家园搞好！只有这样我们才能在世人眼里获得尊重与信任。花钟你莫停摆，你从今天起仔细计算，究竟还要多久，你便能迎接从中国大陆而来的纯正旅游团，他们不是由我这样的有特殊邀请的个别访客汇聚，所有成员都不会怀着滞留不归或权当跳板的想法，也不尽是以考察名义甚至消耗公费而来——他们都是些像我那"发小"那样的，因闻名迷恋自费而来的审美者……

S

圣马力诺

圣马力诺钟声

教堂钟声响了。这是欧洲大地上惯常的声波。夕阳中的袖珍小国圣马力诺，几处教堂的钟声交错和鸣，听来却别有意趣。

圣马力诺整个国家在一座约海拔 700 米高的山上。记得在登上这个国家的途中，用英语向一位坐在自家单栋小楼朝街的回廊上浇花的妇女，打听瓦洛尼宫还有多远，她说，啊，那在首都里面哩！原来，这个面积只有 61 平方公里的小国，山上西坡那部分包括三座城堡的区域，叫圣马力诺城，是其首都，尽管我问路时已经可以望见进入首都的圣方济各门，那位妇女却还是觉得自己是城外郊区的居民，这样的空间感，令我这从辽阔的中国宏大的北京来的游客深感惊讶有趣。

整座圣马力诺城是一件完整的文物，是令旅游者目眩神迷的胜地。我向往已久的瓦洛尼宫，是国家博物馆与图书馆所在，里面收藏的文物丰富多彩，特别是那 100 多幅公开展出的文艺复兴时期的油画精品，视觉上具有强烈的冲击力，能引发出观赏者丰沛的联想。

世界上有些名胜古迹开发旅游业以后，会产生出一些新盖的旅店、餐馆和纪念品售卖店，这些新建筑往往在风格上与原有的古迹相龃龉，而且体量过大，喧宾夺主，实际上形成景观污染，我们国家一些地方就凸显着这样的问题，"无烟工业"虽然无烟，却让人满眼"工业"而看不清原汁原味的景物。圣马力诺在这一点上处理得非常之好。它不在旧城里增加任何新的建筑。旅店、餐馆和商店的功能都由原有的古屋承担，房屋的外表一律保持原貌，里面也只是顾及今天旅客的需求而适当加以改造，绝不让人产生古人戴手表穿牛仔裤之类的感觉。比如有一家卖当地著名的果子酒的商店，门脸完全是一百年前的样子，橱窗里除了用遮蔽的电灯光把陈列的各种形态、颜色的酒瓶照得轮廓分明、鲜艳夺目，绝不露出任何"现代化"痕迹，十足地古色古香。沿着古堡甬路的一系列旅游纪念品售卖亭，虽然是新造的东西，在形态、色泽和细部装饰风格上，显然有很细致的把关，绝不让其起碍眼破相的消极作用。

　　教堂钟声响起来时，对我而言，引发出的不是宗教的情怀，而是悠远的历史沧桑感。到名胜古迹地游览，不仅应该有眼的享受，也应有耳的享受。由于游客多的时候，会有游客发出的各种声音的混合污染，使我感到不舒服，我总是尽量避免在游客的高峰期，去游我心仪的景点。我特别害怕在景点遇到管理部门额外的添加的一些"奉送音"，比如在寺院里有电声喇叭播出的唱经声，在园林里有隐蔽的音响播出的古琴曲什么的，播音者是出于好意，却不知这纯属于画蛇添足之举。欧洲的各旅游地绝少出现这样的声音安排。进入教堂，有时会听到管风琴或唱诗班的乐立，但那确实是在举行仪式，让人觉得自然而优美。

　　圣马力诺城虽然很小，街区间却一连有好几个广场，每个广场大体上都以一座教堂为主体建筑。我穿过蒂塔诺广场，来到自由广场，又弯到加里波第广场，最后经过望楼广场。钟声在这些广场里回响时，耳膜有种被抓挠的感觉。蹀出方济各门，迈出这个小小首都，眼前豁然开朗，背后的钟声变得悠扬动听，越过头顶上空，朝山下广袤的意大利田野弥散，这时就觉得一颗心仿佛被天鹅绒包裹了起来，思绪也随之温柔而绮丽。

　　慢步朝山下走去，琢磨城里那一连串布置着圆雕的广场。欧洲城市很早就重视在街道衔接处设置广场，使市民除了在通道上运行外，还有一个漫步、休憩的公众共享空间。广场的功能很多，像奥地利萨尔茨堡古罗马风格的大主教教堂前宽阔的大广场，就经常用来作为露天剧场，演出古典歌剧。圣马力诺城的连环广场，是他们历史悠久的双执政官体制下的市民民主生活的必备空间，也是他们国家持续安定康乐的生动象征。在清越的钟声里，我告别了这著名的欧洲小国。

X

新加坡

圣淘沙堤桥

新加坡很小，自然风光与历史人文景观有限，所以致力于人造景观的开发，以吸引来自世界各地的观光客。圣淘沙岛是新加坡最大的人造游乐观光园地，自 70 年代初一步步开发至今，愈见光彩夺目、妙趣横生，到了新加坡如未游圣淘沙，那几乎等于是到了北京而未去长城，心中会梗着老大的遗憾。

圣淘沙原是殖民时代英军的一个军事基地，四围皆海，自成一岛。新加坡国其实就是由几个大小不等的岛组成的，其中最大一岛南部是繁华的市区，从市区去往圣淘沙，以及从圣淘沙返回市区，有三种办法，一是乘坐空中缆车，其乐趣是不仅可从空中鸟瞰圣淘沙绚丽美景，而且也可远望新加坡金融区的楼林、裕廊工业区的货柜码头，还有一望无际的大海，这应是游客们进出圣淘沙的首选方式；二是搭乘游轮，从容渡过海峡，那在甲板上倚栏迎风观景的过程，令人心旷神怡；三是从长长的堤桥上缓缓步行，一般外国游客为了节省时间，大都放弃这一方式。

圣淘沙岛上，巧妙地分布着许多的人工景点，最吸引人的，有宏伟的鱼尾狮雕像塔，鱼尾狮是新加坡的徽号，原来在城区有一座小的雕像，现在圣淘沙岛的这座雕像几乎有十几层楼高，内设电梯，游客们登上后可从狮嘴巨齿间一览周遭盛景；还有极富盛名的水底世界，游客可以在密封性极强的全透明玻璃管道里曲折前行，与围绕着自己的海洋生物尽情亲昵，管道中并有自行滑动的传送带，懒得自己移步的游客尽可站上去，贴近享受那水底的无限风情……此外还有规模极大的音乐喷泉、蕴藏丰富的亚洲文化村、令人眼花缭乱的胡姬花园等等，不一而足，难以备述。

我游圣淘沙，是自己一人独往独回，这种独游方式的最大优点，是不必将就他人而尽可优哉游哉地满足自己。我去时是从花苒山乘空中缆车，归时则选择了步行，即从连接圣淘沙与市区的堤桥上走走停停、停停走走地漫游了一番。

我在堤桥上胜似闲庭信步地缓进时，已是日落霞收之后，回望圣淘沙，只见墨色的树影里闪着些霓虹灯的光影，随风飘来些甜腻的乐音；前眺市区，则沿着海岸线缀满珠子般的灯火，隐隐传来高速公路上车辆奔驰的轮路摩擦声；我不禁在心中赞叹道：名不虚传啊——新加坡的繁荣与富足、美丽与洁净！

关于新加坡，其市容的整洁，秩序之井然，报导已然很多，赞美之辞亦不必由我再加增添。有的文章更将新加坡这方面的情况营造为一个完美的神话，以至于有的外国游客，如穿着愈见随便、行止愈见浪漫的美国青年，竟抱怨新加坡"干净得没有道理"、"是一个极其优美的大监狱"（光法律禁止吃口香糖便足以令他们有"入狱"感）。你看，苛严的行为准则本是为了营造绝佳的生活品质，却也会遭到不耐苛严律条约束的人们反对，从这一点上，也可见人性的复杂，及世界上各色人等的"众口难调"。

且说我在圣淘沙堤桥上漫步，东张西望间，发现每隔一段距离，便有一两位当地人倚在桥栏边垂钓。他们或持短竿，或竟直接抛入钓绳，很专注地盯视着水面。我吃惊了。因为在那堤桥上，每隔一段距离，便立着一面管理机构设置的告示牌，上面分明用英文工楷书写着"禁止垂钓"的警示！以新加坡法制之严，国民守法观念之厚，眼前的景象，是我亲眼目睹前所难以想象的。原来新加坡也并非一个神话，它亦有活生生的、有缺陷的现实。

堤桥上每隔一段便修造出一处外凸的观景台，台上有凉亭，亭中有不可挪动的石制、木制或合成材料的桌椅。那天观景台岸栏边多有垂钓者，亭子里却很少遇到休憩的闲游人。我倒是时不时地在亭子里坐坐。这一坐之间，又惊奇地发现，在亭内的桌椅上，有些闲人或用油性笔，或用不知什么尖锐的东西，涂刻出了一些文字甚至图画！我仔细地辨识了几处，那些英文和中文，大约是一些表达爱意与逗趣的话，所画的也无非是些生活谐趣的简单图像，而"到此一游"的含意却并不多见，显然，涂画者多半还是本地人。我在亭中柱子上看到了"禁止涂画"的警示。和那"禁止垂钓"的警示一样，对于某些新加坡人而言，并未起到我们所想象的那种威慑作用。

我应向读者说明，我在圣淘沙堤桥上所见到的这些违规现象，并没有影响这处地方所给予我的整体美感，倘若不是我一个人有闲空闲情到那里细观细品，这些细节简直是可以忽略不计的。我还注意到，堤桥上有卡通造型的连串电瓶车在行驶，游人们也可以以车代步通过全程。我若乘那卡通车，也便不会注意到上述情况了。

但是我想我应当把我所见到的这些白璧微疵写出来。我们不能因为喜欢一个地方，便将它神话化，正如我们不能因为不喜欢一个地方，便将它妖魔化一样。

我还想说，一个社会，当然应该扫除脏、乱、差，应当人人具备很高的法制观念。然而完美却是永无可能的，并且，依我愚见，容纳一些瑕疵，美而不僵，也许倒更令人喜欢。

整个新加坡之行，漫步于圣淘沙堤桥的经历，成为了最耐回味的一环。这真是始料未及的事。

Y

意大利

天眼恢恢

　　一个高度与直径都达 43.30 米的庞大建筑，却只设置了一个采光口，其功能完备，而且极富韵味，如果不是亲临其境，单听人说，我是怎么也难以相信的。这个建筑在意大利罗马，始建于公元前 27 年，后两次改建，现保存的是 3 世纪初的规模，它就是潘提翁（Pantheon），即万神庙。原来我只知道法国巴黎有座潘提翁，又称先贤祠，里面供奉着顶尖级民族贤达的灵柩，却不知那源头在哪里。罗马帝国初期，潘提翁里面供奉着宇宙七神，后来把基督教定为国教，这建筑的神龛里就又都改奉《圣经》人物，再后，又添加了灵柩保存功能，从皇帝皇后，到像拉斐尔那样的大艺术家，其陵寝都安置在祭台下。神龛祭台的壁画雕塑，都是大艺术家的精品，如贝尼尼雕刻的天使、罗西雕刻的圣若瑟像等。

　　罗马潘提翁的正面，是八根科林斯式花岗岩巨柱，撑着三角形的阔大门楣，柱后门廊正中有迄今仍为世界之最的七米高的青铜巨门。进入大门，就可以看出整座神庙的墙体呈正圆形，而当中并无一根立柱。墙体从上面三分之一的高度开始呈球状收拢，最后形成一个庞大的圆顶，那圆顶的外形，从外面广场远望，浑厚而和谐，其球径的长度，超过我们耳熟能详的梵蒂冈圣彼得大教堂、佛罗伦萨圣母之花大教堂的圆顶，历一千六七百年，而稳称冠军。仔细研究便可发现，神庙的墙体下部，厚达六米多，往上，逐步变薄，而球形顶的结构，是用中间有空隙的砖材砌筑的，上轻下重，应力分布均匀，故而稳若泰山。

整座神庙既然无窗，那么，究竟靠什么采光呢？那可真是神来之笔——在球状圆顶正中，豁开了一个直径9米的圆洞，那便是春夏秋冬四季皆宜的采光口。我乍望见那采光口时，惊异之余，不禁马上想到：下雨怎么办？尤其是盛夏时的大暴雨，瓢泼似的雨水，岂不都从那圆口倾泻而入了么？陪我游览的朋友告诉我，不怕，因为罗马帝国对人类建筑技术的贡献之一，就是很早便很重视给排水工程，尤其在排水方面，设计建造了非常科学、健全的系统，这潘提翁神庙也是一样，不仅地表上的建筑坚固恢弘，地表下亦有很完善的排水设施，下雨时从穹顶圆口倾泄而入的雨水，通过地面微微的倾斜度，会很顺利地流向墙边的泄水孔，而地表下的排水孔道非常宽阔，从来不会发生灌倒现象。这种对排水系统的高度重视，后来传播到整个西欧，像法国巴黎，地表下就有又高又宽的排水系统，雨果所写《悲惨世界》，有的情节就在那仿佛高屋大廊的地下水道里展开。雨后，神庙内的潮气可以很方便地直接向上蒸腾，没多久就恢复了原来的干燥。

仰望那神庙唯一的采光口，不仅赞叹其设计者的聪明才智与建造者的鬼斧神工，也产生出一种敬畏之情。那九米直径的圆孔实在给人以苍天巨眼的感觉。天光从那圆孔探照灯般泄下，似乎在质询进入者灵魂的清白。天眼恢恢，不揉沙子。人有九算，天有一除。这并非宗教情怀，而是在世为人应有的、普适性的道德憬悟。感谢潘提翁别具一格的采光口，你给我的心灵增加了亮度。

黑米尼白菊

2000年之夏的欧洲之旅，辗转访游了大大小小十个国家，屐痕处处，印象缤纷，回到北京，洗印整理一路上拍下的照片，其乐无穷。表弟是一家旅游职业学校的校长，来我家翻看那些照片，问："你拍了一路所住的旅馆照片吗？"我搓搓手说："哎呀，形形色色照片都有，唯独没拍旅馆的——拍那个干什么呀?"我看他怪失望的,就对他说:"我理解你的想法,打算从我这儿,得到些国外旅游经济方面的经营资料。其实那边的旅行社给了我很多的宣传品,印刷极其精美,上头充满了星级旅馆的照片……回国上飞机前,我嫌累赘,都扔了!"他没说什么,可表情很难看,显然心里头在埋怨:"你怎么不带回来给我呀!"我忙拍拍他肩膀说:"其实,那类照片你看过的也不少了,是不是?这样吧,我把一路上印象深刻的旅馆,给你形容形容吧……"他笑了,说:"原来,最好的旅馆照片,都装在你脑壳里头呢!"

说实在的,对于一路上下榻过的旅馆,绝大多数我都印象模糊了。现在全球一体化,在旅游设施上,也体现得很充分,一般的三星级旅馆,面貌都差不多,特别是标准间的格局,包括卫生间里的恭桶、浴缸、洗手池,乃至洗手池台子上的小块香皂、小瓶浴液什么的,简直像是从一个模子里倒出来的;服务呢,也都是一个模式,基本上见不到服务员,及至晚上回到房间,一切又都收拾好了,那种铺床——表弟插话,说行话叫"做床"——的方式,也一模一样。我对表弟说,总的来说,我在欧洲一路上所住过的三星级旅馆,似乎都未必有在国内住过的那么好,比如前堂,欧洲旅馆一般都很小,而中国一般都很宽敞。他问:"总也还有我们值得借鉴之处吧?"我想了想,拍下手,喊出声来:"对啦!黑米尼白菊!"

那是在意大利,游完威尼斯,我们旅行团的大巴开了三个来小时,抵达亚得利亚海边上的黑米尼,来到预定的旅馆,那旅馆的外貌、厅堂虽然华美,却也难说有多么出色,但当大家坐在前堂沙发上,等候领队与接待员分派房间、发给开门的磁卡时,发现几乎每一个茶几上,都有盛着糖果的小碟,那些糖果小小的,包着发亮的玻璃纸,拈起剥开把糖粒吸入口中,薄荷香气顿时满溢口中,并透入鼻腔,使人疲劳之感稍减。房间派定,大家陆续去乘电梯,欧洲旅馆的电梯照例小小的,排队入梯的过程往往令人难耐,而这家旅馆在电梯旁设一高达人胸的镀银高脚落地大果盆,里面满放着紫红亮皮的小苹果,无言地表达着"对不起,让您久等,先啃只苹果解解闷吧"的幽默,等候入梯的人们取出苹果拿在手中,倒没几个真就啃起来的,但纷纷搁到鼻子前头嗅着那股子清香,也就不觉得那电梯小,倒换得慢了。我和妻子终于也坐上电梯,进入了我们的房间，妻子马上去卫生间，忽听她"啊"了一声，我以为出了什么事，忙跑进卫生间，妻子指着揭开了盖子的恭桶让我看，我低头细望，只见雪白的恭桶里，清澈的存水里，漂着一朵特意放进去的白菊花……

黑米尼白菊，不仅给我和妻子留下了深刻印象，旅游团返回法国巴黎途中，领队让大家填意见表，几乎所有游客都表扬了那家旅馆，领队笑说："他们确实会做生意，其实那种白菊，当地几乎一年四季都能找到，成本很低，可就这么小小的一点创意，就让游客觉得他们的卫生间消毒最彻底，待人最亲切……我们旅行社在各处总是先去定他们连锁店的房，有时候想定还定不上呢！"

表弟听了，高兴地说："你这小故事比照片还精彩！我要拿这当例子，告诉我的学生们，所有职业的出发点都应该是关心人体贴人，所有技术里最高超的元素都应该是人文关怀！真正要把生意做好，就得让客户感到你对他的服务真是达到了无微不至的地步……"

我却觉得，不必把那黑米尼白菊如此这般地加以纯功利解释，那也许更是意大利人的一种浪漫情怀，能施以他人浪漫，能消化他人浪漫，这世界，这人生，不是才更趣味盎然么？

比萨三姝

关于意大利比萨斜塔的游记不说是汗牛充栋，也可谓屡见不鲜，我去比萨前就读过不少，但游完回来细想，觉得也还有自己独特的感受可说。

比萨斜塔不是一个孤立的存在，它是 14 世纪建成的比萨大教堂建筑群的一个组成部分。现在开辟为旅游景点的大教堂，从北门迎客，进去以后，西侧是大片绿地簇拥的灰白淡粉色的教堂建筑群，东侧是排成一竖溜的售卖旅游纪念品的摊档，游客们进去后，大都直奔最南边的斜塔，在那里观望、拍照，获得"我终于看见斜塔啦"的心理满足后，一般就转身去那一长溜的摊档上选购纪念品，而有斜塔形象的也就成为首选；然后呢，也就出门离去。其实，比萨大教堂由三座相连续的精美建筑组成，先是有椭圆形大穹顶的宏伟礼拜堂，圆形楼体四层的装饰手段各不相同,但韵味贯通,给人丰腴活泼的感觉;紧接着是立面有哥特式三角形山花与尖形装饰的洗礼堂,这是一座长形建筑,其后也有一个罗马式穹顶,并有翘状后楼,显得雍容端庄;在整个建筑群中轴线偏东南,以不对称方式建成的,才是体量要弱小得多的,病病殃殃的钟楼——也就是著名的斜塔。

由于比萨教堂的三座建筑均使用了银灰与淡玫瑰色的石材,墙面细部又都采用了层叠的半圆形列卷装饰,整体风格不属阳刚而偏阴柔,我觉得把它们比作三位丽姝,不算离谱。而且,我不由得联想到《红楼梦》里的三钗:斜塔好比林黛玉,洗礼堂恰似薛宝钗,而礼拜堂本身则仿佛史湘云。

欣赏斜塔,跟欣赏林妹妹一样,是被其病态美所吸引。林妹妹的病根是胎里带来的,斜塔是刚动工建到第三层即开始倾斜。曹雪芹描写林妹妹的面容是"烟眉"、"含露目",就是她那眉毛仿佛被烟云笼罩,眼睛总湿润润的,总之跟健康的女性不大一样。适度的病态能引出包括爱怜情绪在内的审美情绪,这是中外古今皆有的现象。古希腊雕塑维纳斯,那断臂的形象竟使现代人乐于用"完美"来形容观赏的感受;中国的金鱼,实际上是通过一代代地对病鱼定向"选怪"繁殖,才形成大水泡般眼睛的龙睛鱼和满身疣粒的珍珠鱼,令观赏者发出惊叹的。本来旅游者心理上就有搜奇赏怪的追求,加上对斜塔的广泛而持久的宣传,到了比萨直奔斜塔,看完斜塔转身离去,这样的旅游方式也就不必奇怪了。但我以为,好不容易去了趟意大利比萨,如果回家后只记得那座斜塔,而对相连属的礼拜堂和洗礼堂了无印象,那是很遗憾的。好比读《红楼梦》,林黛玉抱病体而个性张扬固然值得欣赏,薛宝钗的健康丰满和复杂性格,史湘云的活泼灵动一派天籁,也都能给我们带来审美愉悦啊!

我游比萨大教堂时,对早从有关资讯上有所了解的"斜塔姑娘",自然有按图索骥的浓厚兴趣。知悉它有8层,高近55米,各层均有精巧圆柱构成的拱形卷门,加起来是213个;我去那天不允许登塔,但我连它里面的螺旋梯共有294级也都烂熟于胸;给它纠偏的方法使用了好几招,最明显的是那些一目了然的钢缆斜拉索;听说前些时有关部门宣布纠偏措施已获奇效,数百年内无虞其倒塌了,因此已重新允许游客登临,只是每次限定人数而已。老实说,对这斜塔我倒并不怎么迷恋，倒是对参观那另外两姝——礼拜堂与洗礼堂兴味盎然。礼拜堂的风格从建筑史角度应划归巴西利卡式，有大圆穹顶，但它那巨大的椭圆穹顶不是浑然收束，而是在中心又向上鼓耸为覆盎状，这就将其轮廓线从杨玉环般的肥艳化解为赵飞燕般的亭亭玉立，设计上的精妙实在令人一观三叹。洗礼堂立面的双重哥特式三角造型，以众多的柯林斯式廊柱把墩实化解为活泼，手法也实在高妙，不能不对之称奇；从侧面欣赏，则仿佛一阕交响乐，高低起伏，丰富和谐。有机会去比萨的人士，我竭诚建议：不要眼中只有那病态的"斜塔姑娘"，那健康的礼拜堂与洗礼堂二位姝丽，也该细细加以欣赏品评啊！

Y

英　国

环心剧场

夏末傍晚在我家楼下护城河边散步，迎面遇上了赶秋。这精壮的小伙子是外地来的民工，在附近那栋高级商住楼的工地干活，我们认识的时候，他说父母给取这个名字，是因为他生在立秋那天，我说："依我想，这名字除了赶上秋天的意思，还有个快点把秋天赶掉，好让春天快来的意思！"他咧嘴笑，露出一口整齐的白牙。后来有天我看见他跟一个姑娘走在一起，暮色中那姑娘的脸红得像熟透的苹果。啊，这小子有女朋友啦！这个傍晚他又迎面而来，我无妨问问他有了女朋友的事儿。我们相距只几步了，我给他一个笑容，表示招呼，每回遇上，他也是总先以诚挚的笑容招呼我。但这回赶秋招呼我的笑容竟有点勉强。我正纳闷，忽然有人从我身边跑过，几步抢到赶秋身边，大声向他报警说："……别待在这僻静地方了，快躲躲吧，人家要收拾你呢！"我先吃了一惊，不禁收住了脚步，赶秋倒极镇定，走到我跟前唤了声"刘叔"，再扭头跟那同一工棚里住的伙伴说："他们敢怎么样？我才不怕！你先回去吧，我要跟刘叔找个亮堂地方说话。"

在老城隍庙通宵快餐店，我请赶秋喝啤酒，他把自己的恋爱故事讲给我听。与他相爱的姑娘名春棠，跟他不是一个省的，也来自穷乡僻壤，刚来时

到一家灯具店打工，后来转到他们工地食堂。春棠是头年由她一个姑妈带到
北京来的，姑妈在北京混了十多年，见多识广，如今在一个大富人家当管家，
那家人客厅里的水晶吊灯就值十万元，一个宅子里有五个卫生间。春棠打过
工的那家灯具店，是那大户人家的无数买卖之一，店主是大富豪的一个堂侄。
姑妈的意思，是京城里充满了机会，要春棠瞅准了千万别错过，对此，家乡
的父母也抱有很大的希望。但春棠半年前没跟姑妈打招呼，就自己辞了灯具
店的工，转到了建筑工地的食堂。这当中的原因，在春棠跟赶秋相好之后，
详细地说了。赶秋那天对此点到为止，没有给我转述。我可以想象。现在姑
妈把春棠父母也招到了北京，三个长辈，加上大富豪的太太，当晚正把春
棠叫过去，为那灯具店老板的打算，给她做工作呢。而刚才就有几个嘴里
喷着酒气的陌生人到工棚里，气势汹汹地吆喝着找赶秋，所以同伴好心地
跑来报警。

　　那晚回到家，我在廉价的日光灯下，把赶秋讲给我的事情默默回味了很久。
这可以写成一篇小说么？或者，可以据之编一出电视连续剧？对于赶秋和春棠，
那是他们生命史上惊心动魄的大篇章，但是对于越来越挑剔的读者和观众，这
样的人物、故事、冲突以及结局——不管是有情人终成眷属还是有钱人果然厉
害——都可能招来"不过尔尔"的讥评。如今世道下的观赏者，真的只一味追
求新奇刺激而绝对漠视朴素的永恒么？

　　思绪忽然从北京的护城河驰往了伦敦的泰晤士河。去年访英回来，一直有
编辑约我写关于莎士比亚故居和伦敦环球剧场的文章，我却迟迟没有动笔。实
在是因为如今出国访问旅游不再是稀罕之事，而凡到英国访问的一般总不免要
到莎士比亚故居一游，进入伦敦泰晤士河畔的环球剧场看一场莎翁名剧的演出
也属家常便饭，有关的游记时见刊载，我又能道出什么新意？但那一晚在伦敦
环球剧场观看一个葡萄牙剧团用葡语演出《罗密欧与朱丽叶》的情景，却被赶
秋春棠的事情激活，艳丽生动地复现在心头。演出的前三分之一，我与其说是
看演出，不如说是观剧场——那木结构且保持原木色调的环形剧场是刻意按莎
士比亚时代的原状建造的，拙朴到简陋的地步，楼座的座椅就是长条凳，池座
里的看客竟多半要站着。演出的当中那三分之一，我则为该剧导演与舞台设计

的新奇手法而不断地发出惊呼、惊叹，其他观众也如是——看戏的大多是外国游客，能听懂葡语的大约很少，反正莎翁的这个戏大家熟悉到极点，听不懂却绝对看得懂。到戏的后三分之一，我的心被罗密欧与朱丽叶那淳朴而真挚的爱情牵动着，再不能平静，当悲剧高潮来临，由舞台上的配角组成的小乐队与合唱组奏出令人心碎的旋律、哼出如梦如幻的曲调，我眼眶一下子发热——而我思绪又跳回现在进行时，在楼下护城河的朦胧背景里，凸现出了赶秋和春棠牵手的剪影，我的眼眶也热了。

　　附近那栋高级商住楼落成了，晚上试灯，整栋楼像一座熠熠闪光的钻石山。那晚我刚巧从浙江回来，略事休息，忙跑过去找赶秋。哪里还找得到？工棚拆除，食堂解散，都在一夜之间。盖楼人照例是楼成免人，另赴新的工地。但我总算找到一张熟面孔，就是那个傍晚给赶秋报警的民工，他被雇为了新楼停车场的看守。我跟他打听，他死活不告诉我赶秋转到什么地方去了。末了我问："赶秋一个人走的吗？"他瞪圆了眼睛，生气地说："为什么一个人？他们远走高飞了！"

　　我微笑着回家，且不进楼，到护城河边徘徊。我想，莎士比亚绝不过时，他通过罗密欧与朱丽叶告诉了我们什么是永恒不朽的情愫；曹雪芹当然也绝不过时，他通过贾宝玉与林黛玉告诉了我们什么是完全可以超越而什么又是绝对不能够放弃的……宇宙不停地膨胀旋转，世界不断地沧海桑田，人类不住地生死歌哭，艺术不懈地标新立异，而人心却有可能创造出恒定的价值。是啊，社会、人生是个比伦敦环球剧场更精彩的舞台，这是个环心剧场，我们都在自觉不自觉地参与演出，如何突破心之阴翳，获得心之光明呢？这是个永恒的话题，也是文学艺术万变而不能离弃之宗吧。

2001 年 9 月 8 日温榆斋

伦敦弘红记

　　因为看到拙著《红楼三钗之谜》，英中文化协会、伦敦大学亚非学院等四家机构邀我去作两场关于《红楼梦》的报告，我虽不才，但人家确实是出于促进中英文化交流的雅意，便高兴地取道巴黎，乘坐高速列车，仅用三个小时，就穿过海底隧道，抵达了伦敦。甫下火车，在驶往下榻处的汽车上，东道主就把他们安排的活动日程表拿给我征求意见，上面除了我的演讲、欢迎酒会等节目外，最突出的就是去斯特拉特福参观莎士比亚故居，并在泰晤士河畔的环球剧场观看葡萄牙剧团演出的《罗密欧与朱丽叶》。

在伦敦大学亚非学院的演讲，对象是汉学家和博士生，无须翻译，且可从容讨论。我把自己书里的一个看法强调出来：在中国，莎士比亚及他的主要剧作如《哈姆雷特》、《罗密欧与朱丽叶》，都已进入了具有中等文化水平的人们的常识范畴，在大学里，即使是理工科的学生，如不知道莎士比亚或说不出至少一个莎剧剧名，也会遭到讥笑。但是反过来，在英国，曹雪芹和《红楼梦》不仅未能融入其普通人的常识范畴，就是大学里的文科生，只要其专业不是中国古典文学，不知道曹雪芹和《红楼梦》也是一桩无所谓的事。两种文明里旗鼓相当的文豪巨著，在交流中却不能获得等量的效应，原因何在？有否纠正这一偏差的可能？我在中国只是一个非专业的《红楼梦》研究者，我的"红学"论著更仅是一家之言，到英国的演讲由于时间的限制怎可能把曹雪芹与《红楼梦》的伟大充分地阐释？但是我觉得中国的文化人不应放弃哪怕是最小的机会，去向外国人弘扬曹雪芹和《红楼梦》的伟大，使他们起码要懂得那是中国古典文化的高峰，而且至今仍滋养着中国的新一代文化人，他们即使一时还难以获得阅读译文的快感，难以理解那文本里丰富的中华文化的内涵，也至少应该一听到曹雪芹和《红楼梦》便肃然起敬，犹如许多中国人其实并不能从阅读莎士比亚剧作与十四行诗的译文里获得乐趣，甚至连观看劳伦斯·奥利佛主演的《王子复仇记》那样的电影也觉得枯燥，却绝对还是要把莎士比亚和《哈姆雷特》这样的符码嵌入到自己的常识结构里，丝毫不敢大意一样。奥地利出生的汉学家傅熊认为，中文的《红楼梦》迄今所通行的是一个不好的版本，而英文等西方文字的译本却几乎都以这个糟糕的中文版本为依据，他建议中国的"红学"界应致力于整理出一个比较理想的曹雪芹的八十回善本来，加以推广，使之取代现在的通行本。这是很内行的意见，现引用于此，供国内专业"红学"家们参考。

英中协会组织的一场演讲规模大了许多,一百多个座位坐满后,还有二十多位来宾始终站着听讲,令我非常感动。绝大多数金发碧眼的听众不懂中文,需要翻译,我转递信息的时间,等于只有上一场的一半;上一场的听众用不着从 ABC 说起,这一场我可怎么用最简洁的话语,把他们引入对曹雪芹与《红楼梦》的神往?虽经过很充分的准备,开讲时仍惴惴不安。结果却效果很好。这大半也依依荷兰出生的汉学家贺麦晓那流畅而生动的翻译。关于曹雪芹和《红楼梦》的话题翻译起来实在难上加难,一句"春梦随云散",中、英文的修养都得很高才能随口道出而听众憬然。我在演讲中号召大家都去寻找一本《龙之帝国》,该书著者为英国人 William Winston,书的英文名字为《DRAGON'S IMPERIAL KINGDOM》,1874 年由 DOUGLAS 出版社出版,黄色封面上有黄龙图案,大于 32 开小于 16 开,厚约 3 厘米,在该书第 53 页上,有关于曹雪芹偷听英国人腓立普与其父曹𫖯讲谈莎士比亚戏剧故事,被发现后遭责罚的内容。此书在中国"文革"前至少有两家图书馆收藏过,至少有三位过目者,其中一位还曾抄记过卡片,1982 年此事曾在中国报刊上揭橥,但后来一直未能再找到该书,一些人对是否过这本书产生了怀疑,寻找的热情也便消退至冰点。我以为有关这本书的信息不可能是伪造的。中国经历过"文革"等劫难,像这样的英文老书幸存的可能性确实接近于零。但英国的那么多大大小小的图书馆里,说不定在哪个尘封的角落里就还静静地存在着它。这本书里的那段文字,也许还并不能使我们作出曹雪芹创作《红楼梦》曾受到过莎士比亚戏剧影响的结论,但那至少是一段趣闻佳话,发动找书而且能坐实其事,必能增进一般英国人对曹雪芹和《红楼梦》的兴趣。这场演讲后来的听众提问和我与听众的讨论也很热烈,而且那讨论一直延续到晚上的酒会,其中一个提问是:"《红楼梦》对当代中国作家的写作影响究竟如何?一些中国作家并不能直接阅读外国文学,可是他们说起对自己影响最大的作家作品却是西方的,这是为什么?翻译西方文学的中国翻译家的文字,是否比《红楼梦》这样的母语原创文本,对某些中国当代写作者更具有潜在的影响力?"这问题很尖锐,却很严肃,一时很难梳理出能使自己和别人都首肯的答案来。

今夏的伦敦之行，令我兴奋，且欣喜——尽管我的演讲只是两滴雨水，但能使英国听众多少尝到点曹雪芹与《红楼梦》那浩瀚海洋的滋味，吾愿足矣！

2000 年 8 月 17 日温榆斋

附录一 刘心武文学活动大事记

1942 年

6 月 4 日生于四川省成都市育婴堂街。

后在重庆度过童年。

父母兄姊均热爱文学艺术，深受家庭熏陶。

1950 年

随父母迁居北京，从此定居北京。

在隆福寺小学上小学，在北京 21 中上初中。

1958 年

在北京 65 中上高中。

给若干报刊投稿，屡被退稿。

8 月，在《读书》杂志发表《谈〈第四十一〉》一文，是投稿第一次成功。

1959 年

在《北京晚报》"五色土"副刊陆续发表一些儿童诗、小小说。

为中央人民广播电台少儿部《小喇叭》（对学龄前儿童广播）编写若干节目；其中快板剧《咕咚》经编辑加工、录制后大受欢迎；"文革"中录音带被销毁；1991 年重新录制播出。

1961 年

毕业于北京师范专科学校，分配到北京 13 中任教。

至"文革"前，在《北京晚报》《中国青年报》《人民日报》《光明日报》《大公报》《北京日报》《体育报》《儿童时代》《大众电影》等报刊上发表了约 70

篇小小说、散文、杂文、评论等文章。

1966—1976 年

"文革"中，因 1964 年曾发表过一篇关于京剧的文章，以"反江青"罪名被冲击。

1974 年后再试写作，曾写一关于"教育革命"的长篇小说，由出版社联系获准脱产修改，但终未达到当时出版要求。

1976 年

写出一个大院里孩子们同坏蛋斗争的中篇小说《睁大你的眼睛》并得以出版（北京人民出版社）。

又按照当时政治要求写出一些短篇小说、散文，有的到次年才收入多人合集中出版。

调到北京人民出版社（后恢复"文革"前社名：北京出版社）文艺编辑室当编辑。

1977 年

11 月，在《人民文学》杂志发表短篇小说《班主任》，产生重大影响——被认为是"伤痕文学"的开山作，也是"新时期文学"的发端；从此成名。

从《班主任》后，写作冲破懵懂，沿着认定的方向跋涉，穿越风云，锲而不舍。

1978 年

参加《十月》杂志（开始以丛书名义出版）创刊工作，在创刊号上发表短篇小说《爱情的位置》，经转载和广播，影响巨大。

在《中国青年》杂志上发表短篇小说《醒来吧，弟弟》，反应亦极强烈。

《班主任》《爱情的位置》《醒来吧，弟弟》均被改编为广播剧，由中央人民广播电台多次广播，《醒来吧，弟弟》被搬上话剧舞台；此年发表的短篇小说《穿米黄色大衣的青年》亦由电台播出。

1979 年

在首届全国优秀短篇小说评奖中《班主任》获第一名。颁奖会上，从茅盾先生手中接过奖状。

参加中国作家协会第三次全国代表大会,被选为中国作家协会理事。

成为中华全国青年联合会常务委员,至 1993 年卸任。

9 月,参加中国作家代表团访问罗马尼亚,此系"文革"后第一个作家出访团。

在《人民文学》杂志发表短篇小说《我爱每一片绿叶》,写作技巧有长足进步。

1980 年

调至北京市文联当专业作家。

《我爱每一片绿叶》获 1979 年全国优秀短篇小说奖。

《看不见的朋友》获 1954—1979 年第二届全国少年儿童文学创作奖。

在《十月》杂志发表中篇小说《如意》,其弘扬人道主义的追求引起争议。

出版《刘心武短篇小说选》(北京出版社)。

1981 年

在《十月》杂志发表中篇小说《立体交叉桥》,引出更大争议,一些评论家认为"调子低沉"是步入了写作上的歧途,另有评论家则认为此作标志着刘心武的小说创作在反映现实、探索人性及艺术工力上均达到了新的水平。

5 月,应日本文艺春秋社邀请访问日本。

1982 年

应导演黄健中之请,改编《如意》;北京电影制片厂拍成彩色艺术片《如意》。

1983 年

11 月,参加中国电影代表团赴法国,在南特"三大洲电影节"上,《如意》在开幕式上放映,获好评;后陆续在法国、西德电视台播出。

1984 年

冬,应邀访问西德,参加"中德大学生会见活动",并在波恩大学、波鸿大学与威尔兹堡大学介绍中国当代文学。

年底,参加中国作家协会第四次全国代表大会,再次当选为理事。

在《当代》文学双月刊第 5、6 期连载长篇小说《钟鼓楼》。

1985 年

出版长篇小说《钟鼓楼》(人民文学出版社),并获第二届茅盾文学奖。

因《钟鼓楼》获北京市政府嘉奖。

7 月,在《人民文学》杂志发表纪实小说《5·19 长镜头》,反响强烈。

11 月,又在《人民文学》杂志发表纪实小说《公共汽车咏叹调》,引起轰动。

1986 年

年初,应当代文艺出版社邀请访问香港。

6 月,调中国作家协会人民文学杂志社,任常务副主编。

在《收获》杂志设《私人照相簿》专栏,进行图文交融的文本尝试。

散文集《垂柳集》出版,冰心为之作序。

1987 年

1 月,被任命为《人民文学》杂志主编。

2 月,《人民文学》杂志 1、2 期合刊发表马建写的小说《亮出你的舌苔或空空荡荡》违反民族政策,承担责任,停职检查。

9 月,复职。

冬,应邀赴美国访问。参观美洲华侨日报;在哥伦比亚大学、三一学院、哈佛大学、麻省理工学院、康奈尔大学、芝加哥大学、旧金山大学、斯坦福大学、伯克利加州大学、洛杉矶加州大学、圣迭戈加州大学等处演讲,介绍中国当代文学,并参观耶鲁大学;参加爱荷华大学"作家写作中心"的纪念活动;游览华盛顿等地。

1988 年

3 月,应香港《大公报》邀请,赴香港参加五十周年报庆活动;在《大公报》安排的大型报告会上作关于改革开放与文学创作的报告。

5 月,应法国文化部邀请,参加中国作家代表团访问法国,除在巴黎活动外,还访问了西部港口城市圣·拉扎尔。

《私人照相簿》在香港出版(南粤出版社)。

《我可不怕十三岁》获 1980—1985 年全国优秀儿童文学奖。

以上数年中,若干小说、散文还分别获得过《当代》《十月》《小说月报》《小说选刊》《中篇小说选刊》《儿童文学》《北方文学》等杂志,《人民日报》《文汇报》等报纸副刊的奖;拍成电视剧播出的有《没工夫叹息》《熄灭》(电视剧名《火苗》)《今夏流行明黄色》《到远处去发信》《非重点》《公共汽车咏叹调》和八集连续剧《钟鼓楼》;若干作品被英国、美国、西德、苏联、日本、瑞士、瑞典、法国、意大利等国翻译为英、德、俄、日、法、意、瑞典等文字出版;自1987年起被世界上有威望的英国欧罗巴出版社《世界名人录》收入词条。

1989 年

春,应香港中文大学翻译中心邀请,与妻子吕晓歌赴香港访问。

1990 年

3月,以任届期满,免去《人民文学》杂志主编职务。

香港中文大学翻译中心编译的英文小说集《黑墙与其他故事》出版。

秋,以"鱼山"笔名在《钟山》杂志发表中篇小说《曹叔》。

1991 年

出版小说集《一窗灯火》。

除小说外,开始发表大量散文、随笔。

1992 年

长篇小说《风过耳》在内地(中国青年出版社)、香港(勤+缘出版社)分别出版,反响颇为强烈。

长篇小说《四牌楼》完稿,交上海文艺出版社出版。

《献给命运的紫罗兰——刘心武谈生存智慧》由上海人民出版社出版,受到读者欢迎。

在《收获》杂志发表中篇小说《小墩子》,后由中国电视剧制作中心改编拍摄为电视连续剧。

至该年,在海内外出版的个人专著按不同版本计已达43种。

在《红楼梦学刊》1992年第二辑上发表论文《秦可卿出身未必寒微》,在"红学"界和读者中均引起注意；另有若干《红楼梦》人物论和《红楼边角》专栏文章发表。

冬，应瑞典学院邀请（斯堪的纳维亚航空公司赞助）赴北欧访问；在挪威奥斯陆大学、瑞典斯德哥尔摩大学和隆德大学、丹麦哥本哈根大学和奥胡斯大学的东亚系汉学专业以《九十年代初的中国小说》为题作学术报告；12月7日，参加诺贝尔文学奖有关活动，听1992年得主德里克·沃尔科特发表受奖演说。

1993 年

华艺出版社出版《刘心武文集》(1—8 卷)。

出版长篇小说《四牌楼》。

1994 年

1 月，应台湾《中国时报》邀请赴台参加"两岸三地文学研讨会"。

《四牌楼》获上海优秀长篇小说大奖，到沪领奖。

1995 年

出版随笔集《人生非梦总难醒》(上海人民出版社)。

出版小说集《仙人承露盘》(华艺出版社)。

1996 年

出版长篇小说《栖凤楼》(人民文学出版社)。至此，由《钟鼓楼》《四牌楼》《栖凤楼》构成的"三楼"长篇小说系列竣工。

应《南洋商报》邀请赴马来西亚访问并顺访新加坡。

1997 年

应日本文化交流基金会邀请，与妻子吕晓歌访问日本。其长篇小说《钟鼓楼》、儿童文学作品《我是你的朋友》、短篇小说《王府井万花筒》等此前已相继译为日文在日本出版。

1998 年

建筑评论集《我眼中的建筑与环境》由中国建筑工业出版社出版，在建筑界产生影响。

应美国科罗拉多大学邀请，赴美参加金庸作品国际研讨会，在会上提交关于《鹿鼎记》的论文《失父：一种生存困境》。

1999 年

出版纪实性长篇小说《树与林同在》（山东画报出版社）。

出版《红楼三钗之谜》（华艺出版社）。

赴新加坡出席国际环境文学研讨会。

2000 年

应邀访问法国，并应英中协会和伦敦大学邀请，从巴黎赴伦敦讲《红楼梦》。

至此年底在海内外出版的个人专著（不含文集）按不同版本计达 101 种。

2001 年

出版包含建筑评论的随笔集《在忧郁中升华》（文汇出版社）。

在北京电视台录制播出《刘心武谈建筑》系列节目。

2002 年

出版小说集《京漂女》（中国文联出版社），自绘插图。

应澳大利亚雪梨华文写作协会邀请赴澳大利亚访问。

2003 年

以马来西亚《星洲日报》世界华人文学"花踪奖"评委身份赴吉隆坡参加相关活动。

台湾联经出版社出版小说集《人面鱼》。此前台湾已出版过刘心武多种作品，如皇冠出版社出版了《钟鼓楼》，幼狮文化事业公司出版了《四牌楼》《为他人默默许愿》（散文集）。

2004 年

赴法参加巴黎书展活动。书展上展出了译为法文的著作有小说《树与林同在》《护城河边的灰姑娘》《尘与汗》《人面鱼》《如意》与歌剧剧本《老舍之死》。

建筑评论集《材质之美》由中国建材工业出版社出版。

小说集《站冰》出版（人民文学出版社），自绘封面插图。

2005 年

出版集历年研红成果的《红楼望月》(书海出版社)。

应 CCTV-10(中央电视台科学教育频道)《百家讲坛》邀请,录制播出《刘心武揭秘〈红楼梦〉》系列节目 23 集,反响强烈,引出争议。

《刘心武揭秘〈红楼梦〉》第一、二部相继出版(东方出版社),畅销。

2006 年

应美国华美协会邀请,赴纽约在哥伦比亚大学讲《红楼梦》。

应邀参加香港书展。

出版《刘心武揭秘古本〈红楼梦〉》(人民出版社)。

2007 年

继续应邀到 CCTV-10《百家讲坛》录制节目,并出版《刘心武揭秘〈红楼梦〉》第三部、第四部(东方出版社)。

访问俄罗斯。

2008 年

出版随笔集《健康携梦人》(中国海关出版社)。

自 1986 年出版《垂柳集》,至此所出版的散文随笔集已逾 30 种。

2009 年

在《上海文学》杂志开《十二幅画》专栏,每期发表一篇写人物命运的大散文,并配发自己的画作。

4 月,妻子吕晓歌病逝,著长文《那边多美呀!》悼念。

2010 年

再应 CCTV-10《百家讲坛》邀请,录制播出《〈红楼梦〉的真故事》系列节目。至此在《百家讲坛》录制播出关于《红楼梦》的个人系列讲座累计达 61 集。

出版《〈红楼梦〉的真故事》(凤凰联动·江苏人民出版社),在争议声中畅销。

4 月,应台湾新地文学社邀请赴台参加"21 世纪世界华文文学高峰会议"。

出版《命中相遇——刘心武话里有画》(上海文艺出版社)。

加快《刘心武续〈红楼梦〉》的写作，次年完成推出。

至本年底，在海内外出版的个人专著，文集不算在内，重印亦不算，按不同版本计达 182 种（按不同书名计则为 141 种）。

年底，筹备编辑《刘心武文存》。

附录二 刘心武著作书目

只包括在中国大陆、台湾、香港和海外出版的书（同一著作每种版本单列）；不包括散发于报刊尚未出书的篇目，亦不包括多人合集中的篇目。第一个数字表示不同版本的排序；［ ］中的数字表示剔除同一书名的版本后的排序；注意：文集 8 卷不参加排序。

1976 年

1.[1]《睁大你的眼睛》[儿童文学·中篇小说]

北京人民出版社 1976 年 1 月第一版

1978 年

2.[2]《母校留念》[儿童文学·小说集]

中国少年儿童出版社 1978 年 7 月第一版

1979 年

3.[3]《小猴吃瓜果》[低幼读物·画册]

少年儿童出版社 1979 年 4 月第一版

1980 年 6 月第二次印刷

4.[4]《班主任》[短篇小说集]

中国青年出版社 1979 年 6 月第一版

1980 年

5.[5]《我是你的朋友》[儿童文学·中篇小说]

北京出版社 1980 年 7 月第一版

6.[6]《绿叶与黄金》[中短篇小说集]

广东人民出版社 1980 年 8 月第一版

7.[7]《刘心武短篇小说集》

北京出版社 1980 年 9 月第一版

1981 年

8.《这里有黄金》[中短篇小说集]

广东人民出版社 1981 年 4 月第二次印刷

有平装、软精装两种

9.[8]《大眼猫》[中短篇小说集]

浙江人民出版社 1981 年 8 月第一版

1982 年

10.[9]《如意》[中篇小说集]

北京出版社 1982 年 5 月第一版

1983 年

11.[10]《中国现代作家选（Ⅲ）刘心武〈我爱每一片绿叶〉〈深谷小溪默默流〉》

[日本] 东方书店 1983 年第一版

12.[11]《同文学青年对话》

文化艺术出版社 1983 年 10 月第一版

1984 年

13.[12]《到远处去发信》[中短篇小说集]

四川人民出版社 1984 年 4 月第一版

有平装、软精装两种

14.[13]《如意》[电影文学剧本]（与戴宗安联合署名 ）

中国电影出版社 1984 年 6 月第一版

1985 年

15.[14]《嘉陵江流进血管》[中篇小说集]

陕西人民出版社 1985 年 2 月第一版

16.[15]《日程紧迫》[中短篇小说集]

群众出版社 1985 年 5 月第一版

17.[16]《我可不怕十三岁》[儿童文学集]

新世纪出版社 1985 年 8 月第一版

18.[17]《钟鼓楼》[长篇小说]

人民文学出版社 1985 年 11 月第一版

有平装、软精装两种

1986 年 5 月第二次印刷

1986 年

19.[18]《公共汽车咏叹调》[纪实小说]

湖南文艺出版社 1986 年 1 月第一版

20.[19]《都会咏叹调》[小说集]

作家出版社 1986 年 3 月第一版

21.[20]《垂柳集》[散文集]

陕西人民出版社 1986 年 4 月第一版

22.[21]《立体交叉桥》[中短篇小说集]

人民文学出版社 1986 年 6 月第一版

有平装、软精装两种

23.[22]《巴黎郁金香》[访法散文集]

群众出版社 1986 年 11 月第一版

24.[23]《木变石戒指》[中短篇小说集]

青海人民出版社 1986 年 12 月第一版

1987 年

25. *Little Monkey Triesto Eat Fruit* [科学童话·英文]

海豚出版社 1987 年第一版

有平装、精装两种

26.[24]《斜坡文谈》[文学理论]

上海文艺出版社 1987 年 4 月第一版

27.[25]《王府井万花筒》[中篇小说集]

湖南文艺出版社 1987 年 9 月第一版

有平装、精装两种

28.[26]《5·19 长镜头》[小说自选集]

四川文艺出版社 1987 年 11 月第一版

29.げくけきの友たちだ [《我是你的朋友》日译本]

[日本] 福武书店 1987 年 12 月第一版

1989 年 3 月第二版

1991 年 2 月第三版

1988 年

30.[27]《她有一头披肩发》[中短篇小说集]

台湾林白出版社 1988 年 4 月第一版

31.《钟鼓楼》[长篇小说]

香港天地图书有限公司 1988 年第一版

1993 年第二版

32.[28]《私人照相簿》[纪实文学]

香港南粤出版社 1988 年 11 月第一版

33.[29]《刘心武代表作》

黄河文艺出版社 1988 年 12 月第一版

1989 年

34.《小猴吃瓜果》[科学童话]

开明出版社、海豚出版社 1989 年 3 月第一版

35.《钟鼓楼》[长篇小说]

台湾皇冠出版社 1989 年 4 月第一版

36.[30]《一片绿叶对你说》[文艺随笔集]

河北教育出版社 1989 年 12 月第一版

1990 年

37.[31]*BLACK WALLS AND OTHER STORIES* [小说集·英译本]

香港中文大学翻译中心出版社 1990 年第一版

38.[32]《王府井万花镜》[小说集·日译本]

[日本] 德间书店 1990 年 9 月第一版

1991 年

39.《母校留念》[小说]

[日本] 骏河台出版社 1991 年 4 月第一版

40.[33]《一窗灯火》[中短篇小说集]

华艺出版社 1991 年 10 月第一版

1993 年第二次印刷

1992 年

41.[34]《列奥纳多·达·芬奇》[传记]

江苏教育出版社 1992 年 5 月第一版

42.[35]《有家可归》[散文随笔集]

广东旅游出版社 1992 年 5 月第一版

43.[36]《风过耳》[长篇小说]

中国青年出版社 1992 年 6 月第一版

1992 年 12 月第二次印刷

1993 年 3 月第三次印刷

1995 年 8 月第五次印刷

1996 年 3 月第六次印刷

44.《风过耳》[长篇小说]

香港勤＋缘出版社 1992 年 6 月第一版

45.[37]《献给命运的紫罗兰——刘心武谈生存智慧》

上海人民出版社 1992 年 6 月第一版

1992 年 11 月第二次印刷

1995 年第三次印刷

1996 年 12 月第五次印刷

46.《刘心武代表作》

河南人民出版社 1992 年 6 月第二次印刷·精装本

47.[38]《蓝夜叉》[中篇小说集]

香港勤＋缘出版社 1992 年 9 月第一版

1993 年

48.《北京下町物语》[长篇小说·《钟鼓楼》日译本]

[日本] 东京恒文社 1993 年 2 月第一版

1994 年第二版

49.[39]《为你自己高兴》[随笔集]

内蒙古人民出版社 1993 年 3 月第一版

50.[40]《杀星》[小说集]

香港勤＋缘出版社 1993 年 6 月第一版

51.《我是你的朋友》[儿童文学·中篇小说·增订本]

希望出版社 1993 年 6 月第一版

52.[41]《四牌楼》[长篇小说]

上海文艺出版社 1993 年 6 月第一版

1994 年 4 月第二次印刷

1996 年 11 月第三次印刷

53.[42]《我是怎样的一个瓶子》[随笔集]

成都出版社 1993 年 9 月第一版

54.[43]《沉默交流》[随笔集]

中国华侨出版社 1993 年 11 月第一版

55.[44]《富心有术》[随笔集]

群众出版社 1993 年 12 月第一版

1995 年第二次印刷

56.[45]《中国当代名人随笔·刘心武卷》

陕西人民出版社 1993 年 12 月第一版

☆《刘心武文集》[1—8 卷]

华艺出版社 1993 年 12 月第一版

☆《刘心武文集·〈钟鼓楼〉〈风过耳〉》(简装本)

☆《刘心武文集·〈四牌楼〉〈无尽的长廊〉》(简装本)

华艺出版社 1997 年 5 月第一版

1994 年

57.[46]《仰望苍天》[随笔集]

知识出版社 1994 年 1 月第一版

1995 年第二次印刷

东方出版中心 1996 年 7 月第三次印刷

58.[47]《男扮女妆与女扮男妆》[随笔集]

中原农民出版社 1994 年 2 月第一版

59.[48]《相对一笑》[小小说集]

中共中央党校出版社 1994 年 2 月第一版

60.[49]《秦可卿之死》[专著]

华艺出版社 1994 年 5 月第一版

61.《四牌楼》[长篇小说]

台湾幼狮文化事业公司 1994 年 8 月第一版

62.[50]《为他人默默许愿》[散文集]

台湾幼狮文化事业公司 1994 年 10 月第一版

63.[51]《中国小说名家新作丛书·刘心武卷》

海峡文艺出版社 1994 年 11 月第一版

64.[52]《红楼梦（缩写本）》

接力出版社 1994 年 12 月第一版

1995 年第二次印刷

1997 年 9 月第三次印刷

1995 年

65.[53]《人生非梦总难醒》[名人日记·随笔集]

上海人民出版社 1995 年 1 月第一版

1995 年 3 月第二次印刷

66.[54]《仙人承露盘》[中短篇小说集]

华艺出版社 1995 年 3 月第一版

67.[55]《女性与城市》[杂文集]

中国城市出版社 1995 年 6 月第一版

68.《我是你的朋友》[增订版·“小学生成才书架”系列之一]

希望出版社 1995 年 10 月第一版

69.《在胡同里转悠》[随笔集]

陕西人民出版社 1995 年 11 月第二次印刷

70.[56]《刘心武海外游记》

华文出版社 1995 年 12 月第一版

1996 年

71.[57]《刘心武小说精选》

太白文艺出版社 1996 年 2 月第一版

72.[58]《开发心大陆》[随笔集]

吉林人民出版社 1996 年 3 月第一版

1997 年 3 月第二次印刷

73.[59]《你哼的什么歌》[散文集]

湖南文艺出版社 1996 年 6 月第一版

74.[60]《刘心武张颐武对话录——"后世纪"的文化了望》

漓江出版社 1996 年 7 月第一版

75.[61]《边缘有光》[随笔集]

汉语大辞典出版社 1996 年 8 月第一版

76.[62]《刘心武怪诞小说自选集》

漓江出版社 1996 年 8 月第一版

有平装、精装两种

77.[63]《我是刘心武》

团结出版社 1996 年 9 月第一版

78.[64]《刘心武》[中国当代作家选集丛书]

人民文学出版社 1996 年 10 月第一版

79.[65]《刘心武杂文自选集》

百花文艺出版社 1996 年 11 月第一版

80.《秦可卿之死》[修订本]

华艺出版社 1996 年 11 月第二版

81.[66]《栖凤楼》[长篇小说]

人民文学出版社 1996 年 12 月第一版

1998 年 3 月第二次印刷

1997 年

82.[67]《封神演义(缩写本)》

接力出版社 1997 年 1 月第一版

1997 年 9 月第二次印刷

83.[68]《胡同串子》[中短篇小说集]

北京燕山出版社 1997 年 8 月第一版

84.《私人照相簿》

> 上海远东出版社 1997 年 9 月第一版
>
> 1998 年 2 月第二次印刷
>
> 2000 年换封面版权页称 2000 年 6 月第二次印刷

85.[69]《中国儿童文学名家作品精选丛书·刘心武作品精选》

> 河北少年儿童出版社 1997 年 8 月第一版

86.[70]《把嘴张圆》[随笔集]

> 上海远东出版社 1997 年 12 月第一版

1998 年

87.[71]《我眼中的建筑与环境》[建筑评论随笔集]

> 中国建筑工业出版 1998 年 5 月第一版
>
> 1999 年 5 月第二次印刷
>
> 2000 年 6 月第三次印刷
>
> 2001 年 6 月第四次印刷

88.《钟鼓楼》[茅盾文学奖获奖书系]

> 人民文学出版社 1998 年 3 月第一次印刷
>
> 1998 年 7 月第二次印刷
>
> 1998 年 8 月第三次印刷
>
> 1999 年 3 月第四次印刷
>
> 2000 年 1 月第五次印刷
>
> 2001 年 1 月第六次印刷
>
> 2001 年 8 月第七次印刷
>
> 2002 年 8 月第八次印刷
>
> 2003 年 1 月第九次印刷

1999 年

89.[72]《树与林同在》[非虚构长篇小说]

> 山东画报出版社 1999 年 3 月第一版

2006 年 7 月第二次印刷

90.[73]《八十六颗星星》(*The Eighty-Six Stars*)[儿童文学小说·汉英对照]

希望出版社 1999 年 6 月第一版

91.[74]《红楼三钗之谜》[刘心武红学探佚精品]

华艺出版社 1999 年 9 月第一版

92.[75]《蓝玫瑰》[中短篇小说集]

中国华侨出版社 1999 年 10 月第一版

93.[76]《过隧道的心情》[随笔集]

华东师范大学出版社 1999 年 12 月第一版

2000 年

94.[77]《一切都还来得及》[随笔集]

中国青年出版社 2000 年 1 月第一版

95.[78]《善的教育》[儿童文学]

辽宁少年儿童出版社 2000 年 2 月第一版

96.[79] Le Talisman (version bilingue)[《如意》中、法文对照版]

Librarie You Feng 2000 年 4 月第一版

97.[80]《作家刘心武〈班主任〉手迹》

线装书局 2000 年 5 月第一版

98.[81]《楼前白玉兰》[小小说集]

中国广播电视出版社 2000 年 7 月第一版

99.[82]《刘心武侃北京》

上海文艺出版社 2000 年 10 月第一版

100.[83]《我爱吃苦瓜》[茅盾文学奖获奖作家散文精品]

广州出版社 2000 年 10 月第一版

2002 年 10 月第二次印刷

101.[84]《了解高行健》

香港开益出版社 2000 年 12 月第一版

2001 年

102.[85]《亲近苍莽》

中国旅游出版社 2001 年 1 月第一版

103.[86]《在忧郁中升华》

文汇出版社 2001 年 2 月第一版

《刘心武谈建筑——在忧郁中升华》2007 年 8 月第二次印刷

104.[87]《人在风中》

作家出版社 2001 年 8 月第一版

105.《风过耳》

时代文艺出版社 2001 年 10 月第一版

有平装、精装两种

2002 年

106.[88]《京漂女》(自绘插图)

中国文联出版社 2002 年 1 月第一版

107.[89]《深夜月当花》

中国工人出版社 2002 年 1 月第一版

108.[90]《春梦随云散》

人民文学出版社 2002 年 4 月第一版

109.[91]《藤萝花饼》

台湾二鱼文化事业有限公司 2002 年 4 月第一版

110.[92]《刘心武自述》

大象出版社 2002 年 10 月第一版

2003 年

111.[93] L'arbre et la forêt [《树与林同在》法译本]

Bleu de Chine 2003 年 1 月第一版

112.[94]《人面鱼》

台湾联经出版事业股份有限公司 2003 年 2 月初版

113.[94] La Cendrillon Du Canal [《护城河边的灰姑娘》法译本]

Bleu de Chine 2003 年 4 月第一版

114.[95]《画梁春尽落香尘》["红学"专著]

中国广播电视出版社 2003 年 6 月第一版

2003 年 9 月第二次印刷

2004 年 1 月第三次印刷

2005 年 6 月第四次印刷

115.[96]《眼角眉梢》

新华出版社 2003 年 8 月第一版

116.[97]《钟鼓楼》[初中生语文新课标必读]

人民日报出版社 2003 年 9 月第一版

117.[98]《天梯之声》

中国青年出版社 2003 年 10 月第一版

2004 年

118.[99] Poussiêre et sueur [《尘与汗》法译本]

Bleu de Chine 2004 年 1 月第一版

119.[100] La mort de Lao SHe [《老舍之死》歌剧剧本法译本]

Bleu de Chine 2004 年 3 月第一版

120.[101] Poisson à face humaine [《人面鱼》法译本]

Bleu de Chine 2004 年 3 月第一版

121.《如意》[电影伴读中国文学文库·附电影光盘]

中国青年出版社 2004 年 1 月第一版

122.[102]《泼妇鸡丁》

台湾二鱼文化事业有限公司 2004 年 4 月第一版

123.[103]《在柳树臂弯里——刘心武随笔》

光明日报出版社 2004 年 5 月第一版

124.[104]《材质之美——刘心武城市文化酷评》

中国建材工业出版社 2004 年 5 月第一版

125.[105]《站冰——刘心武小说新作集》（自绘插图）

人民文学出版社 2004 年 6 月第一版

126.《四牌楼》

上海文艺出版社 2004 年 8 月第二版

127.[106]《大家文丛：刘心武》

古吴轩出版社 2004 年 8 月第一版

2005 年

128.《钟鼓楼》（中国文库·文学类）

人民文学出版社 2005 年 1 月第一版第一次印刷（平装）

2005 年 1 月第一版第一次印刷（精装）

129.《钟鼓楼》（茅盾文学奖获奖作品全集之一）

人民文学出版社 1985 年 11 月第一版、2005 年 1 月第一次印刷

2005 年 5 月第二次印刷

2005 年 7 月第三次印刷

2006 年 3 月第四次印刷

2008 年 4 月第七次印刷

2009 年 8 月第八次印刷

2010 年 1 月第九次印刷

2011 年 7 月第 15 次印刷

2011 年 9 月第 16 次印刷

2011 年 11 月第 17 次印刷

130.[107]《心灵体操》

时代文艺出版社 2005 年 1 月第一版

131.[108]《刘心武作文示范》

少年儿童出版社 2005 年 1 月第一版

132.[109] La Démone bleue（《蓝夜叉》法译本）

Bleu de Chine 2005 年第一版

133.[110]《红楼望月》

书海出版社 2005 年 4 月第一版

2005 年 6 月第二次印刷

2005 年 7 月第三次印刷

2005 年 8 月第四次印刷

2005 年 9 月第五次印刷

2005 年 9 月第六次印刷

134.[111]《刘心武揭秘〈红楼梦〉》

东方出版社 2005 年 8 月第一版

至 2005 年 19 月共十三次印刷

2005 年 11 月第二版

至 2005 年 12 月已第十八次印刷

至 2007 年 7 月已第二十八次印刷

2007 年 12 月第三十次印刷

2008 年 4 月第三十二次印刷

135.《红楼解梦——画梁春尽落香尘》

中国广播电视出版社 2005 年 9 月第二版第五次印刷

136.《楼前白玉兰——刘心武最新小小说集》

中国广播电视出版社 2005 年 9 月第二版第二次印刷

137.[112]《刘心武揭秘〈红楼梦〉》[第二部]

东方出版社 2005 年 12 月第一版

至 2007 年 7 月已第十五次印刷

2007 年 12 月第十七次印刷

2008 年 4 月第十九次印刷

138.[113]《刘心武解读人世情》

时代文艺出版社 2005 年 12 月第一版

139.[114]《刘心武感悟平常心》

时代文艺出版社 2005 年 12 月第一版

2006 年

140.[115]《刘心武自选集》

云南人民出版社 2006 年 1 月第一版

141.[116]《刘心武点评〈红楼梦〉》

团结出版社 2006 年 1 月第一版

142,《刘心武精品集·第一卷·钟鼓楼》

东方出版社 2006 年 1 月第一版

143.《刘心武精品集·第二卷·四牌楼》

东方出版社 2006 年 1 月第一版

144.《刘心武精品集·第三卷·栖凤楼》

东方出版社 2006 年 1 月第一版

145.《刘心武精品集·第四卷·献给命运的紫罗兰》

东方出版社 2006 年 1 月第一版

146.[117]《戴敦邦绘刘心武评〈金瓶梅〉人物谱》

作家出版社 2006 年 4 月第一版

147.[118]《红楼拾珠》

云南人民出版社 2006 年 5 月第一版

148.[119]《藤萝花饼》

云南人民出版社 2006 年 5 月第一版

149.《刘心武揭秘〈红楼梦〉》[第一部]

台湾好读出版有限公司 2006 年 6 月初版

150.《刘心武揭秘〈红楼梦〉》[第二部]

台湾好读出版有限公司 2006 年 6 月初版

151.《我是刘心武》

天津人民出版社 2006 年 8 月第一版

152.[120]《刘心武揭秘古本〈红楼梦〉》

人民出版社 2006 年 12 月第一版

同月第二次印刷

2007 年

153.[121]《四棵树》

二十一世纪出版社 2007 年第一版

154.[122]《用心去游》

上海三联书店 2006 年 12 月第一版

2007 年 1 月第一次印刷

155.[123] Dés de poulet façon mégère [《泼妇鸡丁》法译本]

Bleu de Chine 2007 年 4 月第一版

156.《一切都还来得及》

中国青年出版社 2005 年 5 月第一版

157.[124]《刘心武揭秘〈红楼梦〉》[第三部·黛玉之谜及古本之秘]

东方出版社 2007 年 7 月第一版

至 2007 年 8 月已第四次印刷

2007 年 12 月第六次印刷

2008 年 3 月第七次印刷

158.[125]《刘心武说世道人心》

中国青年出版社 2007 年 7 月第一版

159.[126]《刘心武说寻美感悟》

中国青年出版社 2007 年 7 月第一版

160.[127]《刘心武说草根情怀》

中国青年出版社 2007 年 7 月第一版

161.[128]《长吻蜂》

上海人民出版社 2007 年 8 月第一版

162.《私人照相簿》

华龄出版社 2007 年 10 月第一版

163.《善的教育》

华龄出版社 2007 年 10 月第一版

164.[129]《刘心武揭秘〈红楼梦〉》[第四部·宝钗湘云之谜暨红楼心语]

东方出版社 2007 年 11 月第一版

2008 年 3 月第三次印刷

2008 年

165.[130]《健康携梦人》

中国海关出版社 2008 年 4 月第一版

166.[131]《刘心武小说》

吉林文史出版社 2008 年 5 月第一版

167.[132]《刘心武散文》

吉林文史出版社 2008 年 5 月第一版

2009 年

168.《钟鼓楼》(共和国作家文库)

作家出版社 2009 年 4 月第一版

169.《四牌楼》(共和国作家文库)

作家出版社 2009 年 4 月第一版

170.[133]《人在胡同第几槐》

中国文联出版社 2009 年 6 月第一版

171.《钟鼓楼》(新中国 60 年长篇小说典藏)

人民文学出版社 2009 年 7 月第一版

172.[134]《刘心武短篇小说》

现代教育出版社 2009 年 8 月第一版

173.[135]《刘心武中篇小说》

现代教育出版社 2009 年 8 月第一版

174.[136]《刘心武散文随笔》

现代教育出版社 2009 年 8 月第一版

175.《刘心武揭秘〈红楼梦〉》上卷（共和国作家文库）

作家出版社 2009 年 8 月第一版

176.《刘心武揭秘〈红楼梦〉》下卷（共和国作家文库）

作家出版社 2009 年 8 月第一版

2010 年

177.[137]《人情似纸》

江苏文艺出版社 2010 年 1 月第一版

178.[138]《红楼梦八十回后真故事》

江苏人民出版社 2010 年 3 月第一版

179.[139]《刘心武小说精选集》

[台湾] 新地文化艺术有限公司 2010 年 4 月第一版

180.《红楼望月》

江苏人民出版社 2010 年 6 月第一版

2010 年 9 月第二次印刷

181.[140]《命中相遇——刘心武话里有画》

上海文艺出版社 2010 年 7 月第一版

182.[141]《红楼眼神》

重庆出版社 2010 年 9 月第一版

2011 年

183.[142]《刘心武续红楼梦》

江苏人民出版社 2011 年 3 月第一版

江苏人民出版社 2011 年 4 月第 4 次印刷

184.[143]《红楼梦》（曹雪芹著刘心武续）

江苏人民出版社 2011 年 3 月第一版

185.《刘心武续红楼梦》[繁体字竖排本]

香港明报出版社有限公司 2011 年 3 月初版

186.《刘心武揭秘〈红楼梦〉》精华本（一）

江苏人民出版社 2011 年 4 月第一版

187.《刘心武揭秘〈红楼梦〉》精华本（二）

江苏人民出版社 2011 年 4 月第一版

188.《刘心武揭秘〈红楼梦〉》精华本（三）

江苏人民出版社 2011 年 4 月第一版

189.《刘心武揭秘〈红楼梦〉》精华本（四）

江苏人民出版社 2011 年 4 月第一版

190.《刘心武续红楼梦》[繁体字竖排本]

台湾城邦文化事业股份有限公司商周出版 2011 年 4 月第一版

191.《〈红楼梦〉的真故事》

台湾人类智库数位科技股份有限公司 2011 年 6 月第一版

192.[144]《听刘心武说房子的事儿》

中国商业出版社 2011 年 8 月第一版

193.[145]《刘心武心灵随感》

时代文艺出版社 2011 年 11 月第一版

2012 年

194.[146]《刘心武种四棵树》

漓江出版社 2012 年 1 月第一版

195.[147]《风雪夜归正逢时——我是刘心武》

漓江出版社 2012 年 1 月第一版

196.《献给命运的紫罗兰》

漓江出版社 2012 年 1 月第一版

197.[148]《人生有信》

江苏人民出版社 2012 年 3 月第一版

198.Poussiêre et sueur [《尘与汗》法译本 folio 袖珍版]

Gallimard 2012 年 8 月出版

199.La Cendrillon du canal [《护城河边的灰姑娘》法译本 folio 袖珍版]

Gallimard 2012 年 8 月出版